經學研究論叢

◆第十四輯◆

林慶彰主編

張穩蘋
黃智明 編輯

臺灣 學生書局 印行

編者序

本輯文稿有需要特別說明者如下：

湖南大學岳麓書院中國文化研究所吳仰湘教授專研皮錫瑞（1850－1908）的經學，他將皮錫瑞的《經學家法講義》和《經學歷史》作深入比對，發現《經學歷史》大抵承襲自《經學家法講義》，這是研究皮錫瑞的一大發現。日本江戶時代古學派學者太宰春臺（1680－1747），研究中國經典古義，著有《詩書古傳》、《論語古訓》、《論語古訓外傳》，都比阮元的《詩書古訓》、陳鱣的《論語古訓》要早六、七十年。更重要的是太宰氏所著《朱氏詩傳膏肓》，批判朱子《詩集傳》不留餘地。九州大學文學部博士候選人張文朝先生的〈太宰春臺的詩經觀〉一文，分析太宰氏對朱子的批評，可看出太宰氏理想的治經方法，和對《詩經》一書的態度。

數年前筆者曾策劃出版《近代中國知識分子在臺灣》二冊，其中收錄的都是日治時期來臺的知識分子。隨國民政府來臺的知識分子數量更多，乃邀請十數位年輕學者每人撰寫一至兩位，陳逢源先生的〈陳大齊在臺灣〉最早完成，先於本輯刊出，可看出陳大齊教授研治《四書》學的貢獻。

從古到今有不少有貢獻的學者事蹟湮沒，這都是同時代人疏於將他們事蹟記載下來的緣故。民國以來的國學界，如陳柱、李源澄、張壽林、張西堂、李鏡池、蔣伯潛都很難找到較完整的傳記資料。為了記錄這一代學者對學術的貢獻，筆者請年輕學人逐一訪談前輩學者，本期刊登彰化師範大學國文學系楊菁教授採訪、整理的〈胡楚生教授的學思歷程〉。

本刊第十三輯刊登陳明鎬先生的〈戴震論訓詁考據與比興之關係〉一文，作者職銜作「北京大學中文系博士生」，正確職銜應作「韓國全北大學校中語中文學科副教授」，在此向陳教授致歉。

感謝所有的撰稿者和張穩蘋、黃智明兩位學弟的辛勞。

二〇〇六年十月 **林慶彰** 誌於
中央研究院中國文哲研究所

經學研究論叢 第十四輯

目　次

・春秋及三傳・

・四 書・

・讖 緯・

・小 學・

【附 錄】

經　學　研　究　論　叢
第　十　四　輯　　　頁1～52
臺灣學生書局　2006 年 12 月

皮錫瑞《經學歷史》研究

吳仰湘*

引　言

《經學歷史》是皮錫瑞（1850－1908）晚年應教學之需而編撰的經學著作，與稍後以相同情形成書的《經學通論》一起，長期來被視作皮氏代表之作而深得學界關注。王先謙翻閱《經學歷史》初稿後，就「屬刊《經學歷史》，以為別開生面」；細閱定稿後，更是稱頌不已，「有『胸羅眾家，掌運千古』之語，屬即送手民」。❶《經學歷史》因此很快由王先謙主持的思賢書局刊印。章太炎最早對《經學歷史》加以批評，謂其「鈔疏原委，顧妄以己意裁斷，疑《易》、《禮》皆孔子所為，愚誣滋甚」❷，頗多責斥。但數年後呂思勉列舉經學入門書籍，又對《經學歷史》加以推重，稱「此書可首讀之，以知歷代經學變遷大略」。❸周予同接著也把《經學歷史》認作「經學入門書籍」，以為對初學者有「循循善誘」之效，故雖責其持論過偏，而再三稱贊，謂「皮氏這本書自有其許多優點，值得我們一讀；更

*　吳仰湘，湖南大學嶽麓書院中國文化研究所教授。

❶　《師伏堂日記》，乙巳年十月初二日、丙午年九月十六日。按：《師伏堂日記》記事抄自光緒十八年壬辰（1892）正月初一日，迄於光緒三十四年戊申（1908）二月初四日，稿本今藏湖北省圖書館，著錄見陽海清主編：《中南西南地區省市圖書館館藏古籍稿本提要》（武漢：華中理工大學出版社，1998 年），頁 100。

❷　章太炎：〈駁皮錫瑞三書〉，《太炎文錄初編》，卷 1。

❸　呂思勉：《經子解題》（上海：商務印書館，1924 年），頁 7。

其是為經學史闢一新途徑，是值得我們後學者尊敬的」。❹經過他的詳盡注釋，《經學歷史》廣泛流傳，成為經學入門者最為重要的參考書之一，因此大受研究者的青睞。據筆者統計，目前研究皮氏學術的專題論文共計二十篇，其中對《經學歷史》作專門研究或批評的就有七篇。❺在有關中國經學史的討論中，《經學歷史》更是評論的重點對象。❻綜觀這些論著的分析與評價，無不認為《經學歷史》是從史學的角度來總結、論析經學，肯定它對數千年的經學歷程作了大體準確的把握和簡明扼要的敘述，開創出以經學源流發展作經學通史的先例，堪稱中國經學史的開

---

❹ 周予同：〈經學史與經學之派別——皮錫瑞《經學歷史》序〉，原載《民鐸》9 卷 1 號（1928 年 1 月），此據周予同注釋：《經學歷史》（北京：中華書局，1959 年），頁 1、頁 9、頁 14。

❺ 這 7 篇文章是：張火慶〈皮錫瑞《經學歷史》析論〉，《孔孟月刊》17 卷 4 期（1978 年 12 月）；蔡榮婷〈讀皮錫瑞《經學歷史》書後〉，《孔孟月刊》20 卷 2 期（1981 年 10 月）；陳全德〈皮錫瑞「魏晉為經學中衰時代」觀點之評述〉，《孔孟月刊》30 卷 7 期（1992 年 3 月）；許英才《皮錫瑞經學史觀及其經學問題之探討》（臺北：政治大學中國文學研究所碩士論文，1992 年 6 月）；繆敦閔〈劉師培《經學教科書》中的經學觀——與皮錫瑞《經學歷史》的比較〉，載林慶彰主編：《經學研究論叢》第 8 輯（臺北：臺灣學生書局，2000 年 3 月）；夏鄉〈皮錫瑞《經學歷史》之作意——由通經而致用之津梁〉，《孔孟月刊》41 卷 9 期（2003 年 5 月）；馬少甫〈皮錫瑞《經學歷史》的編纂特點〉，《史學史研究》2003 年 2 期（2003 年 5 月）。至於顧沛君〈《經學歷史》——湘省碩儒皮錫瑞名著簡介〉（載《湖南文獻》7 卷 3 期〔1979 年 7 月〕）和孟子微〈皮錫瑞的《經學歷史》〉（見《藝林叢錄》第一編）係純粹的介紹性文字，故未計入。此外，還有不少研究者以《經學歷史》為主要依據來論述皮錫瑞的經學，如時父〈駁皮錫瑞六經出於孔子說〉，《東北大學周刊》103 期（1930 年 10 月）；王韶生〈論皮錫瑞之經學〉，《崇基學報》1 卷 1 期（1967 年 7 月）；楊向奎：《清儒學案新編‧鹿門學案》（濟南：齊魯書社，1994 年）；田漢雲：《中國近代經學史》（西安：三秦出版社，1996 年），頁 353－358。

❻ 比較有代表性的文章有：林政華〈論今傳五部經學史的特色與缺失〉，《孔孟月刊》15 卷 4 期（1976 年 12 月）；林慶彰〈經學史研究的基本認識〉，《國文天地》3 卷 6 期（1987 年 11 月）；張志哲〈中國經學史分期意見述評〉，《史學月刊》1988 年 3 期（1988 年 5 月）；李威熊〈如何編寫一部理想的經學史〉，《中國文哲研究通訊》1 卷 3 期（1991 年月）；陳其泰〈皮錫瑞與經學史研究〉，見《清代公羊學》（北京：東方出版社，1997 年），頁 345。

山之作[7]，對後來的經學史著作產生過較大的影響；同時以歷史著作的標準來衡量，批評它在經學史的分期與評價等重大問題上還有許多缺陷，諸如持論以今文學為立場過於偏頗，分經學為十期失之粗疏，將經學開闢時代斷自孔子未免武斷，評魏晉經學為中衰、宋代經學為變古、元明經學為積衰顯得片面，其它如內容不盡翔實、取材稍嫌狹隘、體例未臻完善……等等。[8]個別研究者甚至認為《經學歷史》「既為討論經學發展之歷史性著作，且皮氏自謂欲『別其得失』，則當有一套個人之價值判斷標準存乎其中，以為其批評或解釋經學發展得失、盛衰及演變過程的理論依據，而此應即皮氏經學史觀所在」，因此不僅探討了皮氏經學史觀的具體條例，還闡發了其中蘊含的皮氏經學理念與深層動機，指出「皮氏之著是書，其最終目標實在於突顯清末今文經學之時代意義與價值，亦即《經學歷史》所涵括之觀點，無一不為晚清今文經學之張目」，具體來說，就是一方面宣傳變法改革，「並求理論文根據」，另一方面應對西方文化的衝擊，抵制「全盤西化」論，因而「實深具民族情懷」。[9]近來還有文章感於前人評述《經學歷史》「皆由史法義例觀點批判，而未緣作者立說著書之意探討」，對皮氏著書用意作了專門考察，指出：「總合皮氏前後學術歷程觀察，則皮氏先通過今文家『通經』的學術陶冶，實現其民族文化（保種保教）的精神內聚，進而成就其革新政治、社會的『致用』理想，

---

[7] 按：就筆者所見，凡以經學史書看待《經學歷史》的論著，皆推之為中國第一部經學史著作，唯一的例外是前揭林慶彰先生的文章，指出「經學史的最早著作，是劉師培的《經學教科書》第一冊」。據《師伏堂日記》，皮錫瑞一直購閱《國粹學報》，光緒三十二年（1906）正月廿一日還寫道：「到集益（書局），買得《孟子字義疏證》、《原善》及《經學（教科書）》、《倫理教科學書》。《經學（教科書）》列入《孝經鄭注疏》，但誤『錫』為『日』耳。欲作一函，贈以文集，又恐生事。」此時，《經學歷史》正在刻印中。

[8] 對《經學歷史》作為經學史書而存在諸多缺點加以批評的詳情，可參周予同：〈經學歷史序〉，頁 10－11；馬宗霍：〈中國經學史序〉，《中國經學史》（上海：商務印書館，1936年），頁 2；林政華：〈論今傳五部經學史的特色與缺失〉；陳全德：〈皮錫瑞「魏晉為經學中衰時代」觀點之評述〉；許英才：《皮錫瑞經學史觀及其經學問題之探討》，頁 183－218、頁 221；田漢雲：〈皮錫瑞：正統今文學的殿軍〉，頁 356－358；馬少甫：〈皮錫瑞《經學歷史》的編纂特點〉。

[9] 許英才：《皮錫瑞經學史觀及其經學問題之探討》，頁 4、頁 222。

而《經學歷史》一書，適為皮氏由『通經』到『致用』之津梁。」[10]學術界對《經學歷史》的研究可謂多矣，但筆者想提出兩個問題：第一，皮錫瑞當初編撰《經學歷史》，是不是真想為中國數千年的經學作學術史的總結？第二，該書在分期論述經學的演變及其得失時，是否還有更加值得重視的內容與觀點？遺憾的是，對於這兩個作為研究前提的根本性問題，迄今尚無人留意。對《經學歷史》的編撰初衷與內容未作認真而全面的考察，就指稱皮氏「是承認並努力的把經學史作成一門可以獨立於文學史、哲學史之外的自成系統的學問」[11]，「有對兩千年經學發展進行總結性論述的自覺」[12]，並據以評定《經學歷史》作為中國第一部經學史著作的性質與價值，如此研究得出的結論是否符合實際？換言之，如果皮氏未曾著意要把《經學歷史》寫成「經學的歷史」，而且《經學歷史》的內容並非論述經學分期及其得失，那麼後人以經學史著作的標準對該書所作的種種評價與批評，豈不喪失了立足之點？

有鑑於此，本文擬先簡要考察皮錫瑞晚年的言行與思想，彰顯《經學歷史》的編撰背景；次將《經學家法》講義與《經學歷史》的部分章節作一比對，以明《經學歷史》的成書淵源；最後仔細解讀《經學歷史》的文本表述，分析其內容，揭示其要旨，展現皮氏晚年「尊孔」、「崇經」的思想主張，與「信古」、「宗漢」、「主鄭」的經學取向，據從恢復《經學歷史》的本來面目，並彰顯其自身價值的真正所在。

一、皮錫瑞的晚年言行與思想

眾所周知，在清末數十年間，由於中國抗擊外來侵略的節節失敗和西方思想文化的滾滾東來，向西方學習以救亡圖存逐漸成為變革思潮的基調，及至甲午慘敗，不斷有人公開標榜「盡變西法」、「盡從西學」，以至出現「全盤西化」的主張。

---

[10] 夏鄉：〈皮錫瑞《經學歷史》之作意——由通經而致用之津梁〉，頁 6。另見夏鄉：《皮錫瑞《尚書》學述》（臺北：臺灣師範大學國文研究所碩士論文，2003 年），頁 109－123。

[11] 張火慶：〈皮錫瑞《經學歷史》析論〉，頁 17。

[12] 馬少甫：〈皮錫瑞《經學歷史》的編纂特點〉，頁 38。

戊戌之變和庚子之亂雖使國內政治保守勢力一度興盛，「西化」趨勢因而有所遏抑，但隨著晚清新政各項改革的漸次推進、科舉取士制度的最終廢除和民主革命潮流的不斷衝擊，「全盤西化」論逐漸盛行，對孔子和儒家的懷疑、批評越來越多，經學的獨尊地位日益動搖。當時既存在著中學與西學、新學與舊學的激烈衝撞，而人們的思想往往呈現取「西」趨「新」、厭「舊」棄「中」的價值選擇，於是以孔子學說和經學為主體的中國傳統學術文化，開始面臨著整體崩解的危險。這是晚清時期學術文化整體演進的大概情形。

皮錫瑞為同治癸酉（1873）科拔貢，光緒壬午（1882）科舉人，此後四次會試落第，遂絕意仕進，潛心於講學與著述。皮氏一八九〇年出主湖南桂陽州龍潭書院，一八九二年起延主江西南昌經訓書院，前後專席七年，一變經訓學風，造就人才甚眾。但皮氏為世人普遍矚目，實始於戊戌年聘任南學會學長，三月之間講學十餘次，內容豐富，影響極大。綜觀他的歷次講義和此期的日記，可見他的關注焦點一為保教，一為變法。⓭就前者而言，皮氏深感孔教衰微已極，「乃真一髮千鈞之危矣」，反覆闡揚「孔教之大並切實有用」，號召紳民奮起保教。鑑於孔教的岌岌可危，而內部仍有學派門戶之爭，他苦口婆心地說：「漢學師孔子，宋學亦師孔子，考其源流分合，兩家本是一家，況今孔教衰微，不絕如線，尤宜破除門戶，開通畛域，何必鬥穴中之鼠，操室中之戈乎！」⓮他指出保護孔教與抵制傳教，首在講明孔教之真，使人尊信，不能盲目仇洋打教，「我能講明義理，尊信孔教，即彼傳教，不能惑我中國之人」⓯，「如不先明孔教宗旨，徒逞血氣，打教士，毀教堂，使彼氣焰益張，何足以張吾教」⓰，「抵拒傳教，惟有推廣學會，到處開講，使皆

⓭ 《師伏堂日記》戊戌年四月初二日所擬答葉德輝書曰：「南學會之設，實以夷患方棘，不能開衅，而當求所以抵拒，不先講明聖教，徒逞意氣，見彼致詈，恐踏山東膠島之轍，故學會以開民智，惟期發明吾道之大，稍除中外畛域之見，不明與爭，而暗與之拒。」翌日所擬答葉氏書復云：「今講已十餘次，所說非一端，真大旨在發明聖教之大，開通漢宋門戶之見，次則變法開智，破除守舊拘攣之習。」由此類總結性的自述，亦可見皮氏在南學會講學期間始終把保教、變法作為中心議題。

⓮ 〈皮鹿門學長南學會第二次講義〉，《湘報》第 6 號。

⓯ 〈皮鹿門學長南學會第五次講義〉，《湘報》25 號。

⓰ 〈皮鹿門學長南學會第六次講義〉，《湘報》44 號。

知孔教義理，遠勝彼教，彼安能誘人入教」。⑰就後者而言，皮氏贊成引進西法以求自強，但批評「盡法於四夷」，反對專主西學。他的變法意見，除了政治制度層面的「變宋明之陋，復漢唐之規」⑱，就是維護儒學傳統，堅持「中學」的主體地位。他宣稱「孔、孟、程、朱之學，萬世斷不可廢」，強調「中國自有教旨、學派，二千年來，信從已久，豈能盡棄其學，全仿西人」⑲，因而多次批評專重西學、盡從西法的言論。他還鑑於「前日洋學生不先通中學，多染習氣，僅為買辦通事之用」，主張用中學作立身之本，以儒家義理之學修養身心：「學者必先講求義理，立身乃有本末。聰明才俊之士，尤須以此範其心志，乃能立定腳跟，否則恐其流入跅弛不羈，虛驕無用。」⑳可見，他無論倡言保種保教，還是批評盡變西法，話題始終離不開「推尊孔教」。㉑這既是皮氏對以基督教為代表的西方強勢文化侵略的強烈反抗，也是他感受到國內思想文化界「西化」趨向後所作的直率批評。㉒

戊戌政變後，皮錫瑞遭受禁錮，被剝奪舉人功名，交地方官嚴加管束，只好閉門著書，雖懷有神州陸沉之憂，而聊以藏山之業自遣。㉓光緒辛丑（1901）八月，清廷諭令各省改書院為學堂，十月，政務處再奏請飭令各省從速興辦學堂，得旨允行，各項新政於是次第推行。對於朝廷幡然變政，皮錫瑞倍感歡欣。第二年四月，

---

⑰〈皮鹿門學長南學會第十二次講義〉，《湘報》79號。

⑱《師伏堂日記》，戊戌年四月初七日。

⑲《師伏堂日記》，戊戌年二月十五日、三月十四日。

⑳《師伏堂日記》，戊戌年三月十四日。

㉑《師伏堂日記》戊戌年四月初八日所記答葉德輝書中寫道：「中國重君權，尊國制，猝言變革，人必駭怪，故必先言孔子改制，以為大聖人有此微言大義，然後能持其說。……既言變法，不能不舉公羊改制之義。弟初講學，承公有勿言《孟子》《公羊》之教，而其後不能不略及之者，此非有意與公背馳，實以學會所講在開民智，聽者人雜而多，必如此乃可推尊孔教，而引申變法之說也。」按皮氏此書意在辯解自己改變講學宗旨之情不獲已，故稱第八次講學推尊孔子為創教改制之「素王」全是為了「引申變法之說」，實則他在南學會的各次演講，多寄寓有「推尊孔教」之義。

㉒關於皮錫瑞戊戌時期的言行與思想，詳參拙作《通經致用一代師——皮錫瑞生平和思想研究》第四章第二節、第五章第二節，岳麓書社2002年，頁134－166、頁209－233。

㉓關於皮錫瑞遭受禁錮時期的生活與思想，詳參《通經致用一代師——皮錫瑞生平和思想研究》第六章第一節，頁234－258。

善化縣令邀聘他籌創學堂，他以兩月之力辦起善邑第一所小學。此後直到一九〇八年棄世，他除了擔任近三年的善化小學堂監督、短期代理湖南高等學堂監督等職務，主要是在湖南高等學堂、湖南師範館、湖南中路師範學堂、長沙府中學堂等校，講授經學、史學、倫理等課程，在政治風雲動盪之世、新舊教育交替之際，為振興湘省新式教育，竭誠盡智，煞費苦心。關於皮氏興學育才過程中的言行與思想，概而言之，有兩點比較突出：其一，他基於當時的國勢民情，認為救亡圖存的當務之急是力興教育、開啟民智，逐步推行地方自治，因此不贊成暴力革命和民權自由宣傳；更因為守舊勢力時常藉口學堂中少數師生的排滿行動和民主思想，肆意阻撓、破壞新式教育，所以他極力防範學生參加革命運動或掀起各種形式的鬧學風潮。在擔任學堂監督和省學務公所圖書課長時，他總是嚴格審查各種教材、講義和報刊，凡有宣傳革命或民主思想等「違礙」內容的，要大加刪改乃至禁止。其二，他耳聞目睹各種詆毀孔子、疑棄經書的言行和要求取消經學課程的主張，既痛心於學生的「離經叛道」，也斥責辦學者的「輕蔑聖教」。他在主持善化小學堂和湖南高等學堂期間，凡朔望之日及開學、放假，都要召集師生舉行祭孔儀式；當善化小學堂學生提出取消修身、經學課程，他「嚴斥不行」。㉔另一方面，他感慨新學未興而舊學將絕，「真將有經亡之患」㉕，對保存國粹的主張十分贊同，反對捨棄民族的固有傳統，並以傳教士花之安撰寫經學著作為例，反問「西教習猶知經學，吾華其可廢乎」？㉖這樣，他由原來大力宣揚「尊孔保教」，變而強調興辦學堂必須「尊孔崇經」。㉗

晚清中西學術文化的激烈衝突，無疑是孕育《經學歷史》的母體環境；皮錫瑞晚年「推尊孔教」、「尊孔崇經」的壯烈情懷，更是催生《經學歷史》的思想誘因。

㉔ 《師伏堂日記》，甲辰年二月初六日。

㉕ 《師伏堂日記》，癸卯年十二月十二日：「院送題來，較昨更易，經問《孟子》、《王制》何以不同。交卷數十，無作經解者，真將有經亡之患矣。」

㉖ 《師伏堂日記》，癸卯年六月廿一日。

㉗ 關於皮錫瑞在清末興學過程中的言論與思想，詳參《通經致用一代師——皮錫瑞生平和思想研究》第六章第二節，頁258－292。

二、《經學家法》講義與《經學歷史》的關係

《經學歷史》成書於光緒乙巳（1905）年，刊行於丙午（1906）年。但筆者細檢《師伏堂日記》和《師伏堂經學雜記》㉘，發現皮錫瑞一九〇三年所編《經學家法》講義，與《經學歷史》關係極為密切。因此，下面先對這部遺存的《經學家法》講義稍作介紹，並與《經學歷史》的部分章節進行文字上的比對，既可略窺《經學歷史》的成書淵源，也有助於認識《經學歷史》的本來面目。

根據《師伏堂日記》的記載，一九〇二年底，湖南師範館聘請皮錫瑞來年講授經學，並允刻講義。㉙次年正月，離開學還有半月之久，他就擬定了課程的基本內容，「擬講《經學家法》章程教條，自漢及今，大旨略具」。㉚二月十四日師範館開學，他又在日記中寫道：「早起吃飯，到館略等，遂上講堂。照《大學堂章程》，考經學家家法，從先儒卜子談起。講畢，作次日講義，講荀子傳經之功，遂歸。」㉛可見，他開講的經學課程，就是《經學家法》。此後他一邊講課，一邊編寫講義，三、四月的《師伏堂日記》中常有「作講義三篇」、「錄講義二道」以及到師範館講課的記載。筆者今年初夏翻閱《師伏堂經學雜記》，意外地發現該書第一冊所收的一組經學短文，就是皮氏一九〇三年歷編《經學家法》講義的手稿，主要根據是：第一，《師伏堂經學雜記》第一冊所收各文雖未標明時間，但其中第九篇在論金石之學時，寫道：「石刻所以可信，非止證史，並可證經。予作《漢碑引經考》、《引緯考》，以證漢人經學、緯學，將刊行之，非敢自附於金石家，亦以

㉘ 《師伏堂經學雜記》現藏湖南師範大學圖書館，著錄見常書智、李龍如主編：《湖南省古籍善本書目》，岳麓書社 1998 年，頁 39。按，《師伏堂經學雜記》係收錄皮錫瑞晚年手稿而成，分裝三冊。第一冊收文 24 篇，除 1 篇題〈劉氏譜序〉外，其餘 23 篇皆無標題，就其內容而言，20 篇分論先秦至西晉的經學；1 篇係呈文，懇請縣署旌獎考婦；另 2 篇為信函，一致王湘綺（據內容判定），一致夏菽軒。第二冊收文 16 篇，通論三《禮》，有標題，係後來所加。第三冊收文 14 篇，通論《詩經》，末 3 篇原有標題，11 篇無標題。經筆者查對，第二、三冊各篇皆見於今本《經學通論》，文字偶異（有 1 篇較《經學通論》多百餘字，另 1 篇多千餘字）。

㉙ 《師伏堂日記》，壬寅年十二月廿六日。

㉚ 《師伏堂日記》，癸卯年正月廿九日。

㉛ 《師伏堂日記》，癸卯年二月十四日。

存漢學之文與流裔而已。」而《師伏堂日記》癸卯年二月初六日寫道：「刻工來，以《漢碑引經考》付之，每字八毫，數年心力，擬捨八十竿留之世間。」同月廿五日又寫道：「歸校《引緯考》數紙，是卷約二萬言，所錄未及半也。」又《師伏堂經學雜記》第一冊所收皮氏致王湘綺與夏菽軒的信函中，都特別提到夏氏新由江西巡撫轉任陝西巡撫，而夏氏轉任事在光緒廿九年（1903）閏五月十三日。㉜據此，可以確定《師伏堂經學雜記》第一冊所收各文成稿於一九〇三年春夏之時，與《師伏堂日記》所載編撰《經學家法》講義在時間上正相吻合。第二，《師伏堂經學雜記》第一冊第一篇短文在簡述《六經》成立及孔門八儒傳經情形後，說「所惜諸儒所傳，今皆亡佚，不復能考其家法。經學家法最古而猶傳於今者，惟卜氏子夏」，接著論述子夏傳《易》、《詩》、《禮》、《春秋》的情況，並總結一句：「考經學家法，當以先儒卜子為首。」在第二篇文章中，皮氏開篇就寫道：「先賢卜子之後，傳經最有功者，惟荀卿子。」然後徵引資料，對荀子傳經之事詳加論證，指出「荀子之學，於《易》、《詩》、《春秋》、《禮》、《樂》無所不通，門弟子傳其學者，於漢初為極盛」。這兩篇短文的內容（原文詳後），與上引《師伏堂日記》所載「考經學家家法，從先儒卜子談起。講畢，作次日講義，講荀子傳經之功」正相符合。其它十八篇短文論述戰國、秦漢至魏晉的經學流傳及其得失，亦緊緊圍繞「經學家法」的主題展開，如第六篇首句是「兩漢經學家法，有今古文之分」，第十篇論鄭玄，開篇即說「鄭君康成集漢學之大成，李申耆以為康成敗壞家法，非經詆先儒也，以家法論，鄭君實不能辭其咎」；第十二篇更是專論東漢的經學家法；第十三篇解〈關雎〉婦人之德，論「說經必用家法」。可見《師伏堂經學雜記》第一冊所收各文與《師伏堂日記》所載《經學家法》講義在內容上十分接近。第三，根據湖南師範館一九〇三年春季的課程安排，皮氏每周講經學三次。㉝據此推算，皮氏自二月十四日開講，到四月十二日講課後辭館，應講課二十四次

㉜ 魏秀梅編：《清季職官表》，中央研究院近代史研究所編印，2002 年再版，頁 888。

㉝ 《師伏堂日記》癸卯年二月初九日：「祭酒復書，云已與秩華商定，一星期第一日倫理，二日經學，三日空，四五日經學，六日空，七日沐沐。復書勉力遵行。」按，祭酒指王先謙，時任湖南師範館館長；秩華指俞誥慶，時任師範館監督。

（也可能因臨時性因素，實際講課次數少於二十四次）。今《師伏堂經學雜記》第一冊所收經學短文有二十篇，與《師伏堂日記》所載皮氏在湖南師範館授課的次數大致接近。皮氏辭掉師範館課程後，講義的編撰隨之中輟，這也應該是《師伏堂經學雜記》第一冊所收文章論經學止於王肅的原因所在。

確定《師伏堂經學雜記》第一冊中的經學短文就是《師伏堂日記》所載之《經學家法》講義，可以據以對《經學歷史》的編撰作新的探究，因為《經學家法》講義多數篇次與《經學歷史》的前五章存在著相同或近似的文字表述。至於詳細的比較，表列如下：

（說明：因《經學家法》講義各篇原無標題，亦未分段，為方便起見，筆者依其在《師伏堂經學雜記》第一冊中的收錄順序，係以數字，如某一篇中前後內容不同，則分成數段，表中如 1.1、2.2、19.1 等，前一數字表示篇次，後一數字表示段落。《經學歷史》原已分章劃段，表中如 1.3、5.4 等，前一數字表示章節，後一數字表示段落。為便於對照，凡兩書中完全一樣或基本相同的文字加粗，大體近似的文字用楷體標出。同時，為節省篇幅，凡《經學家法》講義中無對比性的文字從略，《經學歷史》中某些文字雖有對比性效果，因易於翻檢，亦略而不錄。）

	《經學家法》	《經學歷史》
1	（1.1）〈王制〉**「樂止崇四術，立四教，順先王《詩》、《書》、《禮》、《樂》以造士，春秋教以《禮》、《樂》，冬夏教以《詩》、《書》。」**〈文王世子〉「春誦，夏弦，秋學禮，冬讀書。」是三代學校首重經術，時日課程皆有一定，而其所以為教，則《禮》、《樂》、《詩》、《書》四經而已。*古《易》為卜筮之書，不以教士，至孔子作〈十翼〉以發明其義，始列為經。又作《春秋》，明褒貶為後世立法，於是六經始備。***《莊子・天運篇》「孔子謂老聃曰：丘治《詩》、《書》、《易》、《禮》、**	（1.4）〈王制〉**「樂正崇四術，立四教，順先王《詩》、《書》、《禮》、《樂》以造士，春秋教以《禮》、《樂》，冬夏教以《詩》、《書》。」**《文獻通考》應氏曰（中略）。文王重六十四卦，見《史記・周本紀》，而不云作〈卦辭〉，〈魯周公世家〉亦無作〈爻辭〉事。*蓋無文辭，故不可以教士。若當時已有〈卦〉、〈爻辭〉，則如後世御纂、欽定之書，必頒學官以教士矣。觀樂正之不以《易》教，知文王、周公無作〈卦〉、〈爻辭〉之事。《春秋》，國史相傳，據事直書，有文無義，故亦不可以教士。若當時已有*

	《樂》、《春秋》六經。」六經名始見此。孔子弟子身通六藝者七十二人，蓋惟高才生能通六經，其餘惟知《詩》、《書》、《禮》、《樂》四經而已。	褒貶筆削之例，如朱子《綱目》有《發明》、《書法》，亦可以教士矣。觀樂正之不以《春秋》教，知周公無作《春秋》凡例之事。（中略）是漢人以為《詩》、《書》皆孔子所定，而《易》與《春秋》更無論矣。 （1.5）孔子出而有經之名。《禮記．經解》「孔子曰：入其國，其教可知也（中略）。」始以《詩》、《書》、《禮》、《樂》、《易》、《春秋》為六經。然篇名經解，而孔子口中無經字。**《莊子．天運篇》「孔子謂老聃曰：丘治《詩》、《書》、《禮》、《樂》、《易》、《春秋》六經。」**孔子始明言經。或當刪定六經之時，以其道可常行，正名為經。（中略）三說不同，皆可為孔子時正名為經之證。經名正，而惟皇建極，群下莫不承流；如日中天，眾星無非拱向矣。（中略）是猶惑於劉歆、杜預之說，不知孔子以前不得有經之義也。 （1.7）刪定六經之旨，見於《史記》。（中略）據此，則孔子刪定六經，《書》與《禮》相通，《詩》與《樂》相通，而《禮》、《樂》又相通。**《詩》、《書》、《禮》、《樂》教弟子三千，而通六藝者止七十二人，則孔門設教，猶樂正四術之遺，而《易》、《春秋》非高足弟子莫能通也。**
2	（1.2）七十子之傳經者，**《韓非子》云：「孔子之後，儒分為八，（下略）。」陶潛《群輔錄》云：「顏氏傳《詩》，為諷諫之儒，（下略）。」**所惜諸儒所傳，今皆亡佚，不復能考其家法。經學家法最古	（2.1）經名昉自孔子，經學傳於孔門。**《韓非子．顯學篇》云：「孔子之後，儒分為八，（下略）。」陶潛《聖賢群輔錄》云：「顏氏傳《詩》，為諷諫之儒，（下略）。」諸儒學皆不傳，無從考其家**

	而猶傳於今者，惟卜氏子夏。漢徐防曰：「纂修刪定，始於孔子；發明章句，始於子夏。」今以徐氏所云「發明章句」考之：於《易》有傳，《經典釋文·敘錄》「子夏《易傳》三卷，卜商字子夏，衛人，孔子弟子，衛文侯師」；《周易正義》「初，卜商作《易傳》，至西漢傳之，有能名家者」；《隋書·經籍志》「《周易》二卷，魏文侯師卜子夏傳，殘缺」。是子夏有《易傳》，雖不見於《史記》、《漢書》，而唐初人皆如是說。或以為韓嬰，或以為丁寬，然無明文；或以為唐人張弧偽作，而唐初人所見子夏《易傳》固不偽也。於《詩》有序，《毛詩》之序，一云：「子夏授高行子，高行子授鶴倉子，鶴倉子授帛妙子，帛妙子授河間小毛公。」一云：「子夏傳曾申，申傳魏人李克，克傳魯人孟仲子，孟仲子傳根牟子，根牟子傳趙人孫卿子，孫卿子傳魯人大毛公。」於《禮》則有《儀禮·喪服傳》，馬融、王肅諸儒為之訓說。於《春秋》則緯書云：「孔子曰：《春秋》屬商。」《公羊》、《穀梁》，皆出於子夏。《風俗通義》云穀梁為子夏門人。則徐氏云「發明章句，始於子夏」，洵不誣也。考經學家法，當以先儒卜子為首。《六藝論》云《論語》子夏、仲弓合撰，則《論語》亦出子夏矣。	法，可考者，惟卜氏子夏。洪邁《容齋隨筆》云：「孔子弟子，惟子夏於諸經獨有書。雖傳記雜言，未可盡信，然要為與他人不同矣。於《易》則有傳，於《詩》則有序。而《毛詩》之學，一云：子夏授高行子，四傳而至小毛公。一云：子夏傳曾申，五傳而至大毛公。於《禮》則有《儀禮·喪服》一篇，馬融、王肅諸儒多為之訓說。於《春秋》所云不能贊一辭，蓋亦嘗從事於斯矣。公羊高實受之於子夏。穀梁赤者，《風俗通》亦云子夏門人。於《論語》則鄭康成以為仲弓、子夏等所撰定也。後漢徐防曰：『《詩》、《書》、《禮》、《樂》，定自孔子；發明章句，始於子夏。』斯其證云。」朱彝尊《經義考》云（下略）。
3	（2.1）先賢卜子之後，傳經最有功者，惟荀卿子。《史記》以孟子、荀卿合傳，又〈儒林傳〉云：「孟子、荀卿之列，咸遵夫子之業而潤色之，以學顯於當世。」誠以列國時，學最純正而有功聖門者，厥惟	（2.3）《史記·儒林傳》曰：「孟子、荀卿之列，咸遵夫子之業而潤色之，以學顯於當世。」趙岐謂孟子通五經，尤長於《詩》、《書》，實於《春秋》之學尤深，如云「《春秋》，天子之事」、「其

	二賢。趙岐序《孟子》，以為尤長《詩》、《書》，實則孟子於《春秋》尤深，如「春秋無義戰」、「《春秋》，天子之事」之類，其宗旨與《公羊》為近。朱子注云：「無其位而托二百四十年南面之權，即托王於魯之旨也。」惜孟子之後學不傳。《聖賢群輔錄》云「樂正氏傳《春秋》，為屬詞比事之儒」，樂正氏不知即孟門高弟樂正克否，其書亦無一字傳世。	義則丘竊取」之類，皆微言大義。惜孟子《春秋》之學不傳。《群輔錄》云樂正氏傳《春秋》，不知即孟子弟子樂正克否，其學亦無可考。
4	（2.2）惟荀子學出孔氏，能傳諸經。《經典・敘錄》：「《毛詩》，一云子夏傳曾申，申傳魏人李克，克傳魯人孟仲子，孟仲子傳根牟子，根牟子傳趙人孫卿子，孫卿子傳魯人大毛公。」據此，則《毛詩》為荀卿所傳也。《漢書・楚元王交傳》「少時嘗與魯穆生、白生、申公同受《詩》於浮丘伯。浮丘伯者，孫卿門人也。」桓寬《鹽鐵論》云：「包丘子與李斯俱事荀卿。」包丘子即浮丘伯。《漢書・儒林傳》云：「申公，魯人也，少與楚元王交俱事齊人浮丘伯受《詩》。」《魯詩》出於申公，據此，則《魯詩》亦荀卿所傳也。《韓詩》今存《外傳》，引荀卿子以說《詩》者四十有四，據此，則《韓詩》雖非盡由荀卿所傳，亦原本於荀氏著也。《經典・敘錄》云：「左丘明作《傳》，以傳曾申，申傳衛人吳起。起傳其子期，期傳楚人鐸椒，椒傳趙人虞卿。卿傳同郡荀卿名況。況傳武威張蒼，蒼傳洛陽賈誼。」據此，則《春秋左氏傳》為荀卿所傳也。〈儒林傳〉云：「瑕丘江公受《穀梁春秋》及《詩》於魯申公，傳子	（2.3）惟荀卿傳經之功甚巨。《釋文・敘錄》「《毛詩》，一云孫卿子傳魯人大毛公」，則《毛詩》為荀子所傳。《漢書・楚元王交傳》「少時嘗與魯穆生、白生、申公同受《詩》於浮丘伯。伯者，孫卿之門人。」《魯詩》出於申公，則《魯詩》亦荀子所傳。《韓詩》今存《外傳》，引荀子以說《詩》者四十有四，則《韓詩》亦與《荀子》合。〈敘錄〉「左丘明作《傳》，以授曾申，申傳衛人吳起，起傳其子期，期傳楚人鐸椒，椒傳趙人虞卿，卿傳同郡荀卿。」則《左氏春秋》，荀子所傳。〈儒林傳〉云：「瑕丘江公受《穀梁春秋》及《詩》於魯申公。」申公為荀卿再傳弟子，則《穀梁春秋》亦荀子所傳。大戴、小戴《禮》皆傳自孟卿。《大戴》〈曾子立事〉篇載《荀子》〈修身〉、〈大略〉二篇文，《小戴》〈樂記〉、〈三年問〉、〈鄉飲酒義〉篇載《荀子》〈禮論〉、〈樂論〉篇文，則二戴之《禮》，亦荀子所傳。劉向稱荀卿善為《易》，其義略見〈非相〉、〈大略〉二篇。是荀子能傳《易》、《詩》、

	至孫為博士。」申公乃荀氏再傳弟子，據此，則《春秋穀梁傳》亦荀卿所傳也。荀卿所學，尤長於《禮》。〈儒林傳〉云：「東海蘭陵孟卿善為《禮》、《春秋》，授后蒼、疏廣。」劉向〈序〉云：蘭陵多善為學，蓋以荀卿子，長老至今稱之。曰蘭陵人喜字為卿，蓋以法荀卿。〉案荀子為蘭陵僾，故蘭陵人傳其學，傳《易》之孟喜，亦蘭陵人，字長卿，即孟卿之子，皆蘭陵人字卿之證。**大戴、小戴《禮》皆傳自孟卿。《大戴》〈曾子立事〉篇載荀子〈修身〉、〈大略〉二篇文，《小戴》〈樂記〉、〈三年問〉、〈鄉飲酒義〉篇載〈禮論〉、〈樂論〉篇文，大略相同，踪跡可考。據此，則曲臺之禮，亦荀卿所傳也。**自孔子沒而微言絕，七十子喪而大義乖，中更戰國爭鬥，暴秦焚坑，聖門諸經猶能流傳，至今綿延不絕者，卜子之後，以荀子為最著，其〈大略〉篇「春秋賢穆公、善胥命」，與《春秋公羊傳》義合。劉向又稱荀卿善為**《易》，其義亦見〈非相〉、〈大略〉二篇。**〈樂記〉全錄〈樂論〉篇文。**則荀子之學，於《易》、《詩》、《春秋》、《禮》、《樂》無所不通，門弟子傳其學者，於漢初為極盛。**（下略）	**《禮》、《樂》、《春秋》，漢初傳其學者極盛。**
5	（3.1）孔門四配，顏子早夭，未必有書。*《韓非子》八儒有顏氏之儒，未知即子淵氏所傳否。*《子思子》二十三篇，〈漢志〉列於儒家，今亦亡佚，〈中庸〉以外，惟〈坊記〉、〈表記〉、〈緇衣〉，沈約以為出《子思子》，其「子言之」、「子曰」，即屬子思而非孔子所言。故中	（2.2）*《韓非子》言八儒有顏氏，孔門弟子，顏氏有八，未必即是子淵。*八儒有子思氏，**《子思》二十三篇，列〈漢志〉儒家，今亡。沈約謂《禮記》〈中庸〉、〈表記〉、〈坊記〉、〈緇衣〉，皆取《子思子》。然則〈表記〉、〈坊記〉、〈緇衣〉之「子言之」、「子曰」或即子**

	引《論語》云云，後人以此為疑，曙於此，可以無疑矣。	思子之言，故中有引《論語》一條。後人以此疑非孔子之言，解此，可無疑矣。（下略）
6	（3.2）**惟《曾子》十八篇，今存十篇於《大戴禮記》中。**《小戴記・曾子問》一篇，竊極《禮經》，非夫子不能答，非曾子不能問，可以見曾子學問之博。《孝經》一書，孔子特傳曾子。**《孝經緯鉤命訣》**云「**孔子曰：《春秋》屬商，《孝經》屬參**」，又曰「**吾志在《春秋》，行在《孝經》**」，**皆聖門之微言，藉緯書而存者。漢人以為《禮》、《樂》、《詩》、《書》，孔子但加刪訂，惟《春秋》、《孝經》，為孔子所自作。故推崇孔子，必首舉二經。〈魯相史晨碑〉云「乃作《春秋》，復演《孝經》」，〈百石卒史碑〉云「孔子作《春秋》，制《孝經》」，皆以《春秋》、《孝經》並舉。**自漢至唐，皆尊《孝經》，明皇親為之注。至今古文之紛爭辨鬩，可弗論也。宋人始疑《孝經》，謂非孔子所作，不列四子書內，且加刊削，與信而好古之義不合。《孝經》廢而曾子之學不尊矣。《大戴禮》首篇為王言，皆孔子與曾子問答之語，其書言王者之治、天下之道，是以蠻夷諸夏，雖衣冠不同、言語不合，莫不來至，朝覲於王，則曾子亦王佐才，與顏淵問為邦，孔子告以斟酌四代不異。**《大戴禮》載《曾子》十篇，上皆冠以「曾子」：〈曾子立事〉第一，〈曾子本孝〉第二，〈曾子立孝〉第三，〈曾子大孝〉第四，〈曾子事父母〉第五，〈曾子制言上〉第六，〈曾子制言中〉第七，〈曾子**	（1.6）六經之外有《孝經》，亦稱經。**《孝經緯鉤命訣》「孔子曰：《春秋》屬商，《孝經》屬參」，又曰「吾志在《春秋》，行在《孝經》」，**是孔子已名其書為《孝經》。其所以稱經者（中略），漢**人推尊孔子，多以《春秋》、《孝經》並稱。〈史晨奉祀孔子廟碑〉云：「乃作《春秋》，復演《孝經》。」**〈百石卒史碑〉云：「孔子作《春秋》，制《孝經》。」**蓋以《詩》、《書》、《易》、《禮》為孔子所修，而《春秋》、《孝經》乃孔子所作也。**（下略） （2.2）**《曾子》十八篇，〈漢志〉列儒家，今存十篇於《大戴禮記》中：〈曾子立事〉第一，〈曾子本孝〉第二，〈曾子立孝〉第三，〈曾子大孝〉第四，〈曾子事父母〉第五，〈曾子制言上〉第六，〈曾子制言中〉第七，〈曾子制言下〉第**

	制言下〉第八，〈曾子疾病〉第九，〈曾子天圓〉第十。〈立事〉諸篇所言，皆純粹平實，詣其極可以希聖賢，下亦不失寡過。而〈天圓〉一篇，與今西法相合，尤可考見西人之說，本中國舊法，而聖賢之說，無所不通。篇云：「單居離問於曾子曰：『天圓而地方者，誠有之乎？』曾子曰：『離而聞之云乎？』單居離曰：『弟子不察，此以敢問也。』曾子曰：『天之所生上首，地之所生下首，上首謂之圓，下首謂之方。如誠天圓而地方，是四角之不揜也。』」據曾子之說，謂圓謂方，謂其道，非謂其形也。方圓同積，則圓者必不能揜方之四角。今地皆為天所揜，明地在天中，天體渾圓，地體亦圓也。曾子及《周髀》本言地圓，自周末疇人子弟分散，古法始微。元西域札馬魯丁造西域儀象，以木為圓球，七分為水，其色綠；三分為土，其色白；畫江湖海貫串於其中，兼作小方井，以計幅員之廣袤、道里之遠近。此元明以來西說地圓之粗，而曾子已先其端。	八，〈曾子疾病〉第九，〈曾子天圓〉第十。中引經義，皆極純正，〈天圓〉篇尤足見大賢之學無不通。云：「單居離問於曾子曰：『天圓而地方者，誠有之乎？』曾子曰：『天之所生上首，地之所生下首，上首謂之圓，下首謂之方。如誠天圓而地方，是四角之不揜也。』」據曾子說，謂圓謂方，謂其道，非謂其形。方圓同積，圓者不能揜方之四角。今地為天所揜，明地在天中。天體渾圓，地體亦圓，與地球之說合。《周髀算經》、《黃帝內經》皆言地圓，非發自西人也。
7	（5.2）或以董子好言災異為疑，不知漢時本有一種天人之學，齊學尤為專長。伏生《尚書》有五行，《齊詩》有五際，董子非齊人，其所傳《公羊》，乃齊學也。《公羊春秋》多方災異，其說皆非無據。《尚書．洪範》本以五行配五事，有休徵，有咎徵。伏《傳》所云（中略），皆推〈洪範〉之旨言之，惟不當如《漢書．五行志》淩雜米鹽，事事比附。〈志〉載董仲舒、劉向、劉歆三人之說，又各不同，不知當以何說為正？所以不同者，董	（4.3）漢有一種天人之學，而齊學尤盛。伏《傳》五行，《齊詩》五際，《公羊春秋》多言災異，皆齊學也。《易》有象數占驗，《禮》有明堂陰陽，不盡齊學，而其旨略同。當時儒者以為人君至尊，無所畏憚，借天象以示儆，庶使其君有失德者，猶知恐懼修省。此《春秋》以元統天、以天統君之義，亦《易》神道設教之旨。漢儒藉此以匡正其主。其時人主方崇經術、重儒臣，故遇日食、地震，必下詔罪己，或責免三公。雖未必能如周宣之遇

	據《公羊》，向據《穀梁》，歆據《左氏》，三《傳》之義不同，故三人之說亦不同也。《詩》雖不多言災異，〈十月之交〉篇云日食、震電、川沸、山崩，亦以為災。《春秋》一經，如日食、星孛、石隕、鷁退，必詳書之，孔子大聖人，豈不知日食、星變，皆可推算；石隕、鷁退，物理之變，皆與人事無干；大雪無冰、大雨雹、隕霜不殺菽之類，寒暑偶然愆期，更非大變之比，而必詳其事以示後者，正以人君至尊，無有忌憚，惟畏天而已，若全無所儆懼，則必肆於民上，借天象以示儆，庶使人君之有失德者，能知恐懼修省，猶可挽回一二。此《春秋》以元統天、以天統君之義，亦即神道設教之微旨也。《易》有象數占驗，《禮》有明堂陰陽，亦與《詩》、《書》、《春秋》略同。漢人本此義以匡正其君，故其時遇日食、地震，君必下詔罪己，責免三公。雖未必能如周宣中興，遇災而懼，尚有君臣交儆遺意。後儒不明此旨，動謂漢人不應言災異、引讖緯，於是天變不足畏之說出矣。近西法入中國，以為日食、星變可以預測，信之者更以為不宜附會災祥。然則孔子書於《春秋》，豈真不知天道者耶？	災而懼，側身修行，尚有君臣交儆遺意。此亦漢時實行孔教之一證。後世不明此義，謂漢儒不應言災異、引讖緯，於是天變不足畏之說出矣。近西法入中國，日食、星變皆可預測，信之者以為不應附會災祥。然則孔子《春秋》所書日食、星變，豈無意乎？言非一端，義各有當，不得以今人之所見輕議古人也。
8	（5.3）漢儒言災異，亦實有徵驗。如昭帝時大石立、枯柳起，眭孟以為當有匹夫為天子，而應在宣帝。夏侯始昌先言柏梁台靈日，至期日，果災。昌邑王時，夏侯勝以為久陰不雨，當有臣下謀上，而應在霍光。成帝時夏賀良以為漢有再受命之祥，而應在光武。「劉秀當為天子」，尤為著明。故光武以赤伏符即位，而深信讖緯。	（4.4）漢儒言災異，實有徵驗。如昌邑王時，夏侯勝以為久陰不雨，臣下有謀上者，而應在霍光。昭帝時，眭孟以為有匹夫為天子者，而應在宣帝。成帝時，夏賀良以為漢有再受命之祥，而應在光武。王莽時，讖云「劉秀當為天子」，尤為顯證。故光武以赤伏符受命，深信讖緯。五經之義，皆以讖決。賈逵以此興《左

	五經之義，皆以讖決。其時以五經為外學，七緯為內學。賈逵以此興《左氏》，曹褒以此定漢禮，遂開一代風氣，正以身試有驗之故。夫至誠可以前知，天人本不相遠。解此，則不必非光武，亦不當非董仲舒、劉向諸儒。《隋書・經籍志》云：「說者謂孔子既敘六經，如後世不能稽同其意，故別立緯及讖，以遺來世，其書出於前漢。」〈洪範〉孔疏：「緯候之書，不知誰作。通人討核，謂偽起哀、平，雖至前漢之末始有此書，以前學者，必相傳此說。」然則謂緯起哀、平，孔沖遠亦不以為然矣。《史記・趙世家》：「扁鵲言秦穆公寤而述上帝之言，公孫支書而藏之，秦讖於是出矣。」〈秦本紀〉「亡秦者胡也」，「明年祖龍死」，皆讖文。特圖讖本方士之言，與經義不相涉。後人造作緯書，乃因圖讖而牽合經義。其合於經義者多醇，其涉於圖讖者駁。緯與讖非一類，純駁互見，未可一例詆之。宋歐陽修請刪九經疏中讖緯之文，幸其言不行；充其說，將併經傳之河出圖、洛出書而並刪之，非特注疏無完本而已。三綱，今人所謂名教最重者，而經無明文，出《禮緯含文嘉》；周天三百六十度，出《書緯考靈耀》；夏以十三月為正，出《樂緯稽耀嘉》，宋人用之。	氏》，曹褒以此定漢禮。於是五經為外學，七緯為內學，遂成一代風氣。光武非愚暗妄信者，實以身試有驗之故。天人本不相遠，至誠可以前知。解此，則不必非光武，亦不必非董、劉、何、鄭矣。且緯與讖有別。孔穎達以為「緯候之書，偽起哀、平」，其實不然。《史記・趙世家》云「秦讖於是出」，〈秦本紀〉云「亡秦者胡也」，「明年祖龍死」，皆讖文。圖讖本方士之書，與經義不相涉。漢儒增益秘緯，乃以讖文牽合經義。其合於經義者近純，其涉於讖文者多駁。故緯純駁互見，未可一概詆之。其中多漢儒說經之文，如六日七分出《易緯》，周天三百六十度四分度之一出《書緯》，夏以十三月為正云云出《樂緯》，後世解經，不能不引。三綱大義，名教所尊，而經無明文，出《禮緯含文嘉》，馬融注《論語》引之，朱子《注》亦引之，豈得謂緯書皆邪說乎？歐陽修不信祥異，請刪五經注疏所引讖緯，幸當時無從其說者；從其說，將使注疏無完書。其後魏了翁編《五經要義》，浮詞無實，古義盡亡，即惠、戴諸公起於國朝，亦難乎其為力矣。
9	（6）兩漢經學家法，有今古文之分。今文者，今所謂隸書，在漢時以為今文，世所傳熹平石經及孔廟等處漢碑是也。古文者，今所謂古籀書，漢時已為古文，世所傳石鼓及《說文》所載古文是也。隸書漢時通行，故謂之今文，猶今人之於楷書，	（3.7）兩漢經學，有今古文之分。今古文所以分，其先由於文字之異。今文者，今所謂隸書，世所傳熹平石經及孔廟等處漢碑是也。古文者，今所謂籀書，世所傳岐陽石鼓及《說文》所載古文是也。隸書漢世通行，故當時謂之今文，猶今人之於楷

	人人盡識。古籀漢時已不通行，故謂之古文，猶今人之視篆隸，不能人人盡識。凡文字必人人盡識，方可以教初學。孔子寫定六經，皆用古文，見許氏《說文·自敘》。伏生為秦時博士，所藏壁經，必與孔壁所藏同是古文。至漢發藏以傳授生徒，必易為通行之隸書，始便誦習。近儒江聲《尚書集注音疏》始用篆文，書不通行，後乃改用楷書。艮庭又為畢秋帆刻《釋名》，用篆文書之，畢恐其不通行，經訓堂復刻，今體楷書並用。觀今人不識篆文，不能通行，即知漢人不識古文，不能通行之故。**漢廷所立今文十四博士，**《易》有施、孟、梁丘、京氏，《書》有歐陽、大小夏侯，《詩》有齊、魯、韓，《禮》有大、小戴，《春秋》有嚴、顏，**皆後世所謂今文家。當時既未別立古文，亦未嘗別標今文之名。至劉歆始創古文學，《古文尚書》、《毛詩》、《周禮》、《左氏春秋》，王莽時皆置博士。**莽敗旋廢，而其書既出，衛宏、鄭興、賈逵皆好之。《後漢書·賈逵傳》曰：「建初八年，乃詔諸儒各選高才生受左氏、穀梁《春秋》、《古文尚書》、《毛詩》，由是四經遂行於世。皆拜逵所選弟子及門生為千乘王國郎，朝夕受業黃門署，學者皆欣欣羨慕焉。」凡學術之盛，必導以利祿之途，漢時古文不立學，故不能興，至是明帝從賈逵之言，導以利祿之途，而古文行於世矣。古文既行，遂以博士所傳別為今文。**許慎《五經異義》有古《尚書》說、今《尚書》夏侯歐陽說，古《毛詩》說、今韓魯《詩》說，古《春秋》左氏**	**書，人人盡識者也。籀書漢世已不通行，故當時謂之古文，猶今人之於篆隸，不能人人盡識者也。凡文字必人人盡識，方可以教初學。許慎謂孔子寫定六經，皆用古文。**然則孔氏與伏生所藏書，亦必是古文。**漢初發藏以授生徒，必改為通行之今文，乃便於學者誦習。故漢立博士十四，皆今文家。而當古文未興之前，未嘗別立今文之名。**《史記·儒林傳》云「孔氏有古文《尚書》，而安國以今文讀之」，乃就《尚書》之古今文字而言。而魯、齊、韓《詩》、《公羊春秋》，《史記》不云今文家也。**至劉歆始增置《古文尚書》、《毛詩》、《周官》、《左氏春秋》，**既立學官，必創說解。後漢衛宏、賈逵、馬融又遞為增補，以行於世，遂與今文分道揚鑣。**許慎《五經異義》有古《尚書》說、今《尚書》夏侯歐陽說，古《毛詩》說、今《詩》韓魯說，古《周禮》說、今《禮戴》說，古《春秋》說、今《孝經》說，皆分別言之，**非惟文字不同，而說解亦異矣。

	說、今《春秋》公羊說，今古文至是遂分門角立矣。東漢十四博士，仍皆今文，《左氏》雖立學，旋罷。漢帝詔書，人臣上疏，鮮有引用《毛詩》、《周禮》、《左氏傳》者。自賈、許、馬、鄭諸大儒皆獎古文，其於今文往往詆為俗儒，斥其蔽冒。鄭君集漢學之大成，所著箋注，雜採今古文不分別。鄭學行，而今文十四博士專家之學漸亡佚矣。	
10	（7.1）漢時今文先出，古文後出。《公羊疏》云：「《左氏》先著竹帛，故漢時謂之古學；《公羊》漢時乃興。」何氏以為《左傳》之中，經乃古文，故曰古學；公羊家已行於世，以今文教授，故曰今學。漢時《公羊》早立學，《左氏》王莽時立學，東漢亦立博士，旋罷。范升云《左氏》不祖孔子，而出於丘明，師授無聞，又無其人。今文家有師承，古文家無師承，非獨《春秋》一經。**《史記・儒林傳》曰：「言《詩》，於魯則申培公，於齊則轅固生，於燕則韓太傅。言《尚書》，自濟南伏生。言《禮》，自高堂生。言《易》，自淄川田生。言《春秋》，於齊、魯自胡毋生，於趙自董仲舒。」**〈儒林傳〉「自孔子論次《詩》、《書》，修齊《禮》、《樂》，因史記作《春秋》，以及七十子之徒，孟子、荀卿之列，咸遵夫子之業而潤色之。以逮漢初，傳經之儒，只此數人。」**此數人者，皆後世所謂今文家，無所謂古文也。《毛詩》、《周禮》、《左傳》，史公皆不列入。**	（3.1）**《史記・儒林傳》**曰：「今上即位，趙綰、王臧之屬明儒學，而上亦向之。於是招方正賢良文學之士。自是之後，**言《詩》，於魯則申培公，於齊則轅固生，於燕則韓太傅。言《尚書》，自濟南伏生。言《禮》，自魯高堂生。言《易》，自淄川田生。言《春秋》，於齊、魯自胡毋生，於趙自董仲舒。」**〈申公傳〉曰（中略）。〈轅固生傳〉曰（中略）。〈韓嬰傳〉曰（中略）。傳言《詩》，止有魯、齊、韓三家，而無《毛詩》。〈伏生傳〉曰（中略）。傳言《尚書》，止有伏生，雖及孔氏「古文」，而不云安國作《傳》。〈高堂生傳〉曰（中略）。傳言《禮》，止有《儀禮》，而無《周官》。〈田何傳〉曰（中略）。傳言《易》，止有楊何，而無費氏古文。〈董仲舒傳〉曰（中略）。〈胡毋生傳〉曰（中略）。傳言《春秋》，唯《公羊》董、胡二家，略及《穀梁》，而不言《左氏》。**史遷當時，蓋未有《毛詩》、《古文尚書》、《周禮》、《左氏》諸古文家也。**經學至漢武始明，而漢武時之經學為最純正。

| 11 | （10）鄭君康成集漢學之大成。李申耆以為康成敗壞家法，非輕詆先儒也，以家法論，鄭君實不能辭其咎。兩漢諸儒，篤守家法，見兩漢〈儒林傳〉，班班可考。後漢學古學漸盛，與今學分門角立，而今學守今學之門戶，古學守古學之門戶，常相攻伐，不肯和同。古學以今學為黨同妒真，今學以古學為變亂師法。如杜林、衛宏、鄭興、賈逵、馬融、許慎，皆宗古學者，其先亦必嘗通今文，而其論學，則以古文為宗，與今文不相混。許慎《五經異義》明引今文說如何，古文說如何，分別甚晰。若皆如此說法，則流傳至今，人人皆古今家說，分別不相雜廁，可以開卷瞭然也。至康成亦先通今文，後通古文者，《後漢書・鄭玄傳》曰：「造太學受業，師事京兆第五元先，始通京氏《易》、《公羊春秋》、《三統曆》、《九章算術》。又從東郡張恭祖受《周官》、《禮記》、《左氏春秋》、《韓詩》、《古文尚書》。」是後通古文也。事馬融所受者，亦古文也。馬融才高博洽，為世通儒，遍注九經，訂正《三傳》、《三禮》，已有集大成之勢。康成繼起，負絕世之資，兼通今古之學，見當時今古學相攻擊甚重，意欲和同兩家之學，自成一家之言，雖以古學為宗，兼採今學，以附益其義。故論鄭學，不皆古文，亦不皆今文。如箋《詩》以毛為主，而自云「若有不同，便下己意」，其所謂己意，多本三家。是康成箋《詩》，兼採今文矣。注《尚書》既用古文，而與馬融又異。今詳考今古之異同，以馬、鄭說證之，或馬從 | （5.2）范蔚宗論鄭君「囊括大典，網羅眾家，刪裁繁蕪，刊改漏失，自是學者略知所歸」。蓋以漢時經有數家、家有數說，學者莫知所從。鄭君兼通今古文，溝合為一，於是經生皆從鄭氏，不必更求各家。鄭學之盛在此，漢學之衰亦在此。〈鄭君傳〉云：「凡玄所注《周易》、《尚書》、《毛詩》、《儀禮》、《禮記》、《論語》、《孝經》、《尚書大傳》、《中候》、《乾象曆》，又著《七政論》、《魯禮禘祫義》、《六藝論》、《毛詩譜》、《駁許慎五經異義》、《答臨孝存周禮難》，凡百餘萬言。」案鄭注諸經，皆兼採今古文。注《易》用費氏古文，爻辰出費氏分野，今既亡佚，而施、孟、梁丘《易》又亡，無從考其同異。注《尚書》用古文，而多異馬融，或馬從今而鄭從古，或馬從古而鄭從今。是鄭注《書》，兼採今古文也。箋《詩》以毛為主，而間易毛字，自云「若有不同，便下己意」，所謂己意，實本三家。是鄭箋《詩》，兼採今文也。注《儀禮》，兼採今古文也。《周禮》古文無今文，《禮記》亦無今古文之分，其注皆不必論。注《論語》，就《魯語》篇章，參之《齊》、《古》為之注，云「魯讀某為某，今從古」。是鄭注《論語》，兼採今古文矣。注《孝經》多今文說，嚴可均有輯本。

（5.3）所謂鄭學盛而漢學衰者，漢經學近古可信，十四博士今文家說，遠有師承。劉歆創通古學，衛宏、賈逵、馬融、許慎等推衍其說，已與今學分門角立矣。然今 |

	古文，鄭從今文；或馬從今文，鄭從古文，皆有明文可據。是康成注《書》，兼採今古文矣。注《儀禮》並存今文古文，從今文則注內疊出古文，從古文則注內疊出今文。是康成注《禮》，兼採今古文矣。注《論語》則就《魯論》篇章，考之《齊》、《古》為之注，多云「魯讀某為某，今從古」。是鄭注《論語》，兼採今古文矣。鄭於經有所注者，《毛詩》、《古文尚書》、《儀禮》、《禮記》、《周官》、費氏《易》，皆古文，又嘗注《左氏春秋》，未成，以授服子慎，見《世說新語》。是鄭意主古學，而今古文可兩存者，亦不盡廢今文。如以《周官》為周法，《王制》為殷法，和同兩家，亦具苦心。《後漢書》論之曰：「東京學者，亦各名家，而守文之徒，滯固所稟，異端紛紜，互相詭激，遂令經有數家、家有數說，章句多者，或乃百餘萬言。學徒勞而少功，後生疑而莫正。鄭玄囊括大典，網羅眾家，刪裁繁蕪，刊改漏失，自是學者略知所歸。」鄭君集漢學之大成，其道略見於此。當時今古文家各持一說，莫能相通，見鄭君能別出手眼，為之溝通，按之皆有左證。於是眾論翕然宗之，黃巾亦為羅拜車下，其聲名動人如此。加以高節清德，不受徵聘，年愈高，望愈重，孔北海為立鄭公鄉，應仲遠北面稱弟子。王粲云「世稱伊洛以東、淮漢以北，康成一人而已」，咸言先儒多闕，鄭氏道備，門徒萬數，布滿海內。於是人皆捨其今古專門之學，而專宗鄭氏。自鄭之《毛詩箋》出，而齊、魯、韓三家廢矣。《古	學守今學門戶，古學守古學門戶。今學以古學為變亂師法，古學以今學為黨同妒真。相攻如仇，不相混合。杜、鄭、賈、馬注《周禮》、《左傳》，不用今說。何休注《公羊傳》，亦不引《周禮》一字。許慎《五經異義》分今文說、古文說甚晰。若盡如此分別，則傳至後世，今古文不雜廁，開卷可瞭然矣。鄭君先通今文，後通古文，其〈傳〉曰：「造太學受業，師事京兆第五元先，始通京氏《易》、《公羊春秋》、《三統曆》、《九章算術》。又從東郡張恭祖受《周官》、《禮記》、《左氏春秋》、《韓詩》、《古文尚書》。以山東無足問者，乃西入關，因涿郡盧植，事扶風馬融。」案京氏《易》、《公羊春秋》為今文，《周官》、《左氏春秋》、《古文尚書》為古文。鄭君博學多師，今古文道通為一，見當時兩家相攻擊，意欲參合其學，自成一家之言。雖以古學為宗，亦兼採今學，以附益其義。學者苦其時家法繁雜，見鄭君宏通博大，無所不包，眾論翕然歸之，不復捨此趨彼。於是鄭《易注》行，而施、孟、梁丘、京之《易》不行矣。鄭《書注》行，而歐陽、大小夏侯之《書》不行矣。鄭《詩箋》行，而大小二戴之《禮》不行矣。鄭《論語注》行，而齊、魯《論語》不行矣。重以鼎足分爭，經籍道息，漢學衰廢，不能盡咎鄭君。而鄭採今古文，不復分別，使兩漢家法亡不可考，則亦不能無失。故經學至鄭君一變。

	文尚書注》出，而歐陽、大小夏侯三家廢矣。《三禮注》出，而大小二戴廢矣。《論語注》出，而齊、魯二家廢矣。自漢末喪亂，經籍道息，迨乎永嘉南渡，戎狄亂華，於是齊、魯《詩》，歐陽、夏侯《尚書》皆亡，而今文之學終焉。	
12	（12.1）西漢言師法，東漢言家法。先有師法，而後能成一家之言。師法者溯其源，家法者衍其流也。《後漢・質帝紀》：「本初元年夏四月，令郡國舉明經，年五十以上、七十以下詣太學。自大將軍至六百石，皆遣子受業。四姓小侯先能通經者，各令隨家法。」是漢舉明經，必嚴家法也。〈左雄傳〉：「雄上言郡國所舉孝廉，請皆詣公府，諸生試家法。」《注》曰：「儒有一家之學，故稱家法。」是漢舉孝廉，必嚴家法也。〈儒林傳〉：「光武中興，愛好經術，於是立五經博士，各以家法教授。」〈宦者蔡倫傳〉：「元初四年，帝以經傳之文多不正定，乃選通儒謁者劉珍及博士、良史詣東觀，各校讎家法。」是家法不但博士，即宦者亦知之矣。〈徐防傳〉永元十四年上疏云：「伏見太學試博士弟子，皆以意說，不修家法，以遵師為非義，意說為得理，誠非詔書實選本意。」是當時不修家法之戒甚嚴矣。	（4.12）前漢重師法，後漢重家法。先有師法，而後能成一家之言。師法者溯其源，家法者衍其流也。師法、家法所以分者，如《易》有施、孟、梁丘之學，是師法；施家有張、彭之學，孟有翟、孟、白之學，梁丘有士孫、鄧、衡之學，是家法。家法從師法分出，而施、孟、梁丘之師法，又從田王孫一師分出者也。施、孟、梁丘已不必分，況張、彭、翟、白以下乎！《後漢書・儒林傳》云：「立五經博士，各以家法教授。」〈宦者蔡倫傳〉云：「帝以經傳之文多不正定，乃選通儒謁者劉珍及博士、良史詣東觀，各校讎家法。」是博士各式各樣守家法也。〈質帝紀〉云：「令郡國舉明經，年五十以上、七十以下詣太學，自大將軍至六百石，皆遣子受業。四姓小侯先能通經者，各令隨家法。」是明經必守家法也。〈左雄傳〉云：「雄上言郡國所舉孝廉，請皆詣公府，諸生試家法。」《注》曰：「儒有一家之學，故稱家法。」是孝廉必守家法也。〈徐防傳〉：「防上疏云：伏見太學試博士弟子，皆以意說，不修家法。以遵師為非義，意說為得理，誠非詔書實選本意。」漢時不修家法之戒，蓋極嚴矣。（下略）
13	（12.2）治經必嚴家法，方不至臆說亂經，	（4.13）凡事有見為極盛，實則盛極而衰象

	五經博士，各治本經，方不至變改師說。晉承兩漢之後，猶置五經博士十九人，永嘉之亂，或減為九人，或增為十四人，而不復分別五經，而家法蕩然矣。	見者，如後漢師法之下復分家法，今文之外別立古文，似乎廣學甄微，大有裨於經義，實則矜奇炫博，大為經義之蠹。師說下復分家法，此范蔚宗所謂「經有數家，家有數說。學徒勞而少功，後生疑而莫正也」。今文外別立古文，此范升所謂「各有所執，乖戾分爭，從之則失道，不從則失人也」。蓋凡學皆貴求新，惟經學必專守舊。經作於大聖，傳自古賢。先儒口授其文，後學心知其意，制度有一定而不可私造，義理衷一是而非能臆說。世世遞嬗，師師相承，謹守訓辭，毋得改易。如是則經旨不雜，而聖教易明矣。（下略）
14	（14）漢之遺經傳於今者，有熹平《石經》殘字。南宋洪适小蓬萊閣得此殘本重刻，又輯入《隸釋》。今浙江紹興、江西南昌覆刻，止數百字，不過洪刻之半。其文與今讀本不同，即漢所謂今文。今之讀本，乃鄭康成以後所傳之古文也。五經《易》無一字；《尚書》〈盤庚〉、〈洪範〉、〈君奭〉各一段，與今古文《尚書》不同；《詩》〈魏風〉、〈唐風〉各一段，與今本《毛詩》不同；《禮》是《儀禮》〈燕禮〉、〈聘禮〉各一段；《春秋》是《公羊》隱公一段；《論語》是《魯論》「於蕭牆之內盍毛包周無于」。五經之外有《論語》，蔡中郎所書，《論語》〈為政〉、〈微子〉、〈堯曰〉各一段，與今本《論語》不同。共五百八十餘字。	（4.6）（前略）靈帝熹平四年，詔諸儒正定五經，刊於石碑，蔡邕自書丹，使刻工鐫刻，立於太學門外，後儒晚學咸取則焉，尤為一代大典。使碑石尚在，足以考見漢時經文，惜六朝以後漸散亡，僅存一千九百餘字。於宋洪氏《隸釋》，有《魯詩》、小夏侯《尚書》、《儀禮》、《公羊春秋》、《魯論語》，蓋合《易》為六經。而五經外增《論語》，《公羊春秋》有傳無經。漢時立學，官本如此。宋蓬萊閣刻石又壞，今江西南昌、浙江紹興兩府學重刻，止有六百七十五字，與世所傳古文經字多不同。漢石經是隸書，非魏三體石經；是立於太學門外，非鴻都門外。前人說者多誤，詳見杭世駿《石經考異》、馮登府《石經補考》。
15	（15.1）劉歆欲立《古文尚書》、《毛詩》、《逸禮》、《左氏春秋》，云「**與其過而廢之也，寧過而存之**」。古書僅存	（3.5）劉歆〈移太常博士書〉曰：「（中略）**與其過廢也，寧過而存之**。」《漢書・儒林傳》贊曰：（中略）。案二說於

	於煨燼之餘，廢之亦覺可惜，而諸儒斷斷至辨者，物莫能兩大，人多好新奇。故《古文尚書》行，而歐陽、大小夏侯失傳；《毛詩》行，而齊、魯、韓失傳。歆所謂《逸禮》，即《周禮》，《周禮》行，而人以《周禮》駁〈王制〉、《公羊》；《左氏春秋》行，而《公羊》、《穀梁》不絕如線。漢時十四博士所傳今文為一家，《古文尚書》、《毛詩》、《周禮》、《左氏春秋》為一家。劉歆議立諸經，至漢末而諸經盛行，今文博士所傳，無一家存者，乃知**西漢博士不肯置對**，真深識遠慮，非黨同妒真也。	漢立博士，敘述略同，施、孟、梁丘先後少異。劉歆欲立古文諸經，故以增置博士為例。然義已相反，安可並置？既知其過，又何必存？與其過存，無寧過廢。強詞飾說，宜**博士不肯置對**也。博士於宣元之增置，未嘗執爭，獨於歆所議立，力爭不聽。蓋以諸家同屬今文，雖有小異，尚不若古文乖異之甚。然防微杜漸，當時已少深慮。范升謂：（中略）。據范氏說，可見漢時之爭請立學者，所見甚陋，各懷其私。一家增置，餘家怨望，有深慮者當預絕其萌，而不可輕開其端矣。（下略）
16	（15.2）既有鄭君大師，又遭漢末喪亂，晉復不競，五胡亂華，**永嘉之亂，《易》亡梁丘、施氏、高氏，《書》亡歐陽、大小夏侯，齊《詩》在魏已亡，魯《詩》不過江東，韓《詩》雖存，無傳之者，孟、京、費《易》亦無傳人，《公》、《穀》雖在若亡**，於是今文之傳絕矣。	（5.5）（前略）晉初效廟之禮，皆王肅說，不用鄭義。其時孔晁、孫毓等申王駁鄭，孫炎、馬昭等又主鄭攻王。斷斷於鄭王兩家之是非，而兩漢專門無復過問。重以**永嘉之亂，《易》亡梁丘、施氏、高氏，《書》亡歐陽、大小夏侯，齊《詩》在魏已亡，魯《詩》不過江東，韓《詩》雖存，無傳之者，孟、京、費《易》亦無傳人，《公》、《穀》雖在若亡**。晉元帝修學校，簡省博士，（中略）晉所立博士，無一為漢十四博士所傳者，而今文之**師法遂絕**。
17	（18.1）**兩漢經學極盛，而前漢之末出一劉歆，後漢之末出一王肅，大為經學之蠹。歆為楚元王後裔，其父向當成帝時，極言劉氏、王氏不並立，而歆黨王莽，於漢為不忠，於父為不孝**。又聞「劉秀為天子」之言，包藏禍心，改名秀欲以當之，卒以謀叛莽，不成而死。**肅父王朗，漢會稽太守，被孫策虜而不能死，又歸曹操，為魏**	（5.5）**兩漢經學極盛，而前漢末出一劉歆，後漢末出一王肅，為經學之大蠹。歆，楚元王之後，其父向極言劉氏、王氏不並立；歆黨王莽篡漢，於漢為不忠，於父為不孝。肅父朗，漢會稽太守，為孫策虜，復歸曹操，為魏三公。肅女適司馬昭，黨司馬氏篡魏，但早死，不見篡事耳**。二人黨附篡逆，何足以知聖經！**而歆**

	三公，名列受禪碑。肅女適司馬昭，黨於司馬氏。父助曹氏篡漢，肅又助司馬篡魏，幸早死，不及見耳。《魏志》云肅善賈、馬之學，而不好鄭氏，採會同異，為《尚書》、《詩》、《論語》、《三禮》、《左氏》解，及撰定朗所作《易傳》，皆立於學官。晉武帝，肅之外孫，故一代典禮，多用肅說，不用鄭說。	**創立古文諸經，汩亂今文師法。肅偽作孔氏諸書，並鄭氏學亦為所亂。**歆之學行於王莽，**肅以晉武帝為其外孫，其學行於晉初。《尚書》、《詩》、《論語》、《三禮》、《左氏》解，及撰定父朗所作《易傳》，皆立學官。晉初效廟之禮，皆王肅說，不用鄭義。**（下略）
18	（18.2）肅作序《家語》，云「鄭氏學行五十載矣，義理不安，違錯者多，是以奪而易之」。夫人所見不同，肅不好鄭氏，不妨別成一家之說，乃必有意為難，作偽欺人，則真小人之所為矣。**劉歆之書出，創立古文，而漢博士所傳之今文遂亂。王肅偽造古書，而鄭氏所傳之學亦亂。**原其心皆好名，求異前人，不至作偽不止。當時鄭君徒黨遍天下，肅以為不託於孔氏，不足以壓抑之，故**作偽孔安國《尚書傳》、《論語傳》、《孝經傳》、《孔子家語》、《孔叢子》，凡書五種，皆託於孔子及孔氏子孫，使其徒孔衍為之證。不知《史記》、《漢書》皆云孔安國早卒，未嘗有所著書，**《家語》雖列〈漢志〉儒家，顏師古《注》云：「非今所有《家語》」，是《家語》雖古書，而為肅改竄，其餘皆作偽而已。朱子云孔安國〈尚書序〉不似西漢人作，與《孔叢子》如出一手，是已明知其偽，特未知出於王肅。偽《古文尚書》，丁晏證明是王肅作，以為搜出贓證，無可疑矣。**鄭雜糅今古文，後人以為壞亂家法。肅善賈、馬之學，其父朗師楊賜，楊氏世傳歐陽《尚書》，是**肅亦兼通今古文者。既欲攻鄭，正可分別	（5.4）鄭學出而漢學衰，王肅出而鄭學亦**衰。肅善賈、馬之學，而不好鄭氏。**賈逵、馬融皆古文學，乃鄭學所自出。肅善賈、馬而不好鄭，殆以賈、馬專主古文，而鄭又附益以今文乎？案**王肅之學，亦兼通今古文。肅父朗師楊賜，楊氏世傳歐陽《尚書》。**洪亮吉《傳經表》以王肅為伏生十七傳弟子，是肅嘗習今文，而又治賈、馬古文學。故其駁鄭，或以今文說駁鄭之古文，或以古文說駁鄭之今文。不知漢學重在專門，**鄭君雜糅今古，近人議其敗壞家法。肅欲攻鄭，正宜分別家法，各還其舊而辨鄭之非，**則漢學復明，鄭學自廢矣。**乃肅不能分別，反效鄭君而尤甚焉，偽造孔安國《尚書傳》、《論語》、《孝經注》、《孔子家語》、《孔叢子》共五書，以互相證明，託於孔子及孔氏子孫，使其徒孔衍為之證。不思《史》、《漢》皆云安國早卒，不云有所撰述，**偽作三書，已與《史》、《漢》不合矣。**而《家語》、《孔叢》二書，取郊廟大典兩漢今古文家所聚訟不決者，盡託於孔子之言，以為定論。**不思漢儒議禮聚訟，正以去聖久遠，無可據依，**故石渠、虎觀，天子稱制臨決。若有孔子明文可據，群言淆**

	家法，辨鄭雜糅今古之非，乃不能分別，而反效尤，偽造《家語》、《孔叢》，取兩漢今古文家所紛爭不決者，盡託於孔子之言，以為定論。不知漢時經有數家，家有數說，石渠、虎觀，兩漢天子稱制臨決。若孔子之言如此彰灼，群言淆亂折諸聖，尚安用此紛紛為哉！甚矣王肅之愚也，可謂心勞日拙矣。《魏志》云肅作《聖證論》以譏短玄，蓋自謂取證於聖人之言，《家語》一書是其根據。欲奪鄭君之席，至於偽造各種書，以互相引證，其注《家語》如五帝、七廟、效丘之類，皆牽引攻鄭之語，適自發其作為之覆。其時鄭學之徒皆云「《家語》，王肅增加」，或云王肅所作，則肅所謂聖證，人皆知其不出於聖。孫志祖有《家語疏證》，引《禮記》、《左傳》等書，以證其所出。（下略）	亂折諸聖，尚安用此紛紛為哉！肅作《聖證論》以譏短鄭君，蓋自謂取證於聖人之言，《家語》一書是其根據。其注《家語》如五帝、七廟、效丘之類，皆牽引攻鄭之語，適自發其作偽之覆。當時鄭學之徒皆云「《家語》，王肅增加」，或云王肅所作，是肅所謂聖證，人皆知其不出於聖人矣。孫志祖《家語疏證》，已明著其偽。

總計上表所列，可見《經學家法》二十篇講義中，有十二篇十八段文字與《經學歷史》前五章中十九節的整段或大段有著明顯的淵源關係。再就實際內容稍作分析，對比二者所引用的材料與陳述的觀點，可以發現有三種情況：其一，引用的材料與陳述的觀點皆無大的變動，如表中第 3、5、8、11、16、17、18 條中，《經學歷史》基本上沿襲了《經學家法》講義，僅有文字上的少數增減；第 11 條還對行文順序作了調整，變得更有條理。其二，陳述的觀點沒有改變，而引用材料有大的刪減或增添，如表中第 2、4、6、7、9 條中，《經學歷史》對《經學家法》講義作了刪節，行文更為簡潔；在第 10 條中，《經學歷史》增加新的材料，對西漢前期各經有今文、無古文的情況詳加論述；在第 12 條中，《經學歷史》增舉事例，使師法與家法的關係更加具體、明朗。其二，陳述的觀點有大的變化，引用的材料也相應地增添，表中第 1、13 條中，《經學歷史》對《經學家法》講義的觀點大加引申、發展；第 15 條雖然同是論述劉歆增立古文的是非，但對西漢博士的評語，已

由「真深識遠慮，非黨同妒真也」的贊許，變成「防微杜漸，當時已少深慮」和「所見甚陋，各懷其私」的指責。此外，《經學家法》講義第8篇在討論東漢古文經學興起時，寫道：

> 嘗疑衛、賈、馬、鄭皆東漢通儒，豈不知今文遠有師承，而必崇奉古文以更易今文，始思之殊不得其故。及徐考之，而知其故有二：一則學術久而必變。自漢以來，變者屢矣。六朝及唐，皆沿漢學，時有「寧道孔孟誤，諱言服鄭非」之語。宋初猶沿習注疏，至王介甫、劉原父始創新義，撥棄漢唐，至南宋而朱子集其大成。元、明以來，專宗宋學，一字不敢出入，亦可謂「寧道孔孟誤，諱言朱子非」矣。國初諸儒，復講注疏之學，始猶漢、宋兼採；乾、嘉以後，始專宗漢儒，名漢學以別異於宋儒；嘉、道以來，又推而上之，專求西漢今文之學，以別異於東漢。（下略）

這裡從整體上對東漢中葉直至晚清經學演變所作的描述，不僅與《經學歷史》自經學中衰到復盛時代的分期意見十分接近，還可以在《經學歷史》中找到不少近乎一致的表述，如：第五章明言「經學至鄭君一變」；第七章認為唐頒《五經正義》，「此經學之又一變也」；第八章認為經學迄於宋初「猶漢唐注疏之遺也」，「至慶曆始一大變」，而轉折點正是劉敞作《七經小傳》、王安石作《三經新義》；第九章一則稱述「漢學至鄭君而集大成，於是鄭學行數百年；宋學至朱子而集大成，於是朱學行數百年。……以經學論，鄭學、朱學皆可謂小統一時代。鄭學統一，惟北學為然，所謂『寧道孔孟誤，諱言鄭服非』」；一則斥責「元人則株守宋儒之書，而於注疏所得甚淺。……明人又株守元人之書，於宋儒亦少研究」，使經學在明代達於極衰；至於第十章則明確寫道：「國初諸儒治經，取漢唐注疏及宋元明人之說，擇善而從，由後人論文，為漢宋兼採一派。……雍、乾以後，古書漸出，經義大明，惠、戴諸儒為漢學大宗，已盡棄宋詮，獨標漢幟矣。」「國朝經學凡三變：國初漢學方萌芽，皆以宋學為根柢，不分門戶，各取所長，是為漢宋兼採之學；乾隆以後，許、鄭之學大明，治宋學者已鮮，說經皆主實證，不空談義理，是為專門漢學；嘉、道以後，又由許、鄭之學導源而上，……漢十四博士今文說，自魏、晉淪亡千餘年，至今日而復明，實能述伏、董之遺文，尋武、宣之絕軌，是為西漢今文之學。」可見，《經學家法》講義的某些篇章，雖然在《經學歷史》中找不到直接對應的段落，但彼此間內在的關係仍然值得注意。另外，前引《師伏堂日記》說「擬講《經學家法》章程數條，自漢及今，大旨略具」，看來亦非虛言，皮氏一九〇三年對經學自先秦至晚清的變遷確實已有整體性的評估意見。

綜上所述，《經學歷史》對於《經學家法》講義無論是直接搬用還是間接利用，乃至大加刪改，大多昭然若揭，或者有跡可尋。換言之，《經學歷史》雖然成書於一九〇五年，但早在一九〇三年編撰的《經學家法》講義中已有雛形。乙巳年《師伏堂日記》關於《經學歷史》編撰過程的記載，似乎也能說明這一點：

> 五月初五日：（陳）善餘屬作《經學歷史》，此事亦不難，暑假後可為之。
> 六月初九日：錄「經學胚胎時代」四條。
> 　　初十日：錄「經學萌芽時代」數條。
> 七月初六日：熱退，頭尚涔涔，強錄二條，自謂於此事貫通，多創獲。
> 　　初九日：錄四條，至明末矣。
> 　　初十日：將《歷史》開卷稍加增，改為「開闢承流時代」。
> 　　十三日：《經學歷史》粗畢。予以漢武、宣及嘉、道以後治今文學者為極則，東漢古文及乾隆治許、鄭學者次之，六朝、唐為衰，宋至明為極衰，不知未駭俗否？

從六月初九日開始編纂，到七月十三日基本成書，速度之快令人吃驚。顯然，皮氏能在一月數天內完成膾炙人口的《經學歷史》，雖與他長期累積起深厚的經學素養有關，但應該與他憑依現成的《經學家法》講義更有關係。

三、《經學歷史》的主要內容

關於《經學歷史》，幾乎所有的研究者都在討論書中關於中國經學歷史的「分期」與「評價」問題，並據以分析皮錫瑞編撰「第一本經學史著作」的成敗得失，至於該書的實際內容，迄今為止尚無人有興趣詳加探究。因此，筆者擬通過逐章逐節的分析，總結《經學歷史》的實際內容，以利於辨析該書的本來面目，揭示皮錫瑞撰書的真正旨趣。

㈠「經學開闢時代」。全章共八節，據其內容，可分成兩部分。

第一節提出「經學開闢時代，斷自孔子刪定六經為始」的命題，並作了簡單的論證，認為孔子之前雖有各種文獻典籍，卻不足以稱經，只有經過孔子的增刪才成真為經，「皆經孔子手定，而後列於經也」；接著提出「漢初舊說，分明不誤，東漢以後，始疑所不當疑」，在肯定西漢經學時，責斥東漢以後對孔子刪定經書、開闢經學的懷疑。第二節先提出孔子刪訂六經寓有微言大義，認定「孔子為萬世師表，六經即萬世教科書」，在此基礎上，一面力贊西漢因尊崇孔子、奉行六經而成效顯著，「雖漢家制度，王、霸雜用，未能盡行孔教，而通經致用，人才已為後世之所莫逮，蓋孔子之以六經教萬世者，稍用其學，而效已著明如是」；一面批評後世不但尊孔奉以虛名，崇經流於形式，甚至疑孔惑經，「不知孔子作六經教萬世之旨，不信漢人之說，橫生臆見，詆毀先儒，始於疑經，漸至非聖。或尊周公以壓孔子，或尊伏羲以壓孔子。孔子手定之經，非特不用以教世，且不以經為孔子手定，而屬之他人」。經過對正、反兩方面歷史的追溯與檢討，無比鮮明而異常堅定地提出：「故必以經為孔子作，始可以言經學；必知孔子作經以教萬世之旨，始可以言經學。」從邏輯和內容來看，這兩段文字其實大同小異，都是先論證孔子刪定六經，垂教萬世，再批評後世疑孔惑經，非聖無法，「由是古義茫昧，聖學榛蕪」，說明「經學不明，孔教不尊，非一朝一夕之故，其所由來者漸矣」。換言之，皮氏在這裡兩次回顧歷史，實際是要追溯晚清孔教不尊、經學不明的淵源，以便對症下藥，找到行之有效的尊孔之法、崇經之術。如果閱完《經學歷史》後，回頭再細讀這兩段文字，就會發現這兩節就是全書內容的一個概要。因此，這開篇的兩段，其實也可以視作《經學歷史》的自序。

在第三至六節中，皮氏對孔子刪定六經分別作了詳盡的論述。他說「孔子以前，未有經名，而已有經說」，承認孔子之前已有各種傳世文獻，但他否認這些典籍在孔子手定之前具備施教育人的內涵，並針對後人懷疑孔子贊《易》作《春秋》，論述說：「文王重六十四卦，見《史記・周本紀》，而不云作〈卦辭〉，〈魯周公世家〉亦無作〈爻辭〉事。蓋無文辭，故不可以教士。若當時已有

〈卦〉、〈爻辭〉，則如後世御纂、欽定之書，必頒學官以教士矣。觀樂正之不以《易》教，知文王、周公無作〈卦〉、〈爻辭〉之事。《春秋》，國史相傳，據事直書，有文無義，故亦不可以教士。若當時已有褒貶筆削之例，如朱子《綱目》有〈發明〉、〈書法〉，亦可以教士矣。觀樂正之不以《春秋》教，知周公無作《春秋》凡例之事。」他又援引漢人之說，認為孔子刪定《詩》、《書》，親訂《孝經》。他特別提出經名也是出自孔子，「孔子出而有經之名」，「孔子始明言經，或當刪定六經之時，以其道可常行，正名為經」，並極言孔子正定經名的意義：「經名正，而惟皇建極，群下莫不承流；如日中天，眾星無非拱向矣。」對於龔自珍「仲尼未生，先有六經；仲尼既生，自明不作。仲尼曷嘗率弟子，使筆其言以自制一經哉」的非聖之論，他力加駁斥：「如龔氏言，不知何以解夫子之作《春秋》？是猶惑於劉歆、杜預之說，不知孔子以前不得有經之義也。」在第七、八節中，皮氏對《史記．孔子世家》的言論大加分析，認為孔子刪定六經，各有深意妙旨，尤以修訂《春秋》為最，他評論說：「《史記》以《春秋》別出於後，而解說獨詳，蓋推重孔子作《春秋》之功，比刪訂諸經為尤大，與孟子稱孔子作《春秋》，比禹抑洪水、周公兼夷狄相似；其說《春秋》大義，亦與《孟子》、《公羊》相合。知有據魯、親周、故殷之義，則知《公羊》家三科、九旨之說未可非矣；知有繩當世貶損之文，則知《左氏》家經承舊史、史承赴告之說不足信矣；知有後世知丘、罪丘之言，則知後世以史視《春秋》、謂褒貶善惡而已者尤大謬矣。」

合而觀之，在本章中，皮錫瑞關於孔子刪定六經、開闢經學的正面論述其實不多，亦非充分有力[34]，卻無處不對疑孔惑經的言論痛加批駁。因此，與其說他是在客觀嚴謹地敘述孔子開創經學的學術史實，不如說他是在淋漓盡致地發抒尊孔崇經的一家之說。可以說，《經學歷史》的性質與真實面目，在首章已能窺見一斑。

---

[34] 例如，他論孔子贊《易》修《春秋》，是用非此即彼的排除法；他論「《詩》、《書》皆孔子所定」，則引西漢人的言詞作為根據。這樣的論證，實際上不僅論據不充足，方法也欠妥善。

㈡「經學流傳時代」。全章共七節，據其內容，可分三部分。

在第一至三節中，皮錫瑞援引各種文獻資料，敘述孔子嫡傳及再傳弟子傳布經學的概況，其中論子夏、荀子傳經之功稍詳。他說孔子之後雖然儒分為八，但「諸儒學皆不傳，無從考其家法，可考者惟卜氏子夏」，故引錄洪邁《容齋隨筆》，證明子夏曾傳五經，並參撰《論語》。他又認為「惟荀卿傳經之功甚巨」，徵引《經典釋文》、《漢書》等相關資料，指出「荀子能傳《易》、《詩》、《禮》、《樂》、《春秋》，漢初傳其學者甚盛」。對於子思、曾子和孟子，皮錫瑞論述很少，卻別有所見。他講子思，說：「八儒有子思子，《子思》二十三篇，列〈漢志〉儒家，今亡。沈約謂《禮記》〈中庸〉、〈表記〉、〈坊記〉、〈緇衣〉，皆取《子思子》。然則〈表記〉、〈坊記〉、〈緇衣〉之『子言之』、『子曰』，或即子思子之言，故中有引《論語》一條。後人以此疑非孔子之言，解此，可無疑矣。諸篇引《易》、《書》、《詩》、《春秋》，皆可取證古義。」他又認為《大戴禮記》中所存《曾子》十篇文字，「中引經義，皆極純正」，並引述〈天圓篇〉曾子答單居離之語，分析說：「據曾子說，謂圓謂方，謂其道，非謂其形。方圓同積，圓者不能揜方之四角。今地為天所揜，明地在天中。天體渾圓，地體亦圓，與地球之說合。《周髀算經》、《黃帝內經》皆言地圓，非發自西人也。」關於孟子，他說：「趙岐謂孟子通五經，尤長於《詩》、《書》，今考其書，實於《春秋》之學尤深，如云『《春秋》，天子之事，其義則丘竊取』之類，皆微言大義。」可見，皮錫瑞就子思遺文批駁後人疑孔之非，又對曾子「天圓地方」之說大加發揮，以及突出孟子深得《春秋》微言大義之學，其實皆具深意。

在第四至六節中，皮氏述及戰國至漢初的經學概況。關於戰國時期的經學，他主要講了兩點：其一，他說：「五三六經載籍，定自尼山；七十二子支流，分於戰國。馯臂子弓之傳《易》，實授蘭陵；高行、孟仲之言《詩》，或師鄒嶧。〈王制〉在赧王之後，說本鄭君；《周官》為六國之書，論原何氏。」他認為當時經學仍為荀子、孟子正傳，《周禮》、〈王制〉則係戰國作品，因此提出「凡今古學之兩大派，皆魯東家之三四傳。雖云枝葉扶疏，實亦波瀾莫二」，後世經學雖分今古二學，實自孔聖一脈相承。其二，他說：「墨子之引《書》傳，每異孔門；呂氏之著《春秋》，本殊周制。其時九流競勝，諸子爭鳴，雖有古籍留遺，並非尼山手訂，引《書》間出百篇之外，引《詩》或在三千之中，但可臚為異聞，不當執證經義。萬章之問井廩，難補〈舜典〉逸文；鄭君之注〈南風〉，不取《尸子》雜說。誣伊尹以嬰戮，據周公之出奔，疑皆處士橫議之詞，流俗傳聞之誤。雖《魏史》出安釐之世，蒙恬見未焚之書，而義異常經，說難憑信。此其授受，本別參、商，惜乎辭闢，未經鄒、孟。宜有別裁之識，乃無泥古之譏。」他評析百家諸子引述儒家經籍，認為「義異常經，說難憑信」，而據以判斷的標準，則不過孔子作經、孔門傳經，即所謂「雖有古籍留遺，並非尼山手訂」、「此其授受，本別參、商，惜乎辭闢，未經鄒、孟」。對於秦朝及漢初的經學，他甚不為意，僅僅引述劉歆〈移太常博士書〉，以示漢初傳經不易之意。

皮錫瑞在最後一節中，又提出「孔子所定謂之經，弟子所釋謂之傳，或謂之記，弟子展轉相授謂之說。惟《詩》、《書》、《禮》、《樂》、《易》、《春秋》六藝乃孔子所手定，得稱為經」，並稱贊漢人對經與傳分別極明，而後世有所謂六經、七經、九經、十三經，「皆不知經、傳當分別，不得以傳、記概稱為經也」。他主張分別經、傳，批評後人將傳、記混雜入六藝之中，使其與正經平列，用意不言而喻。

綜而論之，本章雖標「經學流傳」之題，但細檢內容，對於孔子之後直到西漢文帝年間的經學傳布情況，皮錫瑞並未作認真、翔實的考察，關於此一時期經學流傳的史實不多，貫串其間的議論反而條理嚴整，環環緊扣。他在本章開篇就提出「經名昉自孔子，經學傳於孔門」；敘述孔子嫡派傳經後，又說「五三六經載籍，定自尼山；七十二子支流，分於戰國」；末段再說「孔子所定謂之經」，力主分別經、傳，「不得以傳、記概稱為經」，都是重申前章尊崇孔子刪定六經之意。他通過對孔子之後經學授受源流的簡單考察，強調「凡今古學之兩大派，皆魯東家之三四傳」，又進而依據孔子作經與孔門傳經，甄別諸子百家文獻，謂其「但可臚為異聞，不當執證經義」。凡此種種，都意在說明孔教學統綿延，未曾中斷，而且「家法可考」，授受分明，由此暗示自孔子以迄漢初，經學純正而不雜。可見，皮錫瑞第二章論述的內容及其用意，仍然是尊孔與崇經。

㈢「經學昌明時代」。全章共十節㉟，據其內容，可分為四部分。

在第一、二節中，皮錫瑞從兩個方面說明西漢武帝時代「經學昌明」的內涵。其一，他根據《史記．儒林傳》等相關記載，論證西漢武帝時有今文無古文，經學最為純正，「史遷當時，蓋未有《毛詩》、《古文尚書》、《周官》、《左氏》諸古文家也，經學至漢武始昌明，而漢武時之經學力量純正」。其二，他考察西漢置五經博士的簡要過程，對其大加稱頌，謂之「此昌明經學之大事」，「此漢世明經取士之盛典，亦後世明經取士之權輿」。

第三至五節對漢廷分立十四博士和諸儒不嚴師法作了較多的批評。皮錫瑞指出，在西漢十四博士中，只有三家《詩》學不同師，不得不分立博士，至於其它四經，同出一師，不必分立博士，「漢人治經，各守家法，博士教授，專主一家，而諸家中惟魯、齊、韓《詩》本不同師，必應分立，若施讎、孟喜、梁丘賀，同師田王孫；大、小夏侯，同出張生，張生與歐陽生同師伏生；夏侯勝、夏侯建又同出夏侯始昌；戴德、戴勝同師后蒼；嚴彭祖、顏安樂同師眭孟，皆以同師共學，而各專門教授，不知如何分門，是皆分所不必分者」。因此，他對朝廷分立十四博士進行嚴厲的批評，說：「漢人最重師法。師之所傳，弟之所受，一字毋敢出入，背師說即不用，師法之嚴如此。而考其分立博士，則有不可解者。」他認為漢初經各一師，「獨守遺經，不參異說，法至善也」，後儒乖離師法，自創新說，朝廷不加禁止，反而為之分立博士，「不守師傳，法當嚴禁，而反為之分立博士，非所謂大道多歧亡羊者乎」。第五節則對漢末增置古文諸經博士的爭論雙方加以批評。劉歆曾提出「與其過廢也，寧過而存之」，皮錫瑞斥之為「強詞飾說」，認為「義已相反，安可並置？既知其過，又何必存？與其過存，無寧過廢」，西漢今文博士在漢末議立古文博士時力爭不聽，而「於宣、元之增置，未嘗執爭」，皮錫瑞因此責其「防微杜漸，當時已少深慮」，他還對范升反對增立古文博士的言論加以分析，批評說：「據范氏說，可見漢時之爭請立學者，所見甚陋，各懷其私，一家增置，餘

㉟ 《經學歷史》原刊本頁19下第2行「荀悅《申鑑》曰」句起另成一段，即該章第十節。因前段末句「荀崧以為孔子作《春秋》、丘明造膝親受者非矣」排至行底，周予同以為二者相連，故未分段，有誤，見《經學歷史》周注本，頁93。

家怨望，有深慮者，當預絕其萌，而不可輕開其端矣。」第六至八節著重對兩漢經學今古文加以辨析。劉歆在〈移太常博士書〉中，譏詆今文博士「以《尚書》為備，謂左氏不傳《春秋》」，皮錫瑞就此進行論述，指出《今文尚書》二十九篇確為足本，在劉歆以前《左傳》本不解經，得出「前漢經師並不信古文」的結論。接著，他對兩漢經學今古文始因文字之異，繼而說解不同的分立過程，作了簡要說明。他指出，今文即漢世通行之隸書，古文為漢世不能通行之籀書，漢初發藏以教人，「必改為通行之今文，乃便學者誦習」，故西漢所立十四博士皆為今文，此時古文未興，亦不必別標今文之名；及至劉歆增置古文諸經博士，「既立學官，必創說解。後漢衛宏、賈逵、馬融又遞為增補，以行於世，遂與今文分道揚鑣」。皮錫瑞進而分辨今、古兩家之優劣，指出：「前漢今文說，專明大義微言。後漢雜古文，多詳章句訓詁。章句訓詁不能盡饜學者之心，……惟前漢今文學能兼義理、訓詁之長。武、宣之間，經學大昌，家數未分，純正不雜。故其學極精而有用，以〈禹貢〉治河，以〈洪範〉察變，以《春秋》決獄，以三百五篇當諫書，治一經得一經之益也。」他還指出，當時的經書雖只傳下《尚書大傳》、《春秋繁露》和《韓詩外傳》，實亦足資後學追復西漢之學，探求經學之真：「學者先讀三書，深思其旨，乃知漢學所以有用者，在精不在博，將欲通經致用，先求大義微言，以視章句訓詁之學，如劉歆所譏分文析義，煩言碎辭，學者罷老且不能究其一藝者，其難易得失何如也！」至此，皮錫瑞不僅得出漢武時代的經學精純有用的結論，也做出西漢今文簡明易學的判斷。

在最後兩節中，皮錫瑞利用前面論述的結果，重申孔子作經之旨。他說，「太史公書成於漢武帝時，經學初昌明極純正時代，間及經學，皆可信據。」因此，他藉重《史記》中關於孔子與五經的碎金片玉，駁斥後世對《易》、《書》、《詩》、《春秋》的種種誣妄之論、臆斷之解。他還對孔子、周公與《春秋》、《周禮》的關係進行辨析，批駁古文學派疑孔惑經乃至以周公凌駕孔子的「橫決」，寫道：「太史公曰『言六藝者，折衷於孔子』，徐防曰『《詩》、《書》、《禮》、《樂》，定自孔子』，六經皆孔子手定，無有言周公者。作《春秋》尤孔子特筆，自孟子及兩漢諸儒，皆無異辭。孟子以孔子作《春秋》，比禹抑洪水、周公兼夷狄驅猛獸，又引孔子其義竊取之言，繼舜、禹、湯、文、武、周公之後，足見孔子功繼群聖，全在《春秋》一書。尊孔子者，必遵前漢最初之古義，勿惑於後起之歧說。與其信杜預之言，降孔子於配享周公之列，不如信孟子之言，尊孔子以繼禹、周公之功也。」

就本章整體內容來看，皮錫瑞在繼續闡揚尊孔、崇經之外，提出一個「治經必宗漢學」的新論題。治經必須歸宗漢學，「而漢學亦有辨」，因此他對兩漢經學作了詳盡剖析，析其異同，辨其優劣。他論證漢初經學有今無古、最為純正，表彰西漢設立五經博士昌明經學，批評不嚴師法、分立博士，分別兩漢經學一優一劣，都是論證治經當宗西漢之學。同時，由他所說「尊孔子者，必遵前漢最初之古義，勿惑於後起之歧說」，可見他推崇西漢經說，目的仍在尊孔教、崇聖經。

㈣「經學全盛時代」。全章共十三節，據其內容，可分三部分。

第一至四節分析西漢元、成迄東漢明、章經學極盛的原因及其實質。他認為經學在漢武帝以後之所以極盛，一是朝廷重用儒士，通經術者多能進位至於公卿，「宰相須用讀書人，由漢武開其端，元、成及光武、明、章繼其軌」；二是博士弟子廣置員額，歲加拔取，優渥備至，「是以四海之內，學校如林，漢末太學諸生至三萬人，為古來未有之盛事」。他特別稱贊「漢崇經術，實能見之施行」，將經學與政治密切結合，使儒家定於一尊，「上無異教，下無異學。皇帝詔書，群臣奏議，莫不引經義以為據依。國有大疑，輒引《春秋》為斷。一時循吏，多能推明經意，移易風化，號為以經術飾吏事」。為表彰漢代推崇經義並能見之實行，他還進行對比，謂「後世取士，偏重文辭，不明經義；為官專守律例，不引儒書。既不用經學，而徒存其名，且疑經學為無用，而欲並去其實」。漢儒又多喜推究天人之學，宣揚陰陽災異學說，或雜引讖諱以解經義，後人遂譏其附會災祥，皮錫瑞卻認為：「當時儒者以為人主至尊，無所畏憚，借天象以示儆，庶使其君有失德者，猶知恐懼修省。此《春秋》以元統天、以天統君之義，亦《易》神道設教之旨。……此亦漢時實行孔教之一證。」皮錫瑞將漢人崇重經術的行為，徑稱為「實行孔教」，並藉機暢發尊孔崇經之旨，說：「觀兩漢之已事，可以發思古之幽情。孔子道在六經，本以垂教萬世。惟漢專崇經術，猶能實行孔教。雖《春秋》太平之義，〈禮運〉大同之象，尚有未逮，而三代後政教之盛、風化之美，無有如兩漢者。降至唐宋，皆不能及。尊經之效，已有明徵。若能舉太平之義、大同之緣而實行之，不益見玄聖綴學立制，真神明之式哉！」

「觀漢世經學之盛衰，而有感焉」。皮錫瑞接下來在第五至八節中，就東漢經學的盛衰，大發感慨之詞，昌明尊經之道。首先，他對東漢太學的發展情況作了簡要考察，提出東漢國運係於經學教育，並從中總結出「立學必先尊經」的深刻教訓，說：「東漢儒風之衰，由於經術不重。經術不重，而人才徒侈其眾多；實學已衰，而外貌反似乎極盛。於是游談起太學，而黨禍遍天下。人之云亡，邦國殄瘁，實自疏章句、尚浮華者啟之。觀漢之所以盛與所以衰，皆由經學之盛衰為之樞紐。然則立學必先尊經，不尊經者，必多流弊。後世之立學者，可以鑑矣。」其次，他就漢人所謂孔子作經為漢制法之說，批評歐陽修以漢儒為狹陋的指責過於拘泥，申明「聖經本為後世立法」，並說：「在漢言漢，推崇當代，即以推崇先聖。如歐陽修生於宋，宋尊孔子之教，讀孔子之經，即謂聖經為宋制法，亦無不可。今人生於大清，大清尊孔子之教，讀孔子之經，即謂聖經為清制法，亦無不可。……漢經學所以盛，正以聖經為漢制作，故得人主尊崇。此儒者欲行其道之苦衷，實聖經通行萬世之公理。」皮錫瑞「推崇當代，即以推崇先聖」的主張，將尊崇孔教、誦讀聖經與服務現實無比緊密地聯貫起來，而「儒者欲行其道之苦衷」的體味，亦可見其於晚清紛亂變幻之世力主尊孔崇經的良苦用心！再次，他指出「後漢取士，必經明行修，蓋非專重其文，而必深考其行」，通過對比兩漢明經取士的成效，並引用范曄、顧炎武所論，對東漢尊經學而重修行稱贊不已，寫道：「范蔚宗論文，以為所談者仁義，所傳者聖法也，故人識君臣父子之綱，家知違邪歸正之路。自桓、靈之間，君道秕僻，朝綱日陵，國隙屢啟。自中智以下靡不審其崩離，而極強之臣息其窺盜之謀，豪俊之夫屈於鄙生之議者，人誦先王言也，下畏逆順勢也。跡衰敝之所由致，而能多歷年所者，斯豈非學之效乎。顧炎武以范氏為知言，謂三代以下風俗之美，無尚於東京者。然則國家尊經重學，非直肅清風化，抑可擠拄衰微。無識者以為經學無益而欲去之，觀於後漢之時，當不至如秦王謂儒無益人國矣。」范曄所述漢末衰亂之勢，與清季時局何其相似，因此，由皮錫瑞對東漢經學救衰世、挽頹局的稱頌，對以經學無益富強而倡導廢經之「無識者」的責備，正可見其尊崇孔教、講明經學的心意。

第九至十三節對東漢經學的極盛而衰做了較為深入的剖析。皮錫瑞比較兩漢經師的治學成績，以西漢經師多專一經，亦罕有撰述，而東漢諸儒兼通五經，且著述繁富，肯定「後漢經學盛於前漢」。他又指出東漢經學盛況空前的兩種表現，即一師聚徒成千上萬，一經說至百餘萬言。他認為前者誠是經學之盛事，至於「一經說至百餘萬言，則漢之經學所以由盛而衰者，弊正坐此」。他引用班固之論，總結兩漢經學盛衰之故，說：「凡學有用則盛，無用則衰。存大體、玩經文則有用，碎義逃難、便辭巧說則無用。有用則為人崇尚，而學盛；無用則為人詬病，而學衰。」把東漢經學由盛轉衰，歸因於後漢經師的繁瑣說經，這是從治經的方法層面所作的分析。他還自家法入手，分析東漢經學繁富、碎雜的淵源所自。他指出西漢重師法，東漢重家法，家法出自師法，西漢諸儒已不守師法，朝廷亦為之分立博士，東漢以來朝廷雖嚴家法之戒，卻無濟於事：「師法別出家法，而家法又各分專家，如幹既分枝，枝又分枝，枝葉繁滋，浸失真本。……是末師而非往古，用後說而捨先傳。微言大義之乖，即自源遠末分始也。」在他看來，「是末師而非往古，用後說而捨先傳」的學風，正是東漢經學盛極而衰的思想根源，因此在最後一節中，他特別從今文、古文之分立與師法、家法之衍變，對西漢經學進行總結，指出：「凡事有見為極盛，實則盛極而衰象見者，如後漢師法之下復分家法，今文之外別立古文，似乎廣學甄微，大有裨於經義，實則矜奇炫博，大為經義之蠹。」

由以上所述，可見皮錫瑞所謂的經學極盛，實指尊奉「孔教」而言，因此本章的主要內容，並非敘述西漢元、成以後及東漢一代經學發展的基本史實，而是通過探究兩漢經學的盛衰，將尊孔與崇經的主張發揮到了極至。同時，他把經學由盛轉衰的關鍵，歸於後漢經師的說經繁瑣與不修家法，彰顯前漢經師「存大體、玩經文」的簡捷有用與「篤守遺經」的質樸無華，從治經方法、為學作風及其後果的對比中，對西漢之學予以肯定。顯然，這是對前章提出的「宗漢」主張所作的補充性論述。此外，在本章最後一節，皮錫瑞又提出「凡學皆貴求新，惟經學必專守舊」的論題。他論述說：「經作於大聖，傳自古賢。先儒口授其文，後學心知真意，制度有一定而不可私造，義理衷一是而非能臆說。世世遞嬗，師師相承，謹守訓辭，毋得改易。如是則經旨不染，而聖教易明矣。若各務創獲，苟異先儒，騁怪奇以釣名，恣穿鑿以標異，是乃決科之法，發策之文，侮慢聖言，乖違經文。後人說經，多中此弊。漢世近古，已兆其端。故愚以為明、章極盛之時，不加武、宣昌明之代也。」只要細加審思，此種治經應當守舊、信古的主張，用意仍是追尊孔子、推崇聖經，「經旨不雜，而聖教易明」的涵義正在於此；「明、章極盛之時，不加武、宣昌明之代」的評判，亦不過為治經必宗西漢的命題新增一個注解；而「後人說經，多中此弊」的批評，不啻是下文評論魏晉以降經學的預示。

㈤「經學中衰時代」。全章共七節㊱，據其內容，可分三部分。

第一至四節論述「鄭學雖盛而漢學終衰」的問題。皮錫瑞先以漢末「士風頹喪而儒風寂寥」，雖有鄭學盛況空前，仍無救於兩漢經學之衰，慨嘆「以兩漢經學之盛，不百年而一衰至此」。鄭玄集漢學之大成，皮錫瑞卻說「鄭學雖盛而漢學終衰」。究其原因，是他認為鄭玄混合今古、淆亂家法，批評說：「鄭君兼通今古文，溝合為一，於是經生皆從鄭氏，不必更求各家。鄭學之盛在此，漢學之衰亦在此。」他在列舉鄭玄注經兼採今古的情形後，又詳論其泯滅家法的過失，說：「所謂鄭學盛而漢學衰者，漢經學近古可信，十四博士今文家說，遠有師承。劉歆創通古文，衛宏、賈逵、馬融、許慎等推衍其說，已與今學分門角立矣。然今學守今學門戶，古學守古學門戶。今學以古學為變亂師法，古學以今學為黨同妒真，相攻如仇，不相混合。杜、鄭、賈、馬注《周禮》、《左傳》，不用今說；何休注《公羊傳》，亦不引《周禮》一字；許慎《五經異義》，分今文說、古文說甚晰。如盡如此分別，則傳至後世，今古文不雜廁，開卷可瞭然矣。……鄭君博學多師，今古文道通為一，見當時兩家相攻擊，意欲參合其學，自成一家之言。雖以古學為宗，亦兼採今學，以附益其義。學者苦其時家法繁雜，見鄭君宏通博大，無所不包，眾論翕然歸之，不復捨此趨彼。於是鄭《易注》行，而施、孟、梁丘、京之《易》不行矣。鄭《書注》行，而歐陽、大小夏侯之《書》不行矣。鄭《詩箋》行，而齊、魯、韓之《詩》不行矣。鄭《禮注》行，而大小二戴之《禮》不行矣。鄭《論語注》行，而齊、魯《論語》不行矣。重以鼎足分爭，經籍道息，漢學衰廢，不能盡咎鄭君。而鄭採今古文，不復分別，使兩漢家法亡不可考，則亦不能無失。」皮氏

㊱ 《經學歷史》原刊本頁30下自第6行「范蔚宗論鄭君」句起，另成一段，即該章第二節。因前段末句「然則文明豈可恃乎」排至行底，周予同以為二者相連，故未分段，有誤，見《經學歷史》周注本頁141。

將西漢博士之學的淪落，歸於鄭玄的混亂家法，但他隨即變換視角，就鄭玄的兼採今古而彰其保存西漢舊說之功，說：「鄭君雜揉今古，使專門學盡亡；然專門學既亡，又賴鄭君得略考見。今古之學，若無鄭注，學者欲治漢學，更無從措手矣。此功過得失互見，而不可概論者也。」可見，皮氏完全是以西漢之學的存亡絕續，來評估鄭玄經學的功過得失。

在第五、六節中，皮錫瑞以王肅經學為中心，論述了西漢今文之學漸趨衰亡的過程。王肅是繼鄭玄之後的經學大師，皮錫瑞評論王肅的方式與鄭玄如出一轍。王肅兼通今、古文，批駁鄭玄時，「或以今文說駁鄭之古文，或以古文說駁鄭之今文」，甚至假託聖言，偽造典籍，不僅被鄭玄混雜的今古家法未被釐清，偽《古文尚書》還使後世長期難辨真偽。因此，他批評王肅說：「不知漢學重在專門，鄭君雜揉今古，近人議其敗壞家法。肅欲攻鄭，正宜分別家法，各還其舊而辨鄭之非，則漢學復明，鄭學自廢矣。乃肅不能分別，反效鄭君而尤甚焉。……」他希望王肅能糾鄭學之非，分別今古文家法，使「漢學復明」，足見其崇尚漢學之心。批評王學後，皮錫瑞又前伸後延，描述了西漢專門之學淪亡的歷程：「兩漢經學極盛，而前漢末出一劉歆，後漢末出一王肅，為經學之大蠹。……二人黨附篡逆，何足以知聖經？而歆創立古文諸經，汨亂今文師法。肅偽作孔氏諸書，並鄭氏學亦為所亂。歆之學行於王莽，肅以晉武帝為其外孫，其學行於晉初。……晉初郊廟之禮，皆王肅說，不用鄭義。其時孔晁、孫毓等申王駁鄭，孫炎、馬昭等又主鄭攻王。齗齗於鄭、王兩家之是非，而兩漢專門，無復過問。重以永嘉之亂，《易》亡梁丘、施氏、高氏，《書》亡歐陽、大小夏侯，齊《詩》在魏已亡，魯《詩》不過江東，韓《詩》雖存，無傳之者，孟、京、費《易》亦無傳人，《公》、《穀》雖在若亡。……晉所立博士，無一為漢十四博士所傳者，而今文之師法遂絕。」

皮錫瑞在末節指出，《十三經注疏》中，漢人之作六部，魏、晉人之作各三部，就數量而言，「魏、晉人似不讓漢人」，但徵諸其實，「魏、晉人注，卒不能及漢」。他分析說，《尚書孔傳》為王肅偽作；王《易注》空談名理，「與漢儒樸實說經不似」；何晏《論語集解》合包、周之《魯論》，孔、馬之《古論》，「雜揉莫辨」，亦間引偽書；杜預《左傳集解》「多據前人說解而沒其名」，所解更多邪說謬論；范寧《穀梁集解》雖存《穀梁》舊說，而不專主一家，「若漢時《三傳》，各守專門，未有兼採《三傳》者也」；郭璞《爾雅注》亦隱沒前人之功，有攘善無恥之譏：「此皆魏晉人所注經，準以漢人著述體例，大有逕庭，不止商周之判。蓋一壞於三國之分鼎，再壞於五胡之亂華，雖緒論略傳，而宗風已墜矣。」皮錫瑞對於魏晉經注與兩漢經注的褒貶毀譽，於此分明可見，對漢學淪喪的痛惜之意，也溢乎言詞之間。

研究者大多認為，皮錫瑞在「經學中衰時代」一章專述魏晉時期的經學，並對魏晉經學作「中衰」的評價。㊲但由以上所述，發現實際內容並非如此。就論述的對象來看，皮錫瑞重點評論的是東漢末年的鄭玄和生於漢、晉之間的王肅，還批評了西漢末年的劉歆；就論述的內容來看，皮氏並未敘述魏晉時期經學發展的全貌，而是通過評述鄭學、王學、兩晉所立博士和魏、晉人的經注，描述出西漢之學漸歸衰亡的大致歷程。因此，他所謂「中衰」的經學，並非魏晉時期的經學，而是特指西漢十四博士之學。此外，皮錫瑞在本章還提出：「《毛詩》、《左傳》，乃漢時不立學之書，而後世不可少。鄭君為漢儒敗壞家法之學，而後世尤不可無。漢時《詩》有魯、齊、韓三家，《春秋》有《公》、《穀》二傳，《毛詩》、《左傳》不立學，無害；且不立學，而三家、二傳更不至淆雜也。漢後三家盡亡，二傳殆絕，若無《毛詩》、《左傳》，學者治《詩》、《春秋》，更無所憑依矣。鄭君雜揉今古，使專門學盡亡；然專門學既亡，又賴鄭君得略考見。今古之學，若無鄭注，學者欲治漢學，更無從措手矣。」正因為「欲治漢學，捨鄭莫由」，鄭學成為後世重返漢學之津梁，亦有助於後人一窺西漢今文學說之崖略，所以此後各章論經學，即以是否宗尚鄭學作為一項主要標準，此即皮錫瑞的「主鄭」論。

㈥「經學分立時代」。㊳

本章評述南北朝經學，基本上取材於南、北二史之〈儒林傳〉，行文中顯得史事較多，然而皮錫瑞徵引雖詳，用意並非述史，而在探究經學在此期間如何「又一變」。他評論時的參照之物，正是鄭學與漢學。皮錫瑞根據《北史・儒林傳》所述南、北方盛行的經注，贊賞北學宗鄭，說：「夫學出於一，則人知依歸；道紛於

㊲ 最具代表性的意見，見前揭陳全德〈皮錫端「魏晉為經學中衰時代」觀點之評述〉一文。

㊳ 按，為免文章過於累贅，此後五章不再逐節解讀，只述介其中的重要內容。

歧，則反致眩惑。鄭君生當漢末，未雜玄虛之習、偽撰之書，箋注流傳，完全無缺，欲治漢學，捨鄭莫由。」又論《北史》所云黃河以北盛行鄭玄、服虔、何休三家經注，說「漢儒經注，當時存者止此三家，河北大行，可謂知所宗尚」。與此形成鮮明對照的是，他對南學痛加批評，說：「『南學則尚王輔嗣之玄虛、孔安國之偽撰、杜元凱之臆解，此數家與鄭學枘鑿，亦與漢儒背馳，乃便涇渭混流，薰蕕同器，以致後世不得見鄭學之完全，並不得存漢學之什一，豈非談空空、核玄玄者階之厲乎！」對於南方經師，他唯一稱道雷次宗，說「南朝之可稱者，惟晉、宋間諸儒善說禮服，雷次宗最著，與鄭君齊名，有雷、鄭之稱。當時崇尚老莊之時，而說禮謹嚴，引證詳實，有漢石渠、虎觀遺風，此則後世所不逮也。」在比較南、北經學的優劣時，他就《北史》所說「南人約簡，得其英華；北學深蕪，窮其枝葉」進行分析，對唐初人重南輕北的評價大表不滿，說：「說經貴約簡，不貴深蕪，自是定論。但所謂約簡者，必如漢人之持大體、玩經文，口授微言，篤守師說，乃為至約而至精也。若唐人謂『南人約簡，得其英華』，不過名言霏屑，馳揮麈之清談；屬詞尚腴，侈雕蟲之餘技。如皇侃之《論語義疏》，名物制度，略而弗講，以老莊之旨，發為駢儷之文，與漢人說經，相去懸絕。此南朝經疏之僅存於今者，即此可見一時風尚。」他還引二史〈儒林傳〉，對南北各代政權崇儒重教作了比較，說：「北朝諸君，惟魏孝文、周武帝能一變舊風，尊崇儒術，考其實效，亦未必優於蕭梁，而北學反勝於南者，由於北人俗尚樸純，未染清言之風、浮華之習，故能專宗鄭、服，不為偽孔、王、杜所惑。此北學所以純正勝南也。」換言之，他認為北學之所以優於南學，並不取決於帝王的尊崇儒術，而是因為北人質樸，宗尚鄭學。可見，皮錫瑞評六朝經學，始終基於「宗漢」、「主鄭」的立場。

㈦「經學統一時代」。

隋朝平定天下，經學亦隨之統一，但「天下統一，南併於北，而經學統一，北學反併於南」。對此，皮錫瑞分析說：「經本樸學，非專家莫能解，俗目見之，初無可悅。北人篤守漢學，本近質樸，而南人善談名理，增飾華詞，表裡可觀，雅俗共賞。故雖以亡國之餘，足以轉移一時風氣，使北人捨舊而從之。」他雖以人情習俗解之，卻頗有微詞，對於「經學統一之後，有南學無北學」尤感不滿，痛惜地寫道：「偽孔、王、杜之盛行，鄭、服之浸微，皆在隋時。故天下統一之後，經學亦統一，而北學從此絕矣。」衡諸皮氏之意，北學之絕，實即鄭學之衰。對於唐代頒行的孔穎達《五經正義》，後世責其有三失，「曰彼此互異，曰曲循注文，曰雜引讖緯」。皮錫瑞認為《五經正義》書出眾手而有「彼此互異」之弊，其餘兩點則未必可非，說：「著書之例，注不駁經，疏不駁注，不取異義，專宗一家，曲循注文，未足為病。讖緯多存古義，原本今文，雜引釋經，亦非巨謬。」朱熹曾評《五經正義》中《周禮》最好，《詩》、《禮》次之，《書》、《易》最下。皮錫瑞認為各經《正義》之優劣，主要取決於各經注本之高下：《易》主王弼，本屬清言，疏文失於虛浮，「以王《注》本不摭實也」，《書》主偽孔，本多空詮，疏文多失，「由偽傳本無足徵也」；至於《詩》、《禮》、《周禮》，「皆主鄭氏，義本詳實，名物度數，疏解亦明，故於諸經《正義》為最優」；《左傳正義》則「盡棄賈、服舊解，專宗杜氏一家」。這一評論與他對兩漢及魏晉經注的褒貶前後一轍。他還特別指出：「唐人義疏，其可議者誠不少矣，而學者當古籍淪亡之後，欲存漢學於萬一，窺鄭君之藩籬，捨是書無徵焉。是又功過互見，未可概論者也。」可見皮錫瑞肯定《五經正義》，實因其保存漢學及有益後世窺見鄭學。對於唐刻開成《石經》，後世多病其校刊不善，皮錫瑞卻譽之為「群經之遺則」，謂其近古可信，有功於經學，說：「自熹平《石經》散亡之後，惟開成《石經》為完備，以視兩宋刻本，尤為近古，雖校刊不盡善，豈無佳處，足證今本之訛脫者？」他又贊揚李鼎祚《周易集解》「多存古義」，使後人賴以窺見漢《易》之大略，考求荀、虞之宗旨。凡此皆可見皮氏「信古」、「宗漢」、「主鄭」之意。

此外，皮錫瑞對於唐人經說，特別表彰分辨《春秋》、《左傳》的陳商，說：「自漢後《公羊》廢擱，《左氏》孤行，人皆以《左氏》為聖經，甚且執杜解為傳義。不但《春秋》一經，汨亂已久；而《左氏》之傳，受誣亦多。孔《疏》於經傳不合者，不云傳誤，反云經誤；劉知幾《史通》詆毀聖人，尤多狂悖：曾由不知《春秋》是經，《左氏》是史。經垂教立法，有一字褒貶之文；史據事直書，無特立褒貶之義。體例判然不合，而必欲混合為一。又無解於經傳參差之故，故不能據經以正傳，反信傳而疑經矣。陳商在唐時無經學之名，乃能分別夫子是經，邱明是史，謂杜元凱參貫二義非是，可謂千古卓識。謂《左傳》非扶助聖言，即博士云『《左氏》不傳《春秋》』之意也；非緣飾經旨，即范升云『《左氏》不祖孔子』

之說也。治《春秋》者，誠能推廣陳商之言，分別經是經，《左氏》是史，離之雙美，毋使合之兩傷，則不至誤以史視《春秋》，而《春秋》大義微言，可復明於世矣。」陳商並非經學名家，皮錫瑞將其辨別《春秋》、《左傳》的意見，特意從《說郛》中抉發出來，正是要藉以暢發尊孔崇經之論。

㈧「**經學變古時代**」。

皮錫瑞提出兩漢以後的經學，一變於漢末鄭玄混合今古，再變於南北朝經學分立，三變於唐頒《五經正義》，每經歷一變，即衰微一次，至於宋初，已經陵夷衰微，「然篤守古義，無取新奇，各承師傳，不憑胸臆，猶漢唐注疏之遺也」，因此他說「經學自漢至宋初，未嘗大變，北宋慶曆以後，學風大變，諸儒撥棄傳注，專明義理，直至移易經文，刊削經句，皮錫瑞因此認為經學「至慶曆始一大變」。

他對照漢、唐經說，將宋儒解《易》、《書》、《詩》、《春秋》、《三禮》之失，一一羅列，如：漢魏之間說《易》，「諸儒雖近道家，或用術數，猶未嘗駕其說於孔子之上也」，至北宋陳摶作先天、後天圖，「託伏羲、文王而加之孔子之上」，邵雍、朱熹繼而大加推衍，「於是宋、元、明言《易》者，開卷即說先天、後天」；漢魏人說《書》，有今古文之分及王肅《孔傳》之偽，然「諸儒去古未遠，雖間易其制度，未嘗變亂其事實也，至宋儒乃以義理懸斷數千年以前之事實」；自漢以後，說《詩》皆宗毛、鄭，宋人則始辨毛、鄭之失，繼疑《詩》序之旨，終有刪《詩》之舉。皮錫瑞僅對宋人《禮》學評價略高，但對其力反漢儒、逞臆妄斷的學風，仍大加訾議，說：「宋人治經，務反漢人之說，以《禮》而論，如謂郊禘是一，有五人帝，無五天帝，魏王肅之說也；禘是以祖配祖，非以祖配天，唐趙匡之說也。此等處，前人已有疑義，宋人遂據以詆漢儒。三代之禮久亡，漢人去古未遠，其說必有所受。古時宮室制度，至漢當有存者，如周之靈臺，漢時猶在，非後人臆說所能奪也。若古禮之不宜於今者，……皆不必強摹古禮，亦不必以古禮為非。宋人盡反先儒，一切武斷，改古人之事實，以就我之義理；變三代之典禮，以合今之制度。是皆未敢附和，以為必然者也。」

在最後一節，皮錫瑞仍以漢、唐學風為參照，批駁宋學之恣肆疏妄，說：「宋人不信注疏，馴至疑經；疑經不已，遂至改經、刪經，移易經文，以就己說，此不可為訓者也。世譏鄭康成好改字，不知鄭《箋》改毛，多本魯、韓之說，尋其依據，猶可徵驗。注《禮記》用盧、馬之本，當如盧植所云『發起紕繆』，注云某當為某，亦必確有憑依。《周禮》故書，不同《儀禮》，今古文異，一從一改，即以《齊》、《古》考《魯論》之意。《儀禮》之〈喪服傳〉，《禮記》之〈玉藻〉、〈樂記〉，雖明知為錯簡，但存其說於注，而不易其正文。先儒之說經，如此其慎，豈有擅改經字者乎！唐魏徵作《類禮》，改易《禮記》次序，張說駁之，不行，猶得謹嚴之意。乃至宋而風氣大變。」他舉朱熹、王柏之例，痛言經學之阨，寫道：「（朱子）於《大學》，移其文，又補其傳，《孝經》分經傳，又刪經文，未免宋人習氣。……若王柏作《書疑》，將《尚書》任意增刪；《詩疑》刪〈鄭〉、〈衛〉，〈風〉、〈雅〉、〈頌〉亦任意改易，可謂無忌憚矣。《四庫提要》斥之，曰：『柏何人斯，敢奮筆以進退孔子哉！』經學至斯，可謂一阨。」可見，全章始終按照「宋人治經，務反漢人之說」的思路，通過對宋人說經變亂漢、唐成法的評述，得出經學在慶曆以後如何大變即「變古」的結論。

㈨**「經學積衰時代」**。

關於經學「積衰」的問題，皮錫瑞實際上是從三個方面加以論述：

其一，通過縱向的比較來凸顯宋、明經學的衰微。首先，他對漢、唐、明三代以經取士進行比較，認為「唐、宋明經取士，猶是漢人之遺，而唐不及漢，宋又不及唐」，並說：「宋以後非獨科舉文字蹈空而已，說經之書亦多空衍義理，橫發議論，與漢、唐注疏全異。……故論經學，宋以後為積衰時代。」其次，他對唐、宋傳世經書進行比較，說：「宋人說經之書傳於今者，比唐不止多出於倍，乃不以為盛而以為衰者，唐人猶守古義，而宋人多矜新義也。」他在分析唐、宋著作傳世數量迴異的原因後，又指出「未可以經說之多寡，判唐、宋之優劣也」，強調宋代經學不及唐代，實因其不能篤守漢、唐古義。再次，他對宋、元、明三代經說進行比較，認為宋儒先皆潛心漢、唐注疏，「學有根抵，故雖撥棄古義，猶能自成一家。若元人則株守宋儒之書，而於注疏所得甚淺，如熊朋來《五經說》，於古義古音多所抵牾，是元不及宋也。明人又株守元人之書，於宋儒亦少研究，如季本、郝敬多憑臆說，楊慎作偽欺人，豐坊造《子貢詩傳》、《申培詩說》以行世，而世莫能辨，是明又不及元也」，從而得出宋、元、明經學一代不如一代的結論。其二，他從科舉入手，找尋宋、元、明經學日益荒落的原因。根據治經當守舊不能創新的原則，他分析了科舉積習對經學的影響，說：「科舉取士之文而用經義，則必務求新異，以歆動試官。用科舉經義之法，而成說經之書，則必創為新奇，以煽惑後學。經學宜述古，而不宜標新。以經學文字取人，人必標新，以別異於古。」他指出，北宋熙寧年間頒行《三經新義》以試士，「既名為新義，則明教人棄古說，以從其新說」，經義因此成為經學之大蠹。南宋雖廢《三經新義》，仍用墨義之法，元、明又先後承襲，「名為明經取士，實為荒經蔑古之最」。明人治經，盡染八股之習，故經學為最下，「明時所謂經學，不過蒙存淺達之流」，「五經掃地，至此而極」。其三，他對《五經大全》作評析，具體展現明代經學的謬戾與陋劣，論證經學至明代而極衰。他指出明修《五經大全》與唐修《五經正義》，雖同為一代盛事，亦同樣剿襲舊說，卻不能相提並論，「惟唐所因六朝舊籍，故該洽猶可觀。明所因者，元人遺書，故謭陋為尤甚」。他又以其中的《禮記大全》為例，得出經學至明為極衰的結論，說：「元以宋儒之書取士，《禮記》猶存鄭《注》。明併此而去之，使學者全不睹古義，而代以陳澔之空疏固陋，《經義考》所目為兔園冊子者。故經學至明，為極衰時代。」

研究者多認為皮錫瑞在「經學積衰時代」一章，敘述了元、明時期經學的演變情況，並給以「積衰」的評價。由上所述，可見皮錫瑞在本章論述的經學，上自漢、唐，下迄宋、明，並不限於元、明時期。

㈩「經學復盛時代」。

本章考察了經學在清代昌明的原因及其復盛、「駸駸復古」的過程，其要點有四：其一，經學能在清代復盛，他首先歸因於朝廷的尊經重學。他認為「兩漢經學所以盛者，由其上能尊崇經學，稽古右文故也」，而康、乾二帝相繼御纂諸經義疏，刊定《十三經注疏》，「稽古右文，超軼前代」，因此他比較說：「夫漢帝稱制臨決，未及著為成書；唐宗御注《孝經》，不聞遍通六藝。今鴻篇巨制，照耀寰區，頒行學官，開示蒙昧。發周、孔之蘊，持漢、宋之平。承晚明經學極衰之後，推崇實學，以矯空疏。宜乎漢學重興，唐宋莫逮。」實際上這僅是經學復興的外緣因素，但皮錫瑞在指出清初經學復興的兩點學術因素後，總結說：「聖人之經，本如日月，光景常新，有此二因，而又恭逢右文之朝，宜其由衰而復盛矣。」由所謂「聖人之經」與「右文之朝」，可見皮氏既宣揚經書有永恆價值，更企望在上者能尊崇經學。其二，他論述經學在清代的復盛，著意批評漢、宋門戶之見。關於清初之學，他說「國初諸儒治經，取漢、唐注疏及宋、元、明人之說，擇善而從。由後人論文，為漢、宋兼採一派，而在諸公當日，不過實事求是，非必欲自成一家也」；關於乾隆前後之學，他說「雍、乾以後，古書漸出，經義大明，惠、戴諸儒，為漢學大宗，已盡棄宋詮，獨標漢幟矣」，同時又強調「惠、江、戴、段為漢學幟志，皆不敢將宋儒抹殺」。這些言論，看似描述清代經學的復興，實則針對江藩《漢學師承記》而發，批駁漢、宋門戶之爭，提出「學求心得，勿爭門戶。若分門戶，必啟詬爭」。

其三，對於清儒，他特意表彰其追復漢學之功。他說「國朝經師能紹承漢學者有二事」，一曰傳家法，二曰守專門，「家法、專門，後漢已絕，至國初乃能尋墜緒而繼宗風。傳家法則有本原，守專門則無淆雜」，即恢復了經學昌明時代的今文純正之學。他又說「國朝經師有功於後學者有三事」，一曰輯佚書，使古書亡而復存，後人得以稍窺崖略；二曰精校勘，刊訂古書訛誤，為後人析疑通滯；三曰通小學，使後人能解古音、識古字。故他說清儒有功於後學，實際上就是有助於後人探究兩漢經師遺說。

其四，皮錫瑞認為漢代盛極一時的經學，經魏、晉、六朝以迄唐、宋、元、明而漸次衰落，西漢專門之學，自魏、晉以後更淪亡一千多年，因此「由衰復盛，非一朝可至；由近復古，非一蹴能幾」。他藉清代經學的「三變」，描述出經學「復盛」與「復古」的歷程，說：「國朝經學凡三變。國初漢學方萌芽，皆以宋學為根柢，不分門戶，各取所長，是為漢、宋兼採之學。乾隆以後，許、鄭之學大明，治宋學者已鮮，說經皆主實證，不空談義理，是為專門漢學。嘉、道以後，又由許、鄭之學導源而上，《易》宗虞氏以求孟義，《書》宗伏生、歐陽、夏侯，《詩》宗魯、齊、韓三家，《春秋》宗《公》、《穀》二傳。漢十四博士今文說，自魏、晉淪亡千餘年，至今日而復明，實能述伏、董之遺文，尋武、宣之絕軌，是為西漢今文之學。學愈進而愈古，義愈推而愈高；屢遷而返其初，一變而至於道。」他所描述的清代經學的發展，正是由宋、明朱子之學返歸東漢許、鄭之學，再由許、鄭之學回復西漢十四博士之學。由於他把以西漢今文學為主的漢學認作中國經學的典範，因此對經學在清代的復興及「駸駸復古」贊頌不已。

四、《經學歷史》的本來面目

對於經學自先秦至晚清的演變，《經學歷史》分十個時代作了評述。對此，人們往往理解成皮錫瑞將中國經學的歷史分成了十期，並將其對應於中國歷史的某一時期，認為他依次敘述了各個歷史時期的經學發展狀況後，給以「昌明」、「全盛」、「中衰」、「變古」、「復盛」等基本評價。粗看之下，經學產生、流傳、興起、鼎盛、中衰、極衰到復盛的歷史輪廓，在《經學歷史》中似乎有一個基本的展現。然而只要稍加分析，就會發現《經學歷史》的真正內容，並不是通過羅列豐富的史料來敘述經學自身的發展歷史，而是從中截取一二大體相關的史實進行論述，因此《經學歷史》不是一本經學史書，而是一部藉史立論的經學論著。

從全書的表述方式來看，《經學歷史》中純粹敘述經學史實的章節極少，僅第六、七章援引各史〈儒林傳〉，述史的文字顯得略多，其它各章的文字皆以議論為主，雖然述及經學史上的某些人物、事件或著述，其實全是援引以資立論。也正因為皮錫瑞引述某些經學史實，只是為了論證某一觀點，所以它們在《經學歷史》出現時，往往前後錯雜，與一般歷史著作敘述史事注重時序性迥然有異。今人多將《經學歷史》某一章節所評述的經學，對應於某一歷史時期的經學，但只要注意到該章所述經學史實的時間，就會發現這種「對應」往往不能成立，這在上文評析「經學中衰時代」和「經學積衰時代」已指出，此處不再贅述。其實，《經學歷史》開篇就寫道：「凡學不考其源流，莫能通古今之變；不別其得失，無以獲從入之途。古來國運有盛衰，經學亦有盛衰；國統有分合，經學亦有分合。歷史具在，可明徵也。」這開宗明義的幾句話，早已指明了《經學歷史》的內容要旨與編撰體例。皮錫瑞對經學自先秦至晚清演變所作的縱線式考察，正是「考其源流」；他對各個時期經學家及經部著作的評斷，正是「別其得失」。同時，他將經學與各個時期的政治局勢、教育選舉、社會風習等緊緊聯繫在一起，使經學消長、盛衰與國家興亡、分合的關係一目了然，通過對歷史上經學演進、孔教興廢與國家民族相關度的嚴密考察，指出無論治國、興學還是立身，都要尊奉孔教、崇重儒經，此即「歷史具在，可明徵也」。明乎《經學歷史》藉史立論的體例，就不會將《經學歷史》

判定為經學史書。[39]

從全書的內容來看，《經學歷史》從第一到五章，相繼闡明了「尊孔」、「崇經」、「宗漢」、「信古」、「主鄭」等五項論題，這些正是皮錫瑞經學思想的核心理念。「尊孔」、「崇經」的主張與議論，在前四章中俯拾皆是；在後六章中，雖然較少直接的言論，仍然貫串著「尊孔」、「崇經」的思想。皮錫瑞在第三、四、五章中，相繼提出「治經必宗漢學」、「經學必專守舊」與「欲治漢學，捨鄭莫由」的主張，將其一生研治經學的基本取向作了總結[40]，也成為《經學歷史》後半部分的價值指標。他說「經學盛於漢，漢亡而經學衰」，認為經學發展至漢代已達於巔峰，於是把以西漢今文學為核心的漢學推為中國經學的典範，對經學在魏晉以後直到清代中後期的發展狀況，以是否「宗漢」、「信古」與「主鄭」加以衡量，做出「中衰」、「變古」、「積衰」、「復盛」等判斷。所以經學在東漢末年以後的演進，在《經學歷史》中呈現出直線下降的態勢，至明代達於最低點，「而剝極生復、貞下起元，至國朝經學昌明，乃再盛而駸駸復古」。

正如本文第一部分所揭示，要求尊奉孔教與尊崇聖經，是皮錫瑞晚年最重要的思想。《經學歷史》一再批判疑孔、惑經的言論與思想，往往將歷史與現實緊緊相聯，通達古今之變，甚至直接加以運用。例如皮錫瑞論漢末太學盛衰與人才消長

---

[39] 朱維錚先生曾指出：「清末皮錫瑞的《經學歷史》，並非像這部小書的書名所示，似乎是『經學的歷史』。相反，皮錫瑞是晚清的經今文學家，《經學歷史》與他的《經學通論》、《王制箋》一樣，旨在用歷史替經今文學爭『道統』。周先生雖『是比較傾向今文的』，卻始終堅持從歷史本身說明歷史。他注釋皮著《經學歷史》，目的在於藉這部書的歷史陳述部分，通過注釋的形式，給『中國經學史』研究提供一部參考書。因此，周先生不僅在此書〈序言〉中，尖銳地揭露了皮錫瑞原著的謬誤，而且通過注釋，在實際上改變了原著的取向，將它由經學著作變成了歷史著作，變成了具有經今文學傾向的中世紀中國經學史的著作。」見《周予同經學史論著選集》（上海：上海人民出版社，1996 年），〈前言〉，頁3。按：根據朱先生之意，皮錫瑞的《經學歷史》並非經學史書，而周予同注釋的《經學歷史》已是經學史書。

[40] 關於皮錫瑞「宗漢」、「信古」、「主鄭」等經學取向，《師伏堂日記》所記講述前人的意見中，一再出現與《經學歷史》相同或近似的表述文字，《今文尚書考證》、《尚書大傳疏證》、《鄭志疏證》、《六藝論疏證》、《駁五經異義疏證》、《聖證論補評》等著作的〈自序〉、〈凡例〉及內文中，也往往有類似的言論，筆者擬另作整理。

時，強調「立學必先尊經，不尊經者，必多流弊。後世之立學者，可以鑑矣」。他在參與湖南興學的過程中，就鑑於晚清興辦新學的諸多流弊，強烈要求尊崇經學。據《師伏堂日記》記載，光緒三十三年（1907）五月二十日，皮錫瑞聽說優級師範學堂將不開設經學課程，第二天即擬以《經學歷史》上呈學使，「請通飭各學堂均當重經學，遵欽章」；六月二十二日，他進見提學使吳慶坻，「以《經學歷史》送彼，言各學堂不用經學之弊，即中路師範亦廢經，請加通飭」。吳慶坻囑他代擬文稿，他過兩天就「錄通飭札稿，到公所，呈學台」；他在二十九日又寫道：「到公所，見學使，……云已通飭各校注重經學，以明尊孔之意，則予所具稿見用矣。」㊶數月後，他還擬出〈應詔陳言謹擬增訂學堂章程六條折〉，條陳興學要義，其中一條就是「經學一門，宜特重也」。他寫道：「孔子刪定五經，自漢以來，莫不尊奉孔子為萬世師表，五經即萬世教科書。世道人心，賴以維繫，綱常名教，確有持循。但使人人皆以聖經熟於口耳，則人人皆有聖教在其心胸。近日邪說流行，乃謂中國欲圖富強，止應專用西學，五經四書，皆當付之一炬。辦學堂者，惑於其說，敢於輕蔑聖教。民立學堂，多無經學一門；即官立者，亦不過略存餼羊之遺。功課無多，大義茫昧，離經畔道，職此之由。前者恭奉上諭，升孔子為大祀，尊崇聖典，上邁百王。竊謂尊孔必先尊經，廢經即是廢孔。似宜定章嚴飭各處學堂，無經學者，亟加一門；有經學者，更加程課。凡學堂不教經學者，即行封禁；不重經學者，罪其監督、堂長。則聖教益以昌明，而所學皆歸純正矣。」㊷可見，《經學歷史》中關於尊孔、崇經的思想、主張，已完全濃縮、融化於這篇奏折之中。

《經學歷史》開篇說：「凡學不考其源流，莫能通古今之變；不別其得失，無以獲從入之途。」最後一章中又說：「學者誠能於經學源流、正變研究一過，即知今之經學，無論今文古文、專學通學，國朝經師莫不著有成書，津逮後人，以視前人之茫無途徑者，實為事半功倍。蓋以瞭然於心目，則擇從甚易，不至費日力而增

㊶ 《師伏堂日記》，丁未年五月二十日、廿一日，六月廿二日、廿四日、廿九日。

㊷ 皮名振：《皮鹿門年譜》（上海：商務印書館，1939 年），頁 101－102。按：《皮鹿門年譜》以為皮錫瑞擬折事在光緒三十三年五月，有誤，《師伏堂日記》同年十一月廿七日明云：「擬〈學堂章程〉六條，切實可行，無為我代奏者。」十二月十一日又云：「錄所擬〈學堂章程〉，今禁士民上書，何由上達？」

葛藤。」可見，皮錫瑞撰寫《經學歷史》的初衷，是想通過評判數千年來更僕難數的經學，析其源流，辨其得失，為喜新厭舊的學子指示研治經學的入門途徑。正因為如此，所以他在論述經學在清代回復至西漢今文之學後，接著寫道：「學者不特知漢、宋之別，且皆知今、古文之分。門徑大開，榛蕪盡闢，論經學於今日，當覺其易，而不患其難矣。乃自新學出而薄視舊學，遂有燒經之說。聖人作經，以教萬世，固無可燒之理；而學之簡明者有用，繁雜者無用，則不可不辨。」他論述經學的重盛與復古，力辨西漢之學簡明有用，並非為了總結經學的歷史，而是針對清季疑孔、廢經的言行，力陳興辦新學而不能廢棄舊學，並就推行經學教育提出他的意見，說：「今欲簡明有用，當如〈漢志〉所云存大體、玩經文而已，如《易》主張惠言《虞氏義》，參以焦循《易章句通解》諸書；《書》主伏《傳》、《史記》，輔以兩漢今文家說；《詩》主魯、齊、韓三家遺說，參以《毛傳》、鄭《箋》；《春秋》治《公羊》者主何《注》、徐《疏》，兼採陳立之書，治《左氏》者主賈、服遺說，參以杜《解》；《三禮》主鄭《注》、孔、賈《疏》，先考其名物制度之大而可行於今者，細碎者姑置之。後儒臆說，概屏勿觀，則專治一經，固屬易事，兼通各經，亦非甚難。能考其源流，而不迷於途徑，本漢人治經之法，求漢人致用之方，如〈禹貢〉治河、〈洪範〉察變之類，兩漢人才之感，必有復見於今日者，何至疑聖經為無用，而以孔教為可廢哉！」他還根據古人治經重家法、貴專門的經驗，指點說：「今之治經者，欲求簡易，惟有人治一經、經主一家；其餘各家，皆可姑置，其它各經，更可從緩。漢注古奧，唐疏繁複，初學先看注疏，人必畏難，當以近人經說先之，如前所列諸書，急宜研究。或猶以為陳義太高，無從入手，則《書》先看孫星衍《今古文注疏》，《詩》先看陳奐《毛氏傳疏》亦可。但能略通大義，確守古說，即已不愧專門之學。」對於二千年間紛繁複雜的經學，皮錫瑞經過精挑細剔，列舉寥寥數家，使初學者對於經學生出簡明、有用、易學的好感。不過，他也覺得《經學歷史》評判經學得失過於簡略，於是接著編撰《經學通論》。[43]皮錫瑞在〈經學通論自序〉中說：「前編《經學歷史》以授生徒，猶恐語

[43] 據光緒三十一年乙巳《師伏堂日記》所載，十月初二日王先謙「屬刊《經學歷史》，以為別開生面」，初五日皮錫瑞「復校《經學歷史》一過，稍加注」，十三日以《經學歷史》交思

焉不詳，學者未能窺治經之門徑，更纂《經學通論》以備參考。」可見，《經學通論》實際上是《經學歷史》的續編，《經學歷史》在許多問題上只是提出基本的觀點，《經學通論》則為之詳加解說。

總之，皮錫瑞在《經學歷史》中雖然大談經學的源流與演變，但其初衷並不是要寫一部「經學歷史」，而是編撰一本通論性的經學教材，「通古今之變」，針對當時陷入困境的經學教育，提出一些基本的看法與建議，也為趨新厭舊的學生指出一些簡便易行的治經要點，使其「獲從入之途」。因此，後人不妨以《經學歷史》為研究中國經學史的入門參考書籍，但對《經學歷史》本身及其作者的經學思想進行研究時，絕對不能視之為經學史書，應該就其本來面目——皮氏晚年一本貫通群經、創發大義的「經論」之作加以分析和評價，庶不至於見其小而失真大，遺買櫝還珠之憾。

賢書局付刻：十一月二十日皮錫瑞又萌生編書想法，寫道：「連日檢書籍，《經學提綱》一書似不難成。須先閱《皇清經解》、《續經解》，擇取摘出，加以論斷，有暇即可錄出。特需鈔胥之費，而刊板費尤重。」廿二日又寫道：「錄《經學提綱》一條……經學多滯阻，皆由後儒臆說亂之，專主最初之說，而盡駁其餘，則無礙矣。予始恍然。」此後各天多有作《經學提綱》的記錄，至十二月二十七日，說「錄《易》一條，大約此一經略具矣」。《經學提綱》不久在《師伏堂日記》中改稱《經學通論》，並再得王先謙允諾刊刻，如丙午年四月初十日所記「葵園後至，云《經學歷史》已發刻，《經學通論》成，許並刻」。

經學研究論叢
第十四輯　　頁53～82
臺灣學生書局 2006年12月

從《易》占試論儒道思想的起源——兼論易乾坤陰陽字義*

鄭吉雄**

一、問題的提出

中國思想史的起源問題，近一個世紀以來，有不同的講法，但一般而言，多以上古至春秋時期為思想史發生的背景，亦即說此一時期只具備思想形成的若干條件或要素，或僅有片段的、不成系統的觀念出現。若論思想史的起始點，則不過是「起源於儒家」和「起源於道家」兩說而已。若謂起源於儒家，則以孔子（551BC－479BC）為起始點，或以為起於道家，則以老子（？－？）為起始點。如謝无量《中國哲學史》（1916）❶及胡適《中國哲學史大綱》（1919）❷認為起源於老子，馮友蘭《中國哲學史》（1933）亦以「子學時代」為起始點。他的《中國哲學史新編》（1980）在第一章（討論宗教天道觀）、第二章（討論春秋戰國）和第三章（齊桓晉文霸業）之後，第四章即討論孔子。侯外廬《中國思想通史》（1947）❸

---

* 本文已交北海道中國哲學會翻譯成日文，即將刊登於該會主編《中國哲學》（ISSN 0287－1742）。

** 鄭吉雄，國立臺灣大學中國文學系教授。

❶ 上海：商務印書館，1916年。

❷ 上海：商務印書館，1919年。

❸ 上海：新知書店，1947年。

亦以孔子思想為起始點。小島祐馬《中國思想史》（1968）認為中國思想的起源是在春秋末至戰國時代，而亦以孔子居首。❹唯葛兆光《中國思想史》特別強調「一種日用而不知的普遍知識和思想」定義下的「一般知識與思想」❺，則上推至於春秋為起始點，而「儒家」是思想傳統的延續與更新。❻

關於中國思想史的起源問題，這樣的處理方式毋寧是審慎而可靠的。因為孔子、老子以前，雖不能說沒有思想的痕跡，但畢竟未有完整學說體系，頂多只能說是思想史的醞釀階段。如果我們要討論思想史，那就應該將焦點放在具有系統性的觀念或觀念群、以及產生這些觀念或觀念群的思維方式的模型之上。如果依照唯物史觀一系認為「思想」源出於「物質條件」（亦即說「思想史」的轉變，實由「物質條件」的改變而導致）所構成的環境這樣的學說解釋，則古代社會的生產條件和先民生活狀態，最多只能說孕育思想形成的素材以及影響思想史發生形態的輔助條件，而不能被視為系統性思想的直接成因。

儒家以孔子為宗，道家以老子為宗。老子年代最難確定。如據《論語・述而》「子曰：述而不作，信而好古，竊比我於老彭」，據何晏《集解》及邢昺《疏》所述，「老彭」或為殷賢大夫，或即莊子所謂「彭祖」，或為殷商守藏史籛鏗，在周為柱下史。王弼則釋「老聃、彭祖」，而聃為周守藏室之史。如依《史記・老子韓非列傳》所記，「孔子適周，將問禮於老子」，則老子與孔子二人年代亦相若。這樣看來，姑勿論「老子」為老聃、老萊子或太史儋，今傳《老子》一書思想體系的主人翁「老子」，其年代的上限應為西周初，最晚則較孔子稍早。❼但如將《老

❹ 《中國思想史》（東京：創文社，2000年8月）。

❺ 參氏著：《中國思想史》第1卷（上海：復旦大學出版社，1998年），頁14。

❻ 同前註引書，第2編第3節「思想傳統的延續與更新（I）：儒」，頁171－186。

❼ 我的推論主要以司馬遷《史記》所記老子同時具有「史官」和「隱士」雙重身份的說法為依據。這可以從三方面講：第一、《史記・老子韓非列傳》稱老子為「周守藏室之史」，《索隱》稱：「藏室史，周藏書室之史也。又〈張倉傳〉『老子為柱下史』，蓋即藏室之柱下，因以為官名。」又記老子可能為見秦獻公的周太史儋。班固《漢書・藝文志》稱「道家者流，蓋出於史官」，其說有據。則老子與周初的「史佚」，可能為同一類身份的掌管典籍的智者。楊伯峻《春秋左傳注》僖十五年注：「史佚即《尚書・雒誥》之『作冊逸』，逸、佚古通。《晉語》『文王訪於莘、尹』，《注》謂尹即尹佚。《逸周書・世俘解》：『武王降

子》一書視為一個宗派的思想，則可以確定的是，從西元前十一世紀至西元前六世紀的五百年間，這一派的思想已逐漸趨於成熟❽，與儒家也有不少共同的關懷課題。如《論語・憲問》說：

> 或曰：「以德報怨，何如？」子曰：「何以報德？以直報怨，以德報德。」

而《老子》六十三章則有「大小多少，報怨以德」之語，則何以「報怨」、何以「報德」的討論，顯然為老子和孔子的共同話題。❾本文所討論的《老子》思想，是指的《老子》一書中的思想而言，主要用今本八十一章本的《老子》，參照帛書和郭店楚簡本。❿對於老子其人的年代，暫時就此打住。

自東，乃俾史佚繇書。』《淮南子・道應訓》云：『成王問政於尹佚。』則尹佚歷周文、武、成三代。《左傳》引史佚之言者五次，成王《傳》又引《史佚之志》，則史佚之言恐當時人均據《史佚之志》也。《漢書・藝文志》有《尹佚》，《注》云：『周臣，在成、康時也。』此史佚為人名。」（上冊，頁 359）。春秋時期士大夫廣泛稱引史佚的格言。這些格言的性質和《老子》頗為類似，只不過前者多具體的人事經驗，而後者多抽象的天道理論（那是因為《老子》一書被後世所流傳和增添的緣故）。第二、《論語・微子》記載許多隱士逸民，對孔子入世、用世的行為多所批判，而司馬遷稱「老子，隱君子也」，則老子亦隱士一流。第三、《大戴禮記》與《史記》均記「孔子適周，將問禮於老子」，則老子年代不應太晚。《史記》所記周太史儋見秦獻公事，據《周本紀》在周烈王二年（374BC），上距孔子逝世（周敬王四十一年，479BC）已百餘年，似不甚可能。故司馬遷稱「或曰儋即老子，或曰非也」，亦係存疑之意。

❽ 今本《老子》一書，有政治的思想，及養生的思想，如《老子》「弱其志，強其骨」和《素問・上古天真論》「今時之人不然也，以酒為漿，以妄為常，醉以入房，以欲竭其精，以耗散其真」（北京：中華書局，1991 年《叢書集成初編》本），第 1 冊，頁 26 所論相表裡。

❾ 並參馮友蘭：《中國哲學史新編》，第 11 章第 1 節，〈老子其人和《老子》其書〉。

❿ 近年出土《郭店楚簡》所包括的《老子》，學術界對於其年代和性質頗有討論，連帶關於老子年代問題也有所討論。李零《郭店楚簡校讀記》歸納了對於《郭店》本《老子》和八十一章本《老子》關係的三種說法，即子父關係、父子關係和兄弟關係。第一種看法認為《郭店》本是八十一章本的擷抄本，主此說法的有王博、裘錫圭；第二種看法和第一種相反，認為《郭店》本是八十一章本的祖本，主此說者有池田知久；第三種看法是認為二者是並行文

同時我也認為，儒家的孔子和道家的老子（《老子》書中的老子）的思想，應該還有一個重要的源頭，就是《周易》卦爻辭。質而言之，卦爻辭所蘊涵的意義與道理，是啟發孔子和老子思想的一個重要依據。學術界探討中國思想史的源頭，一直忽略了《易經》。這主要是「《易》本卜筮之書」一語引起的強大效應所致。《易經》自朱子以降，一直被視為占卜的原始紀錄，頂多如朱伯崑所說，是經過整理、纂輯的紀錄，而不具有任何思想成分。近一世紀以來，包括屈萬里、高亨、余敦康、朱伯崑等《易》學名家都持此一觀點。換言之，《易》學界主流的看法就是認為《易》哲學應該從《易傳》講起。《易傳》出現於戰國中、晚期甚或更晚，那麼講到中國思想史的源頭，《易經》亦即「卦爻辭」是沒有參與的條件的。這樣的講法，近年已開始被學者提出重新思考與檢討。我於三年前曾發表〈論二十世紀《周易》經傳分離說的形成〉一文，認為《周易》經傳分離說，肇興於歐陽修《易童子問》，啟始於崔述《考信錄》，而於二十世紀初由錢穆先生率先提出討論，終於被古史辨運動的學者如李鏡池、余永梁等接受，而成為二十世紀《易》學界普遍的觀念。我主要認為，卦爻辭撰於西周初年，成於一人之手⓫，其全套義理結構，雖以年代久遠，文辭簡古，未能完全大顯於世，但推其本義，則卦爻辭的陰陽原理，已同時蘊涵「剛」、「柔」兩種意義，而成為儒、道思想的重要資源。換言之，將《易》占的基礎——包括卦爻辭的內容和占筮的方法——捨棄掉，而僅將《周易》義理之源訂於《易傳》，不但會讓《易傳》義理的根源無法講，更會讓儒家、道家思想（或寬泛一點說，儒家、道家的精神）的源頭，無可究詰。借用朱子的話：

本，提出此說的是羅浩（Harold D. Roth）。我的看法是第一種和第三種說法均有可能，而以第一種說法較接近真相。關於此一問題我將另文討論。

⓫ 說詳屈萬里：〈周易卦爻辭成於周武王時考〉三「卦爻辭成於一手係創作而非纂輯」，收入氏著：《書傭論學集》（臺北：聯經出版事業公司，1984年），頁11－15。屈先生從「卦爻辭無分成於異時或眾手之理」、「卦爻辭有其一致之專用字」、「卦爻辭有其一貫之體例」三點立論。第一點認為《易》占必待六十四卦三百八十四爻的卦辭和爻辭均完備，始得進行，故《易經》必成於一時。第二點認為卦爻辭不過約五千字，而元、咎、吝、厲等字屢見，亨、貞等字具有特殊意義，可證有一整套專用的語言，非出於掇拾。第三點認為卦爻辭體例一貫，六十四卦三十二組均沒有例外，可見其是一具整體性的文獻而非雜湊的資料。

> 近世言《易》者，直棄卜筮而虛談義理，致文義牽強而無歸宿，此弊久矣。要須先以卜筮占決之意，求經文本意，而復以傳釋之，則其命詞之意，與其所自來之故，皆可漸次見矣。⓬

「棄卜筮而虛談義理」不也恰好說中近數十年來只注意《易傳》義理的風氣嗎？卦爻辭約撰成於西元前十一世紀，孔子和老子（《史記》中孔子問禮的老子）則屬西元前五、六世紀。究竟我們有沒有可能在其中大約五百年的歲月中，找到儒家、道家思想的根源？這不但需要更多的出土文獻以供參酌，更重要的是，我們可以學習朱子的上溯占筮的果敢決斷，大膽假設，將《易》占和儒、道思想作一聯繫，也許這樣可以跳脫舊思維，對於思想史起源的重要問題，提出一些探索的可能。

當然，將《易》義與儒、道思想作聯繫，必須先對《易》經中最重要的易、陰、陽、乾、坤等字的本義作分析，這正是本文第二部分的主要內容。

最後，本文也將對《易》義和《郭店楚簡》〈唐虞之道〉和〈太一生水〉兩種文獻稍加比較，說明《易經》乾坤之理和這兩種文獻之間的關係。

二、易、乾、坤、陰、陽字原義試探

關於「周易」原義的問題，包括三個方面：一是「周」字究竟指的是「周普」、「周遍」抑或是指的「周民族」及其所建立的「周朝」？二是「易」字的原義為何的問題；三是《周易》之「易」，係指具體而唯一的宇宙本源，抑或這個本源之上的抽象（非具體）之存在的問題。第一和第三個問題非本文的範圍，暫置不論。關於第二個問題，許慎《說文解字》釋「易」字：

> 易，蜥易，蝘蜓，守宮也。象形。祕書說曰：「日月為易，象陰陽也。」

「祕書」指的是「緯書」，按《周易．參同契》說：

⓬ 〔宋〕朱熹：〈答孫季和〉，《朱熹別集》，收入《朱熹集》（成都：四川教育出版社，1997年），第9冊，卷3，頁5398。

> 日月為易，剛柔相當。

「蜥易」和「日月為易」都是漢儒相傳的古義，前者以象形解說，後者以會意解說。這兩種解釋，據古文字學家分析，都不正確。但字形結構，暫置不論。學者殆無異議之處，就是都將「易」字的意義，釋為「變易」或「簡易」（《易緯》所謂「易」有三義，其中的「不易」就是「不變易」之意。這個「易」字亦是「變易」的意思）。如《周禮・春官・太卜》：「掌三《易》之法，一曰連山，二曰歸藏，三曰周易。其經卦皆八，其別皆六十有四。」賈公彥《疏》說：

> 《連山》、《歸藏》皆不言地號，以義名《易》；則周非地號，以周《易》以純乾為首，乾為天，天能周匝於四時，故名易為周也。

《周易乾鑿度》：

> 孔子曰：「易者，易也、變易也、不易也。」

《易緯乾鑿度》：

> 易無形埒也。易變而為一，一變而為七，七變而為九。九者，氣變之究也，乃復變而為一。一者，形變之始。清輕上為天；濁重下為地。

鄭玄《注》：

> 「易」，「太易」也。太易變而為一，謂變為「太初」也；一變而為七，謂變為「太始」也；七變而為九，謂變為「太素」也。「乃復變為一」，「一變」，誤耳，當為二。二變而為六，六變而為八，則與上七、九意相協。不言如是者，謂足相推明耳。

孔穎達《周易正義》：

> 夫易者，變化之總名，改換之殊稱。……謂之為易，取變化之義。

尚秉和《周易尚氏學》：

> 吳先生曰：「易者，占卜之名。〈祭義〉：『易抱龜南面，天子卷冕北面。』是易者，占卜之名，因以名其官。」……簡易、不易、變易，皆易之用，非易之本詁。本詁固占卜也。

「蜥易」和「日月為易」的字形分析固不確，「易」本詁「占卜」恐怕也是後起的引申義。但可以確定的是，從「易」字訓解的歷史看，「變易」就是「易」的主要的意義。而古文字學家也多從這個意義切入分析「易」字。如季旭昇《說文新證》列舉「易」字甲金文諸形，分析其本義說：

> 本義：變易、賜給。假借為平易、容易、暘。釋形：甲骨文從兩手捧兩酒器傾注承受，會「變易」、「賜給」之義。或省兩手、或再省一器，最後則截取酒器之一部分及酒形，而作「」形（原注：參郭沫若〈由周初四德器的考釋談到殷代已在進行文字的簡化〉、徐中舒《甲骨文字典》1063 頁）。師酉簋字形漸漸訛變，與蜥蜴有點類似，《說文》遂誤釋為蜥蜴。中山王譽鼎作二「易」相對反，強調上下變易之義（原注：四訂《金文編》1595 號謂「義為悖」，學者多主張當釋「易」）。秦文字「易」、「昜」有相混的現象。

何琳儀《戰國古文字典》：

> 甲骨文作「」，从二益，會傾一皿之水注入另一皿中之意，引申為變易，益亦聲。易、益均屬支部，易為益之準聲首。西周早期金文作

> 「□」，省左益旁，甲骨文或作「□」截取右益之右半部分。金文或作「□」於器冊鋬手之內著一飾點。……戰國文字承襲兩周金文之省文，多有變化。或从二易，似與甲骨文初文有關；或作「□」，則與昜字相混。⓭

無論是「兩手捧兩酒器傾注承受」抑或「傾一皿之水注入另一皿中」，固然有交易、轉易的意義。但再引申到講「易」字，似乎仍有未達之一間。但值得注意的是季旭昇和何琳儀都提到「易」字與「昜」字相混的現象。更重要的是，「昜」字甲骨文有「□」（甲 3343，商代）⓮、「□」（宅簋，周代早期）⓯等形，季旭昇釋其本義為「日陽」。何琳儀《戰國古文字典》釋「昜」字：

> 甲骨文……从日从示，會日出祭壇上方之意。《說文》：「暘，日出也，从日，昜聲。《虞書》曰『曰暘谷』。」又《禮記．祭義》「殷人祭其陽」，《注》：「陽讀為『曰雨曰暘』之暘，謂日中時也。」亦可證昜與祭祀太陽有關。⓰

然則「昜」和陰「陽」字及「暘」谷字都與日光有關。其實「陰陽」一詞，甲骨文數見，本亦指日光照耀和不照耀。《說文解字》有「霒」字，義為「雲覆日」，即與「陰」字同義。而《易經》首卦「乾」（純陽卦）字，不見於甲骨文和金文，而首見於戰國文獻，出現頗晚。《說文解字》釋「乾」為「上出也」，季旭昇認為「不知其義為何」。段玉裁解釋：

> 此乾字之本義也。自有文字以後，乃用為卦名。而孔子釋之曰「健也」。健之義生於「上出」。上出為乾，下注則為濕。故乾與濕相對。俗別其音，古

⓭ 《戰國古文字典》（北京：中華書局，1998 年），上冊，頁 759。

⓮ 參孫海波：《甲骨文編》（臺北：藝文印書館，1959 年）。

⓯ 參周法高、李孝定、張日昇編：《金文詁林》（香港：中文大學出版社，1977 年）。

⓰ 《戰國古文字典》，上冊，頁 661。

無是也。[17]

段《注》的解釋非常清楚。季旭昇釋「乾」字本義為「乾燥」，並引《睡虎地秦簡》50.92「比言甲前旁有乾血」，也可能是參考了段《注》「上出為乾，下注則為濕。故乾與濕相對」解釋的緣故。但細究「乾」字，亦疑與日光有關。「乾」字从「倝」為聲符，而「倝」字金文作「[illegible]」（《金文詁林》889）、《包山楚簡》作「[illegible]」，《說文解字》釋「倝」字：

日始出光倝倝也。从旦、「㫃」聲。凡倝之屬皆从倝。

季旭昇解釋其形體，說：

「倝」字始見戰國，从昜，「㫃」聲。昜為日在丂上，和「倝」義近，因此可以做「倝」的義符。

「倝」以「昜」為義符，「乾」以「倝」為聲符[18]，而其意義，都和日光有關。竊疑《易經》之「易」字，於戰國期間與「昜」字相混，除了因為字形近似外，還有意義上的關係。正如我們所知，白天與黑夜的區別，主要決定於日光的顯現與隱沒；故指涉太陽的「昜」、「乾」二字，遂成為《易》理最核心的部分。《易經》以「乾」為首卦，「乾」六爻皆陽。「乾」字字義，與「昜」、「倝」本義又皆指日光。「昜」、「乾」、「倝」的出沒，所構成的白天黑夜的變易，即成為《易》的基本原理。「易」的原理既與日光（昜）的轉易、變易有關，而「易」字形上又與「昜」字相近，戰國時期「易」、「昜」二字遂致相混。這樣理解，也可以間接證明段玉裁和季旭昇以「乾燥」解釋「乾」字，應該是很合理的推斷。因為萬物乾

[17] 氏著：《說文解字注》（臺北：漢京文化事業公司，1983年），頁740下。

[18] 如果「乾」字本義亦為日光的話，那麼「倝」字應該兼為「乾」字的義符。

燥，除了人為生火以外，即為由於日光曝曬所致⑲；《莊子·逍遙遊》所謂「十日並出，萬物皆照」，與烈日導致山林之火的大自然現象，可以互喻。

「乾」字字義本於日光，已如上述，而「昜」、「陰」、「陽」諸字亦皆與日光有關。獨獨「坤」字本義，與以上四字不相同，古文字學家亦多不知其本義。《說文解字》稱：

> 坤，地也，《易》之卦也，从土从申，土位在申。

只能說「坤」是《易》之卦名。一般說《易》者認「坤」本字為「巛」，王引之《經義述聞》已經駁斥其誤，不須複述。⑳或者以「坤」象地，故从「土」，但何琳儀《戰國古文字典》列戰國時期「坤」字有「[illegible]」、「[illegible]」、「[illegible]」諸形，偏旁从「立」：

> 戰國文字坤，从立，申聲。或歸諄，則申非聲。㉑

由於古文字偏旁从「土」、从「立」，偶有相混㉒，因此戰國「坤」字諸形从「立」，亦不能確認其本形不从「土」。再說，即使其本形从「立」，「立」字本義為一人站立於地上之形，亦與「土地」的意義有關。㉓而其偏旁的「申」字，甲骨文作「[illegible]」、「[illegible]」、「[illegible]」，則本為閃電之形。㉔閃電是雲端與地面陰陽電極交

---

⑲ 《詩經·小雅·南有嘉魚之什·湛露》「湛湛露斯，匪陽不晞」，《毛傳》：「陽，日也；晞，乾也。」（臺北：藝文印書館，1965 年影印阮元刻《十三經注疏》本），頁 350。這兩句詩的意思是：沒有陽光的話，露水就不會乾。此恰好可以作為旁證。

⑳ 詳氏著：《經義述聞》（南京：江蘇古籍出版社，2000 年），頁 4－5。

㉑ 參氏著：《戰國古文字典》，下冊，頁 1120。按王筠《說文句讀》亦認為當从「申」聲。

㉒ 如「地」字，先秦文字多从「土」，但戰國文字亦有訛為从「立」的例子。參季旭昇：《說文新證》（臺北：藝文印書館，2004 年 11 月），下冊，「地」字條，頁 231。

㉓ 詳參季旭昇：《說文新證》，下冊，頁 131。

㉔ 季旭昇（《說文新證》，下冊，頁 291）與何琳儀（《戰國古文字》，下冊，頁 1119）說法相同。

流而產生，以水氣積聚於天上成雲，作為起始點。「坤」為純陰之卦，而「陰」字本作「霒」，《說文解字》「雲覆日」的解釋，恰好是「閃電」現象的必要基礎。可見「坤」字本義，固然為《易》卦之名，而其取義，既與「霒」的雲覆日有關，又同時象徵人類所站立的地面，承受著天象閃電的力量。「坤」卦《彖傳》：

> 至哉坤元，萬物資生，乃順承天。

「坤」有地之象，卻又並不純粹指「地」，而蘊含大地上承天象力量的隱喻。故《易》以之為卦名，而其字鮮少見於其他的經典文獻。

回來觀察《易經》「乾」、「坤」二卦並立為六十四卦之首，為《易》之「門戶」的原理，與「陰」、「陽」有關。「陽」本義即為「昜」，義為日光；「陰」之本義即為「霒」，義為「雲覆日」。「陰」、「陽」相對之理，原本指日光照耀與不照耀（或照耀的強與弱）；再引申則指地理位置的南與北。[25]以一日而言，白天之所以為白天，即因為有日光；黑夜之所以黑暗，則因為沒有日光，因此日光之出與沒，亦即一陽一陰，決定了一天的循環。以一歲而言，由春至夏日光漸多，白天漸長，氣溫漸升，具體反映了「陽」氣的滋長；由秋入冬日光漸少，白天漸短，氣溫漸降，具體反映了「陽」氣的消減。然則太陽照耀的力量，實為大地四季冷暖交替的樞紐。《說卦傳》以「乾」象「天」，「坤」象「地」，指的是萬物生

---

[25] 葛兆光論上古「陰陽」的本義，認為「陰陽」本分指河流的南北兩面，其後才與天象發生關係；再而涵括單雙數字以及其他對立存在的概念。他首先引彝銘內容稱這二字「指的是水的南北兩面」，又說：「《詩經・大雅・公劉》有『相其陰陽，觀其流泉』，但至少在殷商西周時代，它就已經與天象發生聯繫了。……如果《尚書・周官》還有西周的歷史的影子的話，那麼，『論道經邦，燮理陰陽』這句話似乎透露了，早在西周，『陰陽』就不只表示山水南北方位，而且包括了『見雲不見日』和『雲開而見日』的天象，包括了單與雙的數字，甚至包括了世上所有對立存在的一切事物的總概念，儘管這時也許還沒有自覺的歸納和理智的闡述，而只是一種普遍的無意的觀念存在。」（氏著：《中國思想史》，第 1 卷，頁 154－155。）本文的看法則不相同，認為南北之喻為後起引申義，日光照耀與否，才是陰陽二字的本義。

命既受陽光強弱變化支配，復受大地所承載，而充盈於天地之間的陽光雷雨，即共同構成萬物賴以生長的大自然環境，人類和萬物生長其中。今本《易經》以「乾」、「坤」居首，就突顯了這一道理。㉖

三、乾、坤二卦的內在關係與「易道主剛」

關於卦序，當世可見，唯今本《周易》與帛書《周易》兩系統絕不相同。㉗帛《易》雖然為現今所見最早完整的《周易》傳本㉘，帛《易》將六十四卦分為八宮，有似京房「世應卦」的結構，應屬另一別出系統，故具有特殊的次序。但以文獻不足徵，在這裡姑且不論。以下先以今本《周易》為討論對象。《易》六十四卦以「乾」、「坤」居首，歷來註《易》研《易》者，關於二卦相反相成的關係，幾乎必定有觸及。但關於二卦的內在關係，竊以為尚有未發之蘊，擬細加討論如下。

「乾」字義本太陽，則「乾」卦喻「天」象，含有剛健變化的性質；「坤」喻「地」象，含有柔順穩定的性質。乾坤之德，是《易》道所兼蓄，諸卦之總成。這是眾所周知的道理。但如果細加考察，則不難發現，「乾」雖為純陽至剛，但其中實已含「坤」之理；相對地，「坤」雖為純陰至柔，但其中又含「乾」之理。因此，雖說「乾」為純粹剛健，但其中已蘊含有柔順之德；雖說「坤」為純粹柔順，但其中亦已蘊含剛健之德。簡而言之，「乾」中有「坤」、「坤」中亦有「乾」。當然，這個觀點不可以僅止於泛論。按：「乾」卦初九「潛龍勿用」，九二「見龍在田」。「田」本義為農田，《詩經．小雅．莆田》有「倬彼莆田，歲取十千」，《小雅．大田》有「大田多稼，既種既戒」，「田」皆指耕種的農地。故《說文》稱：

㉖ 《歸藏易》和王家台秦簡的《易》卦卦名頗與今本《周易》不同，長沙馬王堆帛書《周易》卦序與今本亦異，都代表了另一種占筮的系統。筆者擬另文討論。

㉗ 歷代《易》家如邵雍先天學的卦序、以及各種卦變圖的卦序，源出於不同學者的《易》說，暫不討論。

㉘ 《戰國楚竹書》第 3 冊（上海：上海博物館，2003 年。以下簡稱《上博簡》）所收錄《周易》殘簡，僅有涉及三十四卦的殘簡，暫不列入。

田，陳也，樹穀曰田，象形。[29]

「見龍在田」之「田」既指農田，則「潛龍勿用」者，是指龍潛形於農田之下。[30]「坤」為地，農田亦地之屬，因此，「乾」卦發展之始，初、二兩爻，均有「坤」之象。又「坤」卦上六，陰的力量發展至極致，爻辭稱「龍戰於野，其血玄黃」，王弼《注》解釋說：

陰之為道，卑順不盈，乃全其美盛而不已，固陽之地，陽所不堪，故戰于野。[31]

孔穎達《正義》對於王《注》有較仔細的發揮，說：

陰去則陽來，陰乃盛而不去，占固此陽所生久地，故陽氣之龍與之交戰。[32]

這段話雖然未必完全符合王弼的意思，但基本上「坤」上六標示了純粹的「陰」至於極點必遇於陽，這是可以確定的。因此，「乾」和「坤」雖然相反，卻又緊密地相依存，彼此之間，是一種不能區分切割的關係。「乾」卦《文言傳》說：

剛健中正，純粹精也。

「純粹」二字，就說明了「乾」卦六爻皆奇、皆陽的情況。如依「發凡起例」的原

---

[29] 段玉裁：《說文解字注》，13 篇下，頁 694。

[30] 高亨〈周易筮辭分類表〉說：「余疑《周易》先有圖象，後有文辭，……以『乾』卦言，初九云『潛龍勿用』，初本繪一龍伏水中，後乃題其圖曰『潛龍』。」（收入氏著：《周易古經今注（重訂本）》〔北京：中華書局，1984 年〕，頁 51。）高氏釋「潛龍勿用」為龍潛形於水中，誤。

[31] 《周易正義》，頁 20。

[32] 同前註。

則解釋，則「乾」卦立例在前，後面的「坤」卦就不必複述了。陰陽奇偶，其實就是構成六十四卦的最基本的要素。而三百八十四爻，則可視為這兩個要素在各種不同的構成狀態下，所顯示的各種不同的結果。勉強借用「一本萬殊」一語來形容，《易經》「乾」「坤」相依、奇偶相合，標示了「一本」；而三百八十四爻所呈現的各種吉凶悔吝的情況，則標示了乾坤陰陽相交錯所導致的「萬殊」。

乾坤二卦的內在關係，先儒早已偵知。「乾」用九：

> 見群龍无首，吉。

「坤」卦辭：

> 元亨，利牝馬之貞。君子有攸往，先迷後得主，利西南得朋，東北喪朋。安貞，吉。

「坤」用六：

> 利永貞。

「乾」《文言》：

> 「乾元」者，始而亨者也。「利貞」者，性情也。乾始能以美利利天下，不言所利，大矣哉！

朱熹說：

> 「群龍无首」，即「坤」之「牝馬先迷」也。「坤」之「利永貞」，即

「乾」之「不言所利」也。㉝

按：《易》以變占，老變少不變，故《易》爻題通稱九、六而不稱八、七。㉞依朱熹的解釋：「乾」卦用九為六爻皆變，其占辭「群龍无首」四字，實與「坤」卦卦辭的「牝馬先迷」意義相同，等於「乾」變至極，則復返成「坤」。同樣地，「坤」卦用六亦為六爻皆變，其占辭「利永貞」三字，實與「乾」卦卦辭的「利貞」相同，其義均為「不言所利」，等於「坤」變至極，則復返成「乾」。然則「乾」「坤」的密切關係，亦甚明顯無疑了。朱子指出「乾」、「坤」二卦的關係，提醒我們一個重要的道理：「乾」、「坤」二卦雖然一為純陰純柔、另一為純陽純剛，其義相反，但雖相反而實亦相輔相成，其剛柔往復循環之義恆存，二「用」充分闡發「乾」、「坤」相依存之義，而二卦在六十四卦中的特殊性，亦顯露無遺。「乾」、「坤」二卦的關係如此密切，接下來我們還要更進一步探討二卦的輕重主從關係。

《易經》「乾」之剛健、「坤」之柔順，雖為一種互相依存，彼此相涵的關係，但究其極致，《易經》整體精神，以剛健為主而不以柔順為主。其次，如前文所述，「易」、「乾」都有日陽之義，一天之變換（白天黑夜循環），取決於日光的出現與隱沒，表示純陽之卦的「乾」力量的消長，是《易》理（陰陽、乾坤）循環的主導力。換言之，如果說「乾」代表主動、積極，「坤」代表被動、消極，那麼《易》道雖然是「乾」、「坤」兼攝，但「乾」、「坤」卻是一種一主動一被動的動態關係，而非完全相等的靜態關係。在動態變動之中，《易經》所昭示的統一的原則與精神，是積極、主動的，而非消極、被動的。而在此動態變動之中，聖人賢人君子因應的態度，也是積極、主動的，而非消極、被動的。故《易》道雖兼攝

㉝ 氏著：《易學啟蒙》（臺北：廣學社印書館，1975年），卷4，頁78。

㉞ 過去《易》學者或以為爻題晚出，但《上博簡》《周易》殘簡刊佈後，證明戰國時期已有如今本的爻題。濮茅左稱：「楚竹書《周易》爻位，有陰陽，以六表示陰爻，以九表示陽爻，每卦有六爻，自下而上為序。……陰陽爻位的稱法，自竹書至今本，一脈相承。楚竹書《周易》證明了『九六』之稱，在先秦確已存在。」（《上博簡》，第3冊，頁134。）

剛柔，而究其終極意義，則係主剛不主柔。[35]

四、「乾」道主剛與孔子思想的關係

《易》道主剛，既可從「乾」、「坤」二卦卦爻辭的相互關係中窺見，亦可以《易傳》以及後世儒者的闡釋，予以證明。這種剛健的精神，成為孔子思想的重要基礎。首先，《論語．述而》（《古論》）所記「子曰：『加我數年，五十以學《易》，可以無大過矣。』」一段，為孔子學《易》的根據。[36]孔子引《易》，見於《論語．子路》：

> 子曰：南人有言曰：「人而無恆，不可以作巫醫。」善夫！「不恆其德，或承之羞」，子曰：不占而已矣。

邢昺《疏》：

> 「不恆其德，或承之羞」者，此《易》「恆」卦之辭，孔子引之，言德無恆，則羞辱承之也。「子曰：不占而已」者，孔子既言《易》文，又言夫《易》所以占吉凶，無恆之人，《易》所不占也。

這是孔子引《易》之證。故傳統注經者往往亦認為孔子思想與《易》義相通，可以互證。如《論語．顏淵》：

> 子曰：夫達也者，質直而好義，察言而觀色，慮以下人，在邦必達，在家必達。

---

[35] 說詳拙著：〈從乾坤之德論一致而百慮〉，《清華學報》第 32 卷第 1 期，頁 145－166。「《易》道主剛」，事實上歷代《易》家頗有論述和發揮，並不是我提出來的新說。我將另撰一文再加以說明。

[36] 《魯論》「易」作「亦」，連下句讀。關於此句的解釋，以及孔子傳《易》的相關問題，讀者可參何澤恆：〈孔子與易傳相關問題覆議〉，《臺大中文學報》第12期。

《集解》引馬融說：

> 常有謙退之志。察言語、觀顏色，知其所欲，其志慮常欲以下人。謙尊而光，卑而不可踰。

「謙尊而光」出自《繫辭下傳》。孔子生於無道之世，雖然自言「道之不行，已知之矣」（《論語・微子》），但仍選擇一種積極奮進的人生，並且以積極奮進的態度教人。如《論語・學而》闡釋君子好學的態度。《論語・公冶長》：

> 子曰：十室之邑，必有忠信如丘者焉，不如丘之好學也。

「好學」的定義如何呢？《論語・學而》：

> 子曰：君子食無求飽，居無求安，敏於事而慎於言，就有道而正焉，可謂好學也已。

這不正是一種非常積極的人生態度嗎？這種好學、積極、奮進的人生，正也是孔子一生的寫照。《論語・為政》：

> 子曰：吾十有五而志于學，三十而立，四十而不惑，五十而知天命，六十而耳順，七十而從心所欲，不踰矩。

孔子曾言「知我者天」（《論語・憲問》引孔子之語：「不怨天，不尤人，下學而上達，知我者其天乎！」），又或以天喻己，《論語・陽貨》記：

> 子曰：「予欲無言。」子貢曰：「子如不言，則小子何述焉？」子曰：「天何言哉！四時行焉，百物生焉。天何言哉！」

《易》「乾」卦義本於「天」，「坤」義本於「地」。故「坤」爻辭多踐履、積漸、包覆的文辭，蘊含靜態、含蓄、穩定之義，都是從屬於「地」的事物和含義引申出來的；「乾」爻辭則有飛躍、剛健的文辭，蘊含動態、進取之義，都是從屬於「天」的事物和含義引申出來。孔子汲取「乾」的義理，用以自治，亦用以治人。如《論語・顏淵》：

> 君子之德風，小人之德草。草上之風必偃。

《論語・憲問》：

> 子曰：有德者必有言，有言者不必有德。仁者必有勇，勇者不必有仁。

又以「人能弘道，非道能弘人」、「當仁不讓於師」（《論語・衛靈公》）等語。本於此種精神，在君子施政方面，亦有積極剛健的態度。如《論語・子路》記孔子正名之論：

> 名不正則言不順，言不順則事不成，事不成則禮樂不興，禮樂不興則刑罰不中，形罰不中則民無所錯手足。故君子名之必可言也，言之必可行也。君子於其言，無所苟而已矣。

則君子正名，所要達致的目的為順言、成事、興禮樂、中刑罰、使民有所錯手足。孔子注意到人事的「變易」，亦注意到人事的「不易」。《論語・為政》：

> 殷因於夏禮，所損益可知也；周因於殷禮，所損益可知也。其或繼周者，雖百世可知也。

「禮」制代有損益，這是「變易」；但「禮」的基礎——父子、夫婦、兄弟等人倫的關係，則係生命必然產生的倫理規範，此則是百世「不易」的。

五、《易》占原理與老子思想的關係

《周易》卦爻的結構，諸如兩卦相對、爻序逆數等，的確如屈萬里先生所說的，深受龜卜影響。但龜卜純粹透過觀察烤炙甲骨所產生的裂紋，而定吉凶；至於《易》占則純粹用數。其方法依《繫辭傳》所記，大致可得而知。則龜之與筮，顯然不同。對於占筮的步驟和計數，後世學者中，以朱子《筮儀》解釋得最為清楚，近代則高亨、何澤恆等亦曾針對朱子之說，加以分析。另《左傳》、《國語》所載占筮實例，可以與《繫辭傳》相參較，同時印證《易》筮的原理，近世自李鏡池（〈左傳、國語中易筮之研究〉）、高亨（〈左傳、國語的周易說通解〉）、楊伯峻（《春秋左傳注》）、劉大鈞（〈左傳國語筮例〉）等學者均有分析說解。據筆者歸納不同的討論所知，朱子《筮儀》除根據《繫辭傳》外，亦參考了《左傳》、《國語》的筮例。[37]高亨除曾分析朱子和《左傳》的筮法外，別有〈周易筮法新考〉一文[38]，對於「大衍之數五十」一段文字有別開生面的解釋。高亨〈新考〉一文立論有當與否，本文暫不評論。以下單就《繫辭傳》、朱子《筮儀》和近世學者的研究，略作分析。

《繫辭傳》所記《周易》筮法，頗為繁複。扼要以朱子的解釋加以說明：取蓍草五十根，合大衍五十之數，用其中四十九根，以「四」揲之。三變而成爻，十八變而成卦。每一變，包含了「掛」、「扐」、「再扐」三個結果。「掛」、「扐」兩數合起來，最少有二，最多有「五」。若將數目視為年數，二年至五年之間，至少有一次閏年。因此朱子稱「歸奇于扐以象閏」，謂得到「掛」數之後再得出「扐」數，是象徵「閏年」。倘將「掛」、「扐」、「再扐」相加，最少有五年，最多有九年。五年至九年之間，會遇到兩次「閏年」。此即朱子所謂「再扐以象再閏」。「掛」、「扐」、「再扐」的數目合計，一定是五根或九根。倘結果為「五」，有一個「四」的倍數，那就是「一」，「一」為奇數；倘結果為「九」，有兩個「四」的倍數，那就是「二」，「二」為偶數。這是第一變。

---

[37] 詳參何澤恆：〈略論周易古占〉，《國立編譯館館刊》第 12 卷第 1 期（1983 年 6 月），頁 51－63。

[38] 收入氏著：《周易古經今注（重訂本）》，頁 139－160。

接著第二變開始，除去剛才餘下的五根或九根，提供第二變操作的蓍草數目有兩種可能：四十四根或四十根。運用同樣的方法，以「四」揲之，得出「掛」、「扐」、「再扐」三個數。如果「扐」為「一」，則「再扐」一定是「二」，反之亦然；如果「扐」為「三」，則再扐一定是「四」，反之亦然。這樣操作之後，夾在左手手指之間的蓍草，合計是四根或八根。因為是以四根一組的方式數四十三根或三十九根蓍草，所以，左右邊共會餘下三根或七根（即「扐」與「再扐」相加的數目），然後再加上夾在左手小指與無名指之間的一根（掛），就是四根或八根。倘結果為「四」，以「四」除之，結果是奇數「一」；倘結果為「八」，以「四」除之，結果是偶數「二」。這樣操作，奇數、偶數出現的機率是相等的。

接著是第三變，利用除去了第二變剩下的四根或八根之後的剩餘蓍草操作，亦即說蓍草數目就有三種可能：四十根、三十六根或三十二根。仍然運用和前述相同的方法，揲出「掛」、「扐」、「再扐」三個數。而結果也一定是四根或八根；奇數偶數出現的機率亦相等。經過第三變以後，剩下的蓍草數目，有四種可能：三十六根、三十二根、二十八根，二十四根。

如果在三變得出的蓍草數目是五、四、四，如前所述，各以四除之，均得「一」；三個「一」即三個奇數（陽），那就是「老陽」。又五、四、四相加共十三根，以四十九根蓍草減之，得三十六根，稱為「過揲之策」。以四除之得「九」，為老陽。

如果在三變中剩下的蓍草是九、四、四或五、四、八或五、八、四，如前所述，各以四除之，得兩個「一」一個「二」，即兩奇數（陽）一偶數（陰），那就是「少陰」。如以四十九根蓍草減去三個數相加總和「十七」，則得三十二根，以四除之，得「八」，為少陰。

如果在三變中剩下的蓍草是九、四、八或九、八、四或五、八、八，如前所述，各以四除之，得兩個「二」一個「一」，即兩偶數（陰）一奇數（陽），那就是「少陽」。如以四十九根蓍草減去在三個數相加總和「二十一」，則為二十八根，以四除之，得「七」，為少陽。

如果在三變中剩下的蓍草是九、八、八，如前所述，各以四除之，均得「二」；三個「二」即三個偶數（陰），那就是「老陰」。又九、八、八相加共二十五，以四十九根蓍草減之，得二十四根。以四除之，得「六」，為老陰。

從上述四種情形看，不論我們是觀察三變各得餘數除以「四」以後的奇偶情形，抑或觀察三變以後得出「過揲之策」的總數除以「四」的結果，都會得出相同的陰陽、老少的結果。

前文已指出，卜筮陰陽之原義，不過起源於日光的明暗強弱而已，本屬於自然現象，並無甚神祕性可言。日光顯隱一次，則為一天；推至一歲，日光有長短強弱的變化，於是有陰陽老少的四象之分：夏至晝長夜短，是為老陽；冬至晝短夜長，是為老陰；春分日光漸多，陽氣寖盛，是為少陽；秋分日光漸少，陰氣寖盛，是為少陰。「七」為少陽象「春」，「九」為老陽象「夏」，「八」為少陰象「秋」，「六」為老陰象「冬」，合而成「四象」。「九」和「六」代表陰、陽發展到極致，將發生截然相反的變化，故稱為「老」，下一階段即變為相反力量之「少」；「八」和「七」標示了陰、陽的力量的延續和滋長（自「少」變「老」）。筮法「老變少不變」[39]，其原理即與四季（也就是與日光的強弱、長短）有關。

筮法三變各得餘數以「四」揲之以後的偶、奇（陰、陽）情形來觀察：「二奇一偶」，陽多陰少，不稱為「少陽」而稱為「少陰」；「二偶一奇」，陰多陽少，不稱為「少陰」而稱為「少陽」，恰好反映了《易》占符號的原理：一卦之內，數量少的表示正在增長，數量多的表示正在消減。故陰多陽少即以「陽」為主，陽多陰少即以「陰」為主。故以二偶一奇為少陽象「春」，表示「陽」當下雖少，卻在增長之中；至三奇數為老陽象「夏」，顯示陽氣發展已極而將轉變為「陰」。二奇一偶為少陰象「秋」，顯示「陰」當下雖少，卻在增長之中；三偶數為老陰象「冬」，顯示陰氣發展至極而將轉變為「陽」。《繫辭下傳》說：

> 陽卦多陰，陰卦多陽。其故何也？陽卦奇，陰卦耦。

---

[39] 依筮法：筮得少陽、少陰不變，老陽老陰則陰陽互變。未變之前為「本卦」，已變之後為「之卦」。

就是指陰陽消長原理反映於奇偶數的變化多少之上。[40]

天地萬物恆常變易，而《易》占旨在觀察未來，故「老變少不變」的原則強調的是，必須把握一切變化的幾微之兆，以預測下一個階段的變化，作為筮者的終極關懷。換言之，從一個完整過程的角度，來看一組「對覆」的卦：未來為「復」則當下必定為「剝」，未來為「既濟」則當下必定為「未濟」；反過來說，當下為「睽」則未來必定為「家人」，當下為「否」則未來必定為「泰」。此一原理，遂成為老子以退為進、禍福相倚、無為而無不為等學說的立論基礎。

老子思想與孔子思想固然存在許多相反的地方，如孔子以「好學」自豪，而老子則提出「絕學無憂」，《老子》第三十八章甚至將「為學」與「為道」對立起來，而以後者為歸宿：

> 為學日益，為道日損。損之又損，以至於無為。無為而無不為。[41]

老子思想尚柔弱、尚無為，與儒家尚積極有為，極為相反，這是眾所周知的。然而，孔、老的主要差別是在於手段，而不在於目標。我的意思是，老子的終極目標和講求積極奮進的儒家，一樣是求致治和富足的，而不可能與儒家相反。[42]只不過

---

[40] 《繫辭下傳》接著說：「其德行何也？陽一君而二民，君子之道也；陰二君而一民，小人之道也。」這幾句話則已經脫離了筮法的意義，而引申到德行的層次，即用陰陽區分君、民，君子、小人，脫離了占筮的層次，而轉換至於另類的哲理性的發揮了。

[41] 《郭店楚簡》《老子》作「學者日益，為道者日損。損之或損，以至亡為。亡為而亡不為」。

[42] 老子求富足（「知足者富」）、求安定（「天下將自定」）、求致治（「為無為，則無不治」；「以正治國，以奇用兵」）、求明智（「知人者智，自知者明」。雄按：老子反智，在於反對讓人民有智，而不反對治國者有智。故謂「絕聖棄智，民利百倍」、「民之難治，以其智多。故以智治國，國之賊；不以智治國，國之福。」）、求勝剛強（「天下之至柔，馳騁天下之至堅」；「守柔曰強」）、求取天下（「取天下常以無事，及其有事，不足以取天下」；「以無事取天下」）、避免失敗（「為者敗之，執者失之」）。孔子認為禮樂可以致治，老子則認為：「故失道而後德，失德而後仁，失仁而後義，失義而後禮。夫禮者，忠信之薄，而亂之首。」（第 38 章）

雙方在「致治」的程序與方法上截然不同。我們不能因為儒、道學說相反，就推論孔子的理想為「致治」，老子的理想則為「致亂」。

確認了《老子》求致治富足的理想後，接著討論《老子》如何受《易》占的影響，而悟到與孔子或儒家截然不同的手段。前文指出，《易》占的原理，認為未來為「多」則當下為「少」，未來為「大」則當下為「小」。老子深諳此理，故言天地，則稱：

> 故飄風不終朝，驟雨不終日。孰為此者？天地。天地尚不能久，而況於人乎？（第23章）

今日之飄風，必有止息之時；今日之驟雨，亦必有晴朗之日。天地尚且不能久，人更不能久。故天地之道，必然隨時間的不斷踰邁，而終於回歸一個未來和現在相反的方向：

> 吾不知其名，字之曰道，強為之名曰大，大曰逝，逝曰遠，遠曰反。（第25章）

老子每以柔弱為手段，以達致剛強為目的。如說：

> 物壯則老，是謂不道。（第30章、第55章）

事物壯盛，則已邁入衰老。又說：

> 是以聖人後其身而身先，外其身而身存。（第7章）

又說：

> 知其雄，守其雌，為天下谿。……知其白，守其黑，為天下式。（第28

章）

又說：

將欲歙之，必固張之；將欲弱之，必固強之；將欲廢之，必固興之；將欲奪之，必固與之。是謂微明。（第36章）

老子的原則，今日張之，則他日即能歙之；今日強之，則他日即能弱之；今日興之，則他日即能廢之；今日與之，則他日即能奪之。由上文可證，老子觀察萬物「逝」、「遠」、「反」的過程，即是一個「當下」與「未來」相反的過程。如聖王對於「身」，當下為「後」，則未來為「先」；當下為「外」，則未來可以保「存」。推至於國家，孔、孟盛稱古代聖王，而認為今日應損益夏、殷之禮；對於老子而言則不然：

大道廢，有仁義；智慧出，有大偽。（第18章）

古代聖王致治而有真正的「大道」，則今日的盛言仁義的「大道」，必然是一種似「治」實「亂」的假象。故老子不敢為天下先：

我有三寶，持而保之，一曰慈，二曰儉，三曰不敢為天下先。（第67章）

倘若為爭取當下為天下之先，則未來將為天下之後。唯有時常保持在一個虛無不足的境地，不以當下為滿足，則可以永遠朝向一個更充盈的未來挺進。故老子說：

故知足之足，常足矣。（第46章）

又說：

天之道，損有餘而補不足。（第 77 章）

意謂自以為「不足」，或自居於「不足」的位置，則天道自然不斷補充，俾其不斷更加充盈。這個道理用之於人事，則「有若無，實若虛」：即使當下為「有」為「實」，亦不可自以為為「有」為「實」，而必須自視為「無」為「虛」，這樣才能不斷朝著「有」、「實」的方向發展。老子又說：

禍兮福之所倚，福兮禍之所伏。（第 58 章）

禍福相倚，主要因為時間循環：當下為禍則未來為福，當下為福則他日為禍。又說：

大成若缺，其用不弊；大盈若沖，其用不窮。（第 45 章）

故總括以上的分析，老子之意：欲達致未來的剛強，則必有待於當下的柔弱；欲達致未來的無不為，則必有待於當下的無為。則可見道家思想，實已紮根於《易》占。

下文我再從「坤」卦的卦義，說明其與《老子》思想相通之處。

如前文所指出，「坤」爻辭多踐履、積漸、包覆的文辭，蘊含靜態、含蓄、穩定之義，都是從屬於「地」的事物和含義引申出來的。如「坤」初六爻辭「履霜堅冰至」，《文言傳》衍釋其義，歸納出「其所由來漸矣」的積漸的道理。老子則認為：

圖難於其易，為大於其細。天下難事，必作於易；天下大事，必作於細。（第 63 章）

又說：

為之於未有，治之於未亂。合抱之木，生於毫末；九層之臺，起於累土。千里之行，始於足下。（第 64 章）

以《易》理為喻，《易》初爻多繫以「足」字，除「坤」初六「履霜堅冰至」外，又「履」卦初九爻辭「素履」、「離」卦初九爻辭「履錯然」、「歸妹」初九爻辭「跛能履」。老子所謂「千里之行，始於足下」，與《易》初爻「足履」之義，是同類的象徵。又如《易》「復」卦一陽五陰，初九為全卦之主爻，象徵陽氣之恢復。而老子則強調「復」的重要性：

萬物並作，吾以觀復。夫物芸芸，各復歸其根。歸根曰靜，靜曰復命。復命曰常，知常曰明。（第 16 章）

「坤」初六強調積漸的力量是微弱而持久的。故老子又說：

反者道之動，弱者道之用。（第 40 章）

又說：

天下莫柔弱於水，而攻堅強者莫之能勝。……弱之勝強，柔之勝剛。（第 78 章）

總之老子一切「正言若反」的立論基礎，其中實蘊含時間性的因素。如前文所述，《易》理主變，日光強弱長短，構成歲歲年年往復循環。天道如此，人事亦然。當下的情形，必然與未來相反。故長生久視之道，在於時常自覺處於卑下、虛無、寡欲，而避免處於一高亢、充實、進取的位置，則可以持盈保泰。

六、餘論：對「乾」、「坤」與〈太一生水〉篇的臆說

前文論述《易》的本義，以日光為基礎原理，「易」、「乾」、「陰」、「陽」均與日光的隱顯有關。故「乾」為天之象，不是泛指日月星辰風雷雨電一切天象，而是以日光為主體。《論語》所載孔子的精神與《易》「乾」卦剛健的精神相比較，而論其相合。擴而論之，從先秦思想史的角度看，以「太陽」為主體的《易》理，顯然是儒家思想的特色。「乾」卦《彖傳》本有「大明終始，六位時成，時乘六龍以御天。乾道變化，各正性命」之語。「大明」即指「太陽」。而《郭店楚簡・唐虞之道》說：

> 《虞詩》曰：「大明不出，萬物皆暗，聖者不在上，天下必壞。」

《虞詩》用「太陽」來譬喻「聖者」，即顯示儒家用剛健如日光、普照萬物的精神來描述其定義的「聖人」。這種儒家思想的精神，和記載於《老子》、〈太一生水〉等文獻的尚水、尚無為、貴柔弱的道家思想㊸，成為鮮明的對比。

談到〈太一生水〉，該篇和「坤」卦的原理，頗有相近之趣，值得深論。前述「坤」卦的「坤」字，从「申」，義為閃電。閃電的原理，是水氣自地面上升，累積成雲，水珠在天上相互碰撞，而導致電極分離的現象。負電子累積於雲的下層，並引發正電子在地面上累積。當累積超過臨界點，正負電子在雲層和地面之間發生電場接觸，閃電於是產生。「坤」卦的「坤」字說明了這種情形。

這種情形，與〈太一生水〉所描述的情形頗可相喻。「坤」卦蘊含「閃電」的意義。閃電自地面水氣上升至天，產生烏雲覆日之「陰」開始產生。閃電作為正負電子相衝擊的現象，一向被科學家認為是生物起源的重要因素。閃電本身既可以導

㊸ 《郭店楚簡》有〈太一生水〉篇，專家學者大多認為其與《老子》有思想上的關係（詳參李學勤：〈荊門郭店楚簡所見關尹遺說〉，李零：《郭店楚簡校讀記》「太一生水」餘論）。這應該是可靠的推論。那麼流行於荊楚（約當今之湖北）的道家思想，普遍有尚水、尚柔弱的思想，與強調「大明」、乾易思想有明顯的不同。

致山林大火，所伴隨的大雨也足以成為大地萬物的滋養。[44]此即「坤」卦為「萬物資生」的原理。而〈太一生水〉「太一生水，水反輔太一，是以成天。天反輔太一，是以成地」敘述的內容與此情形頗一致。「太一」既不是太陽，也不是上帝，而是一個以大自然為主體的宇宙論描述。「太一生水」一段話雖沒有提及閃電，但水氣自地面上升，在天空累積成雲，既是閃電（申）的能源所在，也是上天給予大地萬物最重要的滋養和賜給。這也「太一生水」至「天地復相輔」一段話的主要內容。

〈太一生水〉依次論太一、天地、神明、陰陽、四時、寒熱、濕燥，最後則論及「成歲」。[45]這樣的立論形式，和《易》理以日光顯隱、強弱，而累積成一季、一歲的模式，亦隱然相同。

《易經》作者提出的理論，是以日陽的顯隱、強弱為主，而以烏雲蔽日之陰，和承受雨水閃電的大地（坤）為輔。〈太一生水〉作者可能參酌了《易經》「坤」卦的理念，而提出一種與《易經》截然相異的理論。《易》理以「乾」、「易」之日光為主體；〈太一生水〉則提出「雲雨」才是太一「相輔」循環的起始點。該篇作者認為「天」與「地」最初始、最基本的自然關係，主要是奠基於雲氣在天上的累積（雲覆日為「陰」）、雨水的滋潤大地之上，而不是建立在日光的顯隱、強弱之上。

〈太一生水〉和「坤」卦之名亦頗有關係。有一輔證：王引之《經義述聞》據《經典釋文》以及相關的文獻，說：

> 乾坤字正當作坤，其作巛者，乃是借用川字。……川為坤之假借，而非坤之本字。故《說文》坤字下無重文作巛者。《玉篇》坤下亦無巛字，而於〈川

[44] 《周易》上經以「坎」、「離」終，可能反映此一意義。

[45] 〈太一生水〉：「太一生水，水反輔太一，是以成天。天反輔太一，是以成地。天地復相輔也，是以成神明。神明復相輔也，是以成陰陽。陰陽復相輔也，是以成四時。四時復相輔也，是以成寒熱。寒熱復相輔也，是以成濕燥。濕燥復相輔也，成歲而止。故歲者，濕燥之所生也。濕燥者，倉然之所生也。倉然者，四時之所生也。四時者，陰陽之所生也。陰陽者，神明之所生也。神明者，天地之所生也。天地者，太一之所生也。」

> 部〉巛字下注曰：「注瀆曰川也。古為坤字。」然則本是川字，古人借以為坤耳。[46]

馬王堆帛書《周易》「坤」字正作「川」，研究者或釋為「河川」，是錯誤的。應依王說為「假借」關係。如果我們進一步考慮「坤」字本義與積雲覆日以及閃電有關，再參考「太一生水，水反輔太一」之論，則「坤」字借為「川瀆」之「川」字，除了王引之所說和「坤」字聲音上相同以外，可能還有「水」的意義上之關連。那麼所謂「假借」之說，恐怕還須要重新檢討。

七、結　論

本文嘗試從《易經》字義、乾坤二卦內容的關係、以及占筮陰陽老少轉變的原理等三個方面，與《論語》和《老子》相比較，大膽提出推論，認為儒家思想和道家思想的主要觀念，均受《易》卦爻辭陰陽剛柔的道理啟發，而產生出兩種截然相反的思想方法。本文認為《易》義本於日光顯隱、強弱，易、乾、倝等字皆指向此一意義，陰陽老少四象之說象徵一歲時程亦植基於此。同時，《易經》「坤」卦為純「陰」之卦，其義為「雲覆日」之「霒」。「坤」與「閃電」有關，「閃電」始生於雲間水氣的積累，與《郭店楚簡》〈太一生水〉篇又頗有可供對應參照之處。我們也許可以推論，《易經》原理以「乾」的日光為主，而〈太一生水〉則參酌《易經》「坤」「陰」的原理，以沒有日光的雲雨天氣為主，認為太一原始所生，不是日光而是水氣雨雲在天地之間的累積和升降。

無論卦爻辭、《論語》抑或《老子》，其文辭均極為簡古，流傳後世，不惟有種種校勘學上的異同，而且內容的詮解，歧異亦甚大。本文立論，結合古文字字形分析、《易》理解析、思想史論述、出土文獻分析等幾個方面的研究，頗有發前人所未發之處，但也有新奇之論。雖不敢說立論毫無破綻，但我至少提出一個可能性，可以讓《周易》、《郭店楚簡》和中國思想史的研究者多一些思慮上的參考。

---

[46] 氏著：《經義述聞》，頁4－5。

經　學　研　究　論　叢
第 十 四 輯　　頁83～96
臺灣學生書局 2006 年 12 月

論章學誠〈易教〉篇的六經觀念與《易》學思想

賴溫如*

一、前　言

章學誠生於清代乾嘉考據學盛行的時代，當時他的學術思想並未引起學界的重視，所以終其一生鬱鬱不得志。直至民國時代，其學術思想才逐漸引起學者的注意，主要的著作有《文史通義》、《校讎通義》、《史籍考》等書。

就中國學術史而言，章學誠可說是清代學術中期的異軍突起，他是個與乾嘉學風背道而馳的思想家。其治學思辨的成果，對於文化思想的視野，具有一定的系統性與影響力。《文史通義》、《校讎通義》兩書係為了挽救經學家以訓詁考據求道的流弊而作。自顧亭林提倡「經學即理學」說以來，通經所以明道，迄至戴東原皆不變，而章學誠則主張「六經皆史」，闡發浙東史學的特質，說明學問的真精神，在不可無宗主，不可立門戶，貴專家，更在於言天人性命而切於人事之道，以經世之學不在徒託空言，應切合實際而實行。

《易經》乃為群經之首，亦為中國文化的源頭之一，其中所含涉的學問深而廣博。章學誠《文史通義》一書，對《五經》中的《易》、《詩》、《書》三經做了個別的分論，而有〈易教〉、〈詩教〉、〈書教〉諸篇。本文僅從〈易教〉篇所談

---

* 賴溫如，臺灣師範大學國文系博士生。

論《易》學的幾個重要觀點，作為論述的主題，探究其中所含蘊推擴的哲思。由於〈易教〉篇所涉及的除了章學誠對《易》學的觀點外，同時也稍論及了他對《六經》的看法，因之，本文欲先從章氏對《六經》的觀念論述起，再將研究的重心轉至《易》學的問題上做一番探討。

二、對六經的觀念

儒家是中國文化傳承的主流，以《六經》為思想的依據，《六經》係古代文化長期積累的結晶。《六經》分而言之，有《詩》、《書》、《禮》、《樂》、《易》、《春秋》，司馬遷曾點出《六經》深刻的意蘊，《史記．太史公自序》曰：

> 夫《春秋》，上明三王之道，下辨人事之紀，別嫌疑、明是非、定猶豫，善善惡惡，賢賢賤不肖，存亡國，繼絕世，補敝起廢，王道之大者也。《易》著天地陰陽，四時五行，故長於變；《禮》經紀人倫，故長於行；《書》記先王之事，故長於政；《詩》記山川谿谷，禽獸草木，牝牡雌雄，故長於風；《樂》樂所以立，故長於和；《春秋》辨是非，故長於治人。是故《禮》以節人，《樂》以發和，《書》以道事，《詩》以達意，《易》以道化，《春秋》以道義。

可知《詩》除了含有豐富的文物資料以及記錄先民的情感與思想外，也是儒家藉著詩歌舞蹈的形式，以啟發民智，宣揚教化的課本。《書》記述了虞、夏、商、周四代的政事，為研究上古史的主要文獻，由於文書累積日繁，周人乃彙集成編，用作垂教立政的讀本。《禮》是人類社會賴以維持共同生活的社會規律，也就是修己治人的基本原則。《樂》是訴諸於內在心性的陶冶，具有調和人際的作用。《易》是研究宇宙人生的現象和道理，說明宇宙人生變化的法則，由法相天地以至人事運用的一門內聖外王之學。《春秋》則是一部發揮王道理論，以褒貶予奪的方式寄託微言大義，是講論治道的著作。總而言之，《六經》乃經由周公的保存和孔子的刪述推明，確立了「善善惡惡」、「補敝起廢」的傳統精神，不是一般後起之作所能比量的。

章學誠在《文史通義》❶的首篇〈易教〉中即對《六經》發表了獨特的看法，對於「《六經》皆史」這一命題，章氏在這篇已明白提出，曰：

> 《六經》皆史也，古人不著書，古人未嘗離事而言理，《六經》皆先王之政典也。（頁 1）

《六經》原屬於史官的職掌，誠如《漢書・藝文志》所謂「王官之學」，本質上是一種經世的理論，因時制宜，一方面協於天道，另方面則需切於人事，不能偏執一端而不可變通，此觀念章學誠於〈易教〉、〈書教〉、〈詩教〉、〈經解〉、〈原道〉等各篇曾反覆申明，然此一思想是章學誠從其哲學思想「道」與「器」關係的認識出發的，《文史通義・原道中》曰：

> 《易》曰「形而上者謂之道，形而下者謂之器」。道不離器，猶影不離形，後世服夫子之教者自《六經》，以謂《六經》載道之書也，而不知《六經》皆器。（頁 26）

將「道」與「器」視為一對哲學範疇的，最早見於《易・繫辭傳》。《易・繫辭傳》的作者以「形而上」、「形而下」的觀點來規定「道」與「器」。換言之，〈繫辭傳〉中的「道」乃作為陰陽變通轉換的規律和法則，是無形不可見的，所以稱「形而上」；「器」則指畫卦爻，其為有形可見，所以稱「形而下」。可知「道」乃指自然的規律，「器」則指存在的事物。然「道」是離不開「器」的，如果離器而言道，便是空洞說教。因之，章學誠「《六經》皆史」的說法，所延續的是「即事而言理」，或者說是「即器而言道」這樣的傳統。

另者，章學誠以為古代未嘗有著述之事，《六經》乃是先王政典的歷史記錄。

---

❶ 本文所引章學誠《文史通義》，於撰寫中必當重覆引用，故僅標篇名、頁數（臺北：世界書局，1984 年 8 月）。

這些政典掌於官府，例如：「《易》掌太卜，《書》藏外史，《禮》在宗伯，《樂》隸司樂，《詩》領於太師，《春秋》存乎國史」。❷然《六經》既是先王典章、職事的記載，是否顯示《六經》的歷史性高於其內聖外王的功能性，章氏於《文史通義．易教上》篇即言：

> 若夫《六經》皆先王得位行道，經緯世宙之跡，而非託於空言，故以夫子之聖，由且「述而不作」，如其「不知妄作」，不特有擬聖之嫌，抑且蹈於僭竊王章之罪也，可不慎歟。（頁2）

在此章學誠強調的是先王得位行道，經綸世宙之法，所以《六經》不是空言說教，而是有德有位者垂言立教以綱維天下，《六經》可謂協於天道且切於人事。孔子雖有德，卻因生不得位，不能創制立法以前民用。又因《周易》之於道法，非常美善，孔子懼其久而失傳，所以作〈彖傳〉、〈文言〉諸傳，以申義蘊，所謂「述而不作」，並非力有所不能，乃因理勢有所不可，為避免招致僭竊先王典章之罪的緣故。《易》道既是推天理以合人事，所以就《易》象所含涉的範圍而言則頗為廣大，《六經》皆兼具其中，章學誠於〈易教下〉推論曰：

> 象之所包廣矣，非徒《易》而已，六藝莫不兼之，蓋道體之將形而未顯者也。雎鳩之於好逑，樛木之於貞淑，甚而熊蛇之於男女，象之通於《詩》也。五行之徵五事，箕衮之驗風雨，甚而傅巖之入夢賚，象之通於《書》也。古官之紀雲鳥，周官之法天地四時，以至龍翟章衣，熊虎志射，象之通於《禮》也。歌協陰陽，舞分文武，以至磬念封疆，鼓思將帥，象之通於《樂》也。筆削不廢災異，《左氏》遂廣妖祥，象之通於《春秋》也。《易》與天地準，故能彌綸天地之道。萬事萬物，當其自靜而動，形跡未彰，而象見矣。（頁4）

---

❷ 見章學誠：〈原道〉，《校讎通義》（臺北：世界書局，1984年8月），頁228。

《易》道準則於天地，所以能貫通天地之道。然而道的形跡不可見，所見者即為象，可知《易》象通於《六經》，正是《易》教所以能範天下的原因。然而《易》象雖廣包《六經》，其中與《詩》及《春秋》的關係更為密切，蓋以兩者特別切合人事的關係，〈易教下〉言：

> 《易》象雖包六藝，與《詩》之比興尤為表裏。夫《詩》之流別，盛於戰國人文，所謂長於諷喻，不學《詩》則無以言也。然戰國之文深具比興，即其深於取象者也。……《易》象通於《詩》之比興，《易》辭通於《春秋》之例，……《易》以天道而切人事，《春秋》以人事而協天道，其義例之見於文辭，聖人有戒心焉！（頁 4－5）

章學誠亦以為《六經》的義理是可以彼此互相貫通的，〈易教中〉曰：

> 學《易》者所以學周禮也，韓宣子見《易》象、《春秋》，以為周禮在魯。夫子學《易》而志《春秋》，所謂學周禮也。（頁 3）

春秋時期，由於王室的衰微，封建制度逐漸瓦解，傳統的周文化隨著貴族的沒落，流入民間，許多掌握典冊祝宗卜史紛紛流散各國。魯國原是周公的後裔，在西周初年是周公的封國，是西周政治文化的中心之一，保存了周代大量的歷史文獻。在當時魯文化就是周文化的象徵，孔子志在繼承周公，並讚嘆周代禮文的美好，此點可從《論語・八佾》篇「子曰：周監於二代，郁郁乎文哉！吾從周」，明顯的看出來。根據《左傳・昭公二年》的記載：「晉侯使韓宣子來聘。……觀書於大史氏，見《易》象與魯《春秋》，曰：『周禮盡在魯矣，吾乃今知周公之德與周之所以王也。』」所以章學誠〈易教上〉言：

> 夫《春秋》乃周公之舊典，謂周禮之在魯可也。《易》象亦稱周禮，其為政教典章，切於民用，而非一己空言，自垂昭代，而非相沿舊制，則又明矣！（頁 1）

《易》與《春秋》均為切於民用的典章制度，體現了周禮的實質精神。而《易》一書假「象」以喻理，據「象」而斷占，章法、體例皆以「象」為本，因之，《易》古又有「易象」之稱。劉勰《文心雕龍·原道》云「幽贊神明，易象為先」，正是如此。由筮數以定象，繫辭以釋象，據象以定占。所以《易》的內容不外乎「象」與「辭」。先有象而後有辭，以象為主，辭為輔，借象以明道，立象以盡意。章氏雖然區別了「象」、「興」、「官」及「例」的不同，同時也認為：

> 《易》之象也，《詩》之興也，變化而不可方物矣。《禮》之官也，《春秋》之例也，謹嚴而不可假借矣！（頁4）

章氏以為「物相雜而為之文，事得比而有其類，知事物名義之雜出而比處也，非文不足以達之，非類不足以通之，六藝之文，可以一言盡也。夫象、興、例、官，風馬牛之不相及也。其辭可謂文矣，其理則不過曰通於類也；故學者之要，貴乎知類。」（頁 4）而且他認為《易》象可通於《詩》的比興，《易》辭可通於《春秋》的義例，視《易》象包含《六經》，以《易》教範天下，正如《易·繫辭傳》所說「天下同歸而殊途，一致而百慮」。即君子之人對於《六經》，無論是就修德性或求問學方面而言，皆可一以貫之，由而見出《六經》義理的互相貫通與發揮。

三、論《易》之義

班固《漢書·藝文志》中〈六藝略〉關於群經的次第，以《易》居首，然後是《書》、《詩》、《禮》、《樂》、《春秋》、《論語》、《孝經》、小學，並且進一步對《易》居群經之首的道理做了深入分析，提出「《易》為五學之原」的觀點。〈六藝略〉云：

> 六藝之文，《樂》以和神，仁之表也；《詩》以正言，義之用也；《禮》以明體，明者著見，故無訓也；《書》以廣聽，知之術也；《春秋》以斷事，信之符也。五者蓋五常之道，相須而備，而《易》為之原。故曰：「《易》

不可見，則乾坤或幾乎息矣。」言與天地為終始也。❸

班固此論，帶有以五常說《五經》的色彩，把仁、義、理、智、信與《樂》、《詩》、《禮》、《書》、《春秋》相配合，雖有牽強附會之嫌，但卻也明白的指出「《易》為五學之原」的說法，體認到《易》創制於中國文化誕生的最初階段，當屬經學始肇的源頭。

關於伏犧畫卦之說，《易·繫辭傳》云：「古者包犧氏之王天下也，仰則觀象於天，俯則觀法於地，觀鳥獸之文與地之宜，近取諸身，遠取諸物，於是始作八卦，以通神明之德，以類萬物之情。」班固《白虎通》延續〈繫辭傳〉的主張而暢其說，云：

> 古之時未有三綱六紀，民人但知其母而不知其父，能覆前不能覆後，臥之詘詘，起之吁吁，饑即求食，飽即棄餘，茹毛飲血而衣皮葦，於是伏犧仰觀象於天，俯察法於地，因夫婦正午行，始定人道，畫八卦以治天下。❹

因之，章學誠以為《易》義的產生當早於文字系統尚未建構完成之際，雖未有文字立說，然其意實已顯著，〈易教中〉曰：

> 《易》之名雖未立，而《易》之意已行乎其中矣。上古淳直，文字無多，固有具其實而未著其名者，後人因以定其名，則徹前後，而皆以是為主義焉，一若其名之向著者，此亦其一端也。（頁 3）

至於《易》的作用是什麼？〈易教上〉言：

> 聞諸夫子之言矣，「夫《易》開物成務，冒天下之道，知來藏往，吉凶與民

❸ 見〔漢〕班固：《漢書》（臺北：世界書局，1979 年 10 月），〈藝文志〉，頁 20。
❹ 見班固：《白虎通》（北京：中華書局，1985 年 3 月），頁 3。

> 同患」，其道蓋包政教典章之所不及矣！象法天地，「是興神物，以前民用」，其教蓋出政教典章之先矣！（頁1）

章學誠除以〈繫辭傳上〉「夫《易》開物成務，冒天下之道，如斯而已者也。……吉凶與民同患，神以知來，知以藏往，其孰能與於此哉？……，是興神物，以前民用」，說明《易經》是開創萬物，成就事務，包括了天下一切的道理，自然也就先於政教典章的制定。而《易經》的神妙足以知道將來變化的道理，其中的智慧足以儲藏既往的知識經驗，亦可作為政教典章的基礎。

又〈繫辭傳下〉談及《易》有變動不居的特性，其言：「《易》之為書也不可遠，為道也屢遷，變動不居，周流六虛，上下無常，剛柔相易，不可為典要，唯變所適。」孔穎達《周易正義》對於《易》的周流變化，有進一步的說明：

> 夫《易》者變化之總名，改換之殊稱，自天地開闢，陰陽運行，寒暑迭來，日月更出，……新新不停，生生相續，莫非資變化之力，換代之功。然變化運行在陰陽二氣，故聖人初畫八卦，設剛柔兩畫，象二氣也。布以三位，象三才也。謂之為易，取變化之義，既義總變化，而獨以《易》為名者。❺

觀察《易》書六十四卦，卦有六爻，其中有陰有陽，有長有消，有乘有承，變動而不停滯，《易》道則周遍流行於此六位所設定的宇宙。剛柔相互交替、錯綜，神妙無窮，不可執持以為固定的格律，當視境況以變化。章氏則欲以《易》的變化結合曆制，其〈易教中〉曰：

> 孔仲達曰：「夫《易》者，變化之總名，改換之殊稱。」先儒之釋《易》義，未有明通若孔氏者也。得其說而進推之，《易》為王者改制之鉅典，事與治曆明時相表裏，其義昭然若揭矣！（頁2）

---

❺ 見〔唐〕孔穎達：〈周易正義序〉，《重刊宋本周禮注疏附校勘記》（臺北：藝文印書館，1989年6月影印清嘉慶二十年江西南昌府學刊本），卷首，頁3。

章學誠以為《易》道乃變化精微，隨著境況而有所遞轉，可為王者改制立法所依循的典則，然是隱微而不可見的，與治曆法的明確性，雖有極大的相異，卻也可互為表裡。

四、對三《易》的觀念

三《易》之名，首見於《周禮》，其記載曰：「大卜……掌三易之法，一曰《連山》，二曰《歸藏》，三曰《周易》，其經卦皆八，其別皆六十有四。」❻章學誠〈易教上〉則認為：

> 《周官》太卜掌三《易》之法，夏曰《連山》，殷曰《歸藏》，周曰《周易》，各有其象與數，各殊其變與占，不相襲也。然三《易》各有所本，《大傳》所謂庖犧、神農與黃帝、堯舜是也。由所本而觀之，不特三王不相襲，三皇五帝亦不相沿矣！（頁1）

章氏以《歸藏》本於庖犧，《連山》本於神農，《周易》本於黃帝，由於各自的來源不同，所以無論是象與數之本質或變與占的方法，均各自成體系不相沿襲。所以在他的觀念中，《連山》及《歸藏》不能稱為《易》，其言曰：

> 顧氏炎武嘗謂《連山》及《歸藏》不名為《易》，太卜所謂三《易》，因《周易》而牽連得名。今觀八卦起於伏犧，《連山》作於夏后，而夫子乃謂《易》興於中古，作《易》之人，獨指文王，則《連山》、《歸藏》不名為《易》，又其徵矣！（頁1）

顧炎武《日知錄》言：

> 《周官》太卜掌三《易》之法，一曰《連山》，二曰《歸藏》，三曰《周

---

❻ 見〔漢〕鄭玄注，〔唐〕賈公彥疏：《周禮注疏》，卷24，頁370。

> 易》，《連山》、《歸藏》非《易》也，而云三《易》者，後人因《易》之名以名之也。（卷 1，頁 1）

顧炎武以《春秋》本為魯史專名，因孔子刪修，遂為史書通名，而各國之史，亦得稱為《春秋》[7]，正如周代因有卜筮之書稱《易》，而《連山》、《歸藏》亦為卜筮之書，遂以《易》統稱之，所以有三《易》之名，可知所謂「三易」乃後人賦予先秦卜筮之書的稱呼。章學誠即依據顧炎武的說法，認為《連山》、《歸藏》不能稱之為《易》，以別於《周易》。又以《周易‧繫辭傳下》：「《易》之興也，其於中古乎！作《易》者，其有憂患乎！」在此所指的「中古」，當是殷末周初之際。章學誠以為文王作《易》，乃有感於商代世風衰頹，民志墮落，而滋生悲憫情懷，以期匡時濟世，所以有《易》的產生，〈易教上〉曰：

> 商道之衰，文王與民同其憂患，故反覆於處憂患之道，而要於無咎，非創制也。周武既定天下，遂名《周易》而立一代之典教，非文王初意所計及也。（頁 2）

文王就八卦而繫之辭，實欲與民同其憂患，因之，《周易》已不同於一般的卜筮之書，而是具有經世的作用，此亦說明了《連山》、《歸藏》不稱為《易》的原因。

章學誠最後於〈易教中〉對三《易》的關係提出進一步的說明：

> 三《易》之名，雖始於《周官》，而《連山》、《歸藏》可並名《易》，《易》不可附《連山》、《歸藏》，而稱「三連」、「三歸」者。誠以《易》之為義，實該羲、農以來，不相沿襲之法數也。（頁 3）

章氏於此對《連山》、《歸藏》與《周易》，三者之間的「名」與「實」，做了總結的論述，辨析其間的差異性，正也凸顯出《周易》不同於《連山》、《歸藏》，

---

[7] 參見〔清〕顧炎武：《日知錄》（臺北：文史哲出版社，1979 年 4 月），卷 1，頁 1。

非為卜筮之書，而是深具經世致用的功能。

五、論《易》與「曆」

我國先民乃以農立國，因而與農業生產關係很大的曆法也就備受重視。所謂「曆」是指調配年、月、日三者之間的關係，並使之符合實際的天象與自然季節；所謂「曆法」則是治曆的規律和法則。上古時代由於沒有完善的曆法和計時的工具，人類僅能依靠著觀察日月星辰的運行變化及動植物隨著節氣產生的變化，以決定農時，進行耕作生產，即所謂「觀象授時」。❽章學誠於〈易教上〉及〈易教中〉兩篇曾對《易》與「曆」的關係，提出了看法：

> 夫懸象設教，與治曆授時，天道也。《禮》、《樂》、《詩》、《書》，與刑政教令，人事也。天與人參，王者治世之大權也。（頁 1）

> 是知上古聖人，開天創制，立法以治天下，作《易》之與造曆，同出於一源，未可強分孰先孰後。（頁 3）

章氏以為《易》的懸象設教與曆法的觀象授時，皆以天道為所依循的準則，所言者不外乎天之道，而《禮》、《樂》、《詩》、《書》與刑政教令，則是人類為了建立生活秩序及社會制度，所制定的人為典章。因之，王者治理天下則需兼具天道與人事以創制立法。

至於《易》與「曆」兩者的先後關係，章學誠亦有其獨特的看法，〈易教上〉言：

> 夫子憾夏商之文獻無所徵矣，而《坤乾》乃與《夏時》之書，同觀於夏商之所得，則其所以厚民生與利民用者，蓋與治曆明時，同為一代之法憲，而非聖人一己之心思，離事物而特著一書，以謂明道也。（頁 1）

❽ 參考朱敬武：《章學誠的歷史文化哲學》（臺北：文津出版社，1996 年 10 月），頁 203。

由於《易》象與曆法的制定均由體察天道而來，然就文獻的傳承而言，《易》與《夏時》、《坤乾》，亦由夏、商兩代所損益得來，皆具有厚生利用之功，兩者既同出於一源，又同為一代之法憲，可謂相輔相成，毌需強分先後。

再者《易》與「曆」亦是隨時更變的，〈易教中〉即云：

> 曆自黃帝以來，代為更變，而夫子乃為取象於澤火，且以天地改時，湯、武革命，為革之卦義，則《易》之隨時興廢，道豈有異乎。《易》始犧、農，而備於成周；曆始於黃帝，而遞變於後世。上古詳天道，而中古以下詳人事之大端也。（頁3）

《易・革卦・彖傳》曰：「天地革而四時成，湯、武革命，順乎天而應乎人，革之時大矣哉！」春、夏、秋、冬為天地生物的四個階段，由前一階段發展至次一階段，即為一變革。四季依次變革以發展，即為天地生物的歷程，亦是天地之變革。湯、武革命，乃指商湯放桀於鳴條，周武伐紂於牧野。如果自歷史與文化的立場來看，商湯放桀，周武伐紂，乃相機之變革，亦即「天與人歸」。所謂「時」者，當指特定的境況，乃相應於宇宙秩序及人間遭遇。「革之時」即〈革卦〉所設定的特定境況，乃象乎宇宙、人間，其發展的階段，每為曲折的過程。❾而〈革卦・大象〉則曰：「澤中有火，革；君子以治曆明時。」〈革卦〉上卦為兌，兌為澤；下卦為離，離為火。澤中有火者，火燃則澤水乾，澤中之水盛則火滅，兩者乃相斥而生變，此即為「革」之象。君子體革，乃以宇宙立場言之，天地革則萬物生成，四時成則天地生化萬物的歷程可得而解。治曆明時即研究歲時節氣之曆，以了解耕耘收藏之時。❿由此而知，無論是《易》或「曆」，皆是隨著宇宙或人世的更變及興廢歷程而有所遞變的。

既然《易》與「曆」的來源、變化的規律及對民生利用的功能，兩者皆相同相近，對於其中的差異性，章學誠也洞悉了，其〈易教中〉曰：

---

❾ 參考朱維煥：《周易經傳象義闡釋》（臺北：臺灣學生書局，1993年9月），頁350－351。

❿ 《周易經傳象義闡釋》，頁351－352。

> 曆象遞變，而夫子獨取於《夏時》；筮占不同，而夫子獨取於《周易》，此三代以後，至今循行而不廢者也。然三代以後，曆顯而《易》微；曆存於官守，而《易》流於師傳，故儒者敢於擬《易》，而不敢造曆也。曆之薄蝕盈虧，有象可驗；而《易》之吉凶悔吝，無跡可拘，是以曆官不能穿鑿於私智，而《易》師各自為說，不勝紛紛也，故學《易》者，不可以不知天。（頁 3）

由於宇宙天體的運行，有一定規律可依循，其中的徵象顯而易見，而歷代亦有官師專責於曆法的制定，而《易》學談的是無跡可拘的吉凶悔吝之道，學者往往各自為說，因之產生了各派各宗的說法，《四庫全書總目》即指出：

> 《左傳》所記諸占，蓋猶太卜之遺法。漢儒言象數，去古未遠也，一變而為京、焦，入於禨祥；再變而為陳、邵，務窮造化，《易》遂不切於民用。王弼盡黜象數，說以《老》、《莊》；一變而為胡瑗、程子，始闡明儒理；再變為李光、楊萬里，又參證史事，《易》遂日啟論端。[11]

此一說法歸結了《易》學演變中最具有代表性的流派，然總其大端，不外是「象數」與「義理」兩大派。「象數派」的學說，見於漢魏學者以《易》象、《易》數為解《易》之途徑，切合占筮的用途，又發揮《易》理的深蘊。「義理派」則以闡明《易》學的哲理為主，王弼以老、莊思想解《易》已開其風氣，至胡瑗、程頤則蔚為大觀，而李光、楊萬里援史證《易》，又將《易》學的哲理再進一步的推展發揚。《四庫全書總目》對於《易》學的範圍亦有清楚的說明：

> 《易》道廣大，無所不包，旁及天文、地理、樂律、兵法、韻學、算術，以逮方外之爐火，皆可援《易》以為說，而好異者又援以入《易》，故《易》

---

[11] 〔清〕紀昀等纂：《四庫全書總目》（臺北：藝文印書館，1989 年 1 月），〈經部・易類〉小序，頁 62。

說愈繁。⓬

《易》學範疇如此廣大龐雜，學者紛紛各自立說，產生種種流派，實不同於曆法制定的客觀與統一。因之，章學誠以為學《易》者必須明瞭天之道，除了以便掌握宇宙運行的規律，天體的薄蝕盈虧，以制定曆法外，對於論及天道與性命的《易》學，要能洞悉其中的元亨利貞、吉凶悔吝之道，而不流於穿鑿附會，更進而將形而上的《易》道與形而下的曆法相與結合，相互表裡，可作為王者治理天下的依循法則。

六、結　語

章學誠論及《六經》，最大的特色是以史說經，將《六經》皆視為史，提出「《六經》皆史」的說法，並認為《六經》皆史而歸本於人倫日用。《六經》始為先王的政教典章，而孔子之所以刪述《六經》，實因當時形勢而不得已，並非有意之作。然道體無所不該，《六經》足以盡之，所貴乎後世之學者在於能約取其旨，隨時撰述以究大道，且以為《六經》義理皆可彼此貫通。

《易》乃為一本活書，隨著不同的時代對其文字的解讀自有不同的理解，仁者見仁，智者見智，象數派用它的概念以制定曆法，義理派則以之詮釋天道性命，不同的流派，皆可從中汲取經義以為己用。

章學誠解《易》，以為《易》者乃推天道以合人事，人事將與時遞轉改變，而《易》道雖歷久彌新，可隨時興廢，因事制宜，非拘泥而不知變通，將《易》的淵源與其特性論述得更周延外，且將《周易》與《連山》、《歸藏》三者的相異性也做了明確的辨析。最後對於《易》與「曆」的相同及相異處提出了看法，並進一步試圖將懸象設教的《易》與觀象授時的「曆」結合，作為王者施政的準則。

總而言之，章學誠《文史通義》的〈易教〉篇，雖然篇幅不長，但其於篇中論述了對《六經》及對《易》學的許多重要觀念，已獲得後代學者的重視與研究，正是他在學術上的貢獻與價值。

⓬ 《四庫全書總目》，〈經部．易類〉小序，頁63。

經 學 研 究 論 叢
第 十 四 輯　頁97～124
臺灣學生書局 2006年12月

《彖傳》政治思想試析

劉昌佳*

一、前　言

孔子嘗言：「周監於二代，郁郁乎文哉！吾從周。」（《論語・八佾》）周代殷之後，用「親親」和「尊尊」的制度，將家庭倫理架構在政治系統之上，形成網絡般的統治方式。其間維持整個領導階層社會的政治及倫理模式就是禮制，一般都稱這個制度為周文制度，所以可以說：周文制度即是禮治的制度。這個制度的主軸中心點在周天子。然而平王東遷以後，政權旁落，禮樂征伐已不再自天子出，整個周王朝已是分崩離析。面對禮崩樂壞的周文制度以及政權的動亂，先秦的思想家對於時代問題的態度，採積極者約可分成兩個方向：一者是如孔子般的讚美周文而希望能夠維持或恢復西周初期的制度，一者是已然認為周文之崩解是必然之趨勢，而另尋救亡圖存之策。❶前者本文歸之為禮治之流派，而後者本文歸之為法治之流派。在先秦諸子中，就政治思想而言，足為大宗者，僅有儒墨道法四家。其中儒墨屬於前者，而法家則屬於後者，至於道家則從天道的高度省察當時人間的秩序，擬欲由消解人為的禮樂制度，進而彌平由是所產生的種種亂象。

主張禮治的儒學系統中，在制度之維繫上，強調的是正名；就施政者而言，則

* 劉昌佳，彰化師範大學國文學系博士生。

❶ 蕭公權：「當時思想家睹社會空前之鉅變而圖為積極應付之方者，約可分為二派。其一惜封建之潰而欲挽救之，其二雖知封建之不足救而任其消亡。」《中國政治思想史》（臺北：聯經出版事業公司，1982年），頁243。

主張尚賢；對人民之管理，則主張以德化民。而主張法治的系統，在制度上，強調的是君主的絕對權勢；在施政階層上，則主張依法不依人；在人民的管理上，則主張信賞必罰。而道家則純粹從道的觀點反省現世的制度，其基本主張是一種法天地自然之無為，所以國君治國要如「烹小鮮」，也因此不主張尚賢，是一種「法自然」的政治理想。

《彖傳》成書於孟、荀之間的戰國後期❷，適逢此政治最為動亂的時期，各個思想家均欲建構其一套治國之良方，《彖傳》作者也無法跳脫這個時代主題，所以在書中亦針對正位、尚賢、重民、變革及人文化成等重要的政治命題提出其個人之觀點，本文擬就上述命題逐一加以探析。

二、正位思想

孔子學說可以說是以「禮」為始點，而西周的「禮制」即是西周的政治制度，其用意在於建立一個安定的政治秩序。所以，孔子認為如要重建政治秩序，必須先釐定名分，因此，當齊景公問政於孔子之時，孔子回答說只要「君君、臣臣、父父、子子」，君臣上下各正其位，那麼國家即可安定。《彖傳》雖是解《易》之作，然而在其傳解經文之餘，往往就經中某些文字另外闡發一些言論，而這些言論，也正是《彖傳》作者個人思想之所在。

在《彖傳》中也有類似孔子的正名思想，《彖・家人》：「父父、子子、兄兄、弟弟、夫夫、婦婦，而家道正；正家而天下定矣！」這之中說家中之組成份子各正其位，則「家道正」；由此擴充之，進而至於「天下定」。這樣的論述文字與思想架構，和孔子所說的「正名」思想，以及後來的《大學》之「家齊而后國治，國治而后天下平」的思想模式非常近似。《彖傳》的「正位」思想之架構是否等同於儒家的說法？或者根本迥異於儒家而另有其意涵及依據？

《彖傳》解《易》經常用「位」去加以解釋，王弼《周易略例・辨位》：「爻

❷ 關於《彖傳》的年代界定，請參閱劉昌佳：〈《彖傳》作者、著作年代及名、義之考辨〉，《彖傳與儒道思想之比較研究》（臺中：中興大學中文系碩士論文，2003 年 1 月），頁 9—32。

之所處，則謂之位。」❸如《彖・需》「位乎天位」中之「天位」，即是指著第五爻而說；《彖・既濟》「剛柔正而位當」中之「位」，就是指全部的六爻。另外，《彖傳》又結合爻位、爻德去解釋爻義。爻德，即爻之陰陽剛柔。「爻德與爻位配合的結果，陰爻居耦位，陽爻居奇位，則稱為『正』，又曰『正位』，又曰『當位』，又曰『得位』」。❹如《彖・遯》「剛當位而應」，其中「當位」就是指九五陽爻居陽位。《彖傳》用這種爻位與爻德配合的方式去解釋經文，說是「正位」、「當位」的共有五則，以下先略作疏解，再分析、歸納其中「正位」所指稱之確切意涵。

1.《彖・遯》：

> 遯，亨，遯而亨也。剛當位而應，與時行也。小利貞，浸而長也。遯之時義大矣哉！

《易・遯》：「遯，亨。小利貞。」「遯」原來只是卦名，只是一個稱謂❺，但是《彖傳》卻用「退」去解其義，說「遯而亨也」。接著《彖傳》又由此進而發揮其所以亨通之理，說「剛當位而應，與時行也」。俞琰解釋說：

> 剛當位，謂以九居五而得其正；應，謂與六二相應而不與為敵，……其義則未可遽遯也，則唯有以正自守，以權應柔，順時而行耳。❻

---

❸ 樓宇烈：《老子、周易王弼注校釋》（臺北：華正書局，1981 年），頁 613。

❹ 黃沛榮：《周易彖象傳義理探微》（臺北：漢京文化事業有限公司，1984 年），頁 50。

❺ 《易傳》中常常以卦名去解釋卦義，甚者由此再進而加以闡發。然而出土之《帛書周易》，其中共有 33 個卦名與王弼本有所差異，如：鍵（乾）、婦（否）、掾（遯）、禮（履）、無孟（妄）、狗（姤）、根（艮）、繁（賁）、箇（蠱）、贛（坎）、餘（豫）……等，由此而論，卦名只能是表卦象之名，只是一個稱謂，不宜做過度之解釋。帛書卦名參見張立文，《周易帛書今注今譯》（臺北：臺灣學生書局，1991 年）。

❻ 〔元〕俞琰：《俞氏易集說》（臺北：漢京文化事業公司，1971 年影印《通志堂經解》本），第 7 冊，〈彖傳下〉，頁 4。

「當位」指九五陽爻居陽位，又稱作「正位」。九五又與六二陰陽相應，所以說是「應」。何以〈遯〉有退避之意？俞琰釋之說：

> 自常情觀之，二陰以艮體止於下而不動，四陽在上，其勢猶盛，君子何必遯？識時者觀之則不然，蓋二陰之止，暫止也。今雖止而不動，徒以我四陽尚盛，未敢肆爾。然自此浸長，必將上進，蓋不終止於其下也。❼

文中解釋何以〈遯〉會有退避之理。以常理言之，〈遯〉有四陽在上，其氣正盛，而其下則只有二陰，其勢方微，於此之時，九五何須退避？《彖傳》從整個卦時作觀察，〈遯〉是處在陰柔漸長的趨勢，「浸而長也」，猶如水之浸物，逐漸而增長。二陰雖然暫時不進逼，然而其氣勢終究會進逼，而陽剛遲早必退去。在這種情況之下，若「時未可遯，則君子要當與時而偕行；義苟當遯，則君子亦當與時而偕行」❽，君子之退避與否，依時而行。而這個「時」，所指的正是陰陽消長之時，而這陰陽消長的現象也正是天地運行之規律。君子之行事，不能只看當前之局勢，正當陽盛陰衰，即時大有作為；而應觀察其間陰陽勢力之消長，作為其行事之依據。這裡的出處進退，所依據的是盈虛消長的道理，天地運行的規律，而不是道德意義上的應為或不應為。

2.《彖・蹇》：

> 蹇，難也，險在前也。見險而能止，知矣哉。蹇利西南，往得中也。不利東北，其道窮也。利見大人，往有功也。當位貞吉，以正邦也。蹇之時用，大矣哉！

《易・蹇》：「蹇，利西南，不利東北。利見大人。貞吉。」《彖傳》解釋何以處蹇難之時，占問會得吉兆？因為〈蹇〉之六爻，除了初六以外，其餘都陰陽各得其

---

❼ 同前註，頁5。
❽ 同前註。

位。即使初六是以陰爻居陽位，但是陰處於下，也可以說是正位。徐志銳解「當位貞吉，以正邦也」說：

> 「當位」指其他五爻，即是說除了九五之外，其他諸爻均不可爭先而動，只能居後而行，應當據守本位，待時而舉，才能得吉。……九五的君主能保民，而民必助君主，從而達到各居其位，一國安定，故言「以正邦也」。❾

文中認為「當位」是指除了九五之外的其他五爻各正其位，而各爻均須待時而動，才能得吉。比之於國家，則各人均安於其位，待時而動，一國才得以出險，才得以安定。黃沛榮曾就《彖傳》所持之人生態度而論：

> 《彖傳》特別重視「時」之觀念，……所謂「時變」，蓋由於「時令」之差異，自然亦隨之而變，如春生、夏長、秋肅、冬殺之類。而不同之「時機」，人亦常採取因應之措施，故智者處世，必順應時變。……《彖傳》云：「蹇，難也。險在前也，見險而能止，知矣哉！」君子立身處事，必俟時而動。時不我與，則宜養晦韜光，潛藏退避。❿

文中論蹇之精神，在於順應時變，應如四季之運行一般，當止則止，當行則行。君子之立身處事，也應「隨時而動」、「與時偕行」，當處於險難之時，則應該韜光養晦，退避潛藏，如此才能避開險難。

3.《彖・既濟》：

> 既濟，亨，小者亨也。利貞，剛柔正而當位也。初吉，柔得中也。終止則亂，其道窮也。

---

❾ 徐志銳：《周易大傳新注》（濟南：齊魯書社，1988年），頁251－252。

❿ 黃沛榮：《周易彖象傳義理探微》，頁73－74。

《易・既濟》：「既濟，亨，小利貞。初吉，終亂。」《彖傳》用爻位與爻德之相互和合去解釋何以會「利貞」？因為「剛柔正而當位也」。〈既濟〉是六十四卦中唯一六爻都各當其位的一卦，初、三、五爻，陽剛居陽位；二、四、上爻，陰柔居陰位。所以，這裡的「當位」是指陰陽各正其位。

4.《彖・節》：

> 節，亨，剛柔分而剛得中。苦節不可貞，其道窮也。說以行險，當位以節，中正以通。天地節而四時成，節以制度，不傷財，不害民。。

《易・節》：「節，亨。苦節不可貞。」《彖傳》一開始就用爻德和爻位去解釋為什麼「節，亨」？因為〈節〉之上卦是坎，為陽，屬剛；下卦是兌，為陰，屬柔。剛在上而柔在下，所以說：「剛柔分」。又九二與九五分居下、上二體之中位，所以說「剛得中」。陰陽剛柔各居其位又適得其中，所以說是「亨」。至此已釋意盡，然而《彖傳》卻又接著發揮說：「當位以節，中正以通。天地節而四時成，節以制度，不傷財，不害民。」其意是說九五既當位又中正，猶如以湖泊調節水流一般，既可流水又可存水，無過與不及。天地間最大的節氣是四季，春生、夏長、秋收、冬藏，萬物得以生生不息。如若四時無節，則萬物就無得調節，也就無法生存。天地間存在著這樣的規律，一個國家的施政也必須依循這種規律，才能安定長遠。金景芳曾就此論說：

> 天地節，即是剛之節柔，柔之節剛，剛柔相節而生成春夏秋冬四時。……如果天地無節，則大冬大夏而已，哪裡還有四時！……自然界有「天地節而四時成」，人世間就有「節以制度，不傷財，不害民」。⓫

文中說天地運行之規律，在陰陽剛柔之間自有所節制，因此形成四時以長養萬物。如果天地無節，那麼萬物何得生長？所以，國君之施政，也須效法天地運行之規

⓫ 金景芳、呂紹綱：《周易全解》（長春：吉林大學出版社，1990年），頁420－421。

律，以制度作為一國之節制，則自能「不傷財，不害民」。

在《彖傳》中尚有論到「不當位」、「位不當」者，計有二則：

1.《彖・噬嗑》：

> 柔得中而上行，雖不當位，利用獄也。

此句是在解經文「利用獄」，《易經》此卦是記載占筮之人適逢有訴訟之事，經過占筮的結果是利於進行訟事。而《彖傳》作者則加以解釋說：就此卦主爻六五而論，陰柔本應居下，現在六五以陰柔之爻上行而居於上體之中，雖然陰爻居非其位，然而卻有利於治獄斷案。這裡的「不當位」，是指陰爻居於陽位。

2.《彖・歸妹》：

> 歸妹，天地之大義也。天地不交而萬物不興也。歸妹，人之終始也。說以動，所歸妹也。征凶，位不當也。無攸利，柔乘剛也。

《彖傳》首先就天地間之生生化育而說。天之陽氣必須下降，地之陰氣必須上升，天地間之陰陽二氣必須交相和合，如此萬物才得以生長發育。比之於人事，則是代表陰陽之男女的結合，所以說：「歸妹，天地之大義也」。天地之陰陽二氣交相和合則生養萬物，而人類之繁衍，則「造端乎夫婦」，所以說是人類之開始。這裡的「終始」是偏義複詞，只有「始」之意，而無「終」之意。《彖傳》接著解釋「征凶」，是因為陰陽不當其位。

以上論到「正位」、「當位」、「不當位」、「位不當」者共有六則，這六則解經之方式都非常一致，都是如黃沛榮所說的「結合爻位、爻德以釋爻義」，都是指陰陽各得其位。所謂陰陽各得其位，即是在陰陽之流行當中，當陰則陰，當陽則陽，各合其時。而陰陽二者之間會呈現出盈虛消長的循環，這一種現象，是天地運行之規律，這種規律是流動而不息的，是與時遷移的，所以《彖傳》非常重視「時」，認為人之行事應隨著陰陽之消長而與之進退，所以《彖傳》常說「與時偕行」。

如純就爻之陰陽與其位而言，那麼六十四卦三百八十四爻中必有一百九十二爻是正位的；若單就上下二體之中爻來論，那麼也會有六十四處是當位的，然而《彖傳》說是當位或正位的，卻只有上述四則和《彖・家人》而已。不當位的數量和當位是一樣的，然而《彖傳》說不當位的就只有上論二則。除了《彖・家人》以外之上引六則彖辭，其所指的「正位」是否應如孔子所說的「正名」思想？以下分別就各則加以辨析。

1.《彖・遯》「當位而應」，〈遯〉九五、六二上下二體的中爻都居正位，如果可以指稱是政治倫理上的君臣上下各正其位，那麼，即是說在此之時，雖然其君之勢正盛，其臣之氣才稍萌，然而君主遲早必退位？其下之臣終究會進逼其君退位？而其君則應當退則退，才是依循著天地間運行之道呢？如將此處之「當位」解成君臣父子各正其位，於理勢必不通。

2.《彖・蹇》「當位貞吉，以正邦也」，〈蹇〉六爻都正位，如若是指上下君臣皆各正其位，那麼必定天下安泰，何來蹇難之時？而《彖傳》又何以盛歎：「蹇之時用，大矣哉！」顯然《彖傳》作者讚嘆的是必須順應時變，順應天地陰陽運行之規律以行事。

3.《彖・既濟》「剛柔正而當位」，〈既濟〉之六爻皆得其正位，如若比之人事，定要說是君臣、父子各居於其位，則必定是國治天下平，那麼《彖傳》何以會說是「終止則亂，其道窮也」。

4.《彖・節》「當位以節」，如若定要比之君臣上下，那麼也只有九五得正，其下之九二並未得正，若君正臣不正，未必能做到「不傷財，不害民」。它所謂「不傷財，不害民」是必須「節以制度」，而「節以制度」是如天地般之陰陽剛柔間之相互節制，並非君臣上下之相互節制，所以此處亦不能指君臣上下各正其位。

5.《彖・噬嗑》「雖不當位，利用獄也」，〈噬嗑〉六五居非其位，然而就治獄斷案之時，卻是合宜的。此中之「不當位」不能說是君臣上下居於不當之位，這裡不是道德判斷，而是指在天地陰陽運行中的一個特定時節。

6.《彖・歸妹》「征凶，位不當也」，〈歸妹〉之二、三、四、五爻都居非正位，所以說「位不當」，雖然「位不當」，然而《彖傳》卻說此卦是「天地之大義」、「人之終始」。若是定要比之君臣上下、父子夫婦，那麼這之中都不當位，何得說之為「天地之大義」？

上舉六例之「正位」、「不當位」，都並非是說君臣、父子、上下各正其位或居非其位，而是指陰陽在天地運行中恰如其分或不當之呈顯。《彖傳》之「位」論，有其動態說，有其靜態說，不能拘執著上下各正其位一定就是吉，陰陽皆「位不當」，也未必是凶。《彖傳》的「正位」思想，說的是天地間運行之規律，而此運行之規律，是天地間一種必然的現象，不能一定用人間之道德規律加以套用。儒家之「君君、臣臣、父父、子子」，是一種道德的規範，是「應然」，應該如此才能天下太平。然而事實上則不必然如此，因為天地間運行之規律不是靜止不動的，而是「與時偕行」的，即使是各就其位，那也只是事物發展中的一個階段而已。如果要說上下天地定位，則莫如〈否〉，然而《彖・否》卻說「天下無邦」。反而是〈泰〉，地天倒置，《彖・泰》卻說「天地交而萬物通」。如果要說六爻上下都各正其位，則莫如〈既濟〉，然而《彖傳》卻釋經文「終亂」說「終止則亂」，止則其終必亂。上下陰陽皆各正其位，何以其終則亂？因其滯止不前，所以說：「其道窮也」。由上可知，《彖傳》重視的是動態的運行規律，不能以其「正位」之說比之於儒家之「正名」思想。儒家之「正名」，其根據是周文的禮樂制度；而《彖傳》之「正位」觀點，則是依據陰陽之流行，也就是天道之運行規律，此二者不可渾同而論。

據此，再觀《彖・家人》：

> 家人，女正位乎內，男正位乎外，男女正，天地之大義也。家人有嚴君焉，父母之謂也。父父、子子、兄兄、弟弟、夫夫、婦婦，而家道正；正家而天下定矣！

《易・家人》：「家人，利女貞。」其中「家人」只是卦名。這裡，《彖傳》也是用上下二體之爻位去推衍。下卦是離，下卦又稱內卦，而六二陰爻居陰位，因此說是「女正位乎內」；上卦是巽，上卦又稱外卦，而九五陽爻居陽位，因此說是「男正位乎外」。而陽是天之象徵，陰是地之象徵，天在上而地在下，天地陰陽各正其位，所以說是天地之大義。比之於人事，則在一家之中，父母猶如一國之君位居於上，各個組成份子亦各居其位，則家中自然上下有序，所以說「家道正」。

就家庭之常態而言，父子、兄弟、夫婦各正其位，則家道正，只是一般家庭普遍的倫理秩序，並不是個別思想家特有的觀點。《彖傳》這裡所說的仍然是就陰陽之各為其陰陽比之於人事之結果。如要論正位，〈家人〉之正，不如〈否〉上下二體之天地各正其位，不如〈既濟〉之六爻各正其位，然而此二卦《彖傳》並未就上下各正其位進而論家正、天下定，可見《彖・家人》此處之「正位」，並不是如儒學系統中的君臣上下各正其位，而是從天地陰陽之運行規律立論。

至於「正家而天下定」、「當位貞吉，以正邦也」，也是就陰陽之流行中恰如其分的表現，「天地節而四時成」，天地都已是如此，更遑論是一個邦國或是整個天下。所以，這裡不是如儒家「家齊而后國治，國治而后天下平」的思想架構，而是從天道流行之規律上立論的。

三、尚賢思想

在春秋時期，隨著各國諸侯間之競爭，而舊有貴族之智能不足以因應時局之變化，因此在一些諸侯國中，舉用賢才便成為國家之大事。在思想家中如孔子、墨子也都非常重視舉用賢才。孔子認為要實施仁政，必須要「舉賢才」。《論語・子路》說：「仲弓為季氏宰，問政。子曰：『先有司，赦小過，舉賢才。』」墨子也主張尚賢是為政之本。《墨子・尚賢中》：「何以知尚賢之為政本也？曰：自貴且智者為政乎愚且賤者，則治；自愚⑫賤者為政乎貴且智者，則亂。是以知尚賢之為政本也。」⑬

生處於戰國後期的《彖傳》作者，在解經之時也提出「尚賢」的說法，其說法是否同於儒家或是墨家之思想？或是另有其思想依據？以下就《彖傳》中論到「尚賢」的三則文字先作疏解，再作歸納、分析。

1.《彖・大畜》：

⑫ 〔清〕孫詒讓以為此處當有「且」字。說見《墨子閒詁》（臺北：河洛圖書出版社，1980年），卷2，頁7。

⑬ 同前註。

大畜，剛健篤實輝光，日新其德。剛上而尚賢，能止健，大正也。不家食吉，養賢也。利涉大川，應乎天也。

《易・大畜》：「利貞。不家食吉。利涉大川。」《彖傳》解經之義例：凡二爻相鄰則曰比，上下卦相對位置之爻是一陰一陽則曰應。陰爻在陽爻之下曰承，一般論斷屬吉；陰爻在陽爻之上曰乘，大致屬凶。《彖傳》這裡用爻位、爻德和爻與爻之比應關係而說「剛上而尚賢」。李光地曾說：「凡《易》中五上二爻，六五下上九，則有尚賢之義，〈大有〉、〈大畜〉、〈頤〉、〈鼎〉是也。」⓮以爻位而論，上九在上，六五在下，比之於人事，則賢臣在上而國君反在下，此中「尚」有「上」意，即尊賢人在上。「不家食吉，養賢也」，李光地引梁寅之說曰：「養賢者，亦取尚賢之象。自剛上而言，則謂之尚賢，所以盡其禮也；自不家食而言，則謂之養賢，所以重其祿也。」⓯「不家食」意謂國君能尚賢，所以賢能之才，不自食於家，而食天子諸侯之俸祿。

2.《彖・頤》：

頤，貞吉，養正則吉也。觀頤，觀其所養也。自求口實，觀其自養也。天地養萬物，聖人養賢以及萬民。頤之時，大矣哉！

《易・頤》：「頤：貞吉。觀頤，自求口實。」《彖傳》在解釋完經文之後，又加以發揮說「天地養萬物，聖人養賢以及萬民」，徐志銳就此論說：

如天地養萬物，當寒而寒，當暑而暑，萬物養得其正而生生不息。……治國也是如此，「聖人」君主一人豈能養萬民之生，主要得依靠培養「賢人」及有才德之士，通過「賢人」及有才德之士去進行治理，使寒暑不違農時，災

⓮〔清〕李光地：《周易折中》（成都：巴蜀書社，1998年），頁170。

⓯ 同前註，頁565。

荒得以賑濟，人人能有衣食，天下無不得其所養。⓰

文中認為《彖傳》不管是論「天地養萬物」，或是論「聖人養賢以及萬民」，都認為應順著天地運行之規律，而天地運行之最大的規律就是四時的交替，聖人養賢以佐政，使寒暑不違農時，則百姓自然得其養。此中「聖人養賢」的「聖人」，指的是國君。孔穎達：「聖人但養賢人使治眾，眾皆獲安，有如虞舜五人，周武十人，漢帝張良，齊君管仲。」⓱這裡舉舜、周武王、漢高祖和齊桓公，都是一國之君，並不一定指道德修為上的聖人。《易程傳》說：「聖人則養賢才，與之共天位，使之食天祿，俾施澤於天下，養賢以及萬民也，養賢所以養萬民也。」⓲程頤認為養賢才是養萬民的一個過程。此處的「賢」，並非道德義；而「養賢」，亦非尊德義。《孟子・離婁上》說「徒善不能以為政，徒法不能以自行」，此中的「賢」，重在才與能，意在能治理萬民之意上。只有道德義之賢，是不足以成善政的。

3.《彖・鼎》：

鼎，象也。以木巽火，亨飪也。聖人亨以享上帝，而大亨以養聖賢。巽而耳目聰明，柔進而上行，得中而應乎剛，是以元亨。

《易・鼎》卦辭只是「元亨」⓳，《彖傳》用卦象去加以解說。〈鼎〉，象鼎之形。又下卦為巽，巽為木；上卦是離，離為火。木上生火，有烹飪之象，所以說「亨飪也」。古時亨與烹通用。《彖傳》又就烹煮食物之用途作進一步說明：「聖人亨以享上帝，而大亨以養聖賢。」此中「聖人」亦如《彖・頤》之「聖人」，指

⓰ 徐志銳：《周易大傳新注》，頁178。

⓱ 〔魏〕王弼、韓康伯注，〔唐〕孔穎達等正義：《周易正義》（臺北：藝文印書館，1982年影印清嘉慶二十年江西南昌府學本），卷3，頁27。

⓲ 〔宋〕程顥、程頤：《周易程氏傳》，《二程集》（臺北：里仁書局，1982年），頁833。

⓳ 王弼本作：「元吉，亨。」〔宋〕程頤：「如卦之才，可以致元亨也。止當云『元亨』，文羡『吉』字。」《周易程氏傳》，頁957。又如《彖傳》解經也只說「元亨」，無「吉」字。本文從《彖傳》和程頤之說校改。

一國之國君。《左傳》說「國之大事，在祀與戎」[20]，所以首言祭祀，而「祭之大者，無出於上帝」。[21]食物又可用以養人、接待賓客，而「賓客之重者，無過於聖賢」。[22]此中享上帝只說「亨」，而養聖賢卻言「大亨」，其意並非「養聖賢」高於「享上帝」。俞琰解釋說：

> 享帝只曰「烹」，養聖賢乃曰「大烹」，何也？……非謂待人臣之禮過於享帝也。蓋天道尚質而貴誠，享上帝唯用特牲而已，故直言「亨」；人事尚文而貴多，享聖賢則饔飧牢醴，當極其盛，非備物厚禮，不能養也。故曰「大亨」。「大」言其廣大而周遍，非謂尊大之也。[23]

祭祀上帝重在誠而質樸，所以用「特牲」禮，只用一隻小牛犢，用鼎烹煮後，然後奉獻上帝。因只用一隻小牛，所以只說「烹」。養賢之禮重在豐盛，所以宴饗賓客用「太牢」，也就是用牛、羊、豕三牲，而且牛之角須有一尺長，可以說是豐盛之極，所以說是「大烹」。這裡的「烹」與「大烹」，沒有高低輕重之義，並非尊聖賢而輕上帝，而是就配合祀天與養賢之精神而言。

《彖傳》中明確述及「尚賢」、「養賢」共有上述三則，除了上舉三卦外，李光地又舉了〈大有〉。試觀《彖．大有》「大有，柔得尊位，大中而上下應之曰大有。其德剛健而文明，應乎天而時行，是以元亨」，文中並無尚賢之義。稱〈大有〉有尚賢義者，是《繫辭傳》。《繫辭傳》引〈大有〉上九爻辭「自天佑之，吉無不利」，說：「《易》曰：自天祐之，吉無不利。子曰：祐者，助也。天之所助者，順也；人之所助者，信也。履信，思乎順，又以尚賢也，是以自天祐之，吉無不利也。」祐與佑同。文中認為六五尊尚上九[24]，因為尚賢，所以說「自天祐之，

---

[20] 〔晉〕杜預注，〔唐〕孔穎達等正義：《春秋左傳正義》（臺北：藝文印書館，1982 年影印清嘉慶二十年江西南昌府學本），〈宣公 13 年〉，卷 27，頁 10。

[21] 李光地：《周易折中》，頁 607。

[22] 同前註。

[23] 俞琰：《俞氏易集說》，〈彖傳下〉，頁 25。

[24] 《周易本義》、《周易程氏傳》都說尚賢是上九之事，然而李光地引郭雍、鄭汝諧、王宗

吉無不利」。

考諸《易經》六十四卦中的五、上二爻，六五遇上九，共有十六卦，除上述四卦外，其餘十二卦並無此說。而凡是九五的三十二卦，《彖傳》都沒有出現尚賢說。而出現尚賢說之《彖・大有》「應乎天而時行」、《彖・大畜》「應乎天也」、《彖・頤》「頤之時」，都強調「天」、「時」，由此可見，《彖傳》之尚賢義是就特定之「時」而說，並無普遍義。而這個「時」，也就是在天地運行中的一個時節，所以《彖傳》常說「與時偕行」。

孔子的「舉賢才」是站在為政者的立場，墨子的「尚賢」，是建立在其學說體系中的一個環節，是其「天志」、「尚同」、「兼愛」、「非攻」等理論落實的具體措施。㉕而《彖傳》之尚賢說，則是基於其天道觀的理論基礎下所發展出來的結果。此三者，不可同一而論。

四、重民思想

自從武王牧野之戰，取代商王朝之後，周人為了在政權的轉移上有一個合理的解釋，便對天命說提出了修正。《書・康誥》「天畏棐忱，民情大可見」，《左傳・襄公三十一年》「民之所欲，天必從之」，這些都是用民心去解釋天命之動向。到了戰國時代，孟子在「人民——社稷——國君」之相對關係中，對人民極為重視。《孟子・盡心下》「民為貴，社稷次之，君為輕」，甚至說民心之向背是國家興亡之關鍵。《孟子・離婁上》「桀紂之失天下也，失其民也；失其民者，失其心也。得天下有道：得其民，斯得天下矣」，孟子用民心決定政權之得失，甚至用民心去詮釋天命之依歸。

「民惟邦本，本固邦寧」，人民是一個國家之根本的觀念其實是春秋戰國時代的為政者及思想家們所共有的認知。《彖傳》在解經的文字中，共有四則明確提及

傳、胡炳文四人之說以辨之，認為尚賢是六五尊尚上九之義。《周易折中》，頁 148－149。本文參照其他 3 則彖辭，認為李光地之說合於《彖傳》解經之常例，本文從之。

㉕ 參見劉昌佳：〈韓愈「孔墨必相用」說之辨析〉，《鵝湖月刊》第 320 期（2002 年 2 月），頁 32－33。

「養民」、「樂民」、「不害民」的看法，以下先略為疏解之。

1.《彖・頤》「天地養萬物，聖人養賢以及萬民」，俞琰曾就此而論：

> 天地之衣養萬物，當寒而寒，當暑而暑，不失其時，則萬物各得其宜。聖人之於萬民也亦然，聖人養萬民，豈能一一遍及哉？其先務則為養賢而已，賢者得所養，則體聖人之意，以下及萬民。然亦安能家至戶給而與之食哉？不違其農時而已。㉖

文中認為《彖傳》所謂聖人應衣養萬民，是根據天地長養萬物的規律，天地養萬物並非是天地之仁德，天地只是依著四時之交替，寒暑冷熱的變化而長養萬物。聖人也應法天地之規律，「不違農時」，讓穀物依時生長，則人民自然得養，並非「家至戶給而與之食」。所以聖人之養萬民，並非積極主動的作為，而是排除不應有之作為，讓萬物自然生養，則人民自然得養。

2.《彖・益》：

> 益，損上益下，民說無疆，自上下下，其道大光。利有攸往，中正有慶。利涉大川，木道乃行。益，動而巽，日進無疆。天施地生，其益無方，凡益之道，與時偕行。

《易・益》：「益，利有攸往，利涉大川。」〈益〉中四之陽爻下來至初，初之陰爻上行至四，即損在上之剛，益在下之柔，所以《彖傳》解釋說「損上益下」，「凡物，以下為本。故損下則謂之損，益下則謂之益，而上之損益皆不與焉。草木之根，牆屋之基，人之氣血皆然，凡稱損益盈虛者，皆以下言也」。㉗然而「下不

㉖ 《俞氏易集說》，〈彖傳上〉，頁 36。

㉗ 〔宋〕項安世：《周易玩辭》（臺北：漢京文化事業公司，1971 年影印《通志堂經解》本），第 3 冊，卷 8，頁 16。

可損也，取其道以輔於上則可，故曰『損下益上，其道上行』」。[28]最後《彖傳》總結說「凡益之道，與時偕行」。金景芳曾就此而說：

> 「凡益之道」二句合人事、自然兩方面言損上益下之道唯在一個「時」字，時當益則益，時當損則損。在自然界，春不至不生，夏不至不長；在人事上，歲不歉不與，時無災不賑。總而言之，益之道「與時偕行」，講的是規律問題。益有規律，在天道，氣候既至，不會不益；在人道，時候正當，不可不益。[29]

文中說明：「凡益之道」不論是就人事或自然界而論，都應順應天地運行之規律，時當益下則益下，並不是為了使「民說無疆」而益下，「民說無疆」只是說明「以上益下」之時，所產生的自然現象。俞琰解釋「損剛益柔有時，損益盈虛，與時偕行」（《彖・損》），說：「今夫損下益上之時，損其剛，益其柔。蓋損其所當損，益其所當益也，故曰：『損剛益柔有時』。人事有盛衰，天道有盈虛。盈則必消，虛則必息，此天道之損益也。是故盛而有餘則損之，衰而不足則益之，與天道並行而不相悖，故曰：『損益盈虛，與時偕行』。此《彖傳》凡三言『時』，蓋極論損下益上、損剛益柔，隨其時則可，非其時則不可。」[30]不論是天道之盈虛，還是人事之盛衰，盈則必消，虛則必息，盛則必損之，衰則必益之，這是天道之規律，也是人事之規律。損益盈虛，只是隨著時間之推移而遞變，如四時一般的交替。時當損則損，如時逢凶年，那麼祭祀之供品則當損，所以說「二簋可用享」。然而祭祀上帝鬼神用二簋，並不是常禮，而是因為年歲歉收，只是時當損則損。

3.《彖・兌》：

> 兌，說也。剛中而柔外，說以利貞，是以順乎天而應乎人。說以先民，民忘

---

[28] 同前註，卷 8，頁 14。

[29] 《周易全解》，頁 300。

[30] 《俞氏易集說》，〈彖傳下〉，頁 14。

> 其勞。說以犯難，民忘其死。說之大，民勸矣哉。

《易・兌》：「兌，亨，利貞。」《彖傳》用上下二體之爻位爻德去闡釋它：〈兌〉卦之二、五都是陽爻，而各居二體之中，所以稱為「剛中」，剛健之德就是「天之理」。〈兌〉之「六三為柔爻，居下兌之上位；上六為柔爻，居上兌之上位，故又稱為『柔外』。柔在外又象徵對外待人接物柔和而不粗暴」㉛，所以說是「應乎人」。這裡是用爻之陰陽在卦中其爻位與爻德間之相和合去論。而陰陽又象徵天地，由此比之於人事，所以說「順乎天而應乎人」。「聖明的統治者，在行說之道的時候，只考慮如何順乎天而應乎人，不想怎樣使天下人擁護自己。天下人中心悅而誠服，不過是他順乎天而應乎人的客觀結果，不是他的初始居心」。㉜

由上可知，《彖傳》所說的「說民」之道，是從天地運行的高度去論人間施政自然之結果。為政者順著這天地之道而施政，自然「民忘其勞」、「民忘其死」。為政者「絕不為了取悅於民而行說之道，但是，只要他在行說之道的時候，能夠順乎天而應乎人，那麼，他必然會『說以先民』。平時就注意使人民飽食、暖衣，養生送死無憾，必然會『說以犯難』」。㉝由是而論，《彖傳》所說的「說民」，並不是施政的動機、方式或是目的，而是以天地運行之規律施之於人間之政治所自然達到的結果。

4.《彖・節》：

> 節，亨，剛柔分而剛得中。苦節，不可貞，其道窮也。說以行險，當位以節，中正以通。天地節而四時成。節以制度，不傷財，不害民。

《易・節》：「節：亨，苦節，不可貞。」而《彖傳》這裡透過「天地節而四時成」的規律現象，進而論一個國君之施政也應效法天道，在財政以及個人的享樂方

㉛ 《周易大傳新注》，頁 362。

㉜ 《周易全解》，頁 410。

㉝ 同前註。

面都能夠順應「天地節」之規律，如此則能做到「不傷財，不害民」，這裡的「不傷財，不害民」不是施政之動機或是目的，而是順乎天地運行之規律所自然形成的結果。徐志銳曾就此而說：

> 進而又說，天地自然規律也都是有節制的，……人類社會也是如此。國君如能量財之所入，計民之所用，然後定出稅收的法度，使之既不過重，也不過輕，節制在適中的水平線上，這樣做，既不傷損國家的財政收入，又不妨害老百姓的繼續生存，整個的統治秩序也就能長久維持下去。[34]

文中反覆地說明人類社會應效法天道運行之規律，尤其一國之財稅制度，必須要如湖泊之節制水流一般，如此則人民才能永無匱乏之虞，而國家也才能長治久安。「不傷財，不害民」，是「節以制度」自然的結果。在施政上，只是斟酌損益制定適宜的制度，不要有過多積極的作為，不要對人民有過多的干擾，則百姓就能如四時之運行般，自在地生息。

《彖傳》中明確提到「養民」、「說民」、「不害民」的，共有上述四則。這四則所論，都是依循著天道運行之規律，施之於政事上所自然形成的結果。其所謂「養萬民」，是如天地般「應其時而養之」；所謂「民樂無疆」，是建立在當益則益、當損則損、「與時偕行」的思想基礎上；所謂「說民」，是順乎天地規律而自然應乎人的結果；所謂「不害民」，也是以天地之規律，行之政事，「節以制度」，自然的結果。這些觀點，都是從天道之規律，以推施政之行宜。而天道是一種客觀之規律，不能主觀地說它是「仁」或「不仁」，「仁」或「不仁」是屬於道德判斷，道德判斷是屬於「應然」的問題，這裡不是「應然」的問題。所以，這裡所說的「樂民」，並非是道德上應然之施政作為，而是依循著天道運行之規律以行事罷了。也就是說，這裡的「樂民」，並非是施政的目的或是對象。如果施政者心存這些目的而去作為，則必定是揠苗助長，因為諸多的作為只會讓人民無所措手足而已。《彖傳》強調的是「順乎天」，則自然是「應乎人」。

---

[34] 《周易大傳新注》，頁 374。

五、改革思想

武王滅殷之後，提出「天命靡常」的觀點，證明其以臣伐君之正當性。然而這個說法長期以來一直被人們懷疑著，即使經過了七、八百年，到了戰國的孟子時代，一些國君仍然對此質疑。《孟子・梁惠王下》：「齊宣王問曰：『湯放桀，武王伐紂，有諸？』孟子對曰：『於傳有之。』曰：『臣弒其君，可乎？』曰：『賊仁者謂之賊，賊義者謂之殘。殘賊之人，謂之一夫。聞誅一夫紂矣！未聞弒君也。』」這裡孟子對於三代政權的移轉，賦予其合理性。而對於為政者，亦賦予道德義。如若為政不仁，「暴其民甚，則身弒國亡」（《孟子・離婁上》）。在先秦時期，首先提出一國之淪亡，甚至是朝代更替之合理性的是孟子，而其政權移轉之依據是民心，如若深得民心，則天即賦與其天命，《孟子・盡心下》「得乎丘民而為天子」。

《彖傳》在解經的文字中也提到改革的觀點，計有二則，以下先略為疏解：

1.《彖・蠱》：

> 蠱，剛上而柔下，巽而止，蠱。蠱，元亨，而天下治。利涉大川，往有事也。先甲三日，后甲三日，終則有始，天行也。

《易・蠱》：「蠱：元亨。利涉大川。先甲三日，后甲三日。」《彖傳》解釋說：〈蠱〉之上卦為艮，艮屬陽卦；下卦是巽，巽屬陰卦。以上下二體而論，三陽爻都在三陰爻之上，所以說：「剛上而柔下」。「元亨」，原來只是說大享之祭，然而《彖傳》卻解為「而天下治」。金景芳解釋說：「《序卦傳》說蠱是事，其實蠱字不能訓為事，很像木質的器物由於木氣長期不得宣暢而生蠹，元氣萎敝，積久而壞。一個人發生疾病，一個社會發生動亂，都屬於這種情況，都是壞極而有事。」[35] 一個國家社會如已壞極則須變革而加以整治，此中「而」是一個轉折詞，「天下治」是指天下平治的開始，而非天下已大治，也就是由亂轉治。

---

[35] 《周易全解》，頁 154。

天下敗壞而加以變革，當然首須頒定新制的法令，而新法令之頒布則選擇在辛日。古代用天干地支記年、月、日、時，循環反覆。天干是甲、乙、丙、丁、戊、己、庚、辛、壬、癸，每年十二月，每月一般是三十天，三十天又分為三旬，一旬十天，每旬的第一天是甲日，第二天是乙日，第三天是丙日，第四天是丁日，依此類推，第十天是癸日。接著又是下一旬的第一天是甲日，如此循環不已。因為甲日是天干的開始，所以古代君主如要實施新的政令，都會選擇在甲日作為「宣令之日」。而政令的實施又必須提前三天公佈讓民眾知曉，即「先甲三日」為辛日，取「辛」與「新」同音假借。而政令宣布後三天內，民眾如有違犯則反覆叮嚀告誡，不予論罪，所以說「后甲三日」。[36]由上可知，古時政令之變革，在先甲三日的「辛」日頒布，只是取其與「新」同音，然而《彖傳》卻就此藉以發揮說「終則有始，天行也」，說是政令之變革，猶如四時之運行。四時既終，更復從春為始，是一種終始循環的過程，是一種天地間自然的規律，用天地之規律去解釋古時改革政策之頒布。

對於政令的變革，《彖傳》用自然規律去解釋。至於朝代的更替，《彖傳》也是用天地之道去解釋。

2.《彖・革》：

> 革，水火相息，二女同居其志不相得，曰革。巳日乃孚，革而信之。文明以說，大亨以正，革而當，其悔乃亡。天地革而四時成，湯武革命，順乎天而應乎人。革之時，大矣哉！

《易・革》：「革，巳日乃孚，元亨，利貞，悔亡。」《彖傳》從上下二體之卦象

---

[36] 「先甲三日，后甲三日」歷來注家說法不一，本文根據〔宋〕朱熹和〔清〕惠棟之說為主。朱熹：「甲，日之始，事之端也。先甲三日，辛也；后甲三日，丁也。」《周易本義》（臺北：老古文化事業公司，1981 年），卷 1，頁 39。惠棟：「《白虎通》曰《春秋傳》曰：以正月上辛。《尚書》曰：丁巳用牲於郊。先甲三日，辛也；後甲三日，丁也。皆接事昊天之日，故傳曰天行。」《周易述》（臺北：漢京文化事業公司，1980 年影印《皇清經解》本），第 1 冊，卷 337，頁 12。

與其象徵意義解說之：〈革〉之上卦為兌，兌為澤，澤中有水；下卦為離，離為火，所以〈革〉之卦象是水在火上。水在火上，水勢如大於火勢，則水將會滅火；如火勢大於水勢，則火將滅水。在這種情況下，水與火必是相滅，必是改變現有的狀態，所以說：「水火相息」。如以家中之倫理解之，則兌為少女，離為中女，少女在中女之上，長幼關係紊亂必相爭，此時也必須有所變革，所以此卦稱為〈革〉。之後《彖傳》另外引申出：「天地革而四時成，湯武革命，順乎天而應乎人。革之時，大矣哉！」關於這一段文字，俞琰闡釋說：

> 天地之間，寒往則暑來，暑往則寒來，春已盡則革而為夏，夏已盡則革而為秋，秋已盡則革而為冬，冬已盡則又革而為春，故曰：「天地革而四時成。」王者之興，受命於天，故易世謂之革命。桀、紂無道，而天災流行，人心離散，此天命當革之時也。於時，夏命迄而湯革之，商命迄而武王革之，上以順乎天意，下以應乎人心，故曰：「湯武革命，順乎天而應乎人。」時當天道之變更，人事之改易，此蓋革之至大者也，故贊之曰：「革之時，大矣哉！」[37]

文中說天地間運行的最大規律就是四時，在這春夏秋冬之交替上，可以說是前一個季節之時節已盡，則必然更替為下一個時節。比之於人事上，則在上一個朝代衰敗已極之時，必然會有一個新的朝代應運而生。就如商之代夏，周之替商一般，已至交替之時，其勢不得不然；就如秋之代夏，夏之替春，是天地運行之必然規律。《彖傳》用「盈虛消長」說明自然界及人類社會之發展，用「推天道以明人事」[38]的方式解釋「湯武革命」之必然發展與時代性，說如此之交替是天地間運行的一種規律。當然，人們之行事都必須是順應著這天道之運行，所以說「順乎天」則必是「應乎人」。這種「盈虛消長，與時偕行」的思想，可以說貫串著整部《彖傳》的

---

[37] 《俞氏易集說》，〈彖傳下〉，頁24。

[38] 《四庫全書總目》（臺北：臺灣商務印書館，1986年影印《文淵閣四庫全書》本），第1冊，經部，卷1，頁2。

內容。

六、人文化成之思想

在孔子的言論中，其施政理論是建立在周文的禮樂制度上，其道德要求是合於「禮」，其所謂德政是以禮施政，而為政者則須以身作則，所以《論語・為政》說：「為政以德，譬如北辰，居其所而眾星共之。」另外《論語・為政》又說：「道之以政，齊之以刑，民免而無恥；道之以德，齊之以禮，有恥且格。」可見儒家所重在為政者之道德教化以及周文的禮樂制度。

到了戰國中期，孟子的時代，各國所重都已經是攻伐、合縱連橫之事，可以說軍國之策已經等同於一國之政，這時已經不講德與禮，只講求富國強兵。《彖傳》作者，面臨這個時代的課題，他所提出的是一種「人文化成」的觀點，在《彖傳》中論及之處計有五則，以下先略為疏解：

1.《彖・豫》：

> 豫，剛應而志行，順以動，豫。豫順以動，故天地如之，而況建侯行師乎？天地以順動，故日月不過而四時不忒；聖人以順動，則刑罰清而民服。豫之時義，大矣哉！

《易・豫》：「豫，利建侯行師。」《彖傳》一樣用上下二體去解釋：〈豫〉之下卦為坤，上卦為震。坤，順也；震，動也，所以說是「順以動」。接著說「順以動」，天地的運行都順著這個客觀的規律，何況是建侯、行師的事呢？「天地順其固有的規律而運動，所以日月運行不失其常規之法度，而春夏秋冬四時變化無差錯；聖人順其事物固有的規律而行動，則刑罰分明而萬民服從。說明天道人事都是『順以動』，即順從客觀固有的規律而運動。」㊴項安世解釋「刑罰清而民服」說：「非謂簡省刑罰以悅民也，言順理之事，不煩刑罰而民自服，如日月四時無裁

㊴ 《周易大傳新注》，頁 109。

抑之者，而其數自不相過，其氣自無差忒，皆順動之驗也。」❹「順以動」就是天地運行的規律，日月的運行，四時的變化，都是依循著這個規律而運動，也因此表現出一種常規而沒有出現過差錯。推之於人事上，聖人之施政也是一般，他只是順著天地運行的這個規律，使得百姓生活也自然而然地有了常規，就如日月之運行，四時之變化一般沒有差錯，而刑罰也自然而然地清簡了。

2.《彖・賁》說：

> 賁，亨，柔來而文剛，故亨。分剛上而文柔，故小利有攸往。剛柔交錯[41]，天文也。文明以止，人文也。觀乎天文以察時變，觀乎人文以化成天下。

徐志銳解釋說：

> 天的本質不可見，而剛柔交錯的現象卻人人可以看得見，如日往則月來，月往則日來，日為陽、為剛，月為陰、為柔。日月一往一來交互錯雜文飾於天上，通過這種現象也就可以認識天的本質，……如君臣、父子、兄弟、夫婦、朋友互相接交都有禮儀上的分寸不可逾越。……最後用「觀乎天文以察時變，觀乎人文以化成天下」總結全句。是說觀視天文日月剛柔交錯的現象，就能察知四時寒暑相代謝這種本質性的規律；觀視人的文明禮儀各止其分的現象，就可以教化天下，使人人能具備高尚的道德品質。[42]

《易・賁》：「賁，亨，小利有攸往。」《彖傳》用上下二體之陰陽剛柔去加以論述，之後又進而闡述天文與人文，而人文是根據天文，所以徐志銳解釋「人文化

---

[40] 《周易玩辭》，卷 4，頁 1。

[41] 〔魏〕王弼注：「剛柔交錯而成文焉，天之文也。」〔唐〕孔穎達疏：「剛柔交錯成文，是天文也。」《周易正義》，卷 3，頁 14。朱熹：「先儒說『天文』上當有『剛柔交錯』四字，理或然也。」《周易本義》，卷 1，頁 45。以上學者均認為「天文也」之上當有「剛柔交錯」四字。本文從之。

[42] 《周易大傳新注》，頁 145－146。

成」，是從天文的規律上說。天地間最大的現象是一種陰陽剛柔間之不斷地推移變化，就像是日月之交替、寒暑之變化，或是四季之輪替。在此天文的變化上，必須各止於其分，不互相侵陵，如日之為日、夜之為夜、寒之為寒、暑之為暑、春夏秋冬之各為其節。由此推之於人事，則君臣、父子、兄弟、夫婦、朋友等互相接交都有禮儀上的分寸，不可逾越，因此形成人文。為政者如若依循著這種天道，則自可化成天下。

3.《彖・離》：

> 離，麗也。日月麗乎天，百谷草木麗乎土，重明以麗乎正，乃化成天下。柔麗乎中正，故亨，是以畜牝牛吉也。

《易・離》：「離，利貞，亨。畜牝牛吉。」《彖傳》首先就卦名加以解釋之。離，在這裡是附麗、依附的意思，而這附麗的現象普遍地存在於天地萬物之中。就猶如日月依附於天而運轉，照亮大地，滿山遍野的草木依附於大地而生長。〈離〉的上下二體都是離，離之卦象為明，所以說是「重明」。其中的「正」，俞琰認為：「正指下離而言，下三爻蓋皆正也。以上卦之重明附麗乎下卦之正，故曰：『重明以麗乎正』。如《彖辭》以重兌為麗澤，亦謂上下卦相附麗。」㊸本文認為「重明以麗乎正」應是承前文「日月麗乎天」而言；而「乃化成天下」則是指「百谷草木麗乎土」。離為日，為明。以卦象言，〈離〉之上下卦都是離，如〈兌〉上下卦都是澤，《象傳》說是「麗澤」，是二個水澤相依附；如〈艮〉之上下卦都是山，《象傳》也說是「兼山」；〈巽〉之上下卦都是風，《象傳》就說「隨風」，是二風相隨之意。而此處的重明，當然指的不可能是二日，《說文解字》：「明，照也。從月囧。」段玉裁《注》：「從囧，取窗牖麗廔闓明之意。」㊹所以「明」之本義應是月亮照在鏤空的窗牖之上，顯出闓明的月光之意，其主體是月，而非是日。也就是說月一樣可以作為明之主體，所以這裡的「重明」可以說是二明，也就

㊸ 《俞氏易集說》，〈彖傳上〉，頁40。

㊹ 〔清〕段玉裁：《說文解字注》（臺北：漢京文化事業公司，1983年），7篇上，頁26。

是指著日與月。《彖・乾》：「大明終始」，《彖傳》講「終始」指的都是二者之間的交替循環，而不是自己的圓形運動。「明」要在天上終始循環，那麼指的必定是日與月。天地之間，日月輪替，不停地照亮大地，而且依循著一定的規律，從不偏差，所以本文說「重明以麗乎正」，其意是指「日月麗乎天」。因為日月依循著正道不停地照耀大地，百穀草木因此才能附麗於地而生長。這只是舉例說明，不只是草木能夠生長，人類萬物都是如此。以草木而言，則「百穀草木麗乎土」；以人類而言，則自然是「化成天下」。這裡也是從天地間之運行規律上說，天地間之日月以其一定之規律照耀大地，人們也應依循這個規律，則自然也能夠化民而成俗。

4.《彖・咸》：

> 咸，感也。柔上而剛下，二氣感應以相與。止而說，是以亨利貞，取女吉也。天地感而萬物化生，聖人感人心而天下和平，觀其所感，而天地萬物之情可見矣。

《易・咸》：「咸，亨，利貞。取女吉。」《彖傳》用上下二體去解釋：〈咸〉，上卦是兌，屬陰；下卦是艮，屬陽。陽本居在上，陰原居在下，而〈咸〉卻是陰反居上，陽反居下。陰在上則其氣必下降，陽在下則其勢必上升，這樣一來一往，則必形成陰陽二氣相互感應，所以《彖傳》就以「感」來釋「男與兌之少女相感相悅，所以說：「取女，吉。」這樣陰陽二氣「感應以相與」的原理其實是來自天地間之運行規律，所以《彖傳》接著說：「天地感而萬物化生，聖人感人心而天下和平。」俞琰就此解釋說：

> 天地感，天地氣交相感也。聖人感人心，謂聖人之心與眾人之心交相感也。然天氣不下降，則地氣不上騰，萬物安得化生？聖人不通天下之志，則下情無由上達，天下安得和平？天地之間有感斯應也，故曰：「天地感而萬物化生，聖人感人心而天下和平。」[45]

---

[45] 《俞氏易集說》，〈彖傳下〉，頁2。

天地之化生萬物，是透過天地間之陰陽二氣上下相互感應，所以如果要天下人之心和平安寧，那麼在上位之統治者也必須與在下位之平民百姓相感相應。而且感應之道必須如「男下女」一般的「柔上而剛下」，如此「以上下下」，上下間之氣才能和合如天地之化生萬物一般。這裡所說的化成天下，是根據天地間運行之規律而說。

5.《彖・恒》：

> 恒，久也。剛上而柔下，雷風相與，巽而動，剛柔皆應，恒。恒，亨無咎利貞，久於其道也。天地之道，恆久而不已也。利有攸往，終則有始也。日月得天而能久照，四時變化而能久成，聖人久於其道而天下化成。觀其所恒，而天地萬物之情可見矣。

俞琰闡釋說：

> 「天地之道，恆久而不已也」，蓋謂道在不已，所以能久也。釋「利有攸往」，乃曰「終則有始」，何耶？蓋又申不已之意也。……又慮其不知天地之道何以恆久而不已也，遂又以日月四時推而明之曰：「日月得天而能久照，四時變化而能久成。」……聖人久於其道而不已，故能致天下之化成也。[46]

《易・恒》：「恒，亨，無咎，利貞，利有攸往。」「恒」，原來只是卦名，《彖傳》把它解釋為「久」。然後解釋說，何以〈恒〉能「亨，無咎，利貞」？因為能「久於其道也」，接著說「恆久而不已也」，正是「天地之道」，「利有攸往」，也是天地終始循環的道理。日月之所以能久照，四時之所以能變化而久成，都是因於天地之道。所以為政者也必須因於這天地之道，則自然天下化成。文中之「聖人」，如前所論，指的是一國之君。

---

[46] 同前註，頁3－4。

《彖傳》中論及「人文化成」的共有上述五則，其中不論是說「刑罰清而民服」或是「天下化成」的觀點，都異於儒家與法家所論的禮治和法治。儒家的以禮治國與法家的以法治國，治國本身都是其理論的目的。而《彖傳》所謂的「化成」並沒有它的目的性，它對於天下之人民，並不是站在治理的立場，而是站在天道流行規律的高度。天地之間只是陰陽二氣的流行，這二氣的流行形成四季的輪替，萬物就在四時之中生生不已。萬物之滋生，非天地之仁；萬物之消亡，亦非天地之不仁。《彖傳》這裡所說的「人文化成」，其根據是天道觀的觀點，所說的是一種「必然」的規律，而不是「應然」的道德判斷。

七、結　語

《彖傳》中論及政治觀點之命題，其中所說的「正位」與「不當位」，是指陰陽在天地運行中恰如其分或是不當之呈顯。而陰陽之流行是動態的，有其發展性，並不能拘執於一定如此或如彼，因為彼與此之間會呈現出盈虛消長的循環現象。比之於一國之政事，則是一個君子立身行事應依循天地運行之規律，「順乎天」，則自然「應乎人」。其所謂「尚賢」，是以六五與上九間之比應承乘，配合著特定之「時」而論，而凡九五之卦則均無尚賢之義。所以，此說並無普遍義，純粹是推天道之運行以明人世施政之得宜。至於「養民」，則是如天地般「應其時而養之」，是依循著自然天道運行之規律，施之於政事上自然的結果。其所謂「湯武革命」，是天道運行必然之發展。而其所論「人文化成」，對於天下之人民，並不是站在治理的立場，而是站在天道流行規律的高度。

綜上所述，《彖傳》所論之「正位」、「尚賢」、「重民」、「變革」、「人文化成」等思想，純是就天道運行之規律以論人間施政之準則。既然是規律，就是一種「必然性」。只要是論「必然」，就不是儒家之思想。因為儒家強調的是道德性，道德是屬於「應然性」，之中有著一股強烈的道德判斷。

就命題而論，《彖傳》的論點都是儒家所關注之重心，然而其根據之原理卻是天道運行之規律，《彖傳》與儒家都說「順乎天而應乎人」，然而《彖傳》所重在「天」之規律，而儒家則是重在「人」心之向背。

經 學 研 究 論 叢
第 十 四 輯　頁125～150
臺灣學生書局　2006 年 12 月

武王克商與〈周頌・大武〉考論

張建軍*

一、武王克商與周初〈大武〉舞的創作

武王克商是中國歷史上的一件大事。其基本史事，在《史記・周本紀》、〈殷本紀〉，《尚書・周書・泰誓》、〈牧誓〉、〈武成〉，《逸周書・商誓解》、〈克殷解〉、〈世俘解〉以及古本、今本《竹書紀年》，《國語》、《左傳》、《荀子》及《詩經・大雅》、〈周頌〉中都有記載。〈周頌・武〉云：

> 於皇武王，無競維烈。允文文王，克開厥後。嗣武受之，勝殷遏劉，耆定爾功。

牧野之戰是克商之役中最重要、最富戲劇性的一幕。一九七六年出土的周初之器〈利簋〉銘文曰：

> 珷征商，隹甲子朝，歲鼎，克，昏夙有商。辛未，王在東師，易又事利金，用作亶公寶尊彝。

文中說武王征伐殷商，在甲子日清晨，歲祭而貞卜，得克敵之兆，果然在一個晨昏

* 張建軍，山東藝術學院藝術文化系副教授、浙江大學人文學院博士後。

間即就克服了殷商。辛未日（即克商之甲子日以後第八天），武王在管地賜利「金」，利用之作了此彝器。這是最早、最原始的關於牧野之戰的記錄。

〈周本紀〉曰：「武王即位，太公望為師，周公旦為輔，召公、畢公之徒，左右王師。修文王緒業。九年，武王上祭於畢，東觀兵，至於盟津。……是時諸侯不期而會盟津者八百諸侯。諸侯皆曰：『紂可伐矣！』武王曰：『女未知天命，未可也。』乃還師歸。居二年，聞紂暴虐滋甚，殺王子比干，囚箕子。太師疵、少師強，抱其樂器而奔周。於是武王遍告諸侯曰：『殷有重罪，不可以不畢伐。』乃遵文王，遂率戎車三百乘，虎賁三千人，甲士四萬五千人以東伐紂。十一年十二月戊午，師畢渡盟津。諸侯咸會，曰：『孳孳無怠。』武王乃作〈太誓〉，告於眾庶。……二月甲子昧爽，武王朝至於商郊牧野，乃誓。……誓已，諸侯兵會者，車四千乘，陳師牧野。帝紂聞武王來，亦發兵七十萬人距武王。武王使師尚父與百夫致師，以大卒馳帝紂師。紂師雖眾，皆無戰心，心欲武王亟入。紂師皆倒兵以戰，以開武王。武王馳之，紂兵皆崩，畔紂。紂走，反入登于鹿臺之上，蒙衣其珠玉，自燔於火而死。武王持大白旗以麾諸侯，諸侯畢拜武王，武王乃揖諸侯，諸侯畢從武王。至商國，商國百姓咸待于郊。……遂入至紂死所，武王自射之，三發而後下車，以輕劍擊之，以黃鉞斬紂頭，懸大白之旗。已而至紂之嬖妾二女，二女皆經，自殺。武王又射三發，擊以劍，斬以玄鉞，懸其頭小白之旗。」

〈殷本紀〉曰：「周武王之東伐，至盟津，諸侯叛殷會周者八百。諸侯皆曰：『紂可伐矣！』武王曰：『爾未知天命，未可也。』乃復歸。紂愈淫亂不止……周武王於是遂率諸侯伐紂，紂亦發兵距之牧野。甲子日，紂兵敗，紂走入，登鹿臺，衣其寶玉衣，赴火而死。周武王遂斬紂頭，懸之大白旗。」

《詩經．大雅．大明》第七、八章云：

> 殷商之旅，其會如林。矢于牧野：「維予侯興，上帝臨女，無貳爾心。」
>
> 牧野洋洋，檀車煌煌，駟騵彭彭。維師尚父，時維鷹揚。涼彼武王，肆伐大商，會朝清明。

按：「矢」，《毛傳》解為「陳」。馬瑞辰說：「按《爾雅・釋言》：『矢，誓也。』虞翻《易注》曰：『矢，古誓字。』矢于牧野，謂周王師誓師於牧野，當連下『維予侯興』言，三句皆誓詞也。……維，發語詞。《爾雅》：『侯，乃也。』維予侯興，猶言維予乃興也。」又，王先謙《詩三家義集疏》云：「韓『涼』作『亮』。韓說曰：『亮，相也。』魯『涼』作『亮』，『肆』作『襲』。」

根據〈大明〉中描述的情況，在牧野曾有過誓師之舉，與《史記》等相合；「會朝清明」（不崇朝而天下清明），與〈利簋〉及各種文獻所記也相合。而《三家詩》「襲伐大商」，更可為瞭解當時戰爭中雙方的形勢提供重要線索。

武王征商，「小邦周」在一日之間戰勝「大邦殷」，其獲勝有著多方面的原因。首先是商紂政治昏亂，因而導致內部離心、人心渙散。〈周本紀〉云：「紂師雖眾，皆無戰心，心欲武王亟入。紂師皆倒兵以戰，以開武王。武王馳之，紂兵皆崩，畔紂。」《荀子・儒效》云：「武王之克紂也，……旦厭於牧之野，鼓之而紂卒易鄉（向），遂乘殷人而誅紂。」〈周書・武成〉云：「甲子昧爽，受率師旅若林，會於牧野。罔有敵於我師，前途倒戈，攻於後以北，血流漂杵。一戎衣，天下大定。」可見商之軍旅的臨陣倒戈是商紂覆滅的最主要原因。

其次，殷紂過分窮兵黷武，克東夷消耗了殷人太多的實力。紂是一個尚武之君，〈殷本紀〉云：「帝紂資辯捷疾，聞見甚敏，材力過人，手格猛獸。」可見其勇猛過人，尚武好鬥。《左傳》宣公十二年曰：「紂之百克，而卒無後。」說明商紂曾經在戰爭中大有作為。西周後期的〈大雅・蕩〉借文王口氣斥責商紂，說：「文王曰咨，咨女殷商，曾是彊禦，曾是掊克，……文王曰咨，咨女殷商，而秉義類，彊禦多懟。」按「彊禦」，魯、齊《詩》作「圉」。《楚辭・離騷》「澆身被服強圉兮」，王逸《章句》曰：「強圉，多力也。《漢書・敘傳》『曾是強圉，掊克為雄』。」王先謙《詩三家義集疏》云：「王念孫云：『禦，亦強也，字或作圉。』《逸周書・諡法篇》『威德剛武曰圉』。」強圉（多力好戰）的結果是激化了商與東夷及其它部族的矛盾。《左傳》昭公四年：「商紂為黎之搜，東夷叛之。」昭公十一年：「紂克東夷而隕其身。」東夷在商代又稱人方。趙誠根據殷人卜辭所反映的情況，說：「到了殷紂王時代，最主要的敵對方國則是東南方的人方。這個時候，商王曾多次征伐，產生了大量的刻辭。」❶許倬雲說：「《左傳》昭公四年，……紂在東方的戰役大約相當激烈。商勝了，克服了東夷，撫有夷眾，但這些新服的夷人，口服心不服，……商紂的實力在東夷之役當然難免耗損，而周人因為商專注東方的肘腋，也許更得以在中原的南北多所經營。」❷一消一長，形勢當然會往於商紂不利的方面發展。

從進行戰爭的具體技術上看，周人之戰術運用得當，是其致勝的關鍵。綜合〈大明〉及其它文獻中的材料，可以確定，周武王克商打的是一場襲擊戰。《荀子・儒效》云：「武王之誅紂也，行之日以兵忌，東面而迎太歲，至汜而泛，至懷而壞，至共頭而山隧。霍叔懼，曰：『出三日而五災至，無乃不可乎？』周公曰：『刳比干而囚箕子，飛廉、惡來政，夫又惡有不可焉。』朝食于戚，暮宿於百泉，厭旦於牧之野，鼓之而紂卒易鄉，遂乘殷人而誅紂，蓋殺者非周人，殷人也。」

楊向奎曾據此節文字推斷，周武王伐紂，並非從宗周鎬京起兵，而是從成師起兵，在今虎牢一帶渡過黃河，「由虎牢渡後，趨懷（在今河南武陟縣境內）、趨共（今河南輝縣），而滅殷」，其考證地理十分精詳，雖不見得就是定說，但較之舊說，的確要更加符合情理。因為武王曾兩次起兵伐商，第一次，「東觀兵以至於盟津」，「諸侯不期而會盟津者八百」，但武王認為時機尚未成熟，「乃還師歸」。武王還師是回到何地？楊向奎說：「從豐鎬到朝歌，過崤函，渡黃河，路長約五百餘公里，而千辛萬苦，艱難異常。到盟津後再回豐鎬，兩年內再來，這恐怕不可能。」❸而武王既然能會師盟津，說明此時盟津及其以西地區已經是周人控制地區，因此第二次出兵征商的出發地，當在崤函東端的某地。楊氏認為這一地點就是雒邑。本文則認為，這一地點與其說是雒，不如說是崇。因為崇有城池，這是從〈皇矣〉中可知的。雒邑之興建，其地是在崇國故地，但並非在崇城舊城基礎上建的，而是在武王克商之後才開始計劃、經營興建起來的，此時還無城邑，當然談不上作征商的基地。這從《尚書・洛誥》、《逸周書・作雒解》等都可知道。因此，

---

❶ 趙誠：《甲骨文與商代文化》（瀋陽：遼寧人民出版社，2000 年），頁 17。

❷ 許倬雲：《西周史》（北京：三聯書店，1994 年），頁 91。

❸ 楊向奎：《宗周社會與禮樂文明》（北京：人民出版社，1997 年），頁 71。

武王伐紂，第二次起兵的行軍路線、時間，是從崇地出發，在盟津（孟津）或虎牢渡黃河，經懷、共，其間用了三天；第四天清晨到戚，傍晚到達百泉，暮宿；第五天清晨趕到牧野。由之，則牧野之戰當是一場突襲戰。《魯詩・大明》「襲伐大商」，在此得到了證明。因為周人打的是襲擊戰，所以商紂在戰前毫無防備。〈周本紀〉說「武王朝至於商郊牧野，乃誓。……誓已，諸侯兵會者，車四千乘，陳師牧野。帝紂聞武王來，亦發兵七十萬人距武王」，可見商紂是在周師已「陳師牧野」才得知軍情的。因此，雖然匆忙拼湊了一支大軍，但因為應戰倉促，軍無戰心，最終導致了失敗。而且，據《荀子・儒效篇》說周師伐紂，一路上遇上了很多險情，「行之日以兵忌，東面而迎太歲，至汜而泛，至懷而壞，至共頭而山隧」，軍中有人產生了疑懼：「出三日而五災至，無乃不可乎？」是武王、周公等人力排眾議，堅持進軍，才取得了勝利，武王本人的膽識在此起了重要作用。

所以，牧野之戰，周師一戰而勝，雖說是太王、王季、文王已經奠定了克商的基業，但戰爭取勝最直接的關鍵，還是與武王的軍事韜略分不開的。

〈周頌・執競〉云：「執競武王，無競維烈。」鄭《箋》云：「競，強也。能持強道者，維有武王耳。」朱熹《詩集傳》曰：「故其功烈之盛，天下莫得而競。」西周昭王時青銅器〈史牆盤〉曰「[illegible]圉武王，遹征四方」，李學勤說：「[illegible]，應即緹，《說文》此字或體作『[illegible]』，在本銘中讀為『挺』，《考工記・弓人》注：『直也。』《逸周書・謚法》『威德剛武曰圉』，『剛強理直曰武』，挺、圉與武意義呼應。」❹可見周人心目中的武王形象是十分威武的。

正因為武王伐紂為周民族立下了「天下莫得而競」的大功，所以在周王室的祀典中，武王除了在祫祭中與周的先公先王同受祭祀外，還有另外單獨的紀念儀式，那就是〈大武〉樂章以及與之相配合的〈大武〉舞。

關於〈大武〉，《荀子・儒效》：「武王之誅紂也，……反而定三革，偃五兵，合天下，立聲樂，於是〈武〉、〈象〉起而〈韶〉、〈護〉（濩）廢矣。」《呂氏春秋・古樂》：「武王即位，以六師伐殷，六師未至，以銳兵克之牧野，歸乃薦俘馘於京大室，乃命周公，作為〈大武〉。」《莊子・天下》：「武王、周公

---

❹ 李學勤：《新出青銅器研究》（北京：文物出版社，1990 年），頁 75。

作〈武〉。」結合《左傳》宣公十二年及《禮記・樂記》等更詳細的記載（見下文），可以肯定認為，〈大武〉確是武王克商之後之作，其作者應當就是周公。

二、〈大武〉異說綜述

所謂〈大武〉，既包括〈周頌〉中的〈大武〉組詩，又包括與之相配合的〈大武〉音樂以及〈大武〉舞蹈表演。從朱熹開始，歷代學者對〈大武〉進行了很多討論，這些討論在有些問題（如時代、作者）上形成了共識，但在最核心的問題，即〈大武〉組詩的篇目編排上，仍然存在分歧。對前人的這些研究進行總結，不僅是為了總結他們研究中的經驗教訓，更重要的是可以為我們的研究提供一個基本的學術起點。關於〈大武〉的最初的文獻記載，見於《左傳》及《禮記・樂記》。

《左傳》宣公十二年，記楚莊王敗晉師，潘黨向莊王建議，「收晉屍以為京觀（高丘）」，以顯示武功。楚子曰：「非爾所知也，夫文，止戈為武。武王克商，作〈頌〉曰：『載戢干戈，載櫜弓矢。我求懿德，肆于時夏，允王保之。』又作〈武〉，其卒章曰：『耆定爾功。』其三曰：『鋪時繹思，我徂維未定。』其六曰：『綏萬邦，屢豐年。』夫武：禁暴，戢兵，保大，定功，安民，和眾，豐財者也。故使子孫無忘其章。」

《禮記・樂記》云：

> 賓牟賈侍坐於孔子。孔子與之言，及樂。曰：「夫〈武〉之備，戒之已久，何也？」對曰：「病不得其眾也。……」子曰：「唯丘之聞諸萇弘，亦若吾子之言是也。」賓牟賈起免席而請曰：「夫〈武〉之備，戒之已久，則既聞命矣，敢問遲之，遲而又久，何也？」子曰：「居，吾語汝。夫樂者象成者也，總干而山立，武王之事也。發揚蹈厲，大公之志也。〈武〉亂皆坐，周、召之治也。且夫〈武〉始而北出，再成而滅商，三成而南，四成而南國是疆，五成而分，周公左，召公右；六成復綴，以崇天子。夾振之而駟伐，盛威於中國也；分夾而進，事蚤濟也；久立於綴，以待諸侯之至也。」

以上兩段文字可以說幾乎是所有古今學者探討〈大武〉樂章及其舞容的一個基

本出發點。

朱熹《詩集傳》題解，〈武〉篇云：「《春秋傳》以此為〈大武〉之首章也。〈大武〉周公象武王武功之舞，歌此詩以奏之。《禮》曰：朱干玉戚，冕而舞〈大武〉。然《傳》以此詩為武王所作，則篇內已有武王之諡，誤矣。」〈桓〉篇云：「《春秋傳》以此為〈大武〉之六章，則今之篇次，蓋已失其舊矣。又篇內已有武王之諡，則其謂武王時作者，亦誤矣。《序》以為講武類禡之詩，豈後世取其義而用之於事也歟？」〈賚〉篇云：「《春秋傳》以此為〈大武〉之三章，而《序》以為大封於廟之詩，說同上篇。」

明、清學者中對〈大武〉進行過考察的，主要有何楷、龔橙、魏源等。

明何楷《詩經世本古義》云：「〈武〉，〈大武〉一成之歌。首紀北出伐商之事，為〈武〉樂六成之始，故專得武名。〈酌〉，告成〈大武〉也，言能斟勺先祖之道也，是為〈大武〉再成，象武王滅商之事。〈賚〉，武王滅殷，南還于周，遍封諸侯，命之大賚，是為〈大武〉之三成。〈般〉，述武王巡守之事，為〈大武〉之四成，所謂『南國是疆』者也。〈時邁〉為〈大武〉之五成，巡行方岳後，分周公左、召公右之事也。」

清龔橙《詩本誼》云：「〈武〉，周公頌武，始北出，〈大武〉樂章之一成也。〈勺〉，頌武滅商，〈大武〉樂章之再成也。自注：『《毛序》：告成〈大武〉，誤；離次〈絲衣〉誤。此知為再成者，以遵養時晦，時純熙矣之誓。』遵養時晦，《國語》泠州鳩曰：王以二月癸亥夜陳，記曰：『舞莫重于〈武宿夜〉。』皇氏《禮疏》謂武王伐紂，至於商郊，停止宿夜，士卒皆歡樂，歌舞以待旦，因名焉。『時縱純熙矣，是用大介』甲子昧爽會朝清明也。〈賚〉頌滅商南還大封於廟，〈大武〉樂章之四成也。自注：『毛氏大封於廟，誤次〈桓〉。』〈象〉，頌成功告天，推本文王，〈大武〉樂章之四成也。自注：『……文王始祭天伐崇，故曰肇禋，然則謂之象者，象文王也。〈般〉，頌望祭山川，〈大武〉樂章之五成也。〈桓〉，頌克殷午豐，諸侯臣敬，虎賁脫劍，周、召分伯，〈武〉亂皆坐，〈大武〉樂章之六成也。」

近代學者首先涉足於〈大武〉問題討論的是王國維。王氏在近代學術史上，在很多問題上都有開拓之功。在有關〈大武〉樂、舞的問題上也是這樣。其結論是否正確，姑且不言，單是他所開創的思路，已足以啟迪後人，確定了後來的研究者的基本思路和所探求的方向。尤其是對《禮記・祭統》「舞莫重于〈武宿夜〉」的理解，顯示出其治學的敏銳與深邃。王國維《周大武樂章考》云：

> 〈樂記〉夫武始而北出，再成而滅商，三成而南國是疆，五成而分，周公左，召公右，六成復綴以崇。是〈武〉之舞凡六成，其詩當有六篇也。據《毛詩序》于〈武〉曰「奏〈大武〉也」，於〈酌〉曰「告成〈大武〉也」，則六篇得其二。《春秋左氏》宣十二年傳，楚莊王曰：武王克商作〈武〉。其卒章曰「耆定爾功」。其三曰「鋪時繹思，我徂維未定」。其六曰「綏萬邦，屢豐年」。是以〈賚〉為武之六成，則六篇得其四。其詩皆在〈周頌〉，其餘二篇，自古無說。案〈祭統〉云「舞莫重于〈武宿夜〉」，是尚有〈宿夜〉一篇，鄭注：〈宿夜〉，舞曲名也。《疏》引皇氏云：師說《書傳》云：武王伐紂，至於商郊，停止宿夜，士卒皆歡樂歌舞以待旦，因名焉〈武宿夜〉，其樂亡也。熊氏云：此即〈大武〉之樂也。案「宿」古夙字。……〈武宿夜〉即〈武夙夜〉，其詩中當有「夙夜」二字，因以名篇。……〈大武〉六篇，其四篇皆在〈周頌〉，則此篇亦當於〈頌〉中求之。今考〈周頌〉之十一篇，其中有「夙夜」者凡四，〈昊天有成命〉，……若〈武宿夜〉而在今〈周頌〉中，則舍此篇莫屬矣。……如此則〈大武〉之詩，已得五篇，其餘一篇，疑當為〈般〉。……此〈武〉待之可考者也。……其次：則〈夙夜〉第一，〈武〉第二，〈酌〉第三，〈桓〉第四，〈賚〉第五，〈般〉第六；此殆古之次第。❺

在王國維之後，陸續又有高亨、孫作雲、陰法魯、楊向奎等一些學者對〈大武〉諸有關問題進行過一些探討。在六七十年代，以孫作雲的觀點影響最大；八十年代以後，則以楊向奎的觀點最引人注目。他們的看法和觀點，以及研究的思路，都具有一定的代表性。

---

❺ 王國維：《觀堂集林》（臺北：世界書局，1964年），卷2。

高亨說：「〈我將〉是〈大武〉舞曲的第一章，敘寫武王在出兵伐殷時，祭祀上帝和文王，祈求他們保佑。〈大武〉有舞有歌，舞分六場，歌分六章。舞的內容：一場象徵武王帶兵出征，歌〈我將〉篇；二場象徵滅亡殷國，歌〈武〉篇；三場象徵征伐南國，歌〈賚〉篇；四場象徵平服南國，歌〈般〉篇；五場象徵周公統治東方、召公統治西方，歌〈酌〉篇；六場象徵班師還朝，歌〈桓〉篇。戰國人說〈大武〉是武王、周公所作。這六篇原是一篇的六章，今本分為六篇，而且篇次已錯亂。」❻

孫作雲〈周初大武樂章考實〉全文共分為四部分；引論、〈大武〉樂章諸篇考證、譯詩、〈大武〉舞的舞容。孫氏本是聞一多的弟子，思路比較開闊，其間得失，很難一概而論。今天看來，在孫作雲對〈大武〉的研究中，最有價值的當屬關於舞容的推測的部分。本文後面對〈大武〉舞容的探討，就有一些地方得自於他的啟發。他說：

> 武王伐紂是歷史上一件大事，……〈大武舞〉是表現這個歷史事件的，因此，它在歷史上也有極其重要的意義。〈大武舞〉或〈大武樂章〉的考證，對於周初歷史的研究，有非常重要的價值。例如在〈大武樂章〉中有經營南國及周召分陝而治之事，……我們從歌舞史的研究中，正可以鉤稽出最可靠的史料。在中國歌舞史或文化史中，有所謂「雅樂」和「新聲」這兩種東西。「雅樂」就是西周以來所流傳的古典樂舞，通行於統治階級之間；「新聲」是從春秋末年興起的民間樂舞。從形式上看：「雅樂」多是集體表演，音調比較簡單，而「新聲」則有女優（女樂）的表演，其聲調多激越。……
> 古典的、代表領主階級聲樂的「雅樂」，到漢代幾乎完全失傳。我們在今天所能知道的「雅樂」，包括音樂、跳舞、歌詞，比較清楚的就是〈大武舞〉和〈大武樂章〉，……
> 從文詞上講，這五首歌詞把周初開國的景象，完全烘托了出來；而且上下聯繫，口氣呼應，成為一組極其完整的歌詩，……

---

❻ 高亨：《詩經今注》（上海：上海古籍出版社，1981 年），頁 480－481。

> 從時間上講，它是武王伐紂以後的作品，時代在西元前 1100 年左右，即去今三千年前。❼
>
> 總之，我認為〈周頌〉之〈酌〉（灼）、〈武〉、〈般〉、〈賚〉、〈桓〉相當於〈大武舞〉之一二三四六成，而第五成原無歌詩。❽

孫作雲在文中還對此前學者各種說法提出駁詰。如針對王國維將〈昊天有成命〉列為〈大武〉第一篇，他說：「……王氏所假定為〈大武樂章〉第一篇的〈昊天有成命〉，乃成王祭天之歌，根本與武王伐紂無關。……〈昊天有成命〉既為成王祀天之詩，它絕不是〈大武樂章〉的第一章。」❾總的來說，孫作雲的研究是很有價值的，但有些地方，也有出於己義，強為之說的情況。如對於〈大武〉之第三篇，他說：「有許多學者根據《左傳》引〈賚〉詩，稱：『其三曰：敷時繹思，我徂維求定。』說此詩為〈大武〉三成之歌，幾乎無一例外。但我們知道：判斷〈大武〉篇章之先後，應該根據詩文的內容、參合當時的情勢，而不能局限於字象的表面。此『三』字，愚意殆為『四』之誤，古『四』字作『亖』，與三形近，故傳寫致誤。」❿此說就很難令人信服。再如〈大武〉第三成原無詩之說，更不可信。

楊向奎對〈大武〉的討論主要見於其《宗周社會與禮樂文明》一書。在「禮的起源」中的第四小節「軍禮」中，楊向奎說：「宗周一代的〈大舞〉曰〈大武〉，今〈大武〉樂章，尚存於《詩經‧周頌》中。《禮記‧樂記》中有孔子論〈武〉云……以上所論〈武〉是描繪西周開國滅商的戰鬥歷程，載歌載舞，『駟伐盛威於中國』，所以阮元以〈頌〉為容，其說確不可易，而《毛詩序》：『美盛德之形容，以其成功，告於神明者也。』當為阮元說法的張本。根據實戰過程，制為舞樂，美盛德之形容者，不僅宗周，歷代有之；……後來最著名者有唐太宗時之〈秦王破陣樂〉。……據《新唐書‧禮樂志》記載：『……太宗為秦王，破劉武周；軍

---

❼ 孫作雲：《詩經與周代社會研究》（北京：中華書局，1979 年），頁 240－241。

❽ 《詩經與周代社會研究》，頁 257。

❾ 《詩經與周代社會研究》，頁 248－249。

❿ 《詩經與周代社會研究》，頁 255。

中相與作〈秦王破陣樂曲〉。及即位，宴會必奏之，……乃制舞圖，左圓右方，先偏後伍，交錯曲伸，以象魚麗鵝鸛。命呂才以圖教樂工百二十八人，披銀甲執戟而舞，凡三變，每變為四陣，像擊刺往來，歌者和，曰〈秦王破陣樂〉。』這是可比于〈大武〉的舞樂。在唐前，北齊神武帝蘭陵王，常著假面對敵，時人壯之，為樂聲效其擊刺之容，名之曰〈蘭陵王入陣曲〉，是唐代流行的軟舞之一。……通過這些舞樂的探討，我們知道〈大武〉的來源與西周開國時的戰鬥歷程相關，是無疑的。」⓫楊向奎以〈秦王破陣樂〉和〈蘭陵王入陣曲〉來為〈大武〉參照，其思路無疑是有益的。

在「周公對於禮的加工與改造」中的第三小節「詩與樂舞」中，楊向奎對〈大武〉的編排，提出了自己的意見。他說：

> ……楚子反對誇耀武力而提出「止戈為武」，並引〈周頌·時邁〉作證，〈時邁〉的主旨是「止戈」（「載戢干戈」），但不能未滅紂前止兵，此所以止兵之舞應屬第二章，這樣和孔子的話「再成而滅商」也不矛盾，滅商後才能止兵，所以有「載戢干戈，載櫜弓矢」。其三曰「鋪時繹思，我徂維求定」，指《詩·賚》，各家無異詞。其四，陰（陰法魯）、高（高亨）兩先生均作〈般〉，結合到「四成而南國是疆」，是指南國已平，周南、召南俱入版圖。但〈般〉詩原文反映不出這種情況，我以為應當是〈酌〉，其中「是用大介」，指王師大捷，是滅殷後另一次大捷。其五，「周公左，召公右」說本無據，〈般〉正好說明征服南國，天下一統的太平景象。其六，正如《左傳》所謂「綏萬邦，屢豐年」，指〈周頌·桓〉。
>
> 關鍵問題是〈武〉應為〈大武〉的首章，它首先提出武王繼文王後，總干山立，勝殷遏劉的開國規模，用武滅殷後而止兵，所以有「大武辟兵」的傳統。戢兵而後求定，南國不服，遂有新征，「遵養時晦」後更有大捷，而天下一統，趨於太平，遂有「綏萬邦，屢豐年」的理想結局。我們以為《左傳》楚子的話是可取的，談〈大武〉，棄《左傳》，而重〈樂記〉，重舞容

⓫ 楊向奎：《宗周社會與禮樂文明》，頁274－276。

> 而輕樂曲的說法是不可取的。舞容無據，而詩歌有詞，按詞求義，可以離題不遠。
>
> ……因之，我們斷定〈大武〉六章的編次是：第一章：《詩·周頌·武》……第二章：《詩·周頌·時邁》……第三章：《詩·周頌·賚》……第四章：《詩·周頌·酌》……第五章：《詩·周頌·般》……第六章：《詩·周頌·桓》……⓬

楊向奎對〈大武〉篇次的編排，當然有其可取之處，但他的論證中有一個明顯的不周延的地方。他說：「談〈大武〉，棄《左傳》，而重〈樂記〉，重舞容而輕樂曲的說法是不可取的。舞容無據，而詩歌有詞，按詞求義，可以離題不遠。」談〈大武〉固然不能「棄《左傳》」，但「以舞容無據」為由，壓低〈樂記〉在研究〈大武〉中的價值，也是期期不可的。楊向奎論〈大武〉首篇，取朱熹之說，反對王國維、高亨、陰法魯之說，但不能為了替己說張目就來對別的論者行釜底抽薪之計。不以〈樂記〉為據，單憑《左傳》能夠推斷出〈大武〉的全部六篇嗎？我們看楊氏自己的論證，又何嘗有一處能離得了〈樂記〉的？

除了前面所列諸家外，九十年代以後，又有兩位學者提出所謂新的觀點（見下表），其說基本上出於臆測，根本沒有什麼像樣的證據，這裏就不再多贅。

通過上面對自朱熹以來的諸家說法的排比，可以看到，對於一些基本問題，如〈大武〉是武王克商後的作品，表現的是武王克商的事，作者可能是周公，〈大武〉有詞、有樂、有舞，其歌詞就保留在〈周頌〉裏等，各家的分歧並不大，但是對於〈大武〉樂章的篇目及次第，則眾說紛紜，莫衷一是，還難以得出一個結論。

為便於瀏覽，下面就將自明代何楷以來的諸位學者對〈大武〉篇目、篇次的排列，列表如下：

⓬ 《宗周社會與禮樂文明》，頁344。

人名	篇目						文獻出處
何楷	武	酌	賚	般	時邁	桓	《詩經世本古義》
魏源	武	酌	賚	般	(已佚)	桓	《詩古微》
龔橙	武	酌	賚	般	維清	桓	《詩本誼》
王國維	昊天有成命	武	酌	桓	賚	般	《觀堂集林》
高亨	我將	武	賚	般	酌	桓	《詩經今注》
孫作雲	酌	武	般	賚	(原無)	桓	《詩經與周代社會研究》
陰法魯	酌	武	賚	般	(缺)	桓	《詩經中的舞蹈形象》
楊向奎	武	時邁	賚	酌	般	桓	《宗周社會與禮樂文明》
楊寬	我將	武	賚	般	酌	桓	《西周史》
劉毓慶	〈大武〉不入周頌						《雅頌新考》
李山	武	賚	桓				《詩經的文化精神》

通過以上表格可以看到，從篇目上看，除劉毓慶因為認為「〈大武〉不入〈周頌〉」，所以無篇目外，〈武〉、〈賚〉、〈桓〉三篇每家都有，因為這是《左傳》裏面楚莊談〈大武〉時已經提到過的。其餘一些篇目的出現次數分別為〈維清〉1 次，〈我將〉、〈時邁〉各 2 次，〈般〉、〈酌〉各 6 次。單從篇目上看，上表中的諸說僅高亨和楊寬一致，何楷和楊向奎一致。其他人所說全都各不相同。

從篇目和篇次兩方面一起看，這裏面的歧異就更大了。劉毓慶說法除外，其他十個人的編排沒有任何兩個人是相同的。看來一番耐心的辨別，是很有必要的，而且在考察中，篇次和篇目兩方面必須放在一起考慮。

首先可以排除劉毓慶、李山之說，這個問題是王國維早就已經解決了的，《左傳》楚莊引詩，句句都在〈周頌〉中，在這樣的證據下，劉氏的「〈大武〉不入〈周頌〉」，從何說起？《左傳》、〈樂記〉都說〈大武〉是六成，而李氏硬要說其本來就只有三章，顯然違背了《左傳》和〈樂記〉的意思，是毫無道理的，這等於是根本放棄了對問題的深入探究。

龔橙之說，以第五篇為〈維清〉。〈維清〉云：「維清緝熙，文王之典。肇禋，迄用有成，維周之楨。」該詩是「祫祭」的序曲之一，頌文王制定祀典，《毛傳》云：「肇，始。禋，祀也。」顯然，該詩不屬〈大武〉之列。

王國維之說，以〈昊天有成命〉為首篇，而〈昊天有成命〉朱熹說這是「祀成王之詩」，孫作雲則說是「成王祭天之詩」，詩中成王究為謚號或為生稱，姑且不論，然既有成王之名，則非屬〈大武〉明矣。

魏源之說，以第五篇為「已佚」，孫作雲之說以第五篇本無；陰法魯以第五篇缺；殊難服人。

剩下何楷、高亨、楊向奎、楊寬四家之說，其篇目編排，都是依據於《左傳》及〈樂記〉的，對他們的說法進行辨別，除了需要對《左傳》和〈樂記〉進行更深入理解外，還需要尋找其他的線索來作參考。

三、〈大武〉樂章編排及舞容推測

本文認為，〈大武〉樂章，自第一至第六章（篇）分別是：

第一章、〈時邁〉

第二章、〈武〉

第三章、〈賚〉

第四章、〈般〉

第五章、〈我將〉

第六章、〈桓〉

其說如下：

第一、二、三、六篇，《左傳》中已有說明，不過，歷來由於理解的偏差，使學者們每每與正確的結論擦肩而過。

首篇是〈時邁〉。《左傳》宣公十二年，楚子曰：「非爾所知也，夫文，止戈為武。武王克商，作〈頌〉曰：『載戢干戈，載櫜弓矢。我求懿德，肆于時夏，允王保之。』」整個楚子的談話都是在談〈大武〉，他先說「止戈為武」然後就講到了武王克商作〈大武〉的事。並非僅僅是從後面「又作〈武〉曰」句開始才是談〈大武〉的，前述諸位學者基本上都引了《左傳》此段文字，但除了何楷、楊向奎之外，大家又都不將該詩列進〈大武〉裏，這當然是說不過去的。既然楚子的話全是談〈大武〉的，那麼，其談話語序當然也是有邏輯、有連續性的：「武王克商作〈頌〉曰……又作〈武〉，其卒章（結尾）曰……。其三曰……。其六曰……。」都是談〈大武〉的，而且是按順序談的，先說第一、二、三篇，略過四、五兩篇，再說第六篇。楚子實際上等於是已經告訴了我們，〈大武〉的首篇是〈時邁〉。對於這樣明顯的答案，為什麼歷代學者都與之錯過？這原因主要是出在對〈周頌・時邁〉的本文理解上。下面將會有說明，此不贅。

第二篇是〈武〉。根據上面所說，楚子之言，是有順序的。〈武〉為〈大武〉第二篇，實無問題。朱熹以此詩為〈大武〉首篇，實是誤解了《左傳》。另外，《左傳》曰：「……又作〈武〉，其卒章曰：『耆定爾功。』」馬瑞辰《毛詩傳箋通釋》云：「……卒章蓋首章之訛，朱子《詩集傳》云『《春秋傳》以此為〈武〉之首章』，蓋宋時所見《左傳》原作首章耳。」孫作雲說：「〈大武樂章〉的第二章是〈周頌〉之〈武〉……但在這裏有一個問題，就是今本《左傳》說『耆定爾功』是〈武〉的『卒章』。案〈大武〉舞有六成，其第六成之曲為〈桓〉決無疑問，則〈武〉不應該是〈大武〉的『卒章』。又按照一般的引書法，於同一材料，總是先引前者，後引後者。楚子引〈武〉、〈賚〉、〈桓〉，大致順序不誤；則此〈武〉必應在〈賚〉、〈桓〉之前，而不能是『卒章』。……高亨先生說卒為次字古文之形誤，亦通。」⓭其實，這是把簡單問題複雜化了。按「卒」，結束之義，「……又作〈武〉，其卒章曰：『耆定爾功。』」意思不過是說：……又作〈武〉，其結束語是「耆定爾功」。「耆定爾功」正是今本〈周頌・武〉的末句。這裏的「卒章」並非末章之意，用不著又是「古本」，又是「形誤」地曲為解說。

第三篇是〈賚〉，歷來沒有什麼疑問。孫作雲說「三」為「𠄡」之形誤，是沒有道理的。

第六篇是〈桓〉。《左傳》「……其六曰『綏萬邦，屢豐年』」，已經說得很

⓭ 《詩經與周代社會研究》，頁250。

清楚了，無庸再論。

最關鍵的是第四、第五篇。因為《左傳》對這兩篇，略過沒談，所以歷來論者只能依靠《禮記．樂記》中的舞容記載。〈大武〉詞、曲、舞容在西周、春秋作為王室之典保存。因此，直到〈樂記〉的時代（一般認為是戰國後期），其作者當還親自見到過〈大武〉的舞容表演。這就是〈樂記〉中托孔子之名講起的〈大武〉六成之容。不過，〈樂記〉的時代，大約已是戰國，這時距武王克商、西周開國已經有了數百年時間。因此，可以說：〈樂記〉中的記載，確是從舞容表演來的，但其對舞容的理解，卻不一定正確。由之，欲明〈大武〉各篇之義，還必須回過頭去，結合武王克商的史事來考察。而這，卻不是單單考察〈大武〉中的某一篇或某兩篇所能夠做到的，而必須把〈大武〉看作一個整體，進行整體的把握。

這裏擬對整個〈大武〉的內容，根據《左傳》、〈樂記〉有關記述，結合武王克商的史事，作一次通盤的考察。

第一篇〈時邁〉，詩云：

> 時邁其邦，昊天其子之，實右序有周。薄言震之，莫不震疊。懷柔百神，及河喬嶽。允王維後，昭昭有周，式序在位。載戢干戈，載櫜弓矢。我求懿德，肆于時夏，允王保之。

本篇寫武王出征之詩。

〈樂記〉云：「且夫〈武〉始而北出……」前面對武王克商的行軍路線考察時，已經說到，武王第二次征商，並非從豐、鎬出發，而是從崇地出發，北渡黃河，直趨朝歌。這在〈樂記〉所說〈大武〉舞容中得到了映證。

《左傳》宣公十二年，楚子曰：「夫文，止戈為武。武王克商，作〈頌〉曰：『載戢干戈，載櫜弓矢。我求懿德，肆于時夏，允王保之。』」楚莊王的話本來很明白，但因為歷來對〈時邁〉「載戢干戈，載櫜弓矢」的理解有誤，所以無法得出正確觀點。楊向奎說：「〈時邁〉的主旨是『止戈』（『載戢干戈』），但不能未滅紂前止兵，此所以上兵之舞應屬第二章，這樣和孔子的話『再成而滅商』也不矛盾，滅商後才能止兵，所以有『載戢干戈，載櫜弓矢』。」其實，「載戢干戈，載櫜弓矢」並非干戈、弓矢入庫，不再進行戰爭的意思，是講收拾好兵器，準備出征的意思。載是發語詞，戢，嚴粲《詩緝》：「《釋文》曰：戢，斂也。」櫜，《毛傳》云：「櫜，韜也。」孔穎達《正義》云：「〈釋詁〉文：櫜者，弓衣。一名韜。故內弓於衣謂之韜弓。」收拾、攜帶干戈、弓矢，不是出征又是什麼？楚子所說的：「夫文，止戈為武。」並不是專就〈時邁〉一篇所言的，而是就整個〈大武〉說的，這由其語序可知。總之，〈時邁〉中這兩句詩其實並不難理解，只是因為學者們看到它們，就馬上聯想到了《史記・周本紀》中武王克商後，「縱馬於華山之陽，放牛于挑林之虛；偃干戈，振兵釋旅，示天下不復用也」的話來，影響了對〈時邁〉及《左傳》中楚子之言的理解。

本詩的大意：武王征商，出發前舉行儀式，同「天」、「百神」、「河」、「嶽」及周之歷代先公、先王獻祭。獻祭既畢，大軍乃準備干戈、弓矢，豪邁出征。詩人說，我周之伐中土華夏（殷），乃為求「懿德」。

第二篇〈武〉，詩云：

於皇武王，無競維烈。允文文王，克開厥後。嗣武受之，勝殷遏劉，耆定爾功。

「勝殷遏劉，耆定爾功」，《魯詩》「爾」作「武」。《風俗通義》引《詩》作：「耆定武功。」《毛傳》曰：「劉，殺。耆，致也。」《鄭箋》曰：「……舉兵伐殷而勝之，以止天下暴虐而殺人者，……」馬瑞辰《毛詩傳箋通釋》曰：「按《爾雅・釋詁》：『滅，絕也。』虞翻《易注》：『遏，絕也。』是遏、滅二字同義。勝殷遏劉，謂勝殷而滅殺之。」兩說相較，仍當以《箋》說為長。朱熹《詩集傳》云：「周公象武王之功，為〈大武〉之樂。言武王無競之功，實文王開之，而武王嗣而受之。勝殷止殺，以致是其功也。」

本篇頌武王克商，即〈樂記〉所說「再成而滅商」。

第三篇〈賚〉，詩云：

文王既勤止，我應受之。敷時繹思，我徂維求定。時周之命，於繹思。

「時周」與「時夏」同，「時」，是「大」義；時夏即大夏，時周即大周。雖然《左傳》引有本篇的詩句，大部分學者都依之定其為第三篇，但在理解上問題仍然是比較多的，可以說都未得其的解。高亨說：「〈賚〉是〈大武〉舞曲的第三章，敘寫武王征伐南國是為了天下太平。」⓮楊寬也說：「（〈大武〉）第三場表演武王征伐南國，歌辭是〈周頌〉的〈賚〉篇。」⓯

問題就出在對〈樂記〉「三成而南」的理解上。

據《史記．周本紀》、〈利簋〉、《詩經．大雅．大明》，武王克商，牧野一戰「昏夙有商」，從早晨開戰，傍晚即大克殷師，武王入商。明日，於大社告神「膺更大命，革殷，受天明命」，然後封紂子祿父（武庚）以殷之遺民。命管、蔡監殷，〈周本紀〉曰：「已而命召公奭釋箕子之囚。命畢公釋百姓之囚，表商容之閭。命南宮括散鹿臺之財，發鉅橋之粟，以振貧弱萌隸。命南宮括、史佚展九鼎保（寶）玉。命閎夭封比干之墓。命宗祝享祠於軍。乃罷兵西歸。行狩，記政事，作〈武成〉。封諸侯，班賜宗彝，作〈分殷之器物〉。」這裏根本就沒有提到征伐南國之事，楊寬根據〈樂記〉「三成而南，四成而南國是疆」，認為「繼牧野之戰以後，同南國諸侯的進攻，就成為當時戰鬥的重點。……第三章描寫的是『南』，就是南下進軍。第四章描寫的是『南國是疆』，就是向南方進軍征討和消滅殷的抵抗力量，從而佔有南國的封疆」。⓰其實，這都是誤解。

按：前面已經說過〈樂記〉大致是戰國後期的著述，當時離周初開國已經數百年之遙。對於周初的一些史實，有不少已不瞭解。但對於舞容，由於學在私門以後，一些儒生還都看到過表演。因此，〈樂記〉中的「三成而南，四成而南國是疆，五成而分（陝），周公左、召公右，六成復綴，以崇天子」，都是就舞容講的，是〈樂記〉的作者看過〈大武〉表演後，依照自己對〈大武〉及周初史事的理解而說的。舞容表演因為是親眼所見（甚至是自己也演習過），當然是不會錯的，而其對〈大武〉所反映的周初史事理解，有些卻是錯誤的。這裏必須先根據〈樂

⓮ 高亨：《詩經今注》，頁507。

⓯ 楊寬：《西周史》（上海：上海人民出版社，1999年），頁103。

⓰ 《西周史》，頁97。

記〉中的話來推測一下〈大武〉的舞容。

> 夫樂者象成也，總干而山立，武王之事也。發揚蹈厲，大公之志也。〈武〉亂皆坐，周、召之治也。且夫〈武〉始而北出，再成而滅商，三成而南，四成而南國是疆，五成而分，周公左，召公右；六成復綴以崇天子。夾振而駟伐，盛威於中國也；分夾而進，事蚤濟也；久立於綴，以待諸侯之至也。

因為〈大武〉是一種集體舞表演，其表演中當然就有陣形變化，〈樂記〉「夫樂者象成也」，就相當於我們現代所說的：音樂是表現場面的〈樂記〉是講音樂的著作，當然要先從音樂談起。然後就說到了〈大武〉所表現的場面，「總干而山立，武王之事也。發揚蹈厲，大公之志也。〈武〉亂皆坐，周召之治也。」這是例舉了〈大武〉中的一些場面（但前面已經說過，〈樂記〉對場面的理解不一定正確），這些都是〈樂記〉所認為的〈大武〉表演中的精彩場面。後面〈樂記〉就具體談到了〈大武〉各樂章所表現的場面。一成，「始而北出」，按一般說來，大型的集體舞表演，其開始的陣形多是方陣，「始而北出」，大概是指舞者以方陣自南向北前行，表現出征的情形。「再成而滅商」，這應該是說的〈大武〉的核心一場，表現克商的牧野之戰（具體舞容見後文）。「三成而南」，第三場表現武王所率周師，克商後退歸。按照〈周本紀〉記載，武王克商後，「封商紂子祿父殷之餘民。武王以殷初定未集，乃使其弟管叔鮮、蔡叔度相祿父治殷。已而命百公奭釋箕子之囚……（已見前文）乃罷兵西歸。」這表明是直接回了鎬京，並沒有按原來伐殷時的路線返回。但舞蹈表演一般是講對稱美的，既先有北出，則後有南歸，並非是完全寫實的。「四成而南國是疆」，是〈樂記〉誤解了〈大武〉舞容的含義。這裏先暫不討論，留待下文。「五成而分，周公左，召公右」，大致應該是指舞者隊形變成兩組，一左一右。「六成復綴」，綴者，合也。是兩組重新合在一起。

以上根據〈樂記〉對〈大武〉舞容作了一個初步的推測，但還是留下了一些問題，這些問題將在對第四、五篇的分析中解決。

第四篇〈般〉，詩云：

于皇時局，陟其高山。墮山喬嶽，允猶翕河。敷天之下，裒時之對，時周之命。

本篇寫武王班師回鎬，並頌其創下了大周（時周）的大業。

大意為：美哉大周，（武王及諸侯）登上高山，觀望一列列山脈和如巨帶環繞的大河，普天之下，都要聽從大周的命令。

〈周本紀〉曰：「……乃罷兵西歸。行狩，記政事，作〈武成〉。封諸侯，班賜守彝，作〈分殷之器物〉。武王追思先聖王，乃褒封神農之後于焦，……於是封功臣謀士，而師尚父為首封。……餘各依次受封。武王征九牧之君，登豳之阜，以望商邑。武王至於周，自夜不寐。……」《逸周書．度邑解》曰：「維王克殷國，君諸侯，乃厥獻民征主九牧之師見王于殷郊。王乃升汾（即邠）之阜，以望商邑。……王至於周，自口至於丘中，具明不寢。……」從這兩段材料，可以知道，武王克商以後，在殷都之郊分封諸侯，返周，登豳之高山，厥後乃返於鎬。「登豳之阜」幹什麼？〈周本紀〉、〈度邑解〉都只說「以望商邑」。其實此當是周武王在「豳之高山」上舉行具有宗教意義的儀式。

武王克商，在大社舉行過「更命」儀式，此大社當是商社，因為周革殷命，要上告殷國之社神，告以紂王無道，周革殷命是「天命」。等到返歸於周，武王又特地繞行（巡狩）至周之故地豳，登上豳之高山，舉行儀式，上告於「天」和周之先公先王，周已經領有天下四方，宣諭天下諸侯都要聽命於周。〈般〉反映的就是這一史實。

那麼，武王克商歸來，先「行狩」（實際上是沿著自殷都至周的路途巡視，當然中間也有狩獵的活動），至周地後，並沒有直接回到鎬都，而是先繞道於大王（古公亶父）的故地豳，「征九牧之君，登豳之阜，以望商邑」，在豳的高山上舉行了儀式。從前面對詩的大意的解釋中可以看到，〈般〉的內容與之正相符合。是頌美武王克商，領有天下四方。

從詩的內容，我們可以大致推測一下〈般〉的舞容，應該是象徵性地領有天下四方，這個內容比較抽象，其表現方式可能是方陣變為長列，巡行場地，表示象徵性地領有四方（也可能保持方陣不變，以方陣巡行，但從舞蹈場面效果來考慮，當以長列為優）。

因為前面已經說過〈大武〉第三成，舞容是自北往南行進，而第四成的舞容是巡行於場地。〈樂記〉作者看到這兩幅場面，就以為它們分別是表現周武王征伐、佔領南國的。這實在是出於一種誤解。

第五篇〈我將〉，詩云：

> 我將我享，維羊維牛，維天其右之。儀式刑文王之典，日靖四方。伊嘏文王，既右饗之。我其夙夜，畏天之威，於時保之。

本篇是寫武王回到鎬京後，告成于周廟的。

《逸周書・世俘解》云：「時四月既旁生魄，越六日庚戌，武王朝至燎于周。維予沖子綏文。乃俾史佚繇書放大號。武王乃廢紂惡臣百人，伐右厥甲子小鼎大師。伐厥四十夫家君鼎師，司徒、司馬初厥於郊號。武王乃夾于南門用俘，皆施佩衣衣，先馘入。武王在祀，太師負商王紂懸首白旗，妻二首赤旆，乃以先馘入，燎于周廟。若翼日辛亥，祀於位，用籥於天位。越五日乙卯，武王乃以庶祀馘于國周廟，翼予沖子，斷牛六，斷羊二。庶國乃竟，告于周廟曰：『古朕聞文考修商人典，以斬紂身，告於天、於稷。』用小牲羊、犬、豕於百神水土，於誓社。曰：『惟予沖子綏文考，至於沖子。』用牛於天、於稷五百有四。用小牲羊、豕於百神水土社，二千七百有一。」

通過〈世俘解〉的這段記載，我們可以知道，周武王班師返鎬，進行了一系列的儀式活動：獻俘、獻牲、告廟。〈我將〉表現的就是這一場面。但為什麼〈樂記〉說其舞容為「五成而分」呢？〈世俘解〉「武王乃夾于南門用俘」句，是講獻俘的，所用之「俘」要先陳列在宗廟南門夾道兩旁。可見獻俘、獻牲之時，獻祭者是分成兩排進入「廟」的。因此，「五成而分」實是表現分則獻祭場面，後來一些學者將其解釋成了「周、召分陝」，也是出於誤解。

第六篇〈桓〉，詩云：

> 綏萬邦，屢豐年。天命匪解。桓桓武王，保有厥士。于以四方，克定厥家。

於昭於天，皇以間之。

朱熹《詩集傳》曰：「綏，安也。桓桓，武貌。大軍之後，必有凶年，而武王克商，則除害以安天下，故屢獲豐年之祥。《傳》所謂周饑，克殷而年豐，是也。然天命之于周，久而不厭也，故此桓桓之武王，保有其士，而用之于四方，以定某家，其德上昭於天也。」楊寬說：「武王保衛了國土，平定了四方，安定了家室，從而使得萬邦協和、屢有豐年。」⓱以「保有厥士」的「士」為「土」之形誤，方可從。《今本竹書紀年》載武王十三年（用文王受命紀年，即克殷次年）：「秋，大有年。」〈桓〉的基本舞容，按〈樂記〉所說是「復綴」，即由分則變回方陣，復歸於原位。

這裏有一個需要說明的問題，就是不少學者都把〈酌〉列進〈大武〉，從前面對〈大武〉內容的分析可知，這是不正確的。但〈酌〉與〈大武〉又確有關係。《毛序》云：「〈酌〉，告成〈大武〉也，言能酌先祖之道以養天下也。」可知〈酌〉是周公作〈大武〉之後，告成之詩。大致在表演上，〈酌〉也有自己的舞容，但與〈大武〉不同，《禮記・內則》云：「十有三年，學《樂》誦《詩》，舞〈勺〉。成童，舞〈象〉，學射御。」鄭玄注：「先學〈勺〉，後學〈象〉，文武之次也。成童，十五以上。」可見〈酌〉是文舞。很可能在後來的表演中，是在表演〈大武〉（武舞）之前，要先表演〈酌〉（文舞）作為序幕，以〈酌〉作為整個表演的序曲。

下面根據前面對〈大武〉詩篇所作的編排，來大致推測性描述一下〈大武〉的舞容情況。

〈大武〉舞是一種武舞，其核心部分是表演戰爭場面的。從一些記載分析，在春秋、戰國甚至漢代這種舞都有表演。因此，儘管後來〈大武〉的舞容失傳了。但我們從先秦的一些材料中，還是可以尋覓出能夠說明其舞容的記錄來。

道具、裝束上。《禮記・郊特牲》云：「朱干設錫，冕而舞〈大武〉。」《禮記・明堂位》云：「朱干玉戚，冕而舞〈大武〉。」（《禮記・祭統》同）《禮

⓱ 楊寬：《西周史》，頁103。

記·樂記》也說，表演〈大武〉時，舞者「總干而山立」。可見，其舞蹈表演者的道具有紅漆之盾、玉石大斧，而舞者還要戴冕。

在表演的人數及佇列方面。《公羊傳》昭公二十五年：子家駒曰：「……八佾以舞〈大武〉。」《論語·八佾》云：「孔子謂季氏：『八佾舞於庭，是可忍，孰不可忍也。』」何晏《集解》云：「佾，列也。八人為列，八八六十四人。」《公羊傳》何休注同。季氏是僭用的天子之儀，說明〈大武〉的表演當是八列，六十四人。

在總體舞容上，《論語·八佾》云：「子謂〈韶〉，盡美矣，又盡善也。謂〈武〉，盡美矣，未盡善也。」孔子是親見這兩種舞樂的表演的，他的話暗示了在〈大武〉樂舞表演中，為表現戰爭，有一些相當激烈的音樂和舞蹈表演，如搏擊之類。因為不合孔子的中庸理想及鬱鬱乎文哉的那種偏好文雅、莊重的審美喜好，所以孔子儘管承認它很美，但認為它還欠於「善」，非盡善盡美。孫作雲說〈大武〉「舞容極莊肅」⑱，可能不是很恰當，因為〈大武〉中激烈的搏鬥、刺擊的場面是肯定會有的。這些激烈場面，很難全用「莊肅」二字來形容。

在具體舞容表演上。

《禮記·樂記》云：「夫〈武〉之備戒已久，何也。」鄭玄注云：「〈武〉謂周舞也。備戒，擊鼓警人。」孫希旦《禮記集解》亦云：「已，太也。『戒備之已久』，謂〈武〉之將作，先擊鼓以戒警其眾。擊鼓甚久，而後舞乃作也。」說明在開始正式的舞容前，要先有一長段鼓聲，類似後來戲曲中的過門。

第一成，表演出征。〈樂記〉云：「夫樂者象成也，總干而山立，武王之事也。發揚蹈厲，大公之志也。〈武〉亂皆坐，周、召之治也。且夫〈武〉始而北出，……」顯然，第一成是表演北出，即出征的。鄭玄注：「總干，持盾也。山立，猶正立也，這一成，舞者先只是手持兵器（玉斧、朱盾），以整齊的佇列，莊嚴地正立，這是表現出師前的祭祀場面，《禮記·王制》云：「天子將出征，類乎上帝，宜乎社，造乎禰，禡於所征之地，受命于祖。」從〈時邁〉從可以看到，出征前祭祀的有「昊天」、「河」、「嶽」。這與《禮記》所說不全一樣，當更為真

⑱ 《詩經與周代社會研究》，頁 226。

實。在「總干山立」後，應當在表演場地出南向北作行進狀，象徵「北出」。第一成，表演「北出」場面，其音樂及舞容是莊嚴的，沒有激烈的動作。

第二成，是表演牧野之戰的，是整個〈大武〉舞的核心一節。〈樂記〉云：「發揚蹈厲，太公之志也。」《史記．樂書》張守節《正義》曰：「發，初也。揚，舉袂也。蹈，頓足蹋地。厲，顏色勃然為戰爭色也。」〈大雅．大明〉云：「牧野洋洋，檀車煌煌，駟騵彭彭。維師尚父，時維鷹揚。」〈樂記〉說此章舞容：「夾振之而駟伐，盛威於中國也。分夾而進，事蚤濟也。」《史記．樂書．正義》曰：「夾振，謂武王與大將軍夾軍而奮鐸，振動士卒也。言當奏〈武〉樂時，亦兩人執鐸，來之為節之象也。」

孫希旦《禮記集解》云：「鄭氏曰：『駟當為四。武舞，戰象也。每奏四伐，一擊一刺為一伐。〈牧誓〉：『今日之事，不過四伐五伐。』愚謂此申言再成而滅商之事也。振，謂振鐸也。《周禮．大司馬職》曰：『兩司馬振鐸。』又曰：『司馬振鐸，車徒皆作。』夾振之而四伏，謂舞者象牧野之戰，兩司馬夾士卒之兩旁，振鐸以作之，而士卒以戈矛四度擊刺也。盛威於中國者，牧野之戰，盛大威武於中國，《書》言『我武惟揚』是也。分，部分也。分夾而進謂舞者象將帥部分士卒，又振鐸夾之而使之進也。』

孫希旦的說法是很有見地的，尤其是對「駟伐」之解，讓人有豁然開朗之感。劉起釪〈〈牧誓〉是一篇戰爭舞蹈的誓詞〉一文，認為《尚書．牧誓》是周武王在牧野之戰前夜的一篇戰爭舞蹈的誓詞。他還引顧頡剛的說法云：「……〈牧誓〉是周末人看了紀念武王伐紂的〈武舞〉所作的一篇文件，六步七步、四伐五伐等等都是舞蹈動作。……〈牧暫〉之四伐五伐，即從〈武舞〉之『夾振而駟伐』來。〈武舞〉本周家紀念克殷之事，不必為戰場真相，西周末人觀〈武舞〉而作〈牧誓〉無意中遂以舞場姿態寫入擬作之誓師詞中。」⓳〈牧誓〉是否舞蹈誓詞，這裏不去討論。但「夾振而駟伐」與「四伐五伐」確有關係，都是表現戰爭中的戰鬥情況的，無論古今學者，對此是沒有懷疑的。本文認為，「四伐五伐」的「伐」可能相當於後世所說的「回合」，因為第二成是表演牧野之戰的，是整個〈大武〉的中心一

⓳ 劉起釪：《古史續辨》（北京：中國社會科學出版社，1991 年），頁 292。

成，這一成當然應該是要表演戰鬥場面的，可能是八列舞者分成四組，對面作戰鬥狀，進行戰鬥擊刺表演，至於振鐸者是否也上場振鐸作鼓舞狀，則不得而知。孫作雲說「四伐」即「舞者向四方擊刺四次」，若果真如此的話，那也未免有些太輕描淡寫了。畢竟，〈大武〉的中心與高潮就在這一成啊！畢竟孫作雲自己也說：「〈大武〉六成，以此成動作最繁劇，表演內容最重要，故為〈武〉舞之主體。」⑳因此，這一成最主要的表演應該是舞者分成四組進行的四個回合的搏擊場面。「于皇武王，無競維烈。允文文王，克開厥後。嗣武受之，勝殷遏劉，耆定爾功。」從歌詞也可以感覺到，這一成的表演是激烈而奔放的。「于皇武王，無競維烈」，多麼激昂，「勝殷遏劉，耆定爾功」，又是多麼雄肆。

第三成，「三成而南」，這一成前面論之已詳，是表演牧野之戰勝利後班師的情景。舞容應該是以整齊豪邁的步伐，與第一成方向相反，自場地之北，同場地之南行進。「文王既勤止，我應受之。敷時繹思，我徂維求定。時周之命，於繹思。」從歌詞看，這一成的舞容是豪邁從容，躊躇自得的。

第四成，是表演領有四方的。可能是舞者以八列之陣形，環行全場。作象徵性的領有狀。其詩云：「于皇時周，陟其高山。嶞山喬嶽，允猶翕河。敷天之下，裒時之對，時周之命。」其歌詞是壯肅雄壯的，有一種凜然不可犯的霸氣。其舞容可能類似於後世戲曲中得勝歸來巡行周場的情狀。

第五成，表演班師歸來後，告成于文王。舞者分成兩邊，象分則獻祭狀。其舞容亦是舒遲、莊重的。「我將我享，維羊維牛，維天其右之。儀式刑文王之典，日靖四方。伊嘏文王，既右饗之。我其夙夜，畏天之威，於時保之。」從歌詞看，這一成的舞容，需要表現出一種虔敬的姿態來。因此動作必須莊重、端謹、舒緩有節。

第六成，本成舞容，孫作雲說：「舞者於此時再回到原來的位置，這時舞者一齊跪下，右膝曲立，作出尊崇周天子的樣子。這姿勢就是〈樂記〉所說的『〈武〉亂皆坐』。所謂『亂』指舞樂之終、歌之終；所謂坐，即跪下。」㉑這一說法是有

---

⑳ 《詩經與周代社會研究》，頁 269。

㉑ 《詩經與周代社會研究》，頁 270。

一定可信度的。因為〈樂記〉曰：「〈武〉坐，致右、憲左。」鄭玄注：「致，謂膝即地上，憲，讀為軒，聲之誤也。」「致右、憲左」即右腿單膝著地的姿勢。這也是軍中行禮的姿勢。舞容是全體舞者單膝以跪，昂首，停止不動，如同後世戲曲及各類雜技、體操表演中的「亮相」。

經學研究論叢
第十四輯　頁151～184
臺灣學生書局 2006年12月

太宰春臺的《詩經》觀

張文朝*

一、前　言

太宰春臺（1680－1747）是日本江戶時代中期的古文辭學者，以經學見稱，有不少經學著作傳世，如：《六經略說》一卷、《周易反正》十二卷、《易占要略》一卷、《易道撥亂》一卷、《易說並易道論》、《聖學問答》二卷、《論語古訓》十卷、《論語古訓外傳》二十卷附錄一卷、《論語正文》二卷、《辨道書》一卷。另外編輯了《詩書古傳》三十四卷，此書乃春臺彙集西漢以前古書中與《詩》、《書》本文有關的資料，可惜書中並無他的敘或跋及其個人的看法。而論及與《詩經》方面的著作有《朱氏詩傳膏肓》、《讀朱氏詩傳》、《六經略說》、《詩論》、《文論》、《聖學問答》、《和讀要領》、《斥非》。

本文的主要目的在透過上述春臺的著作言論，試圖探討、分析出春臺對中國最古早的詩集作品《詩經》的看法。又春臺的《詩經》言論，很多都是針對朱熹的《詩集傳》觀點而來，所以本文也會略作兩者間的比較。

二、詩的由來

㈠詩的產生

春臺以為詩的產生是因為人一定會有「思」，有「思」就會發之以「言」，而

*　張文朝，日本九州大學文學部博士候選人。

「言」之不盡，則必須透過詠歌呻吟以紓解其心中的憂思，這就是詩的產生原因。所以他在《詩論》中提到：

> 夫詩何為者也？詩出於思者也。人不能無思，既有思，則必發於言。既有言，則言之所不能盡，必不能不詠歌呻吟以舒其壹鬱。❶

但是，這並不意味著所有的人都能有詩作。依他觀察三代之人的結果，而加以論斷：有作詩的人，都是有所思的人，無所思的人，是不作詩的。

> 然余嘗觀三代之人，不作詩也。其有作詩者，皆有思者也。無思不作，故孔子一生不作詩。唯其去魯而歌，見於《家語》；臨河而歌，見於《孔叢子》，是一時感慨之發耳。七十二子，未聞有作詩者，蓋無思也。❷

詩既然由「有思」的人所作出來的，而人的「思」又是千頭萬緒，瞬息萬變。那麼，春臺所謂的「有思」，到底是指什麼「思」？春臺以為：

> 大凡古人作詩，皆必有不平之思，然後發之詠歌，不能已者也，否則弗作。❸

由春臺的看法可以知道，在古代詩的作成，是因為上古之人有不平之思，如果沒有不平之思的話就不會想要去作詩。所以就連聖如孔子者也一生不作詩，賢如七十二子者也未聞有作詩，因為孔子及七十二子都無所思之故。

果真如此的話，那麼，《詩》三百篇都是由持有「不平之思」的人所作，用以紓解其心中的憂思才是。但是《詩》三百篇中哪有篇篇是憂思之作呢？而且依春臺

---

❶ 池田四郎次郎編：《詩論》，收入《日本詩話叢書》第四卷（東京：文會堂書店，1920年），頁287。

❷ 《詩論》，頁292。

❸ 《詩論》，頁289。

之言「人不能無思」，那麼，三代之人、孔子及七十二子又如何能無思呢？既然人人都有「思」，而且「夫詩者所以言志也，其本出於思」❹，那麼，就理論上而言應該人人都有所思，所以人人都可以作詩，而不是只有持「不平之思」的人才會想要作詩以解憂思，而且《詩》三百篇也不一定都是憂思之作。作詩本來就是一件不容易的事，如果沒有作詩的才能，任憑你有天大的不平之思，只怕也作不出詩來吧！而有詩才的人，也不必非有不平之思時才作詩。所以春臺「大凡古人作詩，皆必有不平之思」的論點值得商榷。

春臺以為「無思不作」是古代人的通性。但是，如果真有言之所不能盡，而不能不詠歌以舒其憂思的「事」時，該怎麼辦呢？他以周朝的人為例，說：

> 夫周人有事賦詩者，歌三百篇詩也，未有臨事新作者。❺

即使是周朝的人有「事」，也不會新創詩作，只要拿《詩經》中的三百篇詩來歌誦即可。春臺以現存「《詩》三百」的數量來認定古人「無思不作」，所以詩的數量不多；「有事賦詩」，歌三百篇詩足夠了，所以詩的數量不必多。

㈡詩的濫觴

既然詩是人在言語無法盡達，而不能不詠歌以舒其憂思時所作的。那麼，詩之作始於何時？春臺以為詩始於堯、舜之時，他說：

> 昔在堯之時，康衢、擊壤之歌，作於民間；在舜之時，慶雲之歌，作於朝廷。此等雖不載於《六經》，可謂歌詩之始也。元首股肱之歌，君臣相戒之詩也；〈五子之歌〉，兄弟之怨詩也，此等載於《尚書》，明示來世，其聲調直與二〈雅〉同風，三百篇已胚胎於此矣。❻

---

❹ 《詩論》，頁294。
❺ 《詩論》，頁294。
❻ 《詩論》，頁287－288。

康衢之歌是指堯微服遊於繁華街道，探聽情治，聽到兒童在唱「立我蒸民，莫匪爾極，不識不知，順帝之則」。舜喜而問，大夫回答是古詩。由此可知在堯之前早已有詩，只是或佚失，或被刪，而不見於古籍書中罷了。擊壤之歌是指堯時天下太和，百姓無事，有老翁擊壤（樂器之一種）而歌「日出而作，日入而息，鑿井而飲，耕田而食，帝力于我何有哉」。慶雲之歌，也是歌誦天下太平。春臺以為這些歌謠是歌詩的開始。元首股肱之歌載於《尚書．益稷謨》「帝庸作歌曰：『勑天之命，惟時惟幾』。乃歌曰：『股肱喜哉！元首起哉！百工熙哉。』」五子之歌載於《尚書．夏書》，歌辭頗長，不在此處轉錄。而春臺以為《詩》是胚胎於這些古代歌謠。這當然有些問題，特別是〈五子之歌〉已被證實為東晉時的偽作。

春臺把唐、虞、夏等時代的詩史作了一番敘述，認為《詩》三百胚胎於《書》中的詩歌。至於商、周的詩史，則如下所言：

> 殷人之詩未聞，唯〈商頌〉五篇，附於周詩之末，僅存其遺響云。文王〈拘幽〉，作於殷季；箕子〈麥秀〉、夷齊〈采薇〉，并作於周初，此等雖不列於三百篇，然皆風雅之正調也。至於四詩三百篇，則太史采陳於前，仲尼刪定於後，天下之詩，蔑以加焉。❼

春臺認為商詩現存者只有《詩》後的五篇〈商頌〉而已，別無所聞。周初雖然有幾篇詩作，如商亡其宗族箕子朝於周，過殷故都，見宮毀生禾黍，因感傷而作〈麥秀〉之歌，歌曰：「麥秀漸漸兮，禾黍油油兮，彼狡僮兮，不與我好兮。」又如伯夷、叔齊在商亡後，不願食周之粟，隱於首陽山採薇而食，將餓死時，作歌曰：「登彼西山兮，采其薇矣。以暴易暴兮，不知其非矣。神農虞夏，忽焉沒兮，我安適歸乎，于嗟徂兮，命之衰矣。」這些詩歌雖然沒有被列入《詩》中，但都是風雅的正調。《詩》三百一十一篇，六篇有目無辭，而商詩只佔其五，餘三百篇都是周朝的詩作，所以春臺才說「唯〈商頌〉五篇，附於周詩之末」。

春臺以為詩是由太史採訪得來的，其實史官並不做這份工作，古代有採詩官，

---

❼ 《詩論》，頁288。

由採詩官收集回來之後經大師、小師合聲製樂。周朝的官名中有樂工之長，分大、小師，大師掌六律六同，以合陰陽之聲。小師掌音樂，教鼓、管、弦、歌等等。但不管如何，先有官員採詩回來，經潤筆、配樂，編製成曲，而成為可以唱的歌。後有孔子把這種詩歌加以整理編輯成三百零五篇的文字教材，教導學生，應該是沒有錯的。

三、《詩經》的內容

㈠《詩》的篇數

詩始於堯之前的上古時代，而大盛於周。但是上古的詩歌，流傳下來的已經是所剩無幾。或載於其他古籍中，或佚失，或被刪除。《史記》中司馬遷宣稱詩本來有三千餘篇，經孔子刪除重複而成為今日的《詩經》形態，所以現存於《詩經》中的就只有三百餘篇而已。春臺在《詩論》中說：

> 周人之詩，可謂盛矣，然自文、武至孔子之時，五百有餘年，而其所刪定，詩僅三百餘篇，不可謂多矣。❽

自文、武至孔子，五百餘年，而自堯之前的上古時代至孔子何只千年，所留下來的詩歌才三百多篇，真如春臺所說的「不可謂多矣」。為什麼古代的詩作會這麼少呢？春臺以為：

> 大凡古人作詩，皆必有不平之思，然後發之詠歌，不能已者也，否則弗作，是以古時作者不多，而一人不過終身一二作而已。❾

正因為是這種有不平之思且發之詠歌卻還是不能平息的人才會有新作，否則只要歌詠三百詩就夠了，而且這種作者終其一生，也只不過一兩首作品而已，「此古詩之

---

❽ 《詩論》，頁 288－289。
❾ 《詩論》，頁 289。

所以不多也」。❿

㈡《詩》的作者

有關《詩》的作者，春臺以為除少數能知其名之外，大多無法知道作者的姓名，大抵上自王公諸侯，下至閭里小民都有。他在《詩論》中說：

> 問其作者，則自周公之外，家父、吉甫、孟子之等，於所作詩中，自稱其名，明白甚矣。其他序家，唯言某人作，而不詳其姓名，大抵王國、公、卿、大夫、士、庶人之作也。至於國風，則多里巷男女之詩，而諸侯夫人、士大夫之作亦有之，序家亦多不詳其人云。⓫

另外在《文論》中也有提到關於《詩》的作者，他說：

> 周則自周、召以下，凡伯、芮伯、吉甫、仍叔、家父、蘇公之屬，皆以公卿而作詩，其餘列國君、大夫、士，至於閭里小民，皆能有作。⓬

春臺認為如此廣泛的作者群中，除了從《詩小序》及《詩》本文，如〈節南山〉家父刺幽王；〈崧高〉、〈烝民〉、〈韓奕〉、〈江漢〉尹吉甫美宣王；〈巷伯〉寺人孟子刺幽公；〈瞻卬〉、〈召旻〉凡伯刺幽王；〈桑柔〉芮伯刺厲王；〈雲漢〉仍叔美宣王；〈何人斯〉蘇公刺暴公等篇，詩作中有明確的作者名出現之外，「其餘詩人之名無聞」。⓭

《詩》不過三百而已，不知作者的作品卻是不少，儘管如此，春臺認為這並不會造成在《詩》的理解上有任何的影響，因為作者是誰與《詩》沒有什麼多大關聯。他說：

---

❿ 《詩論》，頁289。

⓫ 《詩論》，頁289。

⓬ 關儀一郎編：《文論》，《日本儒林叢書》第12冊（東京都：鳳出版，昭和53年），頁3。

⓭ 《詩論》，頁289。

> 三百篇詩，多不詳其作者。後之說《詩》者，亦不必詳之，非大義之所關也。⓮

但是我們相信如果能知道該詩是某人所作的，透過作者本身的資訊及其所處的社會背景，將有助於讀者更深入地了解該詩的內容。

㈢《詩》的序

《詩序》有分大、小，《毛詩》將各篇序文置於其經文之前，以〈關雎序〉為大序，其餘為小序。朱熹中截《毛詩》大序自「詩者」至「詩之至也」為大序，銜接其前後為〈關雎〉的小序，併《毛詩》其餘各篇小序於一處，加以申辯，而成《詩序辨說》。

《序》的可靠性也是學者間辯論不休的話題，從歐陽修《詩本義》開始疑《序》、蘇轍《詩傳》駁《序》、朱熹《詩經集注》不取《序》，到鄭樵《詩辨妄》的廢《序》，《序》的存在性受到質疑。但是春臺以為凡事都有原因，《詩序》的存在也有其存在的理由，他說：

> 夫事必有因由，《詩》之有《序》，且言其所由作耳，非有深意也。若執之以說《詩》，尤非聖人所以垂教之意也。仲晦必以邪正是非斷《詩》，見《序》說或不通，因疑之以為不足信，亦其固也。⓯

在春臺的認知裡，《詩》之所以有《序》的理由其實很單純，他認為《序》只是在說明作該詩的原因、理由，而且也僅僅只有這麼一點點的功能、作用而已，並沒有深遠的意義，如果拿《詩序》來說明《詩經》的本文，則有失聖人垂教的意義。像朱熹那樣動不動就以「邪正是非」來說《詩》，覺得沒有深遠意義的《序》文與

⓮ 關儀一郎編：《朱氏詩傳膏肓》，《日本儒林叢書》第 11 冊（東京都：鳳出版，昭和 46 年），頁 18。

⓯ 小島康敬編集：《春臺先生紫芝園稿後稿》，收入《近世儒家文集集成》第 6 卷（東京都：ぺりかん社，1986 年），卷 10，〈讀朱氏詩傳〉，頁 207。

《詩經》本文有不通的就認為不足以取信，那就不對了。

而《序》的作者，古來的說法也無一定論。春臺則認定《詩序》是子夏所作，他說：

> 《詩》三百篇，定于仲尼，三百篇序，成于子夏。毛公之傳，出于孔氏，雖間有可疑者，然可從而取信者固多矣。⑯

這說明了春臺對《序》說也有所懷疑，但是他更堅信《序》中所敘述的也有很多地方是可以相信的。

> 小序所云，蓋皆傳說也。雖有可疑者，然舍此而無他所考，則固不得不從耳。⑰

除了《小序》所傳說的之外，西漢以前的其他文物已經別無可以考據的他證了，所以不得不遵從《序》說。對一個凡事必以西漢以前文物為依據的古文辭學者而言，這種「不得不從耳」的無奈是可以理解的。

㈣《詩》的正變

《詩》的正變說始於〈大序〉「至于王道衰，禮義廢，政教失，國異政，家殊俗，而變風變雅作矣」。後世學者據此而有各種說法，而正變的依據也有所不同，有以世代區分，有以美刺，或以國別分正變。春臺則以「詩人所處順逆」為言，他在《讀朱氏詩傳》中說：

> 鄭康成《譜》，謂「二〈南〉為風之正經」。〈大序〉云：「變風發乎情，止乎禮。」自〈邶〉以下十三國為變風，此固傳說也。〈雅〉亦有正變。所謂正變者，以詩人所處順逆為言也，仲晦乃以邪正是非言之，豈不謬哉。如

---

⑯ 《朱氏詩傳膏肓》，頁 33。

⑰ 《朱氏詩傳膏肓》，頁 9。

> 果以邪正是非之辨，則《詩》者，孔子所刪，君子教人，以其正而是者足矣，何為存其邪而非者乎？⓲

所謂的「詩人所處順逆」到底何指？在此他並無明說，但在《朱氏詩傳膏肓》則有更進一步的解釋，他說：

> 正風、變風之名固也。正風者，皆處順地者所作；變風者，多處逆地者所作。詩人所處雖異，而其言出於中情則同也。中情者何？好惡悲歡也。君子誦變風，則能知人情之曲折，是以夫子列之篇，雖淫奔之詩而不舍也。若以備觀省而垂鑒戒，如晦菴之云，則先王以詩教人，豈非誨淫乎！⓳

由此可知，春臺的「詩人所處順逆」，是指詩人所處的地點而言。說的更明白點，春臺以為處在周天子所管轄之下的京畿詩人，他們所作的詩都是屬於處順地的「正風」，如二〈南〉即是；而處於其他諸侯國所管轄的詩人所作的詩，都是屬於逆地的「變風」，如十三國的詩作即是。

但是不管詩人所處是順地或是逆地，詩人心中所要表達的好惡悲歡之情則是一樣的，所以雖然是「淫奔之詩」，孔子也一樣沒有把它們從《詩經》中加以刪除，因為君子誦讀這些變風的詩時，可以從這些詩中知道人情的曲折。

誦讀《詩經》是在知人情，所以朱熹以「邪正是非」斷正變是錯誤的，而要人「備觀省而垂鑒戒」，豈不是間接地告訴讀者說「先王以誨淫之詩教人」了嗎？

筆者以為春臺以詩人所處順地或逆地為詩的正變區別，也是屬於以國別區分的一種主張。詩人作詩與所處的地點或許有相關，但不是決定其詩作成為變風的唯一要素，處順地的詩人也不一定都能作出正風之詩。相反地，處逆地的詩人難道就都只會作些變風的詩作嗎？所以以國別區分詩的正變這種主張似乎不太合理。

而春臺既然認為詩可以「知人情之曲折」，所以孔子編輯《詩經》時「雖淫奔

⓲ 〈讀朱氏詩傳〉，頁 207。

⓳ 《朱氏詩傳膏肓》，頁 1。

之詩而不舍」，可知他也是贊同朱熹《詩經》中有「淫奔之詩」的說法。

㈤《詩》的刪定

司馬遷以為詩有三千餘篇，孔子「刪除重複的」而成為今日的《詩經》。在春臺的認知中，司馬遷的刪《詩》說⑳就如同後世的選詩，只是在眾多的詩篇中，選出不一樣的詩篇而已。春臺雖然也引《史記》的文字，但卻認為刪除的基準不是如司馬遷所說「刪除重複的」，而是詩歌本身的「辭美與否」。他說：

> 《史記》所稱孔子刪《詩》云者，如後世所謂選詩也。君子所諷誦詠歌也，故不可不美其辭。孔子所刪，刪其不美者也。㉑

《詩》是用來給君子「諷誦詠歌」的，所以詩辭「不可不美」。這可以做為說明為什麼春臺會認為刪《詩》的基準在「辭美與否」而不在「重複與否」的理由。他更不喜歡朱熹所主張的「善惡與否」的刪《詩》基準，所以他接著批評說：

> 仲晦以刪其善之不足以為法，惡之不足以為戒者，豈不謬哉。㉒

春臺認為朱熹這種以「善」卻不足以為典範的「善」，以及「惡」卻不足以為鑑戒的「惡」，都是孔子刪除對象的說法，是一種荒謬的事。而且《詩》是孔子所刪定的，所以後世的學者，不必挑三撿四地加以取捨，像朱熹般地不滿孔子所刪的人真是愚蠢。他說：

> 三百篇，仲尼所刪定，後之學者，又何所簡擇取舍哉？晦菴蓋不滿於仲尼之

⑳ 有關刪詩問題可參考漢鄭玄《詩譜序》、孔穎達《詩譜》疏、宋鄭樵《六經奧論》刪詩辯、清朱彝尊《經義考》詩、清李惇《群經識小》刪詩、清顧炎武《日知錄》孔子刪詩、清趙翼《陔餘叢考》古詩三千之非等。

㉑ 〈讀朱氏詩傳〉，頁 207。

㉒ 〈讀朱氏詩傳〉，頁 207。

> 刪者也，嗚呼愚哉。㉓

其實春臺對朱熹的批判並不十分正確，因為朱熹對「孔子刪《詩》」這件事的真實性並不表認同。

㈥《詩》的辭

如上所述，春臺認為《詩》是用來給君子「諷誦詠歌」的，所以詩辭「不可不美」，而經孔子刪除辭句不美之後的《詩經》所呈現出來的特色是：

> 其辭溫厚而不慢，質實而不俚，方正而不角，的切而不刻，紆餘而不回，委曲而不瑣，華麗而不浮，儉素而不陋，美而不諂，刺而不隱，怨而不怒，愛而不私。㉔

這段引述可說是春臺對《詩經》的辭句下了史無前例的評語。但是他認為《詩經》所表現出來的辭句，後世學者可不能隨便亂用，他說：

> 至於《詩》、《書》之辭，尤不可輕用，以其皆非平常文辭也。夫自漢、魏而下，為五、七言詩者，猶不敢妄用三百篇之辭，況敢用諸文中乎！㉕

不可以輕易使用的原因在於《詩經》的辭句都不是一般文辭，即使古人要用《詩》的辭句時，也都要如今日撰寫論文般，需要標明出處，不敢視為己出：

> 古人文辭，有用《詩》、《書》之辭者，皆所以徵己義也，故必稱「《詩》曰」、「《書》曰」，未有取《詩》、《書》之成語以為己語者也，以其辭

㉓ 《朱氏詩傳膏肓》，頁 19。

㉔ 《詩論》，頁 288。

㉕ 《文論》，頁 8。

異於常故也。[26]

以他身為一位古文辭家的學術立場而言，應該是視《詩經》的辭句為圭臬，為詩作文時會常常加以引用才是。但是為什麼春臺卻認為由於《詩經》的辭句異於常辭，與眾不同，所以學者不可輕用呢？如春臺所言，那麼《詩經》的辭句豈不只能純欣賞而不能加以融入自己的詩作裡了嗎？他以為：

> 夫修辭之道，務擇其辭，且如為詩，自風雅而下，歷漢、魏、六朝，以至於唐詩，各有其辭，不可相亂，相亂則失體，不成家數。然詩辭又有二焉，有獨用之辭，如風雅之辭，不可以入漢、魏以後詩，六朝辭，不可以入唐詩，是獨用之辭也。如風雅之辭而可以入漢、魏、六朝詩，亦可以入唐詩，是通用之辭也。[27]

如此將詩辭二分為「獨用之辭」及「通用之辭」，即可解決上述的問題。雖說是各朝代「各有其辭，不可相亂」，但是春臺卻沒有明白指出《詩經》的辭句中的哪些是屬於所謂的「獨用之辭」，哪些又是屬於所謂的「通用之辭」，誠屬可惜。

㈦《詩》的義

孔子整理《六經》作為教材，教導學生，首重明其義理。就《詩經》而言，其辭本身是可以用來吟詠歌唱的，有如今日流行歌的「歌詞」。但是孔子用經他所美化過的「歌詞」來教學，是可知孔子教《詩經》不在歌唱，而在「歌詞」本身意義的理解。春臺以為《詩經》的義理是：

> 極乎天下之中正，故古人以為義之府。是以燕飲賦之，論說引之，皆所以達其志也。[28]

---

[26] 《文論》，頁 9。

[27] 《文論》，頁 8。

[28] 《詩論》，頁 288。

正因為《詩經》的義理是中正，中正就是無有邪僻之意，而且是天下所有義理的淵源處，所以古人以《詩經》為義之府。不管是宴會時吟詠歌唱或立論說明時引用，都是在利用《詩經》的義理來傳達自己的志向。但是《詩經》為什麼會是天下所有義理的淵源處呢？春臺認為：

> 三百篇詩，多不詳其作者。有士大夫所為焉，有出於閭里細民之口者焉，要之其人豈皆君子哉。惟其言也，善惡皆出於情實，故能盡天下理義，後之君子有取焉。[29]

《詩經》的作著雖然並不一定都是君子，但是因為他們的言辭不管善惡好壞都是出於毫無掩飾的真情流露，所以《詩經》能藏盡天下所有的義理。由此可見，在春臺的認知中，《詩經》的義理並非全然是善的，其中也有是惡的成分在內。也正因為《詩經》的義理包含了善與惡，所以能成為「義之府」。春臺批評朱子把《詩經》當做《春秋》來論《詩》中某篇、某句為善或為惡，而加以勸懲。他說：

> 夫《詩》無一定之義，安有某善某惡之可指命者乎？朱熹說《詩》，每輒以勸懲言之，謬哉！夫勸善懲惡者，賞罰之功，《春秋》之義也，《詩》豈有之乎？若以為勸善，則三百篇皆可以勸善，若以為懲惡，則三百篇皆可以懲惡，此其所以為義之府也。謂之義之府者，以天下之義藏在此中爾。若《詩》有一定之義如熹說，則三百篇特三百義而已矣，何得義之府乎？[30]

《詩經》中的篇章辭句是詩人的真情表達，它的意義一旦被特定化，那麼《詩經》將只是表達三百個意義而已，而無法成為藏盡天下之義的「義之府」了。

《詩經》的辭句是詩人的真情表現，其間或許有善、有惡，但是不能像朱熹那

---

[29] 〈讀朱氏詩傳〉，頁 208。

[30] 白石真子撰：〈太宰春臺『論語古訓外傳』譯注（3）為政・八佾篇〉，《漢文學解釋與研究》4（2001 年 12 月），頁 170。

樣的加以「勸善懲惡」。那麼讀者該怎麼來看待《詩經》中辭句的善惡呢？春臺在《朱氏詩傳膏肓》中批評朱熹注〈駉〉之卒章時指出：

> 孔子讀《詩》，得「思無邪」一句於此篇〈駉〉中而悅之，以為人不能無思，思有邪不可，思而無邪，斯為正人矣。《詩》，道性情者也。故學《詩》者，唯此一言，可以達觀三百篇之義也。㉛

《詩》是道性情的，不免有善惡的言辭，但是讀《詩》的人必須像孔子那樣以「思無邪」的態度來看待《詩經》性情中的善惡言辭，如此才能真正體會《詩經》三百篇中詩人毫無掩飾的真情流露。

㈧《詩》的作法

《周禮・春官》有所謂「大師教六詩：曰風，曰賦，曰比，曰興，曰雅，曰頌，以六德（知、仁、聖、義、忠、和）為之本，以六律（黃鍾、大蔟、姑洗、蕤賓、夷則、無射）為之音」。《毛詩》大序以六詩為六義，但只解風、雅、頌，無提賦、比、興。而鄭樵、朱熹以來，主張風、雅、頌為《詩》的體裁，賦、比、興為《詩》的作法，似乎已成學者間的共識。春臺認為《毛詩》二十卷：

> 未嘗言賦、比，而間釋曰興也，實亦言其大略耳。㉜

《毛詩》沒有標明賦、比，只有「間釋曰興也」，但這也只是標明《詩》中一部份的興而已。春臺的這個說法比較籠統，若根據陳明義所統計，則共有一百十五處標明「興也」㉝。《毛詩》並沒有說明為什麼要這麼處理，倒是《正義》為《毛詩》做了補充說明，以為賦直、比顯、興隱，所以「《毛傳》特言興也，為其理隱故

㉛ 《朱氏詩傳膏肓》，頁 40。

㉜ 《朱氏詩傳膏肓》，頁 2。

㉝ 陳明義撰：《朱熹詩經學與詩經漢學傳統異同之研究》（臺北：東吳大學中國文學研究所博士論文，2004 年），頁 385－391。

也」。[34]

《毛詩》只是「言其大略」，而

> 晦菴則於每章下，偏言賦比興，疎謬甚矣。[35]

朱熹則以「章」為單位而標賦、比、興，春臺以為這是非常錯誤的標法，他則自以為應該以「句」為單位來標賦、比、興比較合理，他說：

> 《詩》之賦比興，當於一二句之間言之，不可以一章言之。句有賦者，有比者，有興者。章則有賦而比者，有比而興者，有兼賦比興者，罕有偏賦偏比偏興者，是賦比興不可偏言也。[36]

若以「句」為單位來標賦、比、興，則「句」有賦、有比、有興，所以「章」中就自然會有賦、比、興的各種組合的可能性。他更舉〈關雎〉首章的實例來加以說明何以如此：

> 且如〈關雎〉首章，《毛傳》曰「興也」，朱《注》亦曰「興也」。余謂〈關雎〉固興也，然以關關雎鳩比窈窕淑女，則是亦比也。雎鳩淑女，皆賦所見，則是亦賦也。[37]

如此《詩》中的「句」，或賦、或比、或興，於是每一「章」都有賦而比，有比而興，有兼賦比興的複數組合可能，所以春臺批評朱熹注〈頍弁〉是「賦而興又比也」。他說：

---

[34] 十三經注疏小組編：《毛詩正義疏分段標點》（臺北：新文豐出版公司，2001年），頁45。
[35] 《朱氏詩傳膏肓》，頁2。
[36] 《朱氏詩傳膏肓》，頁2。
[37] 《朱氏詩傳膏肓》，頁2。

《毛傳》但云「興也」，言詩人所寄意耳。其實賦比興各詩皆備之，何獨此篇〈頍弁〉為然乎？[38]

在朱熹的《詩集傳》中合計有二十二處是賦、比、興中兩種的組合，只有春臺所舉出的這一篇，三章之下都標有「賦而興又比也」。但是就春臺的想法而言，賦、比、興應該是「各詩皆備之」，不是只有〈頍弁〉篇「備之」而已。

㈨《詩》的押韻

凡詩必有韻，用韻的目的在使詩句的聲音和諧，可以增加詩意的美感，所以作詩必定要有押韻，但是漢以前無韻書，古人如何發現押韻的方法呢？又為什麼要用韻？筆者以為除了上述的目的之外，能夠使讀者朗朗上口，易於記誦吟詠，應該也是古人用韻的目的之一。押韻簡單的說是一種近似音的運用，因為音相近所以容易記，而且配上樂器伴奏後唱起來更有令人餘音繞樑的感覺。古代歌謠大多口耳相傳，利用近似音易於記誦吟詠的特性，有利於流傳。《詩經》就是一部古代詩歌的選集，所以《詩經》中各篇大多都有押韻。但是篇有大小，所以細分為章，少者二章，多者十六章，如果章章一韻到底，將會使詩意相形失色，所以常有換韻的情況。至於用韻有無一定的規則？答案恐怕是否定的。

就《詩經》韻的方面而言，春臺以為：

古詩疊章者，所以反覆詠歎也。疊章則必換韻，換韻者未必有異義焉。[39]

疊章是為了反覆詠歎，而只要有疊章就要換韻，但是換韻不一定在意義上有所差別。換韻其實就是換字，春臺也認為：

《詩》之疊章者，固皆變文協韻，晦菴既知之，而猶時泥其變文以深其義，

---

[38] 《朱氏詩傳膏肓》，頁 35。

[39] 《朱氏詩傳膏肓》，頁 3。

何哉？[40]

這種「韻換而義不改」的主張，與朱熹的「換韻就是換字，換字就是異義」的看法截然不同，所以春臺每每加以批評：

特其辭時有淺深輕重耳，然亦偶爾也。晦菴說《詩》，必欲使其義一章重一章，乃過求義理之病也，其實不知《詩》也。[41]

雖然明明《詩》中辭意有轉，但春臺都以「亦偶爾也」、「亦偶然耳」來處理，不像朱熹「因韻換字，因字轉義」而一章重過一章，一章深過一章。春臺在評朱熹注〈黍離〉之首章時謂：

苗搖、穗醉、實噎，三章換韻，為此六字，苗與搖協、穗與醉協、實與噎協，亦偶然耳，詩人之興，發自感觸，何所拘泥乎？[42]

評朱熹注〈晨風〉之首章時謂：

靡樂，仍欽欽之意也，如醉，猶靡樂也。每章換韻而已，有何深淺？晦菴拘矣。[43]

這些在在都說明了春臺對《詩經》中疊章換韻的看法。但是《詩經》前後涵蓋五百多年，作者不知幾凡，經手處理過的官員不知多少，再加上孔子的美化整頓，這種「換韻而已，有何深淺」的主張，恐怕過於草率。誠如林慶彰氏在〈太宰春臺《朱

[40] 《朱氏詩傳膏肓》，頁 26。
[41] 《朱氏詩傳膏肓》，頁 3－4。
[42] 《朱氏詩傳膏肓》，頁 14。
[43] 《朱氏詩傳膏肓》，頁 20。

氏詩傳膏肓》對朱子的批評〉中所評斷的「未免太低估作者作詩的用心」。[44]

四、《詩》之用

春臺認為《詩經》的最大功能在能夠「知天下之人情」。「知人情」則可以經世，「知人情」則可以教化。為政者（在位的君子）想要經世，必須透過《詩經》中所傳遞出來的各個階層人士無偽的「人情」，以做為施政時的參考，可以減少施政障礙；而輔政者（自諸侯至士）則可以「斷章取義」以為立言之用，可以興，可以觀，可以羣，可以怨，可以事父，可以事君。想要教化人民，則須透過《詩經》以「知人情」，而後善加「導情」，使民能夠「去邪歸正」，進而達到「溫柔敦厚」的《詩》教目標。

㈠知人情

春臺認為「知人情」是至為重要的事，他說：

> 君子不知人情，不可以涖民，為政而不知人情，必有不行。是故古之君子，患不知人情，而必欲知之。[45]

在位的君子想要做好行政工作，就要知道人情世故。但是世上的人何只千萬，如何一一的知道其情如何？他說：

> 人無不有情，而情各不同。人君有人君之情，士大夫有士大夫之情，庶民有庶民之情，奴婢臧獲有奴婢臧獲之情，男有男之情，女有女之情，父母有父母之情，子有子之情，兄弟有兄弟之情，君子小人，皆有其情，人無不有情。[46]

---

[44] 笠征教授華甲紀念論文集編輯委員會編：《笠征教授華甲紀念論文集》（臺北：臺灣學生書局，2001 年），頁 200。

[45] 〈讀朱氏詩傳〉，頁 206。

[46] 〈讀朱氏詩傳〉，頁 206。

各有各的情，所以想要知人情是一件難事，他說：

> 然人情難知，人情之所以難知者，蓋以自王公以下，至於家人、父子、男女之間，為情各殊。[47]

再加上人主身在九重之內，想要知世上人情，那可是難上加難了，他說：

> 君子正其衣冠，尊其瞻視，安居華屋之下，苟以求知小人之情，不亦難乎？又況人主在九重之內，而欲知閭巷人情，難之難矣。[48]

知人情是這麼的重要，但卻又是這麼的困難，那麼在位的君子該如何才能知人情呢？春臺提出兩種解決的方法，其一：

> 必也身處其地，親視其事，然後有以知其情。[49]

這是最直接接觸民眾，了解民情的最好方法，但是對一個不出戶庭、日理萬機的人主而言似乎難能做到，所以他又提出第二種可行的解決方案，他說：

> 今夫《詩》者，人情之形於言者也，三百篇其盡之矣。天下之情，于何不有？[50]

春臺以為天下的人情已經全都錄在《詩經》中了，所以人主只要誦《詩》即可知道天下的人情，這果真是替為政者提供了一部知人情的寶典。為政者知人情之後，無

---

[47] 〈讀朱氏詩傳〉，頁 206。
[48] 〈讀朱氏詩傳〉，頁 206－207。
[49] 〈讀朱氏詩傳〉，頁 206。
[50] 〈讀朱氏詩傳〉，頁 207。

非是為了下面的這兩件事：一為經世，一為教化。

㈡經世

1.施政蒞民

君子透過吟詠誦讀《詩經》而知人情，最重要的是有用於政事，春臺認為：

> 君子誦《詩》，不出戶庭，可以知天下人情，知天下人情，然後可以施政蒞民，此《詩》之所以有用於政事。[51]

這才是君子吟詠誦讀《詩經》的最主要目的，所以春臺認為《詩經》存在的主要功能在於：

> 而知人情者，為政之大經也，《六經》之有《詩》以此。[52]

《六經》中之所以需要有《詩經》，正是因為《詩經》提供了為政者知人情的管道，以做為從政的重要參考。

2.斷章取義

「施政蒞民」是就人主而言，而「斷章取義」則是自諸侯以至於士者可以做為立言之用。「斷章取義」在現代的用法中頗有貶意，但是在春臺的認知中卻是「得《詩》之用」的一把金鑰匙。春臺以為《詩》三百篇而能盡天下之人情，達天下之義理。但是就《詩經》的三百篇詩旨而言，也只不過表達了三百零五個作者的人情、意義而已，如何能涵蓋天下之人情義理呢？春臺在《論語古訓外傳》中解釋〈學而篇〉子貢曰「貧而無諂」章，論道：

> 《春秋傳》曰：「《詩》、《書》，義之府也。」又曰：「賦《詩》斷章。」凡《詩》無定義，唯人所取。子貢因聞處貧富之道，遂引《詩》以成

[51] 〈讀朱氏詩傳〉，頁 207。

[52] 〈讀朱氏詩傳〉，頁 207。

> 其義，是能斷章取義，得《詩》之用者也，故孔子奬之。[53]

因為《詩》、《書》沒有一定的意義，端看讀《詩》者如何自行定義而使用它，如此詩句的意義，將因人、時、地、物、事的不同，而有不同的解釋。天下人都可以是讀者，所以詩句的意義當然能為天下人所下定義，而《詩》三百篇也就自然能夠盡天下之人情，達天下之義理了。至於作詩者的本意，採詩者的用意，編詩者的（微言）大意，似乎都不在考慮之下，而只要能引用的得體，符合當下之義，如孔子稱讚子貢般能「告諸往而知來者」，這對春臺而言，就成了《詩經》的最大功用了。春臺更舉例說明：

> 古人立言引《詩》，傳記所載，可見矣。《莊子》曰「《詩》以言志」，趙成子曰「《詩》、《書》，義之府也」，言天下之義，盡藏于此也，皆知言也。夫子稱子貢、子夏可與言《詩》，其旨在斯。韓嬰之作《外傳》，亦是物已。[54]

子貢、子夏之所以能得孔子之讚許，就是因為他們兩人都能在適當的場合，說出自己所認知的詩句來回應對方的話題。正如春臺所言，漢以前的書籍中，的確有很多地方可以看到作者引《詩》以做為自己立言的依據。

㈢教化

1. 去邪歸正

《詩經》既然是一部藏盡天下人情的寶典，則人情豈能一致？所以春臺認為人情必有邪正，他說：

> 凡詩出於人情，人情有邪正，去邪歸正，詩之所以導情也。〈大序〉所謂

---

[53] 白石真子撰：〈太宰春臺『論語古訓外傳』譯注（2）學而篇〉，《漢文學解釋與研究》3（2000年12月），頁115－163。

[54] 〈讀朱氏詩傳〉，頁207。

> 「發乎情，止乎禮」者，非惟變風為然也。是故《詩》三百篇，雖其言不同，而其所以用之鄉黨邦國者，無非先王之所以導情。導情如之何？曰「去邪歸正而已矣」。[55]

春臺以為人情不免有邪、有正，但是需要透過為政者的「導情」，使之能「去邪歸正」。春臺並無明言其所謂「導情」是什麼意思，但是直言了「導情」的目的在「去邪歸正而已矣」。因此春臺的所謂「導情」，不難可以理解為「教化」。簡言之，春臺認為《詩經》中的人情有邪正，透過教化，可以使讀者「去邪歸正」。這可以和孔子的「思無邪」做一個連結。孔子的「思無邪」，正是以讀者本身「思無邪」的立場，來看待《詩經》中有邪有正的人情。春臺的立場，和孔子的看法是一致的，而且這種「有邪有正的人情」主張，也是春臺批評朱熹以「善惡」為言的主要根據，他說：

> 仲晦必以勸懲言之。夫懲惡勸善者，《春秋》之旨也。《春秋》者，實錄也，故善惡皆書之。惟仲尼因而修之，明褒貶，行賞罰，以勸懲之，所以立王法之大經也，仲晦乃以是說《詩》，豈不謬哉。[56]

春臺在這裡避開使用「善惡」的字眼，而與孔子站在同一邊，批評朱熹以《春秋》「懲惡勸善」的旨意來說《詩經》，是大錯特錯。

春臺的「去邪歸正」，和朱熹的「勸善懲惡」，到底有什麼不同呢？春臺的「正」豈不就是朱熹的「善」嗎？若是，則春臺的「邪」不就是朱熹的「惡」了嗎？如上所述，春臺也承認《詩經》的作者並不一定都是君子，他們的言辭不管「善」、「惡」都是真情流露，可見春臺這裡的邪正其實就是朱熹的善惡，應該是沒有錯的。但是仔細推敲，不難發現問題出在「去、歸、勸、懲」四個動詞上。春臺的「去邪歸正」是要把人情中的邪、不正（惡）去除，引導使之回歸成為正

[55] 白石真子撰：〈太宰春臺『論語古訓外傳』譯注（3）為政・八佾篇〉，頁 95－192。
[56] 〈讀朱氏詩傳〉，頁 207。

（善），是一種「循循善誘」的方式，是一種「導情」的作用，是一種「教化」的功能，而不是像朱熹所用的獎勵和處罰的方法。如此看來，春臺的「去邪歸正」和朱熹的「勸善懲惡」的確有所區別。而其不同在「去、歸、勸、懲」的方法，不在「邪、正、善、惡」的內容。

2.溫柔敦厚

《詩》的教義，如《禮記・經解》：「孔子曰：『其為人也，溫柔敦厚，《詩》教也。』」可見得能使人成為「溫柔敦厚」，是《詩經》教化的成果。春臺認為：

> 《詩》吟詠性情者，以溫柔敦厚為教。詩雖有古今，然溫柔敦厚之教，則無古今之異。故今亦有作詩者，不知不覺入風雅之域，自然成溫柔敦厚之德。[57]

詩有古今，但是詩教的效果則一，所以春臺認為不只古代的《詩經》有此效果，就連今日學作詩的人也能因學習作詩而不知不覺地成就溫柔敦厚之德，足見詩移人之深。而朱熹卻以「善惡」為言，非溫柔敦厚之意，所以春臺批評說：

> 仲晦乃一切以善惡判之，何其固也。……孔子曰：「其為人也，溫柔敦厚，《詩》教也。」若持是非之論，而偏乎好惡，則豈溫柔敦厚之意哉。[58]

五、《詩經》的教育

(一)《詩》的教授

在《詩》的教授方面，春臺認為日本儒者在解說《詩經》時「先註後經」是錯誤的，他在《斥非》中提到：

---

[57] 小林芳圭解說：《和讀要領》（東京都：勉誠社，昭和 54 年），卷下，頁 300。

[58] 〈讀朱氏詩傳〉，頁 207。

> 倭儒說經，先註而後經，余以為過矣。經之有傳註，為解其義也。本文得註而明，本文既明，則註徒筌蹄耳。故說者但會註意以明經文而足矣，何須更說註文乎！今先說註文，一二詳之，則由註文別生枝節，煩雜冗長，未足明本經，而先令聽者惑，外本內末，貽學者害，豈不謬哉。[59]

他以為教經典的人，經由傳註了解經文之後，只要將自己所理解的本經說給學習者知道就可以了，不必連同煩雜冗長的傳註文字一一說給學習者知道，以免學習者以傳註為本，以經文為末，而有所貽害。而朱熹「以心言」、「以道言」的說《詩》態度，也是常受春臺所批評：

> 仲晦乃以心語道，及其說《詩》，亦必以心為言，惑矣哉。夫詩者，人情之發也，豈可以心言哉？非徒不可以心言，亦不可以道言。必以心與道言，仲晦之所以為不達于《詩》也。不啻仲晦為然，大都宋儒皆然。《詩》之衰于宋，職此之由，哀哉。此不特《詩》之厄，迺道之厄也。有志于復古者，可不為痛哭乎。[60]

在春臺的認知中，不只是朱熹如此，整個宋朝的儒者都是如此，所以痛哭《詩》之衰於宋，道之危厄於宋。這真是春臺對宋儒的莫大的指控。

㈡《詩》的學習

春臺以古學為志，認為學應力主專攻西漢以上的古文辭，他說：

> 聖人之道在《六經》，不明《六經》，則不可謂之通儒。學《六經》，為古學。《六經》皆文章也，不達文章，則不能讀《六經》。《六經》之文，古文也，故不達古文，則不能讀《六經》。古文之學在讀古書，古書者，指西

---

[59] 賴惟勤校注：《徂徠學派》，收入《日本思想大系》（東京都：岩波書店，1972 年），〈斥非〉，頁 146。

[60] 〈讀朱氏詩傳〉，頁 208。

> 漢以上之書，東漢以後文章不及古。六朝以降，古文變為四六，去古遼絕也。故志於古學者，應專讀西漢以上之書，習古文辭也。[61]

聖人之道全紀錄在《六經》之中，想要成為通儒的話就要通明《六經》。《六經》為古學，古文之學在讀古書，古書是指西漢以上的書。《詩經》是《六經》之一，是西漢以前的古書，所以有志於古學者應讀《詩經》。但是周衰漢興後，作賦成為一時文人競作的對象，這種現象他很不以為然。他認為與其學作賦，不如學詩，他在《文論》中提到說：

> 夫《詩》三百定於孔氏，君子必學之。騷賦則滑稽優辭，不學可矣。不啻不學可，亦不讀可矣。唯《詩》乎，三百篇尚矣，雖後世之詩，苟本人情，而不違風雅之道，則可以繼三百篇，何用作賦為。[62]

他認為《詩》是君子所必學的書籍之一，只要學《詩》三百篇就夠了，又何必要學作賦呢？不只不必學，那種無用於天下的賦，連讀都可以不必讀。但是春臺以為古代人學《詩》，與今人學《詩》有所不同：

> 昔之學《詩》者，但玩其辭而已矣，不必問其時世。故《毛傳》、鄭《箋》皆不議其世也。[63]

以前的學《詩》者去古不遠，所以學《詩》可以不必去管此《詩》作於何時，作者是誰，只管玩味《詩》中辭義，能斷章取義，為己所用。春臺收集了《論語》中孔子對《詩》的看法，以為這是古人學《詩》的方法，他說：

---

[61] 《和讀要領》，卷下，頁 290。

[62] 《文論》，頁 17。

[63] 《朱氏詩傳膏肓》，頁 6。

> 可以興，可以觀，可以群，可以怨，可以事父，可以事君，可以多識於鳥獸草木之名，與夫可以言，可以達於政事，可以使於四方而能專對，可以不牆面而立者，此古人學《詩》之方也，孔子之教也。[64]

其實這與其說是古人學《詩》的方法，不如說是《詩》的好處及功能比較恰當。至於今人學《詩》的方法與態度，春臺以為是有別於古人的，他在《讀朱氏詩傳》中回答時人來客問學《詩》時說：

> 客問曰：「然則今人學《詩》，如之何？」曰：「從《毛詩》及《爾雅》訓故以求其義，不問作者之賢否，不議言之邪正，但誦其辭，朝夕諷詠，以求其為人溫柔敦厚而不愚。」[65]

他尊《毛詩》，所以要學習者也只要遵從《毛詩》及《爾雅》的訓詁來求《詩》中的義理即可，不必像朱熹一樣一一地去考究作者是賢是惡，《詩》中言辭是否邪惡正善，只管朝夕諷誦，潛移默化，以達到「溫柔敦厚」的境界。然而如鄭玄所說的「《詩》之失，愚」，所以今人學《詩》，不只要達到「溫柔敦厚」的境界，而且更要避免落於愚蠢，而達到「溫柔敦厚而不愚」，才算是「深于《詩》者」。

(三)《詩》的注解

書要讀西漢以前的書，但是《六經》的注解到東漢鄭玄而達於高峰，所以春臺主張有關經書的注解，應該以漢、唐的註解為主：

> 自漢至唐，諸儒釋經，但解本文，不下評語，古法迺爾。[66]

而且註經的方法，只能就經文本身的字義來做詮釋說明即可，不能夠有註經者自己

---

[64] 〈讀朱氏詩傳〉，頁 208。

[65] 〈讀朱氏詩傳〉，頁 208。

[66] 《朱氏詩傳膏肓》，頁 2。

的批評言論，春臺把這種註經法視為是古法。這對春臺而言是非常重要的，他以此為註經的基本法則，只要有人提到註經而不依此法則的話，往往都會成為他批判的對象。他把註經的古法終止於唐，可以不難想像宋儒的註經是很難得到他的認可的，其中尤以朱熹為甚，他批評朱熹：

> 晦菴注經，好為譏評，仲尼而下，盡在所評。縱使其言之善，尤非恭遜之道也，況其所論，皆性理之談，心法之說，非孔氏之道者乎。[67]

他認為朱熹除了孔子之外，評盡天下之人，雖然能言善道，但卻不恭，而所說的「性理」、「心法」，卻又都是有違孔子之道。他也在《聖學問答》卷之下提到：

> 朱子註《詩經》，不知《詩》無義理者，字字句句求其義理。[68]

更舉《詩經》中〈麟之趾〉篇為例，批評宋儒義理之學之愚昧。同一論調也在《六經略說》中可以看到，他說：

> 《詩》只是人情之據實吐露而已，並無深遠之義理。以為如其他經書有深遠之義理，而就一句一字以求義理，或認為詞有善惡，而為勸善懲惡之說，以善為勸，以惡為懲，見於朱子《集傳》之序。[69]

春臺對《詩經》義理的詮釋是「極乎天下之中正」，中正只是無有邪僻而已，而其內容只是人情之據實吐露而已，並無深遠的義理，而朱熹卻以為《詩經》辭有善惡，字有微言大意，而加以勸懲。

---

[67] 《朱氏詩傳膏肓》，頁 2。

[68] 賴惟勤校注：〈聖學問答〉，《徂徠學派》，頁 129－130。

[69] 井上哲次郎編：《六經略說》，收入《日本倫理彙編》卷之 6（京都市：臨川書店，昭和 45 年），頁 328。

春臺對朱熹的批評還不只這些，他在《朱氏詩傳膏肓》中多處批評朱熹論「性理」、「心法」、「人物」，引書論史、引事證詩、引前人之言以贊詩等做法，都是「詩外議論」、「涉及評論」、「無關於詩」、「非注經之法」。所以春臺給朱熹一個總評說：

> 晦菴不解注經法也。[70]

㈣《詩》的研讀

春臺以為學童應以誦習《詩經》等「四部書」為先，他說：

> 今擬童子之學，以誦習《孝經》、《論語》、《毛詩》、《尚書》四部書為先務。讀此四部書，不可用註本。《孝經》用孔安國所傳之古文，抄寫本文。其餘三部，自十三經中各抄寫其本文，《毛詩》與《尚書》可併抄寫《小序》。且《孝經》可從孔安國註義，《論語》、《詩》、《書》從註疏之義，明句讀，正字音，……決不可加倭點附國字。[71]

要讀這「四部書」，應先手抄本文及序，再從註疏書明句讀，正字音，不可依賴日文。從這裡可以看出春臺主張讀中文字、唸中文音的工作，應該從小開始培養起，這有如今日臺灣外語教育者主張學英美語應從小全程以英美語來學習一樣的道理。其中特別是《詩》、《書》兩本書更要把它唸出聲音來，他說：

> 《詩》、《書》二者，專誦其文也。故古人謂誦《詩》讀《書》，言誦其文也。[72]

---

[70] 《朱氏詩傳膏肓》，頁 18。

[71] 《和讀要領》，卷下，頁 276－277。

[72] 《和讀要領》，卷下，頁 274。

除了「專誦其文」之外更不可草草了之，而要反覆吟詠以知其義：

> 一首詩雖短，然草草看過，而有不能通其意者，必諳其語句，反覆吟詠後，而知其意味之所在。[73]

由於西漢以前的古書是來自中國，傳到日本後，有人開始為這些古書注上日本音，方便學習。但是春臺以為這是無益之事，應該禁止，他說：

> 倭讀法中，《毛詩》、《文選》等，有用音訓兩讀。所謂音訓兩讀者，音讀又倭訓讀也。……此法不知始自何時，尤無益之事也。……《毛詩》、《文選》等文有倭語可讀之處，有倭語不能讀之處。鳥獸草木之名，此方無者，倭名所無者多矣，然一槩欲施以倭名，則不免牽強。況地名、人名、宮殿之名，如元來無倭名，如何施以倭訓乎？……應禁止一切此等讀法。[74]

誠如春臺所言，日本所沒有的鳥獸草木之名、地名、人名、宮殿名，如果硬要以日本語來發音，確實是很牽強的事。所以春臺認為讀中國書就應該以華語音來誦讀，不應該用日式的訓讀法。

㈤《詩》的習作

春臺在《詩論》及其附論中批評明朝的人喜歡擬作古樂詩，尤其對李于麟的詩更是用力的批評。春臺以為不只是古樂詩不能擬作，就連古人歌詩及古童謠也都不能擬作，他說：

> 又如古人歌詩及古童謠，皆當時因事而作者也。試使其人過其時、無其事而復作，則不能矣，而千載之下，如之何其可擬作之乎？徒取其言之似，而摹

[73] 《和讀要領》，卷中，頁 215。

[74] 《和讀要領》，卷中，頁 208－209。

其韻調，忽見之則肖，奈其無生色何？[75]

春臺認為這種因時、因事所際會而成的詩，是無法模仿的。如果時機過了，又無其事，即使是原作者恐怕也寫不出同樣的詩來吧，更豈是千載之後的你我所能模仿的呢？如果硬要模仿，恐怕也只是肖而無色吧！

但是春臺自己卻模仿了古人詩集《詩經》的格式作了五首「風雅」之詩，分別錄於《紫芝園前稿》及《後稿》的第一卷最前面的地方。這五首詩如下：

《紫芝園前稿》風雅中共有三首，其一是：

牡丹，刺在位富貴而不好德也。

牡丹牡丹，華大無臭，非無臭，于嗟不可嗅。

牡丹牡丹，華大無實，非無實，于嗟不可食。

牡丹之苞，碩大且茂，克明爾德，以保其後。

〈牡丹〉三章，章四句。

這首是題為〈牡丹〉的詩，「刺在位富貴而不好德也」，則是模仿《詩經》的〈小序〉而說明春臺做這首〈牡丹〉詩的用意。「〈牡丹〉三章章四句」，則是模仿《詩經》分章句的體例。以下四首詩，也大致如此。其二是：

有鳥，孝子流離，不得養其父母也。

有鳥在野，集于苞栩，彼其之子，不得將父。

有鳥在里，集于苞杞，彼其之子，不得將母。

鳥則有室，獸則有穴，父兮母兮，曷維其佚。

〈有鳥〉三章，章四句。

其三是：

---

[75] 《詩論》，頁 295。

中丘，刺為邦弗用賢也。

中丘何有，維荊與榛，君子在位，不憂其民。

中丘何有，維荊與棘，君子在位，不治其國。

中丘何有，維荊與楚，君子在位，不念其祖。

縫衣縫裳，維婦克之，牧牛牧羊，維奴職之，君子為政，必待賢聖。

藝麻藝菽，農夫之令，斲軫斲輻，必召工人，君子為政，何用童蒙。

〈中丘〉五章，三章章四句，二章章六句。

而《紫芝園後稿》風雅中的「海風」，更模仿了被他批評最厲害的朱子《詩集傳》，在章句後置了「評語」。

海風，海濱之民愛其宰也，言勤於政事而劬勞焉。

子宰我邑，在海之北，海風吹子，使子面黑。

子宰我邑，在海之潟，海風吹子，使子身瘠。

子宰我邑，在海之洲，海風吹子，使子心憂。

海水孔鹹，煑之為鹽，子也勞苦，使我食甘。

〈海風〉四章，章四句。記曰：正德中，總州海濱之民歌曰「夙捺閬罰鉢罵儺甕部踊烏葛，濕服閤蛇尼沐馬列鐵，逸碌儺姑碌薩欲那耶」，此倭語也，以漢語譯之，夙捺閬，吾子也。罰，語辭，猶漢言「者也」。鉢罵，濱也。儺，語辭，猶「之」字也。下同。甕，尊之之辭。部踊烏，宰也。甕部踊烏，猶言宰君也。葛，疑辭，猶言「乎」也。濕服，海水也。閤蛇，風也。尼，語辭，猶「為」字也。沐馬，攪擾也。列鐵，語辭，猶「所」字也。逸碌，色也。姑碌，黑也。薩欲，歎辭，猶言「哉」也。那耶，並語辭。言吾子者，海濱之宰君乎，何其為海風所攪擾而面色之黑哉。此歌雖為辭鄙俚，而有古時遺風焉。近世民間歌謠多猥褻，唯此稍可聽也，故詩人翻之，衍為四章，以續古者國風之遺響也。其實古之所謂風詩者，不過如是云爾。

嚴格來說這首詩並不是春臺的創作，而是春臺把日本民歌譯成《詩經》的格式之作。從「記曰」到「欲那耶」是日本千葉縣海濱的民歌歌辭，從「夙捺闥，吾子也」到「之黑哉」是字義的解說，從「此歌雖」到「是云爾」則是評語。

維魚，言民之歸仁也。

維魚適潨，維鳥適叢，維民焉適，仁人之邦。

維魚適淵，維鳥適園，維民焉適，仁人之門。

魚兮鳥兮，安其有所，民之歸兮，懷此樂土。

〈維魚〉三章，章四句。

六、結　論

綜觀春臺的《詩經》言論，可以歸結出春臺的《詩經》觀，是以漢代以前的《詩經》價值觀——經世、教化為主軸，這和他崇尚西漢以前的古文辭有絕對的關係。而與西漢以前不同的說法，往往成為春臺批評的對象。宋儒的《詩經》價值觀很明顯的與西漢以前不同，所以宋儒的說法盡在春臺的批評之下，其中尤以朱熹為甚。但另一方面也正因為春臺如此地嚴加批評，所以更可以清楚地顯示出春臺的《詩經》觀。從上述所探討、分析的結果，可以得到下列幾點結論：

1.春臺以為詩是有「不平之思」的人所作，但《詩》三百篇不全是憂思之作，所以春臺的論點值得商榷。他以為《詩》是胚胎於《尚書》中的古代歌謠，但如〈五子之歌〉卻是東晉時的偽作。他認定古代的詩作之所以會少，是因為古代作者終其一生也只不過一兩首作品而已。而且認為詩的作者是誰，與詩沒有什麼多大關聯，但我們相信，知道作者，將有助於了解該詩。

2.春臺認為《詩序》只是在說明作詩的原因而已，並無深義，且以為《序》雖然有些值得懷疑，但是仍然有很多地方是可以相信的。春臺以為《詩》的正變，關鍵在詩人所處之順逆地。筆者以為詩人作詩，與所處的地點或許有相關，但不是決定其詩作成為變風的唯一要素，所以以地區分《詩》的正變，似乎不太合理。

3.春臺認為《詩》可以「知人情之曲折」，所以孔子「雖淫奔之詩而不舍」，是可知他也贊同朱熹《詩》中有「淫奔之詩」的說法。且《詩》是用來給君子「諷誦詠歌」的，所以刪《詩》的基準在詩歌本身的「辭美與否」，而不在司馬遷的「重複與否」，更不在朱熹的「善惡與否」。

4.春臺認為《詩》的辭句不是一般文辭，不能隨便亂用。他把《詩》辭分為「獨用之辭」及「通用之辭」，可惜春臺並沒有明白指出哪些是屬於所謂的「獨用之辭」，哪些又是屬於所謂的「通用之辭」。而《詩》的義理是中正無有邪僻，批評朱子把《詩》當做《春秋》加以「勸善懲惡」，認為讀《詩》須以「思無邪」的態度來看待《詩》性情中的善惡言辭，如此才能真正體會詩人的真情流露。

5.春臺認為《毛詩》間釋曰興只是「言其大略」，而朱熹以「章」為單位是錯的，他則自以為應該以「句」為單位比較合理。若以「句」為單位，則「句」有賦、有比、有興，「章」中就自然會有賦、比、興的各種組合的可能性。春臺主張「韻換而義不改」，與朱熹「因韻換字，因字轉義」而一章重過一章，一章深過一章的看法截然不同。或《詩》中辭意有轉，但春臺都以「亦偶爾也」、「亦偶然耳」來處理。這種「換韻而已，有何深淺」的主張，恐怕過於草率。

6.春臺認為《詩》能夠「知天下之人情」。「知人情」則可經世，「知人情」則可教化。君子想施政蒞民須知《詩》中的「人情」，而諸侯等則可「斷章取義」以為立言之用，可以興，可以觀，可以羣，可以怨，可以事父，可以事君。欲行教化更須由《詩》而「知人情」，使民「去邪歸正」，達到「溫柔敦厚而不愚」。

7.春臺認為解說《詩》時「先註後經」是錯的。而朱熹「以心言」、「以道言」的說《詩》態度也是不對，春臺甚至指控《詩》衰於宋，道危厄於宋。

8.春臺認為讀書就要讀西漢以上的古書，《詩》是古書，是君子所必學的書籍之一，只要學《詩》就夠了。但他以為古代人學《詩》，只管玩味《詩》中辭義，能斷章取義，為己所用。而今人學《詩》，則要遵從《毛詩》及《爾雅》的訓詁，以求《詩》中的義理；朝夕諷誦，潛移默化，以達到「溫柔敦厚而不愚」。

9.春臺認為註解書則應以漢唐的註解為主，而且註經只能就經文本身的字義來做詮釋說明，不能夠有註經者自己的批評言論。他認為晦菴不解註經法，所以論「性理」、「心法」、「人物」，引書論史、引事證詩、引前人之言以贊詩等做法，都是「詩外議論」、「涉及評論」、「無關於詩」、「非注經之法」。

10.春臺以為學童誦習《詩經》等不可依賴日文。認為讀中國書就應該以華語音來誦讀，不應該用日式的訓讀法。且以為古人歌詩及古童謠不能擬作，但是春臺卻模仿了古人詩集《詩經》的格式作「風雅」之詩，甚至更模仿朱子《詩集傳》，在章句後置「評語」。

以上是從春臺的著作言論中分析出他的《詩經》觀，如能由春臺的《詩經》觀出發，再深入探究江戶時代古文辭學派的各個學者對《詩經》的認知，更進者旁及其他學派的《詩經》觀，則整個日本江戶時代的《詩經》觀將可浮現。這是筆者所樂觀其成的，也是筆者今後研究的方向。

經學研究論叢
第十四輯　頁185～216
臺灣學生書局　2006年12月

魏禧《左傳經世鈔》初探

陽平南*

一、前　言

明末清初的魏禧，是歷代研究《左傳》第一個以「經世」二字繫於《左傳》者，此近則與晚明社會所形成的經世氛圍，以及明清易代之際，知識分子所激發出來的時代使命感與歷史責任感有關；遠則可溯及先秦儒家由「內聖」向「外王」超越的理想人格，孔子即是第一個將經世思想理論化並付諸實踐的代表人物，儒學生命力之久遠，不僅在它有自覺的道德理性，更在它有能面向現實的改造環境的外在性格。❶魏禧於明亡後隱居江西翠微，不但時作策論，無時不以胞與天下為念，更用二十年歲月，深入《左傳》研究，成《左傳經世》一書，自許為「二十餘年所僅有」；孔子於王道衰熄之後脩《春秋》，以懲惡勸善寄託經世理想，魏禧探究《春秋左氏傳》，自亦有接續聖人之意焉，其書〈凡例〉即曰：「細玩篇內，……無不與聖人筆削之意大相發明。」然而此書列為清廷禁燬書目，久不能傳，兩岸學者亦

* 陽平南，空軍官校文史學系副教授。

❶ 此涉及明清之際文化及學術環境，以經世氛圍而言，可由明代開始大規模有系統、有目的編撰一系列「經世文」或「經世文編」的活動，見其端倪，例如《明經世文編》的編纂，成稿於風雨飄搖中的晚明，主編的一批有識之士如陳子龍、徐孚遠、宋徵璧諸人，都是晚明最著名政治社團復社、幾社的主要成員，該書編纂於明滅亡的前兩年，從崇禎十一年（1638）二月至十一月，短短十個月內，全書完稿。此書選文原則，是從經世實用出發，總結明朝兩百餘年統治經驗，企圖從中得出教訓；但此書之編輯，亦前有所承。對明清之際文化及學術環境，筆者將後續為文深入探論，本論文限於篇幅，僅點到為止。

無探究該書之專論，幸賴近年《續修四庫全書》之纂修，吾人得見其內容。

筆者研究《左傳》多年，欲一窺其究竟，先為此文略論之。讀古人書，當先論世逆志，「魏禧其人其書」一節可得悉魏禧人格風格；次論魏禧《左傳》相關著作，如其研究《左傳》，非僅《左傳經世》一書而已；再從《左傳經世》察某著書目的，並探究所涉及的相關論題，包括魏禧之歷史觀、教學觀、教學法、選材觀，最後簡介其形式。至於深度探討魏禧所鈔選的《左傳》二百五十八則內容思想及形式技巧，書中的評家研究，該書影響和價值等，尚待日後續作探究。

二、魏禧其人其著

魏禧（1624－1682），字冰叔，一字叔子、凝叔，號勺庭，又號裕齋。生於明熹宗天啟四年，卒於清康熙二十一年，江西寧都人。❷魏禧自幼好古學，十歲開始學制學之文，十一歲補縣學生，即以文名見稱於鄉，當地「名分鉅卿，年五、六十者，咸以等輩禮之」。❸十四歲時，與兄魏際端（1620－1677）、友人曾燦（1625－1688），受學於楊文彩先生。❹

明思宗崇禎十七年（1644）明亡之際，魏禧二十歲，他曾與父、兄等謀劃舉兵勤王，但未嘗如願。魏禧處江山易代之際，深抱亡國之痛，又恥仕新朝，故毅然棄諸生，拾時藝，絕意仕進，奉父母移家隱居翠微峰❺，魏禧和兄魏際端、弟魏禮

---

❷ 據《魏季子文集》卷十五〈寧都先賢傳〉，魏禮曾云：「寧都僻處江西之末，距省會千三百有餘里，地介閩、廣，而貨產不饒。」又云：「寧都居贛上游，地遐僻，四方士罕至者。」（〈先叔兄紀略〉）

❸ 曾燦序《魏叔子文集》：「（魏叔子）年十一歲為時文，補弟子員，冠其曹長，而名公鉅卿年五、六十者，咸以等輩體之」。《魏叔子文集》（北京：中華書局，2003 年 6 月），頁 27。此書分上、中、下三冊，頁次則連續排列，以下凡提及《魏叔子文集》者，均此版本，只註明頁次。

❹ 楊文彩（1585－1664），居梅水，人稱一水先生，崇禎元年（1628）選貢，入北雍為祭酒，居鄉教授弟子數百人，鄉試不中，以貢生終老。

❺ 魏禧云：「翠微峰距寧都城西十里，金精十二峰之一也。四面削起百十餘丈。……中徑坼自山根至絕頂若斧劈然。」「此峰迤邐竟里，旁無援輔，自下仰之，如孤劍削空，從天而仆。」（見《魏叔子文集》卷十六〈翠微峰記〉，頁 723）山路之陡可見，但易堂擇此地隱

（1629－1695）在山上建宅，書齋名為「易堂」❻，此處成為一群學者的聚會之所。這群學者包括魏氏三兄弟、三魏的姐夫邱維屏（1614－1679）、同里的曾燦、李騰蛟（1609－1668）、彭任（1624－1708），以及流寓到寧都的南昌彭士望（1610－1683）、林時益（1618－1678），他們合稱「易堂九子」。❼對於易堂諸子，魏禧將之視為自己的「磨鏡匠」，時相規益。❽此外，當時「南里謝文洊，講學程山，星子宋之盛，講學髻山，弟子著錄者數十百人，與易堂相應和，易堂以古

居，在亂世卻是絕佳避難所，據資料顯示，清順治七年，寧都城破，易堂諸子已避居翠微峰，故得以保全。

❻ 易堂之名，據彭士望曰：「丙戌（1646）冬，閩及贛郡繼陷，諸子畢聚，始決隱計，丁亥合坐讀史，……是冬，諸子言《易》，卜得『離』之『乾』，遂名易堂。」〈翠微峰易堂記〉另有名字暗寓一說：即在立名之際，故意在名字的形桂爰化上埋下伏筆，意田在若隱若現間寓其政治寄託，處江山易代之際的遺民多有此例，如南宋遺老鄭思肖，其思肖即謂思趙；他將居宅自題為「本穴世界」，如將本穴重新安排，就是「大宋」，他有書名《大本無工空經》，即是「大宋經」，鄭思肖真是「宋」心不死。而明末清初，寧都魏禧忠於先朝，恥仕新朝，和一班反清復明的同志隱居翠微，號稱「易堂九子」。日月為易，日月又為明，易堂正是九位復明志士的機關所在。

❼ 魏禧與兄魏際端（字善伯）、弟魏禮（字和公）合稱「三魏」，在明清之際，三魏是名重一時的人物，時人依序分別稱之為伯子、叔子、季子，其中魏叔子最為知名。邱維屏（字邦士）、曾燦（寧都人，字青藜，一字止山）、李騰蛟（寧都人，號咸齋）、彭任（寧都人，字中叔）、彭士望（南昌人，字躬庵）、林時益（字確齋）。除了以上這「九子」外，易堂還應包括他們的若干子弟、門人，其中包括被合稱為「小三魏」的：魏伯子之子魏世傑（字興土）、魏季子之長子魏世傚（字昭士）、季子次子魏世儼（字敬士）；以及易堂門人梁份（南豐人，字質人）、吳正名（字子政）、任安世（字道爰）等。易堂是明清之際以避亂為機緣，有著明顯地緣、親緣色彩的士人結社。彭士望與林時益，邱維屏與魏氏兄弟本來就是親戚，林氏的幼子後來又做了彭氏的女婿，此外，如彭士望之子娶魏季子之女，林時益之女適邱維屏之子，彭任之女適李騰蛟之子，魏伯子之女適彭任之子，魏季子之子娶曾燦之女。他們亦親亦友，關係錯綜交織，甚至九子的後人間，後人與門人間，也互為婚姻，如叔子的嗣子魏世侃（本乃魏季子之幼子）就娶了叔子門人賴韋之女。參考趙圓：《易堂尋蹤》（南昌：江西教育出版社，2001 年 12 月）頁 12－13。

❽ 魏禧《魏叔子日錄》卷 1 云：「往授徒水莊，易堂諸子嘗相過從，余謂諸生曰：此磨鏡匠也。諸生愕然，余曰：先生如鏡子，諸生各來取照，然積久塵昏，銳子自體不明，若不得人磨洗，安能照人？……余念家食日艱，三十授徒，積今十餘年，使不得勝己之友時相規益，不知塵昏何等矣。」收入《魏叔子文集》，頁 1101－1102。

文實學為歸，風氣一振，由先生為之領袖」。❾時人曾將翠微峰魏禧、程山謝文洊（1616－1681）及髻山宋之盛（1579－1668），並稱「江西三山」。

魏禧雖然二十歲即隱居翠微，但仍舊關懷社會、時政，二十一歲時，著成《文集內篇一集》，抨擊制舉之業，推重經濟之言、王霸之略，發明聖賢之理，其〈自敘〉云：

> 制舉之業，至今日而濫極，浮詞失意，詭言賊理，即有學為先輩大家者，專攻氣格，自提古人，不知為經濟言，而無當於王霸之略，為性學言，不足發明聖賢之理，雖極工巧，凌轢古人，皆雕蟲耳。夫君子始進必以其正，今日之學術、他日之治術，於此焉出。❿

於此可見魏禧為學之宗旨，即在「學術」與「治術」之相結合。其日後於二十二歲時撰成〈制科〉、〈限田〉、〈奄宦〉變法三策，二十六歲時編成《救荒策》一書⓫，均可見魏禧捨棄舉業後，學術之歸趨和其對治術良苦的用心和成就，後來他的門生朱方來對《救荒策》予以高度評價：「勺庭先生山居二十年，心計手畫，無時不胞與天下。所著策略，多萬世大計，……而此策斟酌古，流自苦心，尤為荒政中集大

❾ 見周駿富輯：《清儒學案小傳》，《清代傳記叢刊》（臺北：明文書局，1985 年 5 月），第 5 冊，頁 429。謝文洊，字秋水，號約齋；宋之盛，字未有。據《清史．謝文洊傳》云：「寧都易堂九子，節行文章為海內所重，星子、髻山七子，亦以節概名，……髻山宋之盛過訪文洊，文洊遂邀易堂魏禧、彭任會程山講學旬餘。」另，周駿富輯《明遺民錄》卷 25，有謝文洊、宋之盛小傳，《清代傳記叢刊》（臺北：明文書局，1985 年 5 月），頁 395、398。又，周駿富輯《清儒學案小傳》「寧都三魏學案」載：「易堂諸子與程山、髻山相為應和，皆明遺民也，而易堂聲氣特盛，三魏競爽，叔子為之魁，氣節文章，志在經世，視謝、宋諸人之潛修稍殊焉。」（頁 427）

❿ 〈內篇一集自敘〉敘文末註明「甲申六月」，案：甲申年，1644 年，魏禧年 21。見《魏叔子文集》，〈外篇〉，卷 8，頁 377。

⓫ 〈癸卯自記〉：「三策作于乙酉五月，其後稍損益之云。」案：乙酉，1645 年。《魏叔子文集．外篇》，卷 3，頁 188。〈答翟韓城書〉云：「禧於戊子、己丑間編次《救荒策》一篇，居今固無所事，或亦所謂代匱之物，講錄一冊呈覽。」案：戊子，1648 年；己丑，1649 年。《魏叔子文集．外篇》，卷 6，頁 274。

成也。」⓬

魏禧之著作，至今可見的主要部分，在其生前由其親友在各地刊印者，有《文集》二十二卷，《詩集》八卷，《日錄》三卷，加上魏氏二兄弟及諸侄之文稿，全集曾以《三魏集》刊行。此外，據其侄魏世傑（1645－1677）所撰〈魏叔子文集凡例〉：「叔父著有《尚書餘》一卷、《左傳經世鈔》十卷、《擬奏疏》一卷、《內篇》二卷，俱嗣刻。」⓭此外，他還有《兵跡》十二卷⓮、蒙學課本《童鑒》二編等。⓯魏禧之著作未能刊印者不少，個中原因一部分和經費短缺有關，像《左傳經世》一書，魏禧就說過：「此書非數百金，不克登板。」⓰另一因素，則與其政治態度有密切關係。由於他入清後仍不降其志的忠於故明，加上康熙十七年（1678）清廷詔舉他為博學鴻儒，他為不辱其身，寧可借患重病竭力推辭⓱，因此縱使魏禧

⓬ 《魏叔子文集》，卷3，頁182。

⓭ 《魏叔子文集》外篇凡例，頁30。

⓮ 此書長期未能刊印，至民國四年（1915年）胡思敬編《豫章叢書》，據寧都何以仁舊抄本付梓，並識：「由魏氏原稿輾轉傳抄，得之贛南李氏，各藏書家罕有知者。」後來台灣李浴日選緝的《中國兵學大系》，收有魏禧《兵跡》全書。此書既是一部兵書，也是一部史書，或者可以說是一部軍事史，全書十二卷，十四編（案：台沌所見版本十二卷十三篇，篇名為歷代、將體、將物、將獸、將能、將效，華境、華人、土夷、島夷、近國、遠邦、邊塞；篇下又設子目），計約九萬三千字，以輯錄歷代用兵史跡為主，分類編排，檢索便利，可反映魏禧的軍事思想。此書資料豐富，廣集上古至明代宇內及外國各地風俗、地理、兵制、軍隊、兵器及戰爭的史料，間有作者的闡述和評論，亦多用史實參證，且不乏精論。從其內容和語氣來看，顯然此書在明末即已成書，魏禧寫成此書不過十幾歲，胡思敬稱此書「亦冰叔少年得意之作也」，可見魏禧少年讀書之廣博。而且此書大量用典，行文多工整對仗，以史事簡略為美，沈楙德《兵法跋》即曾曰魏禧的兵書是「以文法言兵，以兵法作文」。參考李浴日選輯：《兵跡》，《中國兵學大系》（臺北：世界兵學社出版，1957年），第8冊；趙明：〈魏禧與《兵跡》〉，《南方文物》2001年1期。

⓯ 魏禧〈與臨川王偉士書〉云：「禧往年教授水莊，嘗摭古奇童子為《童鑑》二編以示子弟，大約不下五六百人。」《魏叔子文集》，〈外篇〉，卷5，頁243。

⓰ 〈答汪舟次書〉，《魏叔子文集》，〈外篇〉，卷5，頁250。

⓱ 周駿富輯《清儒學案小傳》「寧都三魏學案」載：「康熙己未（1679）舉博學鴻詞，被徵，以疾辭，有司敦迫就道，舁至南昌就醫，巡撫疑其詐，以板扉舁至門，絮被蒙頭，臥稱病篤，乃放歸。」（頁429）

之著作很多，《四庫全書》卻未收其任何著作，《左傳經世鈔》當然也是被排除在《四庫全書》之外的。該書今日見於《續修四庫全書》，由清彭家屏參訂，彭氏於書前〈敘〉云：「余得其書讀之，選擇精慎，議論證據，馳騁上下古今。其大旨見於〈自序〉，公餘之暇，偶有所觸，間綴數語於後。原有〈凡例〉，亦稍為增訂。因舊刻僅九卷，且日久漸就漫漶，迺從其孫渋得全本，重為剞劂，成完璧焉。」⑱〈敘〉末彭氏署年「乾隆十三年（1748），歲在戊辰」，可知彭家屏重刻《左傳經世鈔》一書，距魏禧逝世已六十五載。

清乾隆年間纂修《四庫全書》時，禁燬、刪除、改竄之書籍甚多，章太炎（1869－1936）〈哀焚書〉⑲曾說明當時情形：

> 滿洲乾隆三十九年（1774），既開四庫館，下詔求書，命有觸忌諱者毀之。四十一年（1776），江西巡撫海成獻應毀禁書八千餘通，傳旨褎美，督他省催燒益急，自爾獻媚者蜂起。初下詔時，切齒于明季野史⑳，其後四庫館議，雖宋人言遼、金，元、明人言元，其議論偏謬尤甚者，一切擬毀。及明隆慶㉑以後，諸將相獻臣所箸奏議文錄，……絲袠寸札，靡不爇，……自明之亡，一二大儒，孫氏則《夏峰集》，顧氏則《亭林集》、《日如錄》，黃氏則《行朝錄》、《南雷文定》，及諸文士侯、魏、邱、彭所撰述㉒，皆以抵觸見燼。……而被焚毀者，不可勝數也！

---

⑱ 彭家屏：〈左傳經世鈔敘〉，《左傳經世鈔》（上海：上海古籍出版社，1995 年《續修四庫全書》本），頁 285－286。下文凡提及此書俱據此版本，僅註頁碼。

⑲ 〈哀焚書〉一文，見章太炎《檢論》（臺北：廣文書局，1970 年 12 月），頁 17－18。

⑳ 諭曰：「明季末造，野史甚多，其間毀譽任意，傳聞異辭，必有詆觸本朝之語，正當及此一番查辦，盡行銷燬，杜遏邪言，以正人心而厚風俗。」見前註所揭書夾註，頁 17。

㉑ 隆慶，明穆宗年號，公元 1567－1572 年。

㉒ 案：孫氏即孫夏峰，顧氏即顧炎武，黃氏即黃宗羲。侯、魏、邱、彭，則指侯方域（1618－1654）、寧都魏氏三兄弟（魏祥、魏禧、魏禮，主要應指魏禧）、三魏的姊夫丘維屏及南昌的彭士望。其中侯方域、魏禧和汪琬，號稱清初古文三大家。各家遭禁之書，可參看雷夢辰：《清代各省禁書彙考》（北京：北京圖書館出版社，1997 年 5 月）。

章太炎提到的「魏、邱、彭」，即是易堂九子中人物。總之，明末清初許多遺民之著作，或者因為書籍的內容被認為有「違礙」、「悖逆」，或者因書籍的作者遭當時朝廷的統治者所嫌忌，而受到禁燬的命運。「在近二十年中，全燬書二千四百多種，抽燬書四百多種，共約三千種，刪改書無法計算，禁燬書籍總數在十萬部以上，因懼禍而私燬棄者尚不在其內，銷燬版片八萬餘塊，殺害士人和其他無辜者以及懲辦親屬均難以計數。」㉓直到晚清光緒十五年（1889），翰林院編修王懿榮曾上書提議「重新開館，續纂前書」；但遲至九十年代中期，《續修四庫全書》才終於問世㉔，今人亦得以見到《左傳經世鈔》廿三卷的全貌。㉕

三、魏禧研究《左傳》的相關著作

魏禧與《左傳》相關的著作，在其〈左傳經世鈔自敘〉中指出：

> 至於（《左傳》）兵法奇正之節，自司馬穰苴、孫、吳以下，不能易也。……禧評註之餘，間作〈雜論〉二十篇、〈書後〉一篇課諸生，作〈雜問〉八篇用附卷末，就正于有道。㉖

《左傳經世鈔》二十三卷，魏禧鈔錄了《左傳》精要事跡，輯為二百五十八則，是魏禧研究《左傳》的專著。除了此書，根據其〈自敘〉，包括〈雜論〉二十篇、〈書後〉一篇、〈雜問〉八篇。〈雜論〉二十篇中，有二篇是專論《左傳》兵法的〈兵謀〉和〈兵法〉。魏禧好談兵，他還有十二卷《兵跡》一書，雖非《左傳》論

㉓ 〈《四庫禁燬書叢刊》編纂緣起〉，《四庫禁燬書叢刊》（北京：《四庫禁燬書叢刊》編纂委員會，1997年6月），頁2。

㉔ 〈續修四庫全書編纂緣起〉，《續修四庫全書》（上海：上海古籍出版社，1995年3月）。

㉕ 據筆者了解，在《續修四庫全書》未出版前，國內僅東海大學圖書館館藏有清隆間聯墨堂藏版的《左傳經世鈔》線裝書二函十冊。由清彭家屏參訂，共出版地、出版者和年代均不詳。由於乃該館特藏品，不可外借，一般人無緣見之。

㉖ 《左傳經世鈔》，頁287。下文凡提及魏禧〈左傳經世自敘〉俱見此，不另加註。

兵專著，但亦見其博學多聞。㉗魏禧所撰的這些著作，均收錄在《魏叔子文集》中。

《魏叔子文集・外篇》卷二「論」，計二十篇：〈春秋列國論〉（計六篇：周、魯、鄭、晉楚、秦、吳越）、〈鬻拳論〉、〈欒盈論〉、〈子展論〉、〈崔成崔疆論〉、〈春秋戰論〉（序文外，討論春秋戰役者八篇：城濮、殽一、殽二、邲、鞍、鄢陵、平陰、汋陵），以及〈兵謀〉、〈兵法〉各一卷。

《魏叔子文集・外篇》卷十三有〈書左傳後〉。「〈雜問〉八篇」，則見於《魏叔子文集・外篇》卷十九。「雜問」共有廿一篇，究其內容，和《左傳》相關者，計有第二、五、七、九、十、十三、十四、十六等八篇。

值得注意的是，魏禧這些相關著作，內容經常和《左傳經世鈔》互相配合，因此魏禧多半會在《左傳經世鈔》書中提到「詳……論」、「別有論」或「詳〈雜問〉」等字樣。㉘例如〈鬻拳論〉，在《左傳經世》卷三第十四則，名曰「鬻拳兵諫」，此則魏禧鈔錄了《左傳》魯莊公十八及十九年相關文字，文末有范祖禹和魏禧的評論文字，范氏二十八字，魏禧則有二百八十餘字，且特別註明「詳〈鬻拳論〉」。

除在文末史論註記「詳……論」外，魏禧又或於所鈔錄《左傳》原文之句下作夾註，或於欄位上作眉批，標明其另有〈雜論〉之作。以〈春秋戰論〉之「殽論」為例，魏禧有〈殽一〉和〈殽二〉二篇，兩者主旨不同，前者主旨在論晉啟殽戰，欲立威於秦，實大不義，以為「開戰國狡毒之風」，其「別有論」三字出現於文末史論。後者主旨則論用間之道，乃從先軫「秦違蹇叔，而以貪勤民」一語拈出，故其「別有論」三字出現於引文夾註中。因此，要全面了解魏禧研究《左傳》的成果，除《左傳經世鈔》外，《魏叔子文集》中大量和《左傳》有關的文字，亦當一併研究。

㉗ 見註⑭。

㉘ 但亦有未註明者，此部分尚待續查，由於《左傳經世鈔》多達 443 頁，經魏禧註明者，或在眉批，或在夾註小字，或在史論，未有定式，查詢頗為耗時費力，故尚未尋獲者，或許是筆者疏失。

茲製表如下，以明《魏叔子文集》與《左傳》相關的作品：

篇名	出處（附起始頁數）	事見《左傳經世鈔》者（附頁數）	《左傳》事件之年代
1〈春秋列國論〉〈周〉	《魏叔子文集‧外篇》卷二「論」，頁92	〈富辰請名子帶諫伐鄭〉，《左傳經世鈔》，卷五，第三則，頁383「詳〈周論〉」	僖公22、24年
2〈春秋列國論〉〈魯〉	《魏叔子文集‧外篇》卷二「論」，頁94	案：《左傳經世鈔》未註明	閔公元年 文公元年 成公3、4年 襄公三年 昭公元年
3〈春秋列國論〉〈鄭〉	《魏叔子文集‧外篇》卷二「論」，頁94	案：《左傳經世鈔》未註明	桓公5年 成公16年
4〈春秋列國論〉〈晉楚〉	《魏叔子文集‧外篇》卷二「論」，頁95	案：《左傳經世鈔》未註明	襄公26年
5〈春秋列國論〉〈秦〉	《魏叔子文集‧外篇》卷二「論」，頁96	案：《左傳經世鈔》未註明	僖公33年
6〈春秋列國論〉〈吳越〉	《魏叔子文集‧外篇》卷二「論」，頁97	案：《左傳經世鈔》未註明	
7〈鬻拳論〉	《魏叔子文集‧外篇》卷二「論」，頁98	〈鬻拳兵諫〉，《左傳經世鈔》，卷三，第十四則，頁344「詳〈鬻拳論〉」	莊公18、19年
8〈欒盈論〉	《魏叔子文集‧外篇》卷二「論」，頁98	〈晉欒盈入于絳〉，《左傳經世鈔》，卷十三，第六則，頁535「詳〈欒盈論〉」	襄公21－23年
9〈子展論〉	《魏叔子文集‧外篇》卷二「論」，頁101	〈子展立大叔〉，《左傳經世鈔》，卷十三，第十二則，頁543「詳〈子展論〉」	襄公22年

10〈崔成崔彊論〉	《魏叔子文集・外篇》卷二「論」，頁103	〈慶封殺崔氏〉，《左傳經世鈔》，卷十五，第二則，頁 574「詳〈崔成論〉」	襄公27年
11〈春秋戰論〉〈城濮〉	《魏叔子文集・外篇》卷二「論」，頁105	〈晉文公霸諸侯〉，《左傳經世鈔》，卷六，第三則，頁 401 夾註曰「詳〈戰論〉」	僖公 23、27、28年
12〈春秋戰論〉〈殽一〉 案：本篇論晉敢殽戰，欲立威於秦，實大不義。	《魏叔子文集・外篇》卷二「論」，頁107	〈殽之役〉，《左傳經世鈔》，卷六，第七則，頁 410 註明「別有論」	僖公32、33年 文公元年
13〈春秋戰論〉〈殽二〉 案：本篇論用間之道，從先軫「秦違蹇叔，而以貪勤民」一語拈出。	《魏叔子文集・外篇》卷二「論」，頁108	〈殽之役〉，《左傳經世鈔》，卷六，第七則，頁 409 夾註曰「別有論」	僖公32、33年 文公元年
14〈春秋戰論〉〈邲〉	《魏叔子文集・外篇》卷二「論」，頁109	〈晉敗于邲〉，《左傳經世鈔》，卷八，第九則，頁 442 眉批云「余作〈邲論〉」	宣公12年
15〈春秋戰論〉〈鞍〉	《魏叔子文集・外篇》卷二「論」，頁111	〈鞍之戰〉，《左傳經世鈔》，卷九，第二則	成公2年
16〈春秋戰論〉〈鄢陵〉	《魏叔子文集・外篇》卷二「論」，頁113	〈晉敗楚于鄢陵〉，《左傳經世鈔》，卷十，第五則，頁 472 夾註曰「別有論」	成公 15、16、17年
17〈春秋戰論〉〈平陰〉	《魏叔子文集・外篇》卷二「論」，頁114	〈平陰之戰〉，《左傳經世鈔》，卷十二，第二十則，頁528「詳〈平陰論〉」	襄公18、19年
18〈春秋戰論〉〈汋陵〉	《魏叔子文集・外篇》卷二「論」，頁115	此事附見〈晉敗楚于鄢陵〉中，〈戰論〉專門評論「宋恃勝」，但《左傳經世鈔》未註明	成公16年

19〈兵謀〉	《魏叔子文集・外篇》卷二「論」，頁117	此魏禧研讀《左傳》心得，總結《左氏》之兵為謀三十有二	
20〈兵法〉 案：以上為「雜論」二十篇	《魏叔子文集・外篇》卷二「論」，頁146	此魏禧研讀《左傳》心得，總結《左氏》之兵為法二十有二	
〈書左傳後〉 案：此為「書後」一篇	《魏叔子文集・外篇》卷十三，頁656	案：文末溫伯芳評語，謂此文「包括一部《左傳》成敗之故」	
1 離問二	《魏叔子文集・外篇》卷十九，頁994	此篇針對子產處理政事的評價考難學生	襄公10、30年
2 雜問五	《魏叔子文集・外篇》卷十九，頁997	此篇針對郤克和子罕「分謗」事考難學生。《左傳經世鈔》，卷十二，第十八則〈子罕分謗〉，頁525「詳〈雜問〉」	成公2年 襄公17年
3 雜問七	《魏叔子文集・外篇》卷十九，頁999	案：《左傳經世鈔》未註明	桓公6、17 襄公24年
4 雜問九	《魏叔子文集・外篇》卷十九，頁1000	《左傳經世鈔》，卷十二，第十二則〈衛人出君〉，頁520「詳〈雜問〉」 《左傳經世鈔》，卷十四，第十二則〈衛獻公復入〉，頁558「詳〈雜問〉」又，頁561云「余論伯玉事，詳〈雜問〉中」	襄公14年 襄公26年 宣公2年
5 雜問十	《魏叔子文集・外篇》卷十九，頁1001	〈偽封烏餘〉，《左傳經世鈔》，卷十四，第十五則，頁576「詳〈雜問〉」	襄公26年
6 雜問十三	《魏叔子文集・外篇》卷十九，頁1003	〈薳子馮為令尹〉，《左傳經世鈔》，卷十三，第十一則，頁541「詳〈雜問〉」	桓公15年 襄公28年 昭公元年
7 雜問十四	《魏叔子文集・外篇》卷十九，頁1004	案：《左傳經世鈔》未註明	襄公27年
8 雜問十六 案：以上為「雜問」八篇	《魏叔子文集・外篇》卷十九，頁1007	案：《左傳經世鈔》未註明	襄公23年

四、《左傳經世鈔》著作緣起及涉及議題

本節將從魏禧《左傳經世鈔》書前〈自敘〉，及清彭家屏重新參訂剞劂該書之〈敘〉文及〈凡例〉，來探究魏禧著書目的，及其中涉及的相關議題，包括魏禧歷史觀、教育觀、選材觀等，最後並簡介其書形式。

㈠《左傳經世抄》著作緣起

《左傳經世鈔》著書的目的，由其書名「經世」二字，已不言可喻，魏禧於書前〈自敘〉云：

> 經世之務，莫備於史。禧嘗以為：《尚書》，史之大祖；《左傳》，史之大宗。古今治天下之理盡於《書》，而古今御天下之變備於《左傳》。

魏禧為學作文，一向標榜「有用於世」，他甚至以為「言不關於世道」、「事理不足關係天下國家之故」，「則雖有奇文，可以無作」。[29]而史書尤其是魏禧認定最具經世價值者，故魏禧又云：「為文當先留心史鑑，熟識古今治亂之故，則文雖不合古法，而昌言偉論，亦足信今傳後，此經世、為文合一之功也。」[30]歷代諸史書，《尚書》和《左傳》被魏禧推崇為太祖、太宗，他不但以為古今治天下之理、御天下之變，盡備於兩書之中，而且兩書「文字視諸史亦最為高」。[31]對於前者，魏禧有《尚書餘》一卷，但今日不得見。[32]關於後者，據魏僖侄兒魏世傑所敘，《左傳經世鈔》成書於魏禧四十五歲時。〈左傳經世鈔跋〉云：

---

[29] 魏禧〈答蔡生書〉曰：「言不關於世道，識不越於庸眾，則雖有奇文，可以無作。」（《魏叔子文集》，〈外篇〉，卷6，頁264）；又，〈宗子發文集敘〉：「天下事理日出而不窮，識不高於庸眾，事理不足關係天下國家之故，則雖有奇文與《左》、《史》、韓、歐並立無二，亦可無作。」（《魏叔子文集》，〈外篇〉，卷8，頁412）

[30] 魏禧：〈與朱秋崖論文〉，《魏叔子日錄》，卷2，頁1126。

[31] 魏禧〈史論〉：「《尚書》史中太祖，《左傳》，史中少祖也，蓋《尚書》能盡古今治亂之理，《左傳》能盡古今治亂之變，其文字視諸史亦最為高，學者於此二書極力研究，以讀後世史，易如破竹矣。」《魏叔子日錄》，卷3，頁1133。

[32] 《魏叔子文集》外篇凡例，頁30。

> 戊申……秋八月，命門人四、五人更授《左傳經世》，於是鈔其精且要者，凡三百有餘篇。予小子傑，亦庶幾得手書而讀之。[33]

魏禧新鈔評的《左傳》原文，估計約十二萬餘字，佔了《左傳》全部內容的百分之六十，這些經過魏禧選擇的《左傳》文本，必有欲達到其闡明、張揚某種觀念的目的，正如魏世傑所指出的：魏禧丁明亡之國變，對於「人之情偽，世故之變」，「非必於《左氏》得之，而特於《左氏》發之」，所謂「得古人深心大略於立言之表」；換言之，「選擇」本身，就是一種表達其某種理想及批評的媒介，魏禧因《左傳》之觸發，思考有得的識見有哪些？他借《左傳》事件立言，引發討論的議題又是哪些？哪些是古為今鑑的同類事件？將作專文後續探論。

至於彭家屏如何評價《左傳經世鈔》？其敘文一則曰「《左傳》者，傳《春秋》經世之法者也」，再則敘魏禧作書之由云：

> 因《左氏》以觀二百四十餘年之紀載，其間奇人偉士、權奇倜儻之用，與天時、人事之變，故亦幾備矣；後世之變，皆前代之所已經。士大夫平日尚論古人，不能遠稽近考，核其成敗是非之由，以求其設心措置之委曲，一旦當大疑，任大事，危難震撼之交乘，張皇迴惑，莫展一籌，儒術之迂疏，世遂以群相詬病，豈非不善讀書之過哉？此寧都魏叔子氏《左傳經世》之編所為作也。

彭家屏於魏禧卒後六十五年，再重新閱讀、剞劂《左傳經世鈔》，當時清廷入關已百有餘年，縱使時移事變，所見與所用各異，但彭氏以為：其一，《左傳》之內容、詳備春秋時代「奇人偉士、權奇倜儻之用，與天時、人事之變」；其二，後世之變，《左傳》皆已備載；其三，後世以「迂疏」批判「儒術」，然《左傳》乃一部儒家經世之法；其四，士大夫當善讀《左傳》，稽考其所載人事成敗、是非之

---

[33] 案：魏世傑，魏禧兄魏祥之子。戊申年，清康熙七年（1668），魏禧 45 歲。魏世傑：〈左傳經世鈔跋〉，《左傳經世鈔》，頁 290。

由，則一旦「當大疑，任大事」，於「危難震撼交乘」之際，必可執事御變。因此，彭家屏肯定《左傳》乃傳《春秋》經世之法，而魏禧《左傳經世鈔》正凸顯強化了此功能，故可作為「讀書者之嚆矢」。[34]

其次，回到魏禧自敘尋索，他說：

> 讀書的以明理也，明理所以適用也。故讀書不足經世，則雖外極博綜，內析秋毫，與未常讀書同。經世之務，其備於史，禧嘗以為，《尚書》史之大祖，《左傳》史之大宗。古今治天下定理盡於《書》，而古今御天下之變備於《左傳》。……嘗觀後世賢者，當國家之任，執大事，決大疑，定大變，學術勳業，爛然天壤。然尋其端緒，求其要領，則《左傳》已先具之。蓋世之變也，弒奪、烝報，傾危、侵伐之事，至春秋已極，身當其變者，莫不有精苦之志，深沈之略，應猝之才，發而不可禦之勇，久而不回之力，以謹操其事之始終，而成確然之效。至於兵法奇正之節，自司馬穰苴、孫、吳以下，不能易也。禧少好《左氏》，及遭變亂，放廢山中者二十年，時時取而讀之，若于古人經世大用，《左氏》隱而未發之旨，薄有所會，隨筆評註，以示門人。竊惟《左傳》自漢、晉至今，歷二千餘年，發微闡幽，成一家言者，不可勝數，然多好其文辭篇格之工，相與論議而已。……禧嘗指謂門人學《左氏》者，就令三桓七穆口誦如流，原非所貴，其不能對，亦無足慚，此蓋博士弟子所務，非古人讀書之意。善讀書者，在發古人所不言，而補其未備，持循而變通之，坐可言，起可行而有效，故足貴也。

根據這段話，歸納其重點凡五：

一、從「時時取而讀之」、「薄有所會，隨筆評註，以示門人」及魏世傑說「（叔父）授《左傳經世》」，可知《左傳經世鈔》乃魏禧讀書心得及教學教材；又，魏禧強調讀書之目的在明理，明理之目的則在於「適用、經世」，如若不然，則等於「未嘗讀書」。

---

[34] 見〈左傳經世鈔敘〉，本文凡所引彭家屏敘中文字，俱見《左傳經世鈔》，頁 285－286。

二、習《左傳》之法，不當務於「口誦如流」某些名辭掌故（譬如何謂三桓七穆㉟，即使不知，亦無足慚），或只專注其「文辭篇格之工」，此皆「博士弟子所務，非古人讀書之意」。善讀書者，不僅能「坐可言」，發古人所未言，補古人之所未備，並能權變之，求其「起可行而有效」。

三、《左傳》是「史之大宗」，其中所記載的春秋時代弒奪、烝報，傾危、侵伐或兵法等事，後世凡同類型史事，「尋其端緒，求其要領」，皆可在《左傳》中找到源頭和治事借鏡。

四、《左傳》是「古今御天下之變」的經世大作。春秋時代極其動盪變化，尤其國際間之侵伐不已，政治上弒奪、烝報，甚至影響一國傾危之重要大事，史官詳載這些重大世變和處理世變的相關人物，對於其中「有精苦之志，深沈之略，應粹之才，發而不可禦之勇，久而不回之力，以謹操其事之始終，而成確然之效」的人物，後人如能讀而效尤，一旦「當國家之任，執大事」，必可「決大疑，定大變」。

五、《左傳》中有許多「隱而未發之旨」，這些幽微之旨，透過魏禧個人的體會加以闡發。但魏禧又說「《左傳》自漢、晉至今，歷二千餘年，發微闡幽，成一家言者，不可勝數，然多好其文辭篇格之工，相與論議而已」，故魏禧之闡發，勢必不同於歷代專注於「文辭篇格之工」者，其所著重者即在於「古人經世大用」。

這些重點，囊括了魏禧的歷史觀、教育觀、選材觀等，值得再作深入探討，以下試略論之。

㉟ 三桓，指魯國季氏、孟孫氏、叔孫氏三族，皆出自桓公，久專魯國政務，駕凌魯君。《左傳・宣公十八年》載：「欲去三桓，以張公室。」七穆，據《左傳・襄公二十六年》載：叔向曰：「鄭七穆，罕氏其後亡者也，子展儉而壹。」鄭七穆，指鄭穆公的後代七個家族，楊伯峻《春秋左傳會注》：「鄭穆公十一子，子然、子孔、士子孔三族已亡，子羽不為卿，所存而當政者七族，至于此時，則子展公孫舍之為罕氏，子西公孫夏為駟氏，子產公孫僑為國氏，伯有良宵為良氏，子大叔游言為游氏，子石公孫段為豐氏，伯石印段為印氏，故曰七穆。」（高雄：復文出版社，1986 年 8 月），頁 1117。

㈡從魏禧對《左傳》的偏愛見其歷史觀

明代亡國以後，魏禧舉家避難於翠微峰，從此魏禧為文「刷華攻實」[36]，他又好讀史書，論古人成敗，議天下古今之變，尤其是《左傳》，曾屢次自云：

> 叔子又自言：吾於《史》、《漢》敘事法未能得其要領，而最好《左氏》，間發其微言大義，成《左傳經世》一書。[37]

禧少好《左氏》，及遭變亂，放廢山中者二十年，時時取而讀之，若于古人經世大用，《左氏》隱而未發之旨，薄有所會，隨筆評註，以示門人。[38]

禧二十年來殫心《左傳》，成《左傳經世》一書，嘗就正有道，繆許為二十餘年所僅有。[39]

可見《左傳經世》是魏禧於明亡國後，歷二十年來殫心評註的結晶[40]，「二十餘年所僅有」七字，說明了他對《左傳經世》的自信和定位。

魏禧對《左傳》的偏好與長期的投入研究，與時局的憂患和其人生之經歷有密切關係，魏世傑〈左傳經世鈔跋〉云：

> 叔父少好學，年十一，出交州里，與鄉先生游。年二十有一而丁國變，閱世至今，凡三十有餘年，而天下之大變大故、可驚可愕之事，雖身百歲，所經歷未有過於此一、二十年間者。故其於人之情偽，世故之變，所為博觀而熟慮之者，無不於《左氏》相觸發，以得古人深心大略於立言之表，然後知

---

[36] 〈內篇二集自敘〉云：「自甲申來所為文，刷華攻實」，《魏叔子文集》，〈外篇〉，卷8，頁378。案：甲申年，1644年，明思宗崇禎帝自縊，時魏禧年二十。

[37] 《魏叔子文集》外篇曾燦敘，頁28。

[38] 〈左傳經世敘〉，《魏叔子文集》，〈外篇〉，卷8，頁368。

[39] 〈答汪舟次書〉，《魏叔子文集》，〈外篇〉，卷5，頁250。案：汪楫（1639－1699），字舟次，江蘇儀徵人。

[40] 何以須耗時二十年？蓋因「特其文簡義隱約，非深思力索不能得其辭。」〈李元仲六十壽序〉，《魏叔子文集・外篇》，卷11，頁586。

《經世》一書，非必於《左氏》得之，而特於《左氏》發之者也。[41]

魏禧對魏世傑則曰：

自汝生至今時，皆與憂患為終始，其間治亂成敗、安危愉戚之故，雖百歲之老，所經歷有未及此三十年間者，汝不可不思其事。[42]

魏禧又自云：

予少愛《春秋左氏傳》，年幾五十，讀之不厭。嘗以謂天道十年一變，三十年為一世，而二世為六十年，剝復盈虛消息之數，於是為極。《左氏》傳春秋列國事凡四六十，為二百四十年，又當王道衰熄之後，後世千萬年之變，無弗有者，特其文簡義隱約，非深思力索，不能得其解。[43]

魏禧以為《左傳》記載春秋時代二百四十年事[44]，極盡天道剝復盈虛之消息變化，《春秋左氏傳》是「王道衰熄之後」，寄託孔子「微言大義」之作。

對於春秋時代的動盪不安，太史公的描述是：「春秋之中，弒君三十六，亡國五十二，諸侯奔走不得保其社稷者，不可勝數。」[45]而范甯《穀梁傳・序》論議春秋亂局及孔子修《春秋》的原因則曰：

昔周道衰陵，乾綱絕紐，禮壞樂崩，彝倫攸斁，弒逆篡盜者固有，淫縱破義

[41] 〈左傳經世鈔跋〉，《左傳經世鈔》，頁 290。

[42] 魏禧〈諸子世傑三十初度敘〉：「乙卯（1675）三月，諸子世傑年三十有一，……汝生崇禎甲申之明年，紀年乙酉（1645）。」可知魏禧作此文時 52 歲。

[43] 〈李元仲六十壽序〉，《魏叔子文集・外篇》，卷 11，頁 586。

[44] 《春秋》編年自魯隱元年止於魯哀 14 年（722B.C.－480B.C.），共計 242 年。《左傳》紀事延至哀公 27 年，共計 255 年。魏禧概取整數 240 年，以說明有四個「二世六十年」。

[45] 見《史記・太史公自序》。

者比肩。……四夷交侵，華戎同貫，幽王以暴虐見禍，平王以微弱東遷，征伐不由天子之命，號令出自權臣之門，……，下陵上替，僭逼理極，天下蕩蕩，王道盡矣。孔子睹滄海之橫流，迺喟然而歎，……於是……因魯史而脩《春秋》。㊻

范甯以孔子感慨政局動蕩，王道衰微，禮壞樂崩，故因魯史而脩《春秋》。近世沈剛伯先生曾指出㊼：史學是產生於一民族文化高度發展，而後忽然發生重大變動之際；也就是說，當政治結構瀕臨崩潰，社會組織大動搖，經濟生活和禮教活動都有很大轉變時，才產生史學。孔子脩《春秋》是中國正式產生史學的開端，即源於當時的政治、社會和經濟各方面，都起了巨大變動，孔子藉著重脩魯史，一方面保存過去人類一些有價值的活動，另一方面用筆削褒貶之義法，「別嫌疑，明是非，定猶豫，善善惡惡，賢賢賤不肖」㊽，所形成的歷史思想，成為後代處世、論人、治事、立身的準則。

史學所以經世，中國傳統史學一向注重資鑑精神㊾，史學所以與世變關係密切，其因概由此。在明清易代之際，深懷亡國之痛的有識之士，均不約而同的以治史來救世之弊，清初三大家顧炎武（1613？1612？－1682？1680？）、王夫之（1619－1692）、黃宗羲（1610－1695）皆有論史之作，其中王夫之的《讀通鑑論》㊿，從研讀宋司馬光所編《資治通鑑》，總結歷史成敗得失之經驗教訓，闡發其治身、治國、治世的主張。同時代的魏禧，在崇禎甲申明代亡國之後，短短一二十年間歷經的憂患，使他對於「天下之大變大故、可驚可愕之事」，在重新研讀

㊻《春秋穀梁傳注疏》（北京：北京大學出版社，1999年12月），頁3－6。

㊼參考沈剛伯《史學與世變》一書同名之文（臺北：水牛出版社，1989年9月）。

㊽《史記・太史公自序》司馬遷轉述董仲舒之語云：「夫《春秋》，上明三王之道，下辨人事之紀，別嫌疑，明是非，定猶豫，善善惡惡，賢賢賤不肖，存亡國，繼絕世，補敝起廢，王道之大者也。」

㊾可參考拙作：《左傳敘戰的資錯精神》（臺北：文津出版社，2001年10月），第2章，「《左傳》資鑑精神與中國傳統史學」。

㊿顧、王二人，可參考黃秀政：《顧炎武與清初經世學風》（臺北：商務印書館，1987年）。張師高評：《黃梨州及其史學》（臺北：文津出版社，2002年5月）。

《春秋左氏傳》所載二百餘年之史，發現同樣或類似的狀況，在二千餘年後，「尋其端緒，求其要領」，竟然都可在《左傳》中找到源頭和治事借鏡，遂觸類旁通，成就了此本讀書有得的大作。

在魏禧《左傳經世鈔》中，不乏以史為鑒之評斷，試舉若干以證：卷二第十一則「虞叔伐虞公」，評曰：「虞公之貪妄，虞叔之堅忍狠斷，皆可為鑒。」卷三第五則「弒齊襄公」，魏禧曰：「所以致亂處皆可鑒。」卷七第十二則「宋襄夫人殺昭公」，評曰：「得失可鑒。」卷八第二則「趙穿弒靈公」，評曰：「然若後世，……可不鑒哉。」卷十第三則「華元殺蕩澤」，評曰：「凡人當變難，須看風轉帆，若太執太矯，欲以市重遷延失機，不可及矣，魚石諸人之奔，可以為鑒。」卷十四第十則「衛獻公復入」，魏禧於「多而能亡，於我何為」文下曰：「二語可鑒，人之托人以亨，當視其才與時之足以濟否，不獨以賢。」卷十六第八則「晏子叔向論齊晉之衰」，評曰：「晏子、叔向論二國所以衰，話語切中，可以為鑒。」卷十八第三則「叔向論平王有國」，評曰：「中多得失可鑒。」……凡此，或以國君親小人、棄賢才以為為政者戒；或以為國君無道，故亂臣賊子有所因；或表達臣弒君、臣死義之看法；或以古人如何處變、應變、濟變為戒；均可見魏禧於一國一代治亂得失存亡教訓，其思之深，其言之切。

近世史學家錢穆先生提到歷史的精神，以為歷史有變亦有常，有常亦有變，歷史由積變而成，史學是一種由變見常、由常識變之學，故治史學首貴識有變，由積變中去尋其條貫與系統；「人類應從過去世變中來尋求、來獲得其永恆的眼光」[51]；人生固然脫離不了命運，但命運積累不成為歷史，必於命運中投進生命的努力，這才是歷史的傳統精神。錢先生並提出研究歷史的兩要點：應該從現時代中找問題，應該在過去時代中找答案。[52]這兩點，為魏禧「經世」的歷史觀做了清楚詮釋。其《左傳經世》一書，我們也可發現：魏禧企圖透過「由常識變」的視角，為當世及

---

[51] 錢穆：〈歷史與時代〉，《歷史與文化論叢》（臺北：東大圖書公司，1985 年 9 月），頁 289－292。

[52] 錢穆：〈史學精神和史學方法〉，《中國歷史精神》（臺北：東大圖書公司，1976 年 12 月），頁 11。

後世規範出「古今御變」的原理原則，所投注的努力。

㈢經世適用的教育觀及重史學的教學法

魏禧三十歲時，在翠微峰南龍溪畔景色優美的水莊授徒[53]，此後，他一直為培養後學而竭心盡力。四十二歲至四十四歲間，在新城（今江西黎川縣）學館授徒，培養人才。除授徒外，魏禧又與宋之盛在南豐謝文游的程山學舍舉行會講，談學論道，做學術交流，互相擷長補短。[54]魏禧無論授徒或會講，無不以「適用、經世」為宗旨，其「館教條件」申明其教學目的重在「立身經世之道」，「非徒教以進取之器，又非徒以文章名當世而已」[55]；在程山會講時，則曰：

> 貴堂會講，弟意欲增二條：今之君子，不患無明體者，而最少適用；然在學道人，尤當練於物務，使聖賢之言見諸施行，歷歷有效。……體用互通，否恐本質雖美，試之以事，則手足錯亂；詢之以古，則耳目茫昧，忠信謹守之益多，而狹隘拘牽乏病作，非所以廣聖學也。[56]

他以為：欲廣聖學，除「明體」外，當求「適用」，能將聖賢之言，見諸行事，方為有效，由此可見魏禧體、用合一的教育態度。那麼，什麼才是他授徒及會講最有效的內容呢？即古史也。魏禧「會講」有四個重點：「講學、論古、議今」，外加「規過」。所謂論古，即是「將史鑑中大事或可疑者，舉相質問，設身古人之地，辨其得失之故」[57]，因為能辨得失之故，才不至於耳目茫昧，手足無措。太史公

---

[53] 〈與金華葉子九書〉曰：「弟近年絕意世務，授徒翠微山中，用以遣日，以餬予口，然不能不教人作舉子業，出處無據，自笑模稜耳。」《魏叔子文集》，〈外篇〉，卷 5，頁 224。

[54] 參見註[9]。又魏禧〈與熊養吉〉手簡曰：「苟無同志勝己，相與講論，匡其不逮，則不可成一事，故每欲得卞己百己者而請益。」《魏叔子文集》，〈外篇〉，卷 7，頁 317。

[55] 《魏叔子日錄》，卷 1，頁 1093。

[56] 〈與謝約齋〉（案：謝文游，字約齋），《魏叔子文集》，〈外篇〉，卷 7，頁 316。

[57] 〈與謝約齋〉：「愚謂會講日當分三事：一講學，今所已行是也；一論古，將史鑑中大事或可疑者，舉相質問，設身古人之地，辨其得失之故；一議今，或己身有難處事，舉以質人，求其是而行之，或見聞他人難處事，為之代求其是。於三者外，更交相規過……講學則是非之理明，論古則得失之故辨，議今則當事不眩，規過則後事可懲。」同前註。

云：「《春秋》辨是非，故長於治人。」[58]《左傳》借事傳經，成為魏禧授徒的重要教材，前引魏世傑云「命門人四、五人更授《左傳經世》」為一證。另外，其《文集》有〈雜問〉一卷二十篇，乃其「教授生徒，以史鑑之可疑難處之事，課業諸生」之集錄[59]，其中就有八篇與《左傳》有關，此已於上節闡述，茲不贅。

魏禧對古史的鑽研博覽，不但成就了他以《左傳》為主的諸多史學史論之作，另外在《魏叔子文集》，還有多篇史論，如外篇卷一有〈相臣論〉、〈伊尹論〉、〈留侯論〉、〈陳勝論〉、〈晁錯論〉、〈尉佗論〉、〈雋不疑論〉、〈阮籍論〉、〈高允論〉、〈唐太宗平內難論〉、〈宋論〉、〈蔡京論〉、〈續朋黨論〉等計三十餘篇；《日錄》卷三〈史論〉亦有一百二十餘則，均是魏禧讀書論世之作，其議論古今，針砭人事，範圍上從先秦，下至明代，不乏深識偉論，涉及古今成敗大樞紐、大龜鑑者，非尋常考古論世之文也。[60]而史學的教育一直是魏禧「造士之法」的重要內容，證之於閔本貞的說法：

> 魏叔子先生教授生徒，以史鑑之可疑難處之事，課業諸生，積為〈雜問〉一卷。余讀而喜之，以為造士之法，此其一端也。……蓋事不師古，不足用今，然不能於古人之可疑者推究而發揮之，則其是非與所以成敗之故，隱約而不明，游移而不確，他日措之事業，必不能盡其用。[61]

魏禧又嘗謂「博觀史傳，以極古今人情事物之變」[62]、「為文當先留心史鑑，熟識

[58] 董仲舒《春秋繁露．玉杯第二》：「《春秋》正是非，故長於治人。」蘇輿：《春秋繁露義證》（北京：中華書局，2002 年 8 月），頁 36。《史記．太史公自序》引董生之說則曰：「《春秋》辨是非，故長於治人。」〔漢〕司馬遷、〔日〕瀧川龜太郎《史記會注考證》（臺北：宏業書局，1972 年）。

[59] 閔本貞：〈雜問序〉，《魏叔子文集》，〈外篇〉，卷 19，頁 992。

[60] 參考魏禧諸史論後，其門生友人之評語，《魏叔子文集》，〈外篇〉，卷 1，頁 39、44、46、53。

[61] 閔本貞：〈雜問序〉，《魏叔子文集》，〈外篇〉，卷 19，頁 992。

[62] 〈答蔡生書〉，《魏叔子文集》，〈外篇〉，卷 6，頁 264。

古今治亂之故」[63]，魏禧縱使丁國變而隱居，但身為知識分子，其念茲在茲者，仍為知識分子之責任，故其曰「第一流人物」，乃是「以天地生民為心」者[64]；其臨終之年，猶云：「能造就人才者，天不能孤；能以身任天下後世者，天不能絕。」[65]其有生之年，既已不能再「枝撐世界」[66]，遂寄望於後輩子弟，他說：

> 古所謂仕，非如近世用帖括，反掌取富貴，庸庸然循資守位，可以坐致公卿也。……孝弟之道最大，而宗族稱孝，鄉黨稱弟，聖人乃以為士之次。其首舉以告子貢者，則曰：「行已有恥，使於四方，不辱君命。」然則士其貴有特立之操，濟變之才地審矣。[67]

魏禧句中所引，出自《論語・子路篇》：

> 子貢問曰：「何如斯可謂之士矣？」子曰：「行己有恥，使于四方，不辱君命，可謂士矣。」曰：「敢問其次。」曰：「宗族稱孝焉，鄉黨稱弟焉。」

可見魏禧教學，並不以教人作舉子業，以致公卿富貴為務，故雖「孝弟之道最大」，但「聖人乃以為士之次」，而「士」之首務，貴在以天下為己任，成為「使于四方，不辱君命」的經世濟變之仕才，故魏禧所期望造就四類人材，一曰「造亂」之才，二曰「撥亂」之才，三曰「致治」之才，四曰「贊治」之才，總之，即是要教育學生成為對社會有用的經世濟民的人材。[68]莊子有言：《春秋》經世，先

---

[63] 魏禧：〈與朱秋崖論文〉，《魏叔子日錄》，卷2，頁1126。

[64] 《魏叔子日錄》，卷2，頁1131。

[65] 其文下注：「庚申四月臥病南昌，感而書此。」案：魏禧卒於庚申年（1680）十一月。《魏叔子日錄》，卷1，頁1112。

[66] 魏禧曾謂門人李萱孫（案：乃其易堂友人李騰蛟咸齋先生之子）：「吾老矣，有三不了事：一願天下有枝撐世界之人，一願後輩有枝撐易堂子弟，一願吾家有枝撐衰門子弟。然汝輩苟能以枝撐世界為事，則下二節已一齊了當矣。」《魏叔子日錄》，卷1，頁1112。

[67] 〈門人楊晟三十敘〉，《魏叔子文集》，〈外篇〉，卷11。

[68] 《日錄裡言》，《日錄雜說》。

王之志。(69)莊子雖首言《春秋》經世，但尚不及其內涵；儒家雖無「經世」一詞，但「經世」之思想和行動卻早已展現，由其回答子貢之語，即知孔子對剛出現在歷史舞台的知識階層——「士」，「便已努力給它貫注一種理想主義的精神，要求它的每一個分子——士——都能超越他自己個體的和群體的利害得失，而發展對整個社會的深厚關懷」(70)，因此，中國古代的知識份子，認同的是「以天下為己任」的「用世」傳統。魏禧以《左傳》為教材，不務「文辭篇格之工」，而重在從史事中知權達變，能「起可行而有效」，其培養後進之用心亦良苦矣。

㈣《左傳經世鈔》選材觀點

據魏禧自敘：「《左傳》，自漢、晉至今，歷二千餘年，發微闡幽，成一家言者，不可勝數，然多好其文辭篇格之工，相與論議而已。」魏禧談及二十餘年研究《左傳》者，「多好其文辭篇格之工」，雖言之太過，但亦從而審知魏禧不滿僅從文章學角度論議《左傳》。

《春秋》三傳，「敘事」是《左傳》有別於《公羊》、《穀梁》兩傳的特點，《公羊》、《穀梁》二傳以史義解經，《左傳》以歷史敘事方式解經。關於三傳和《春秋》的關係，前人論之已詳，不再贅述。由於《春秋》記載過於簡略，須待三傳出，才能事詳義明，元、明兩代治《春秋》者，即以為：「學《春秋》只當以三傳為主，而於三傳之中，又當據《左氏》事實，以求聖人旨意之所歸，蓋於其中自有脈絡可尋。」(71)或曰：「《左氏》以史法為經文之書法，……必考史法，然後聖人筆削，可得而求矣。」(72)由於《左傳》之釋經，「其言簡而要，其事詳而博」，自唐代以來，就被許為「聖人之羽翮」、「述者之冠冕」(73)，故《左傳》結合了

---

(69) 語出《莊子．齊物論》。

(70) 余英時：〈古代知識階層的興起與發展〉，《士與中國文化》（上海：上海人民出版社，1987年12月），頁35。

(71) 〔元〕趙汸：〈論學春秋之要〉，《春秋師說》（臺北：大通書局，1970年2月影印《通志堂經解》本），頁14843。

(72) 〔明〕宋濂：〈春秋屬辭序〉，《春秋屬辭》（臺北：大通書局，1970年2月影印《通志堂經解》本），頁14597。

(73) 劉知幾：〈六家〉：「《左傳》之釋經也，……其言簡而要，其事詳而博，信聖人之羽翮，而述者之冠冕也。」〔清〕浦起龍：《史通通釋》（臺北：里仁書局，1993年6月），卷

「以義傳經」和「以史傳經」兩種特點(74)，亦經亦是史，唐劉知幾分歷代史籍編撰為六家，就把《左傳》與《春秋》並列(75)，而自宋代真德秀選《左傳》之文入《文章正宗》，以為古文之首，遂開探討《左傳》作文之法一派；雖然，魏禧也以為《左傳》「文字視諸史亦最為高」(76)，其《左傳經世》之作，不乏「以作文之法評《左傳》」之處，其詳贍精闢者，可作為後世學習古文之法，然而這並非魏禧鈔評重點，據彭家屏參訂《左傳經世鈔．凡例》第二條曰：

> 向來評《左傳》者，多不論事而論文，然論文者僅資學人之咀茹，何如論事者開拓萬古之心胸。是編專主論事，原取其關於世務，……俾知經世之大猷。(77)

彭家屏以為「論事」是魏禧鈔評的焦點，魏禧自敘曰：

> 如石碏誅吁、厚，范宣子禦欒盈，陰飴甥爰田、州兵之謀，晏嬰不死崔杼，子產焚載書，及子皮授子產政諸篇，皆古今定變大略；而陰飴甥會秦伯王城、燭之武夜縋見秦伯、蔡聲子復伍舉，則詞命之極致，後之學者，尤當深思而力體之也。

魏禧尤其著重如何處亂定變，自敘所舉《左傳》石碏等五例，即「古今定變大略」，而陰飴甥等三例，雖謂「詞命之極致」，然於選評論述中，魏禧曰：「如此辭令，其無一字不妙，無一著不老到圓密，春秋時祖此者甚多，此不特千古辭命之

1，頁11。

(74) 徐復觀：《兩漢思想史》（臺北：學生書局，1989 年 2 月），卷 3，〈原史〉，頁 270－271。

(75) 劉知幾所說六家：「一曰《尚書》家，二曰《春秋》家，四曰《國語》家，五曰《史記》家，六曰《漢書》家。」《史通通釋》，卷1，〈六家〉，頁1。

(76) 《魏叔子日錄》，卷 3，頁 1133。

(77) 〈左傳經世鈔凡例〉，《左傳經世鈔》，頁 288。

祖，亦千古處故濟變之師也。」[78]處患難之境，因言語智謀而能轉敗為功，化將至之危機於無形，如此才略，尤為魏禧最嘆服者。緣此之故，《左傳經世鈔》於批注評點時，或贊處難濟變之人物或事件，或批判其非居亂世之道，試舉證以明之：如卷八第十二則「會於斷道」，云「處亂世之道無過此」；卷十三第六則「晉欒盈入于絳」，魏禧曰：「范氏父子倉卒遇變，須看其著著出奇，步步拿穩處，其濟變能手。」卷十三第七則「叔向不謝祁奚」，魏禧按：「不應不拜，叔向可謂知人矣。然小人不能為福，而能為禍，使鮒御之以甚其獄，不幾危乎？非履亂世之道。」卷十四第六則「晏子不死莊公之難」，魏禧曰：「箕子於紂，晏子於莊公，千古事昏暴、當變事之極則也。」卷十五第五則「慶封奔吳」，上眉批曰「蓋處亂世之至計」；卷十五第十六則「子皮授子產政」，云「欲為救時之相者，不可不熟讀此篇」；卷二十第九則「晉殺祁盈伯石」，魏禧按：「叔游之言，藏垢納污，亦非居亂世之道。……祁盈行之大驟，非處亂世之道。」等；總之，不學《春秋左氏傳》「處經事不知宜，處變事不知權」[79]，《左傳》詳載春秋時代得失盛衰變化之故，處於明清世變之際，魏禧透過《左傳》之啟發，探尋世變之故，《左傳》實為魏禧鑒往知來的權宜經典。

至於應以何態度來讀《左傳經世鈔》？魏禧侄子魏世傑〈左傳經世跋〉載：

> 戊申（1668 年）秋八月，命門人四、五人更授《左傳經世》。……方叔父授經新城，以是書授任安世、賴韋[80]、吳正名，傑請而受之，叔父報曰：「汝立志未定，未可遽與於此。」[81]而叔父又嘗謂世傑曰：「人必有智術以

---

[78] 見《左傳經世鈔》，卷 4 第十五則「陰飴甥謀復晉侯」，頁 377「魏禧曰」。

[79] 魏禧引董子之言曰：「不學《春秋》，處經事不知宜，處變事不知權也。」《魏叔子文集》，頁 187。

[80] 〈寄門人賴韋書〉：「自吾得韋也，不復知為無子，吾終已無子，得韋已足，韋少吾十一歲，吾不足生韋，然韋視吾猶父，吾視韋子也。」「吾弟子中，……新城孔之逵長者，與人交篤實，然不能與世同憂患；九江任安世好義俠多智，吾故以為莫韋賢也。」《魏叔子文集》，〈外篇〉，卷 6，頁 285。

[81] 據〈諸子世傑三十初度敘〉，魏禧云：「乙卯三月，諸子世傑年三十有一。」《魏叔子文集》，〈外篇〉，卷 11，頁 578。可知戊申（1668 年）魏世傑當時 24 歲，孔子云三十而

自全，然反足以殺身毒世而無難者，蓋智者，君子所不得已而用，用於非僻，固發其機而有害；而尊常日用之間孳孳焉出其智以規尺寸之利，辟如干將、莫邪，日以屠狗割雞，其鋒必至於折而無所可用；是故輕用其智以求勝於人者，則必犯天人之忌而不可以濟大事。」嗚呼！如此而後，可以讀《左傳經世》之書也已。

又據魏禧自述教授《左傳》的情形：

予近以《左傳》授門人任安世、賴韋、吳正名，日夕講論，三子多所啟發規益，而任生尤敢言。……乙巳（1665）七月初十日新城記。[82]

可知魏禧教授《左傳》的對象，只有任安世、賴韋、吳正名，魏世傑初不與焉，何以魏禧不肯授魏世傑《左傳經世》？[83]其理由是：《左傳》含藏許多用智自全之術，這些智術是用來「濟大事」的，是「不得已而用」，而非用來規劃尋常日用之間的尺寸小利，一如擁有干將、莫邪的寶劍，只拿它「日以屠狗割雞」，終必鋒折而無所可用；因此，如果一個立志未定的人去學習《左傳》，必定輕用其智以求勝人，不但不可以濟大事，反易墜入邪僻，殺身毒世而有害。[84]從魏禧告誡魏世傑讀

立，故魏禧以為世傑「立志未定」。

[82] 《魏叔子日錄》，卷 1，頁 1097。

[83] 從魏世傑跋「予小子傑亦庶幾得手書而讀之」，如其後來曾閱讀該書（魏世傑跋見《四庫禁燬書叢刊》，集部第 4 冊，頁 290）；而《左傳經世》一書中，有多則魏世傑的評論文字，推測魏禧後來亦授書世傑。周駿富輯《清儒學案小傳》「寧都三魏學案」載魏世傑「從仲父講論最久，叔子謂其古文得窺門戶，又謂及門中惟世傑將來可獨任事，讀書處世足有成立，彭躬菴亦許為易堂後來第一。」（頁 432）

[84] 另見《魏叔子日錄》，卷 1，頁 1102，魏禧謂門人曰：「人無管術，不可濟世全身，然最易墜入邪僻，反以身毒世者。故有智術人，不但不可用於不正，凡小處閒處俱不可用。蓋每事算計，逞聰明，求勝著，即此便犯天人之忌。且物數用則易敝，今如干將莫邪，閒時用以殺狗割雞，必至鋒銳消滅；他日屠龍刺虎，反不堪用。予嘗謂『智術』二字，必須無媿『忠厚光明』四字，然難言矣。」

《左傳經世》的應抱持的態度，也可反映魏禧選評《左傳》的思想趨向。

㈤《左傳經世鈔》形式

本節將簡介《左傳經世鈔》形式，以明其成書樣貌。該書乃一部《左傳》選本，而中國歷來選本，多由三部分組成：選本的序跋部分、選本的入選作品部分、選本的批注和評點部分。[85]

第一乃其序跋部分，有三內容：依次為清彭家屏〈左傳經世鈔敘〉、魏禧〈左傳經世自敘〉及彭家屏剞劂該書之〈凡例〉七條，闡述選編的緣由、宗旨，標準。而〈凡例〉又介紹了其刪削或重新整理的原則，對引導讀者怎樣閱讀有很大助益。

第二乃選本的入選作品部分，這是選本的主幹，魏禧仍依《左傳》按年編次，其鈔評的史事，有的以當年為主，有些則跨越數年，故兼編年和紀事本末兩體。魏禧又將三百餘則自訂標題，有的從題名中，就可顯現其歷史觀點，例如卷八第二則記魯宣公二年事，題曰「趙穿弒靈公」，不同於《春秋》所書之「趙盾弒君」，魏禧評論曰：「盾之得罪，皆由於以義匡君，為社稷之故，情不得已，亦欲效古人變置之義。」[86]彭家屏又將《左傳》本文，「每句之下加一小圈」（〈凡例〉第四條），以方便讀者更能清晰閱讀。[87]

至於廿三卷的區分，則依《左傳》記事之多寡來分卷，其中隱公、桓公、文公、宣公、定公各為一卷；閔公年限短、事件少，故莊、閔二公合為一卷；較長的則裂為二到五卷，其中成公、哀公各有二卷；僖公分為三卷；襄公、昭公各有五卷；各卷篇數不一，最少的是八篇（卷六僖公三），最多的是二十七篇（卷三莊公、閔公），合計凡二百五十八篇。

第三是選本的批注和評點部分，批注多是對文意的訓解或訓詁，《左傳經世》採《杜林合註》[88]，〈凡例〉第二條云：「杜先林後，仍各刊姓氏以別之，庶不失

---

[85] 鄒雲湖：《中國選本批評》（上海：三聯書店，2002 年 7 月），頁 310。

[86] 見《左傳經世鈔》，頁 432。

[87] 除《左傳》本文，彭家屏對所有註解及評論文字則未加句讀。

[88] 今《四庫全書》經部第 171 冊有明王道焜、趙如源同編的《左傳杜林合注》。王、趙兩人皆明末人，生平不詳，此書乃合杜預《春秋經傳集解》及宋林堯叟《春秋左傳句解》二書而成，王、趙兩人或刪杜以就林，或移林以就杜，林堯叟的原書遂湮沒無聞。林堯叟，字唐

古人遺意。」觀《左傳經世鈔》，凡杜、林兩人之註，皆出現於本句下，以雙行夾註為之，並以方框分別框住「杜」、「林」二字，眉目清楚；且通常只就杜或林擇一為註，杜、林二人同時出現在同一文句之下的比例顯然較少。而且也並非全是「杜先林後」，亦有「林先杜後」之例外情形。

〈凡例〉第五條又曰：「字義音釋，悉遵陸德明原註，或直音，或反切，俱註於本字本句之下，示點發之便也。至於地名沿革，今昔不同，又照《方輿》訂定註明學者不出戶庭而可周知形勝，於此可小補焉。」[89]其「批」有眉批、旁批、尾批、點批，前三者以文字，點批則為各種符號，〈凡例〉第四條曰：「每傳文或連圈，或單圈，或密點，或旁加直畫，各就論事中指其精意之所存，不得拘為一律。」

對文意的闡發，或於《左傳》文句下作雙行夾註，或於篇後作短語或長文評議，以發其義理，其〈凡例〉第七條曰：

> 所載評語，例以眾人評居前，編書者評居後，其門人子弟輩，則又居後。魏氏此編，有因門人子姪所評，從而賡續發明者；又有己所評而朋友相與論難印證者，若拘以舊例，則原委不清，故名次多視文義編列，其前後不能畫一

翁，宋人，生平不詳，林《句解》大抵隨句箋釋，故以「句解」為名。此書解經都依杜古注，間亦自出新意，以推闡經旨，使簡潔深奧之舊注淺顯易明。《四庫全書提要》云：「杜預注《左氏》，號為精密，……宏綱巨目，終越諸家，堯叟之書，徒以箋釋文句為事，實非其匹第；古注簡奧，或有所不盡詳，堯叟補苴其義，使淺顯易明，於讀者亦不無所益。」

[89] 陸德明（約 550－630），隋、唐間經學家，撰《經典釋文》三十卷，采集漢、魏、六朝音切及諸家訓詁考證斟酌而成，為研究文字音韻及經籍版本重要參考書籍。《方輿》指顧祖禹（1631－1692，江蘇無錫人，因其一生多在常熟，故他有時也自稱為常熟人）所著《讀史方輿紀要》，顧氏後來增補至一百三十卷。魏禧與顧祖禹為兄弟交，他曾為顧書作序曰：「《方輿紀要》一百二十卷，常熟顧祖禹所述撰也。其書言山川險易，古今用兵戰守攻取之宜，興亡成敗得失之跡所可見，而景物遊覽之勝不錄焉。歷代州域形勢凡七卷，南北直隸十三省凡一百七卷，〈川瀆異同〉凡六卷，〈天文分野〉一卷。《職方》、《廣輿》諸書，襲偽踵謬，名實乖錯，悉據正史考訂折衷之。……此數千百年所絕無而僅有之書也。……祖禹貫穿諸史，出以己所獨見，其深思遠域，有在於語言文字之外，非《方輿》可得紀者。」〈方輿紀要敘〉，《魏叔子文集》，〈外篇〉，卷 8，頁 408－409。

焉。

其所謂「眾人評」，包括兩類，一乃歷代治《春秋》或《左傳》的學者，二乃其友朋；前者，經考查魏禧《左傳經世鈔》所輯錄者[90]，自漢至明皆有，但仍以明人之評語佔多數，魏禧僅註明人名，如「凌稚隆云」、「鍾惺云」、「穆文熙曰」、「傅遜曰」、「陸粲曰」……等等，而未提及內容錄自何著作。經筆者查考，例如書中引明代陸粲評語，凡十則，其內容均出自《左氏春秋鐫》一書，該書今收於《四庫全書存目叢書》經部「春秋類」第 119 冊，源自大陸中國科學院圖書館藏明嘉靖刻本。又如所引明代傅遜評語，凡四則，出自其《左傳屬事》。[91]至於後者友朋部分，有其易堂友人，如易堂九子、謝文洊、宋之盛等。而其所謂「門人子弟輩」，有其兄弟之子魏世傑、魏世傚、魏世儼，其門人孔尚典、吳正名、賴韋、任安世等。但彭家屏對這些評論人物的先後次第並未統一，故他說：「名次多視文義編列，其前後不能畫一」。而且這些評註安置的位置，有的置於本句下，有的集中於篇末總評，而彭家屏自己的閱讀心得，一律置放於篇末，〈凡例〉第六條曰：「屏意有所得，竊附篇末，以存就正之意。」

彭氏又曰：「魏氏此編，有因門人子姪所評，從而賡續發明者；又有己所評而朋友相與論難印證者。」此可見於《左傳》史事篇末，常有大篇幅文字，記錄魏禧和友朋、門人、子弟對該則史事的批駁論辯，有各自作不同意見表述者，亦有互相詰問的論答體。試舉證之，前者如卷十四第十則「衛獻公復入」，篇末先有魏禧門人賴韋和孔之逵的長篇評論，後面再錄魏禧評語，魏禧末曰：「今得逵此論，足解平生之疑，辨千古之惑矣。然伯玉答孫甯語，雖在不仕時，亦傷模稜，當以韋論為

---

[90] 筆者就人名尋索，先掌握其著作，至於魏禧所引用眾人評語的出處，則尚待詳查比對，但由於明人著作多非《四庫全書》所收，目前發現的，多本收於《四庫全書存目叢書》中，有的版本甚且文字模糊漶漫，比對極為吃力，譬如凌稚隆《春秋左傳評注測義》七十卷，乃北京大學圖書館所藏明萬曆刻本，在《存目叢書》經部第 126 及 127 冊，就有上述字體模糊的問題。

[91] 此書發端於其友王執禮，而由傅遜續成。有二十卷，今收於《四庫全書》，〈經部・春秋類〉第 169 冊。

正也。」[92]後者如卷一第三則「石碏大義滅親」，篇末「魏禧曰」一大段評論文字之後，有魏禧和其門人任安世的問答：

> 任安世問曰：石碏既知其子從逆，勢不可挽，何不於其未弒君時除之，以孤州吁之黨，且使其子免於弒君之惡，不亦可乎？
>
> （魏禧）曰：殺厚則吁得為備，吁之黨不止一厚，是殺厚無救於吁之亂，而祇以啟吁之疑也。
>
> （任安世）曰：厚既無疑於碏，家庭密邇之地，起居飲食，何在不可殺厚？安見厚死而吁必知碏之殺之乎？
>
> （魏禧）曰：碏陰殺厚，吁縱不疑，而吁之動靜，碏奚與知，事機之來，不得乘便，是碏終難圖吁矣。即以後事觀之，如陳之謀，非厚曷濟？故碏不在於速殺厚也。
>
> （任安世）曰：君子為忠，當使天下後世共白其志，按碏老於莊公，則此時年已高矣。假令碏先死而後難作，則姑縱其子之罪，詮為白者，不甚於霍顯毒后，光猶不知乎！
>
> （魏禧）曰：古人做事，只認得道理的確當做，識得時勢機局必如此做方濟事，便一意行之，至於事未成而身死，身死而蒙不韙之名，俱未暇想也，如武氏未夢鸚鵡，而狄梁公死，豈不一依阿女主之人耶？蓋不圖事之必濟，而汲汲於表己之心，全己之名，雖是忠心為君，未免夾雜自為意思在內，此碏之所以為純臣也。[93]

以上即為《左傳經世鈔》形式樣貌簡介。

五、結　語

《左傳經世》一書，魏禧的朋友曾給予高度的評價，其易堂友人曾燦說：

---

[92] 《左傳經世鈔》，頁 559－561。

[93] 《左傳經世鈔》，頁 305－307。

余從遠方歸，每出示數則，怵然如震雷暴起于左方，驚魂動魄，既而繹思，則又如飢得食，如寒得衣，心安而體順，始嘆此書蓋自有《左氏》數千餘年之所絕無而僅有者也。[94]

另一友人謝文洊（1616－1682），受魏禧之影響，成《左傳濟變錄》一書[95]，該書序曰：

余友魏裕齋，有杜預癖，深謀至計，一一摘抉出之，發從來讀《左》者所未發，輯《左傳經世》一書，予多取之。[96]

方以智（1611－1671）以為謝氏之書「合凝叔《經世》讀之，體用全立，權備二書，如左右手，不可偏廢」[97]，方氏以《經世》一書為「經」為體，《濟變》一書為「權」為周，雖謝文洊之書今已難尋，但三位友人對《左傳經世》的贊譽和肯定是一致的。

魏禧既不能勉強自己仕宦二朝，無法建立《左傳》所云「三不朽」之「立功」，遂效孔子「立言」以文傳世，三不朽雖以立言為最次，但魏禧卻以為「文所以可傳，中必有物」，如能「為其有益者，關係天下後世之文，雖名立言，而德與功俱見」[98]，經由以上述論，方可觀魏禧欲使《左傳經世》成不朽之作的期許。

---

[94] 曾燦：〈魏叔子文集外篇序〉，《魏叔子文集外篇》，頁28。

[95] 謝文洊：〈左傳濟變錄序〉云：「暇授徒《左傳》，見其時名卿大夫，濟君國之險艱，識深力堅，誠有不可及者，因每國取數事評註，得二十八篇。」《謝程山集》，卷14，頁249。

[96] 謝文洊：〈左傳濟變錄序〉，案：魏禧，號裕齋。

[97] 見謝文洊〈左傳濟變錄序〉文末方以智評語，《謝程山集》，卷14，頁249。

[98] 〈與陳元孝論文〉：「作文須先為其有益者，關係天下後世之文，雖名立言，而德與功俱見。……文所以可傳，中必有物，其文能自傳於世，非世之能傳之。……故作文立意先求為世所不可少，則自然卓犖。」《魏叔子日錄》，卷2，頁1126。

經　學　研　究　論　叢
第 十 四 輯　頁217～220
臺灣學生書局 2006 年 12 月

《論語》列爲經書之起始時代

楊桓平*

眾所周知，《論語》是我國儒家的重要典籍之一，自兩漢始，更成為儒生的必讀之書。然而《論語》是何時被正式列為經書的呢？對於這個問題，歷來都是眾說紛紜，而多數認為，《論語》列為經書，是在唐文宗時。筆者認為，這種觀點值得商榷。

說《論語》在唐文宗時被列為經書，其根據大約是唐文宗時有刊立石經之舉，而《論語》則為石經之一。按《唐會要》卷六十六「國子監」下云：「其年（大和九年）十二月，敕於國子監講論堂兩廊，創立《石壁九經》，並《孝經》、《論語》、《爾雅》，共一百五十九卷，《字樣》四十卷。」又《舊唐書・文宗本紀》：「開成二年，冬十月，癸卯，宰臣判國子祭酒鄭覃進《石壁九經》一百六十卷。時上好文，鄭覃以經義啟導，稍析文章之士，遂奏置五經博士，依後漢蔡伯喈刊碑列于太學，創立《石壁九經》。」又《新唐書・鄭覃傳》也談到，鄭覃以為經書中頗有誤字，須要是正，建議「准漢舊事，鏤石太學，示萬世法」，得到文宗批准。這就是經學史上有名的「開成石經」，又叫「唐石經」。唐石經計有《周易》、《尚書》、《詩經》、《周禮》、《儀禮》、《禮記》、《左傳》、《公羊傳》、《穀梁傳》、《論語》、《爾雅》、《孝經》等十二種儒家經典，現保存於西安碑林。

如果我們的推測不誤，認為《論語》在唐文宗時被列為經書，是把《論語》作

---

* 楊桓平，河南師範大學歷史系。

為唐石經之一作為其立論的根據。然而，眾所周知，早在東漢靈帝時，朝廷就有刊立石經之舉，而《論語》於彼時也是石經之一。《後漢書・蔡邕傳》云：「邕以經籍去聖久遠，文字多謬，俗儒穿鑿，疑誤後學。熹平四年，乃與五官中郎將堂谿典、光祿大夫楊賜、諫議大夫馬日磾、議郎張馴、韓說、太史令單颺等，奏求正定《六經》文字。靈帝許之，邕乃自書丹於碑，使工鐫刻，立於太學門外。」這就是經學史上有名的「熹平石經」。由於熹平石經是由蔡邕用隸書書寫的，所以後世又叫作「一字石經」。「一字」者，謂用隸書一體也。〈蔡邕傳〉注引《洛陽記》云：「太學在洛城南開陽門外，講堂長十丈，廣二丈。堂前《石經》四部。本碑凡四十六枚，西行，《尚書》、《周易》、《公羊傳》十六碑存，十二碑毀。南行，《禮記》十五碑悉崩壞。東行，《論語》三碑，二碑毀。」明確記載《論語》為熹平石經之一。戰亂頻仍，滄桑數經，熹平石經真跡早已蕩然無存，幸有遺存，也是零星殘破，令人感慨。洪适《隸釋》載有熹平石經殘碑五種，其一就是《石經論語殘碑》，計九百七十一字。我們認為，如果《論語》作為開成石經之一可以被認為是列入了經書，那麼，《論語》作為熹平石經之一而被認為是列入了經書，更應該毫無問題。因為開成石經是效法熹平石經而刊立的，我們不能數典忘祖。如果以開成石經為準，《論語》進入經書的時間就是西元八三七年，而如果以熹平石經為準，則《論語》進入經書的時間便是西元一七五年，二者相差七百多年。《隋書・經籍志》云：「後漢鐫刻七經，著於石碑，皆蔡邑所書。」又著錄《一字石經論語》一卷，其注又云：「梁有二卷。」（意謂南朝梁阮孝緒《七錄》著錄有《一字石經論語》二卷）這些目錄學著作的記載，正是《論語》作為熹平石經之一而正式進入經書行列的客觀反映。

有證據表明，《論語》在東漢初年就已經被納入經書。例如，張純是光武帝時的大臣，《後漢書・張純傳》有「七經」之說，李賢《注》云：「七經，謂《詩》、《書》、《禮》、《樂》、《易》、《春秋》及《論語》也。」如果李《注》不誤，那就表明《論語》在東漢初年已被視為經書之一。但為了持論慎重起見，本文不取此說，仍然以熹平石經的刊立作為《論語》被列入經書的正式標誌。而魏、晉以下，唐文宗刊立開成石經之前，《論語》被視為經書的記載卻是不絕如縷。王應麟《困學紀聞》卷八云：「《春秋正義》云：『傅咸為《七經詩》，王羲之寫。』今按《藝文類聚》、《初學記》載傅咸《周易》、《毛詩》、《周官》、《左傳》、《孝經》、《論語》詩，皆四言，而闕其一。」傅是西晉人，這表明《論語》在西晉時已被視為經書。《宋書・百官志上》：「《周易》、《尚書》、《毛詩》、《周官》、《儀禮》、《春秋左氏傳》、《公羊》、《穀梁》各為一經，《論語》、《孝經》為一經，合十經。」這表明《論語》在南朝宋時已被視為經書。劉勰《文心雕龍・論說》云：「自《論語》已前，經無『論』字。」范文瀾先生《注》云：「『《論語》已前，經無論字』，非謂經書中不見『論』字，乃謂經書無以『論』為名者也。」然則，是劉勰以《論語》為經書矣，而劉勰的這個觀點未嘗不可以看作是當時學者的共同觀點。陸德明是隋、唐之際的學者，其《經典釋文》中收有《論語》，這又未嘗不可以看作是代表了六朝學者的共同觀點。杜佑《通典・選舉五》在講到唐代的明經考試時說：「立身入仕，莫先於禮。《尚書》明王道，《論語》銓百行，《孝經》德之本，學者所宜先習。其明經通此，謂之『兩經舉』。」又說：「其但習《論語》、《孝經》，名『一經舉』。」又說：「有通《禮記》、《尚書》、《論語》、《孝經》之外，更通《道德》諸經，通《玄經》、《孟子》、《荀卿子》，謂『茂才舉』。達觀之士，既知經學，兼有諸子之學，則於理道，無不該矣。」這裏記載的是唐文宗以前的情況，這表明《論語》在唐文宗以前的唐代已被官方視為經書之一。

《論語》在兩漢時期受到統治者的高度重視，王國維《漢魏博士考》對此有詳盡的考證。據王氏考證，漢文帝時，《論語》、《孝經》、《孟子》、《爾雅》皆置博士，謂之傳記博士。至武帝時，只立五經博士，罷（謂取消）傳記博士。傳記博士之罷，王氏有一段精采的論述：「《論語》、《孝經》、《孟子》、《爾雅》雖同時並罷，其罷之之意則不同。《孟子》，以其為諸子而罷之也；至《論語》、《孝經》，則以受經與不受經者皆誦習之，不宜限於博士而罷之者也。劉向父子作《七略》，六藝一百三家，於《易》、《書》、《詩》、《禮》、《樂》、《春秋》之後，附以《論語》、《孝經》、小學三目。六藝與此三者，皆漢時學校誦習之書。以後世之制明之，小學諸書者，漢小學之科目；《論語》、《孝經》者，漢中學之科目；而六藝，則大學之科目也。武帝罷傳記博士，專立五經，乃除中學科目於大學之中，非遂廢中小學也。……蓋經師授經，亦兼授《孝經》、《論語》，猶今日大學之或有預備科矣。然則漢時《論語》、《孝經》之傳，實廣於《五經》，不以博士之廢置為盛衰也。」由此可見，傳記博士的取消，絕不意味著對《論語》的輕視，而恰恰相反，這只是學習科目的調整，而這種調整表明了統治者對《論語》的更加重視。據此，我們完全有理由這樣認為，從西漢初年到熹平石經的刊立這段時期，《論語》雖然是家習戶誦之書，但其身分尚是「准」經書；而從熹平石經刊立之後，《論語》的身分就發生了質的變化，開始由「准」經書的行列跨入正式經書的行列。這個過程，就是經書由「六經」發展到「七經」的過程，這個過程的歷史軌跡斑斑可尋。我們如果把這一歷史過程的完成歸之於唐文宗時開成石經的刊立，未免於歷史事實有悖。

經學研究論叢
第十四輯　頁221～226
臺灣學生書局　2006年12月

焦循《孟子正義》對趙《注》之揚棄疑補

李亞明*

焦循（1763－1820），字里堂，乾嘉後期學者。阮元譽之為「斯一大家」，沈文倬亦稱「有清一代治《孟子》的無人能超過他」。❶焦循《孟子正義》（以下簡稱「焦疏」），集《孟子》注疏之大成。其於趙岐《注》（以下簡稱「趙注」），或貶以「曲意回護」、「囿於漢宋門戶之見」、「雖謬誤處亦繁徵博引以疏解之」❷，或譏以拘守門戶，「不免於自陷」、「明於燭人而暗於自照」❸，或評以「無論趙《注》是對是錯，焦《疏》普遍存在著曲解、誤發（包括誤駁），其論證大都牽強難信，所以焦《疏》對趙《注》的理解從根本上存在問題」。❹焦《疏》趙《注》，遂成是非之題。然其揚棄疑補，均皆有之，茲檢錄數事，冀共鑒焉。

一、揚

焦疏〈孟子篇敘〉云：「孟子之後，能知孟子者，趙氏始焉。」

---

* 李亞明，北京師範大學文學院博士研究生，中國廣播電視出版社主任編輯。

❶ 沈文倬點校：《孟子正義・本書點校說明》，載焦循撰《孟子正義》（北京：中華書局，1987年，第1版，新編諸子集成），頁2。

❷ 胡毓寰：《孟子七篇源流及其注釋》，《學術世界》卷1，12期，頁61。

❸ 何澤恒：《焦循研究》（臺北：大安出版社，1990年，第1版），頁209－210。

❹ 李暢然：〈焦循《孟子正義》曲護趙注問題辨析〉，《中文學刊》第2期（2000年12月），頁179。

焦疏〈公孫丑下〉云：「孟子之學，惟趙氏知之深矣。」

〈離婁下〉「人之所以異於禽獸者幾希。庶民去之，君子存之。」趙《注》：「知義與不知義之間耳。眾民去義，君子存義也」，焦《疏》：「此孟子道性善之本旨，而趙氏能明之，趙氏不愧通儒也。」

焦疏〈盡心下〉云：「《孟子》屬文奇奧，趙氏每能曲折達之。」

二、棄

〈梁惠王上〉引《尚書・湯誓》「時日害喪，予及汝偕亡」，趙《注》：「言桀為無道，百姓皆欲與湯共伐之。湯臨士眾而誓之，言是日桀當大喪亡，我及女俱往亡之。」焦《疏》：「趙氏以此為湯諭民之言，以『予及汝偕亡』為『我及汝俱往亡之』，則『我』為湯自我，『汝』謂民。乃《書》文於此下云『夏德若茲，今朕必往』語為重沓矣。孟子……引《書》，言桀之失德，全在民欲與之皆亡。若作湯諭民往亡桀之辭，無以見桀之失德矣。趙氏之旨，既殊《孟子》，亦違伏、鄭，未知所本。』

〈梁惠王上〉「以若所為，求若所欲，猶緣木而求魚也」，趙《注》：「若，順也。順向者所為，謂構兵諸侯之事；求順今之所欲莅中國之願，其不可得，如緣喬木而求生魚也。」焦《疏》：「按：『若』宜同『若無罪而就死地』之『若』。若，如此也。謂以如此所為，求如此所欲。解為『順』，於辭不達。」

〈滕文公上〉「且志曰『喪祭從先祖』」，趙《注》：「《周禮》『小史掌邦國之志』，曰喪祭之事，各從其先祖之法。」焦《疏》：「小史屬春官。鄭司農云：『志，謂記也。《春秋傳》所謂《周志》，《國語》所謂《鄭書》之屬是也。』小史所掌之志，記世系昭穆之事，容有『喪祭從先祖』云云，故趙氏引以為證，實不知為何書也。」（「春」字原誤為「天」，沈文倬據《周禮》改）焦《疏》直指趙《注》軟肋。

〈滕文公下〉引《尚書》逸篇「丕顯哉！文王謨。丕承哉！武王烈」，趙《注》：「丕，大。……言文王大顯明王道，武王大纘承天光烈。」焦《疏》：「趙《注》訓『丕』為『大』，失之。」王引之《經傳釋詞》：「《玉篇》曰：『不，詞也。』經傳所用或作『丕』。『顯哉』、『承哉』，贊美之詞。『丕』則發聲也。」

〈離婁上〉「《詩》云『不愆不忘，率由舊章』，遵先王之法而過者，未之有也」，趙《注》：「《詩・大雅・嘉樂》之篇。愆，過也，所行不過差矣。不可忘者，以其循用舊故文章，遵用先王之法度，未聞有過也。」焦《疏》：「詩在《大雅・假樂》第二章。……《箋》云：『愆，過也。率，循也。成王之令德不過誤，不遺失，循用舊典之文章。』趙氏《注》略同。惟鄭以『不愆』、『不忘』平對；趙氏以《孟子》下申言專指出『過』字，故以『不愆』為『不過差』，而『不忘』別屬下謂『不可忘者』，因其遵舊法而無過也。按：鄭義是也。愆，過也。忘為遺失，亦過也。《孟子》言『過』，兼該愆、忘。遵用先王之法，乃不愆不忘，則屏棄《詩》、《書》，專恃心覺者，其愆、忘可勝言哉！」

〈離婁上〉「朝不通道，工不信度」，趙《注》：「朝廷之士不通道德，百工之作不信度量。」焦《疏》：「趙氏以『工』為百工，以『度』為度量。……按：《毛詩・周頌》『嗟嗟臣工』，《傳》云：『工，官也。』《國語・魯語》『夜儆百工』，《尚書・堯典》『允釐百工』，百工即謂百官，度謂法度也。」

〈告子上〉「孟子曰：『乃若其情，則可以為善矣，乃所謂善也。若夫為不善，非才之罪也。』」趙《注》：「若，順也。性與情相為表裏，性善勝情，情則從之。《孝經》曰：『此哀戚之情。』情從性也，能順此情，使之善者，其所謂善也。若隨人而強作善者，非善者者之善也；若為不善者，非所受天才之罪，物動之故也。」程瑤田《通藝錄論學小記》：「『乃若』者，轉語也。即從下文『若夫』字生根。」焦《疏》：「『乃若』，宜如程氏瑤田之說。趙氏以『順』釋『若』，非其義矣。」

〈告子上〉「孟子曰『富歲子弟多賴』」，趙《注》：「賴，善。」焦《疏》：「阮元云：『「富歲子弟多賴」，賴即懶。……而子弟多賴，即是子弟多懈也。……』阮氏說是也。」

〈盡心下〉「孟子曰『說大人則藐之，勿視其魏魏然』」，趙《注》：「孟子有說此大人之法，心當有以輕藐之，勿敢視之魏魏富貴若此而不畏之，則心舒意展，言語得盡。」焦《疏》：「《音義》云：『藐，丁音邈。藐然，輕易之貌。又音眇。』按《廣雅・釋詁》云：『邈，遠也。』《文選・思玄賦》『允塵邈而難虧』舊注、《幽通賦》『黃神邈而靡質兮』應劭注，皆訓『邈』為『遠』。《莊子・逍遙游》『藐姑射之山』，《釋文》引簡文《注》，即以『藐』為『遠』。蓋說大人則藐之，當釋『藐』為『遠』。謂當時之游說諸侯者，以順為正，是狎近之也。所以狎近之者，視其富貴而畏之也。不知說大人宜遠之。遠之者，即下皆古之制，我守古先王之法，而說以仁義，不曲徇其所好，是遠之也。以為心當輕藐，恐失孟子之恉。」

三、疑

焦疏〈孟子篇敘〉：「今撰《正義》，惟主趙氏，而眾說異同，亦略存錄，以備參考而已，實未易折衷也。」又云：「趙氏《章句》既詳為分析，則為之疏者，不必徒事敷衍文義，順述口吻，效《毛詩正義》之例，以成學究講章之習。趙氏訓詁，每疊於句中，故語似蔓衍而辭多售聱。推發趙氏之意，指明其句中訓詁，自爾文從字順，條鬯明顯矣。於趙氏之說，或有所疑，不惜駁破以相規正。至諸家或申趙義，或與趙殊，或專翼《孟》，或雜他經，兼存備錄，以待參考。」

焦疏〈公孫丑上〉引趙佑《溫故錄》：「此章舊注特多違失，如以子夏不如曾子孝之大，以告子之言心氣，皆屬人言；『宰我、子貢善為說辭』一節，『昔者竊聞之』一節，皆為孟子自言。『莫不善于有若曰』節，注『此三人皆孔子弟子』云云，直說成阿其所好，全相觸背。此漢注之所以不可廢而有可廢也。」焦《疏》兼存備錄，未予置辭。

〈離婁上〉「上無禮，下無學，賊民興，喪無日矣」，趙《注》：「言君不知禮，臣不學法度，無以相檢制，則賊民興，亡在朝夕，無復有期日，言國無禮義必亡。」焦《疏》：「趙氏以『下無學』為『臣不學法度』，近時通解以『下』指民。趙氏佑《溫故錄》云：『……。』」焦疏兼存備錄，亦未置辭。

〈萬章上〉「《書》曰『祗載見瞽瞍，夔夔齋栗，瞽瞍亦允若』，是為父子不得而子也」，趙《注》：「舜既為天子，敬事嚴父，戰栗以見瞽瞍，瞍亦信知舜之大孝。若是為父不得而子也，以是解咸丘蒙之疑。」焦《疏》：「趙氏以瞽瞍亦信知舜之大孝釋『瞽瞍亦允』，是讀『允』句，『若』字屬下，為孟子說《書》之辭。近讀『允若』為句，從晚出古文《大禹謨》也。江氏聲《尚書集注音疏》云：

『孟子既引此經，遂言曰「是為父不得而子也」。趙氏讀「允」字絕句，「若」字屬下入孟子語中，似不合孟子語意，故聲裁節之而別為之解。允，誠也。若，善也。舜敬事瞽瞍，見之必敬慎戰栗，瞽瞍化之，亦誠實而善。所謂「烝烝乂，不格姦」也。』」焦《疏》兼存備錄，亦未置辭。

〈萬章下〉「智，譬則巧也；聖，譬則力也」，焦《疏》：「趙氏本義，未知何如，故擬之以質知者。」

四、補

〈盡心下〉「可欲之謂善，有諸己之謂信，充實之謂美，充實而有光輝之謂大，大而化之之謂聖，聖而不可知之之謂神」，趙《注》：「己之所欲，乃使人欲之，是為善人。己所不欲，勿施于人也。」焦《疏》：「趙天以己所不欲勿施于人為可欲。按：此忠恕一貫之學，不僅于善也。」

由上觀之，焦《疏》於趙《注》之揚棄疑補，不一而足。焦疏〈公孫丑上〉云：「《孟子》經文，辭句明達，不似《詩》、《書》艱奧，而趙氏《注》順通其意，亦極詳瞭，不似毛、鄭簡嚴，待於申發。故但疏明訓詁典籍，則趙氏解經之意明，而經自明；而趙氏有未得經義者，以經文涵泳之，亦可會悟而得其真，固無取乎強經以從注也。」焦循心意，固已明矣。

經學研究論叢
第十四輯　頁227～240
臺灣學生書局 2006年12月

「程頤之學本於至誠」的觀點論略

劉秀蘭*

前　言

「程頤之學本於至誠」，是尹焞（和靖）對其師程頤的評價。不過這個論點一直以來並沒有受到太大的關注，因為程頤還說「涵養須用敬，進學則在致知」❶，所以相形之下，主敬說就成為焦點所在。因為大體上，我們都認為程頤的工夫論以「持敬」為要，與程顥的「誠敬」是有出入的。不過，從文獻資料所反映的訊息看來，其實提供了更多的思考面向。本文試圖從典籍中尋找線索，以求釐清某些疑點，期望讓學術的脈絡更加清晰明確。

一、程《傳》與「誠」

《伊川易傳》是程頤畢生心力之所在，他一生研究《易》學，作《傳》的態度更是出奇的謹慎，他曾說：「某於《易傳》，今卻已自成書，但逐旋修改，期以七十，其書可出。」（〈遺書〉，卷17，頁174）文集中也提到：「門弟子請問《易傳》事，雖有一字之疑，伊川必再三喻之，蓋其潛心甚久，未嘗容易下一字也。」（《程氏外書》，卷12，頁440）此外，程頤更不輕易以《傳》示人，因為他認為

---

* 劉秀蘭，高雄縣正義高中國文教師。

❶ 〔宋〕程顥、程頤撰，王孝魚點校：《河南程氏遺書》，《二程集》（臺北：里仁書局，1982年3月），卷18，頁188。下文直將頁數標示於引文後，不另出注。

「《易傳》未傳，自量精力未衰，尚覬有少進爾」（〈答張閎中書〉，頁 615），這些都說明程頤謹慎到不輕下一字，以求盡善盡美的性格，所以求先生之學，應以此為要。尹焞也說：「先生踐履盡《易》，其作《傳》只是因而寫成，熟讀玩味，即可見矣。先生平生用意，惟在《易傳》，求先生之學者，觀此足矣。《語錄》之類，出於學者所記，所見有淺深，故所記有工拙，蓋未能無失也。」（《伊川先生年譜》，頁 345）尹焞的意思是說《伊川易傳》「是程頤學術思想的代表作，任何記述程頤言論的《語錄》都不能同《易傳》相比。程頤的一生踐履，完全體現了《易》的思想。他寫《易傳》只是根據自己的踐履而寫成，是踐履的自然結果」。❷這無疑是對理學家的高度讚揚，所以探究程頤之學應由《易傳》入，因為這會比由語錄或其它資料來得親切而踏實。

「誠」字在《周易》裡出現二次，分別在〈乾卦・文言〉九二及九三中：

> 庸言之信，庸行之謹，閑邪存其誠。

> 君子進德脩業，忠信所以進德也，脩辭立其誠，所以居業也。

在《周易》裡，「誠」字並不是很重要的概念，不過在《中庸》裡，卻是核心思想；尤其在理學中，更有著極為重要的地位。理學家很少不提「誠」的，或作為天道的本體，或成為工夫的修養，所以用「誠」來解釋經典也就變得自然而然，劉仲宇先生說：

> 理學家的思辨水平不低，他們善於將產生在不同時代、具有不同哲學傾向的《四書》、《五經》貫通起來，揉合成統一的體系。這種情況，在注《易》中相當明顯。表現之一是以《大學》、《中庸》的思想解《易》，特別是以《中庸》的「誠」解《易》。《中庸》提出的「至誠之道」極得理學家的重視，但《易》中原來卻沒有這一思想。《易》中有「孚」字，或與「誠」，

---

❷ 參考侯外廬主編：《宋明理學史》（北京：人民出版社，1984 年 4 月），頁 135－136。

> 「信」相通。……理學家則將「誠」牽進《易》。❸

這說明《周易》理學化的一個趨勢和現象。理學家中提到「誠」字，莫過於周濂溪先生。濂溪以「誠」釋《易傳》的〈乾卦〉，由「誠之源」、「誠之立」、「誠之通」到「誠之復」，與所謂「寂然不動者，誠也；感而遂通者，神也」，皆明誠體流行之妙，是兼誠之體與誠之用而言的。❹

理學家大都有鮮明的思想性格，如濂溪的「誠」，橫渠的「氣」、明道的「仁」，象山的「本心」、朱子的「中和」，與陽明的「良知」等等，都足以代表其學說的宗旨及精神。相對於程頤，除了主「理」外，其修養工夫歷來多標舉「敬」字❺，即「敬以直內，義以方外」以及「涵養須用敬，進學則在致知」為代

---

❸ 劉仲宇：〈《周易》和宋理學〉，《周易研究論文集》第 3 輯（北京：北京師範大學出版社，1990 年 5 月），頁 265。

❹ 牟宗三：《心體與性體》（臺北：正中書局，1996 年 5 月），頁 323－334。

❺ 雖然孫振青先生《宋明道學》（臺北：千華圖書公司，1986 年），頁 235 提到尹焞這個論點，並且認為極為正確，不過學者多半認為「敬」是程頤最主要的工夫論，例如：

⑴胡自逢：「其學本於《易》，尤愛〈坤文言傳〉「君子敬以直內，義以方外」二句，服膺弗失。於是主敬守義，內直外方，動止語默，一以聖人為師。」見《程伊川易學述評》（臺北：文史哲出版社，1995 年 12 月），頁 2。

⑵陳來：「敬是程頤提倡的主要修養方法。二程都很重視儒家傳統中關於『敬』的思想。不過在敬的問題上，程顥與程頤的看法有所不同。大體說來，程顥以誠與敬並提，他說的敬近於誠的意義，同時他十分強調敬的修養必須把握一個限度，不應傷害心境的自在和樂。程頤則不遺餘力地強調敬，他所謂主敬的主要內容是整齊嚴肅與主一無適，要求人在外在的容貌舉止與內在的思慮情感兩方面同時約束自己。」見《宋明理學》（臺北：洪葉出版社，1994 年 9 月），頁 85。

⑶李曰章：「伊川的修養論，則可以拿『涵養須用敬，進學則在致知』這句話作代表。」見《程顥．程頤》（臺北：東大圖書公司，1986 年 10 月），頁 120。

⑷勞思光：「伊川以『敬』與『致知』為工夫綱領，『粹言』中更明言『敬』為『學之大要』。故『敬』與『致知』合而為伊川之工夫理論，乃無可者。」見《新編中國哲學史》（臺北：三民書局，1993 年 10 月），頁 250。

⑸牟宗三：「能閑邪，存誠，存敬，即是『敬以直內』。涵養即是常常能存敬。此是伊川言涵養、居敬之實義。」見《心體與性體》，頁 386。

表，元代吳草廬也說：

> 夫「修己以敬」，吾聖門之教也。然自孟子之後失其傳，至程子乃復得之，遂以「敬」之一字為聖傳心印。程子初年受學於周子，周子之學主靜，而程子易之以敬，蓋敬則能生靜矣。❻

吳草廬認為程頤把「敬」字這失傳的絕學重新復興起來，有功於聖學。不過，如果細察程《傳》，我們會發現「主敬」外，程頤更加重視「誠」的涵養。因為在程《傳》裡，程頤廣泛使用「誠」字來詮釋《周易》，可以說與「理」、「道」等核心概念不相上下，同時尹焞（和靖）也曾經說過：

> 先生之學，本於至誠。異見於言動事為之間，處中有常，疏通簡易，不為矯異，不為狷介，寬猛合宜，莊重有體。（《伊川先生年譜》，頁346）

尹焞認為「先生之學，本於至誠」，不僅修己，為學著述更是如此，一以誠己、至誠為要，這些可從程《傳》得到印證。在程《傳》裡，「誠」字多半與其它字合用，而形成各種語彙，遍佈於各卦中，如：

「至誠」（觀卦象曰、咸卦上六、家人上九、睽卦、損卦卦辭、益卦九五、夬卦卦辭、巽卦九二、中孚卦九二、需卦上六、比卦象曰、臨卦泉曰、家人卦上九、升卦九二、困卦九二、革卦九四）

「誠」（家人九五、損卦卦辭、解卦九四）

「孚誠」（觀卦卦辭、益卦六三、比卦初六、睽卦九四、損卦卦辭、升卦九二）

「誠孚」（益卦六三）

「誠信」（益卦六三、夬卦象曰、豐卦六二、兌卦九二、需卦卦辭、比卦初六、大有卦六五）

---

❻ 〔清〕黃宗羲撰，〔清〕全祖望續修，〔清〕王梓材校補：《宋元學案》（臺北：河洛圖書出版社，1975年3月），〈伊川學案〉，頁104。

「盡誠」（頤卦上九、蠱卦九二）

「篤誠」（咸卦彖曰）

「誠實」（巽卦九二、蹇卦六四、兌卦彖曰）

「精誠」（觀卦卦辭）

「誠敬」（損卦卦辭、萃卦卦辭、升卦九二、困卦九五、震卦卦辭）

「誠意」（觀卦卦辭、益卦六三、夬卦卦辭、豐卦六三、巽卦九二、比卦九五、巽卦九二）

「誠一」（中孚初九、蒙卦彖曰）

「誠心」（兌卦九五）

「推誠」（晉卦六五）

「存誠」（損卦卦辭）

「在乎誠」（損卦卦辭）

「薦其誠」（損卦彖辭、萃卦六二）

「孝亨之誠」（萃卦彖曰）

這些詞彙在程《傳》裡俯拾皆是、屢見不鮮，據統計，將近四十個卦以上，說明程頤對「誠」是非常重視的，幾近成為他學問的精華。

關於程《傳》與「誠」的關聯，主要體現在兩方面：其一是程頤藉由以「誠」釋「孚」及「無妄」的方式，將二者作了連繫。其二是誠字在程《傳》裡的功用，舉凡儀式、祭典、政治、教化等各方面，程頤無不強調存誠的重要，也就是說即便是算命，人事的修為仍舊很重要，所以胡自逢先生才曾說：「程子《易傳》尤重人事。」❼不過，首先我們要探討程頤如何將《易》、《庸》統合起來，這關鍵在於對《周易》「孚」字及〈無妄〉卦的詮釋上。❽「孚」字在《說文》中意思為：

---

❼ 胡自逢：《程伊川易學述評》，頁 11－14。

❽ 劉仲宇：〈《周易》和宋理學〉，頁 265。

> 孚，卵即孚也。……一曰信也。❾

孚是「信」的意思。不過在殷墟甲骨文中字形為「　」，「從又、從子，字象一手撫愛小子之形。金文師寰簋之『口』填實寫作　。本義是撫愛」。❿另有一說，是「從子從又或從爪，象以手逮人形，為『俘』字初文。甲骨文或從彳，表示俘獲的動作」。⓫不管是解釋成「撫愛」還是「俘獲」，都說許說非本義。

其實在孔穎達《正義》中，雖然有用「誠」字來解釋「孚」，但畢竟是少數，多半是以「孚信」為主。不過，到了程頤則轉變為「誠孚」，例如在〈夬卦・卦辭〉「夬，揚于王庭，字號有厲」中，程頤說：

> 孚，信之在中，誠意也。（頁 919）

在〈萃卦・六二〉「引吉，無咎，孚乃利用禴」，程頤也說：

> 孚，信之在中，誠之謂也。（頁 932）

程頤認為孚即誠。其實在下列各卦中，程頤也都強調「誠」的重要：在〈泰卦・六四〉「翩翩，不當以其鄰，不戒以孚」，說：「不待戒告而誠意相合也。」（頁 757）在〈升卦・九二〉「九二之孚，有喜也」，說：「二能以孚誠事上，則不唯為臣之道無咎而已，可以行剛中之道，澤及天下。」（頁 937）在〈小畜卦・六四〉「有孚，血去惕出，無咎」，說：「唯盡其孚誠以應之，則可以感之矣！」（頁 747）在〈益卦・九五〉「有孚惠心，勿問元古，有孚惠我德」，說：「以九五之德、之才、之位，而中心至誠在惠益於物，其至善大吉，不問可知。……有孚

---

❾ 〔漢〕許慎著，〔清〕段玉裁注：《說文解字注》（臺北：黎明文化事業公司，1993 年 7 月），頁 114。

❿ 馬加森：《殷墟甲骨文引論》（高雄：復文圖書公司，1997 年 1 月），頁 390。

⓫ 王宏源：《字裡乾坤——漢字形體源流》（臺北：文津出版社，1998 年 10 月），頁 260。

惠我德，人君至誠，益於天下，天下之人，無不至誠愛戴。」（頁 917）總之，當《周易》提及「孚」字時，程頤多半以「誠」來解釋，或作「誠」，「至誠」、「孚誠」、「誠一」、「誠意」等。另外，程頤也把〈無妄〉卦解釋為誠，他說：「無妄者，至誠也。至誠者，天之道也。天之化育萬物，生生不窮，各正其性命，乃無妄也。」（頁 822）這也是援引《中庸》來詮釋《周易》。

其二，是至誠感應的作用。最明顯的就是在宗教方面，尤其是神人之間。因為《周易》是卜筮之書，要預知吉凶當然就必須溝通神明。談到祭祀，最重要的就是心誠意正，所以每次提到祭祀，程頤就強調誠心的重要。因為一般人在祭祀時，是最有誠意的，而且也唯有至誠才能感通神明。在〈萃卦・六三〉「引吉，無咎，孚乃利用禴」中，程頤說：

> 禴，祭之簡薄者也。非薄而祭，不尚備物，專以誠意交於神明也。……以禴言者，謂薦其誠而已。上下相聚，而尚飾焉，是未誠也。（頁 932）

另外，在〈巽卦・九二〉「巽在床下，用史巫紛若，吉，無咎」，也說：「史巫者，通誠意於神明者也。」（頁 995）在〈震卦・大象〉「震驚百里，不喪匕鬯」，說：「人之致其誠敬，莫如祭祀。」（頁 963）在〈困卦・九五〉「劓刖。困于赤紱，乃徐有說，利用祭祀」中說：「利用祭祀，祭祀之事，必致其誠敬，而後受福。」（頁 942）以及在〈損卦・卦辭〉「曷之用？二簋可用享」中也說：「享祀之禮，其文最繁，然以誠敬為本，多儀備物，所以將飾其誠敬之心，飾過其誠，則為偽矣。二簋之約，可用享祭，言在乎誠而已，誠為本也。」（頁 907）以上這些都強調至誠才能上達天意。

因為誠具有感通的作用，所以程頤說：「有孚於中，物無不應，誠同故也。至誠無遠近幽深之隔，故〈繫辭〉云『善則千里之外應之，不善則千里違之』，言誠通也。」（〈中孚卦・九二〉）即不論遠近幽深皆可感通無阻。

因此落實在政治上，程頤強調君臣與君民之間亦應以「至誠」、「誠敬」相感。尤其《易經》本身具有憂患意識，當國家有難，或發生危機時，君王更應該以誠待下而招致賢士，方能濟困之艱，而凝結群小。如〈困卦・九五〉程頤就說：

「人君在因時，宜念天下之困，求天下之賢，若祭祀然，致其誠敬，則能致天下之賢，濟天下之困矣。」（頁 944）意即以誠意感通天下，使萬民信服。另外在〈中孚卦・九五〉程頤也說：「人君之道，當以至誠感通天下，使天下之心信之，固結如拘攣然，則為無咎。」（頁 1012）又在〈咸卦・彖〉說：「聖人至誠以感億兆之心，而天下和平。……感通之理，知道者默而觀之可也。」（頁 855）同樣的，臣亦應以誠事君上：「夫君子之事上也，不得其心，則盡其至誠，以感發其志意而已，苟誠意能動，則雖昏蒙可開也。」（〈豐卦・六二〉，頁 986）程頤認為事上雖有不得其君之時，然若能竭盡誠心，終必可成，即使昏昧之君亦有可為之處。

至於倫理方面，程頤也強調男女交往應以「誠」來感動對方，程頤說：「男女相感之深，莫如少者，……男先以誠感，則女說而應也。」（〈咸卦〉，頁 854）總之，在政治、宗教、倫理等方面，或者是一個國家、一個人，都必然會有遭遇困頓之時，不過在程頤看來，危機是否有可能轉成契機，關鍵就在於「誠」。所謂「心誠則靈」，因為那股力量和作用有時是超乎想像的，所以「至誠可以蹈水火」（《遺書》，卷 18，頁 189）不無可能，這就是《中庸》「不誠無物」、「誠者自成」的道理，程頤說：

> 「誠者自成」，如至誠事親則成人子，至誠事君則成人臣。「不誠無物，誠者，物之終始」，猶俗說徹頭徹尾不誠，更有甚物也。……「誠則形」，誠後便有物。……「明則動」，誠能動人也。（《遺書》，卷 18，頁 203）

人如果能夠用祭祀神明時那種坦誠相對的態度來面對人世間的一切人事物，則雖然不能完全盡如人意，總還是可以差強人意，而求無愧於心。

經由以上的論述，我們可以確定程頤以「誠」註解《周易》，不會只是純粹偶然，或純屬巧合，因為除了《易》、《庸》的思想本來就互相融通外⓬，其實程頤

⓬ 《易傳》的生生觀可與《中庸》之誠相通。參見董平：〈論《易傳》的生生觀念與《中庸》之誠〉，《周易研究論文集》，第 3 輯，頁 305－314。

在注《易》外，也注過《中庸》，只是不滿而火之矣⑬，這說明程頤對《中庸》一文的推崇與重視。⑭他說：「《中庸》之書，決是傳聖人之學不雜。」（《遺書》，卷 15，頁 153）尹焞也說：「伊川先生嘗言，《中庸》乃孔門傳授心法。」（《程氏外書》，卷 11，頁 411）此外胡安國也甚為推崇程頤在《中庸》承先啟後的作用，他說：「《中庸》之義，不明久矣。自頤兄弟始發明之，然後其義可思而得。」（《遺書・附錄》，頁 348）所以程頤在《易傳》中處處發揮「誠」的論點，很顯然地，他把《中庸》的思想細密地反映在《易傳》裡，融合成他獨特的理學思維模式。

二、由敬至誠

程頤以「誠」釋《易》，而誠的意義為何？程頤說：「真近誠。誠者無妄之謂。」（《遺書》，卷 21 下，頁 274）以及「無妄之謂誠，不欺其次矣。」（《遺書》，卷 6，頁 92）誠即是無妄，即是真。而「誠」除了有感通的作用外，程頤認為聖學亦以「誠篤」為要，他說：「曾子傳聖人道，只是一箇誠篤。《語》曰：『參也魯。』如聖人之門，子游、子夏之言語、子貢、子張之才辨聰明者甚多，卒傳聖人之道者，乃質魯之人。人只要一箇誠實。」（《遺書》，卷 18，頁 211）；此外，為學之道更在誠，程頤說：「學者不可以不誠，不誠無以為善，不誠無以為君子。修學不以誠，則學雜；為事不以誠，則事敗；自謀不以誠，則是欺其心而自棄其忠；與人不以誠，則是喪其德而增人之怨。」（《遺書》，卷 25，頁 326）也就是說，誠是做人處事的基本原則。

至於要如何才能做到「誠」，程頤發揮《周易》「閑邪」的觀點，他說：「閑

---

⑬ 《遺書》，卷 17，頁 175 提到陳長方在姑蘇見到尹焞，並向他詢問《中庸解》成書的情形，尹焞回答他說：「先生自以為不滿意，焚之矣。」今所傳《中庸解》可能為呂大臨所著，見〈中庸解〉，《二程集》，頁 1165；或陳俊民輯校：《藍田呂氏遺著輯校》（北京：中華書局，1993 年 11 月），頁 21－23。

⑭ 參考蔡方鹿：《程顥程頤與中國文化》（貴陽：貴州人民出版社，1996 年 1 月），頁 194－198。另外侯外廬《宋明理學史》：「二程年少時從周敦頤學，影響最大的就是周敦頤關於《中庸》的見解。」（頁 139－140）

邪存誠，閑邪則誠自存。如人有室，垣牆不修，不能防寇，寇從東來，逐之則復有自西入；逐得一人，一人復至。不如修其垣牆，則寇自不至，故欲閑邪也。」不過，並「不是外面捉一箇誠將來存著。只是閑邪，則誠自存。」（《遺書》，卷15，頁169）

除了閑邪外，程頤還強調由敬至誠。因為程頤認為誠「合內外之道」，即以誠涵敬，他說：「誠為統體，敬為用。敬則內自直，誠合內外之道，則萬物流行，故義以方外。」（《程氏外書》，卷 2，頁 364）以及「誠然後能敬，未及誠時，卻須敬而後能誠。」（《遺書》，卷6，頁92）。在程頤看來，能誠則能敬，未至誠時則以敬存之，所以由敬而誠是工夫修為的先後次序。至於「敬」字有那些意涵，程頤解釋說：「《易》所謂『敬以直內，義以方外』，須是直內，乃是主一之義。至於不敢欺，不敢慢，尚不愧於屋漏，皆是敬之事也。」（《遺書》，卷 15，頁169）「動容貌，整思慮，則自然生敬，敬只是主一也。」（《遺書》，卷 15，頁149）以及「儼然正其衣冠，尊其瞻視，其中自有箇敬處。」（《遺書》，卷 18，頁 185）「敬只是涵養一事。必有事焉，須當集義。只知用敬，不知集義，卻是都無事也。」（《遺書》，卷18，頁206）大體而言，敬是「主一」⓯，整齊嚴肅，重視外表之容貌衣冠，時時謹慎⓰，更須「集義」養氣，以補敬之不足。總之，誠

⓯ 程頤對「敬」字有獨特的講法，即「主一」之說：「主一之謂敬」（《二程粹言》，卷 1，頁 1173），「敬，只是主一也」（《二程遺書》，卷 15，頁 149）。「一」是指心神之統一或集中，程頤說「一心之謂敬。」（《二程粹言》，卷 2，頁 1256），而「主」字似乎應作「專」解。「主一」應該就是「專務做到心神之統一或集中」的意思。心神統一或集中，則不為外物所牽引，這就是他所謂的「無適」。「所謂一者，無適之謂一」（《遺書》，卷15，頁 169），而「適」即是「往」之意。無適便是無所他往，即不從所在之處跑到其它地方，即「敬，只是主一也。主一，則既不之東，又不之西，如是則只是中；既不之此，又不之彼，如是則只是內」（《二程遺書》，卷 15，頁 149）。只是「主一」既是指心神之統一或集中，那麼，是不是一定要有一實際的事物作為心神貫注的對象呢？連帶的，當心中了無一事時，「敬」的工夫是否還有必要？在程頤看來，即使無事之時，同樣要以「敬」來操持此心，工夫仍不可少。至於為何要時時持「敬」，目的是為了「窒欲」，因為「才不敬，便私欲萬端，害於仁」（《遺書》，卷 15，頁 153）。以上參考李日章：《程顥．程頤》，頁129－133。

⓰ 參考陳來：《宋明理學》，頁85－88。

統合內外之道，不像敬主內而義主外是有偏的。因為「天人合一的『誠』，是很高的境界，尚未達到以前，就只有用『敬』的工夫，讓自己的心專注清明，才能夠明察義理，進而實踐義理」。⓱這表示道德修養不是一蹴可幾的，持之以恆、學不躐等才是聖學的階梯。其實關於「敬」的缺陷，清代黃宗羲也說：

> 伊川則以敬字未盡，益之以窮理之說，而曰「涵養須用敬，進學在致知」，又曰「只守一個敬字，不知集義，卻是都無事也」，然隨曰「敬以直內，義以方外，合內外之道」，蓋恐學者作兩項工夫用也。舍敬無以為義，義是敬之用，敬是義之體，實非有二，自此旨一立，至朱子又加詳焉。於是窮理、主敬，若水火相濟，非是則隻輪孤翼，有一偏之義矣。後之學者不得其要，從事於零星補湊，而支離之患生。故使明道而在，必不為此言也。兩程子接人之異，學者不可不致審焉。⓲

黃宗羲指出敬字未盡，須集義，而且要與窮理相輔，否則易生支離而不得其要。意即單純主敬，會讓人覺得程頤之學在工夫論上未臻至善，實不如明道已打一片來得好，所以唐一庵樞批評說：「明道之學，一天人，合內外，已打成一片。而伊川居敬，又要窮理，工夫似未合併，尚欠一格。」⓳這些都讓程頤的學術受到訾議，所以如果和靖「本於至誠」的說法是正確的，則這些評論顯然就有待商榷。

和靖在程門天資最魯，然用志最專，《程氏外書》卷十一說：「子謂尹焞魯，張繹俊。俊，恐他日過之；魯者終有守也。」（頁 412）程頤亦嘗言學吾學而能不失其正者尹氏子也，足見和靖如其師之深者⓴，所以評價其師之言應不至於太離譜。至於和靖的說法為何沒有受到重視，原因應該如下：其一是誠字本身的模糊地

⓱ 古清美：《宋明理學概述》（臺北：臺灣書店，1996 年 11 月），頁 36。

⓲ 《宋元學案》，〈伊川學案〉，頁 105。

⓳ 《宋元學案》，〈伊川學案〉，頁 106。

⓴ 《程氏外書》，卷 11，頁 412：「尹子、張子見，先生曰：『二子於某言如何？』尹子對曰：『聞先生之言，言下領意，焞不如繹。能終守先生之學，繹亦不如焞。』先生欣然曰：『各中其病。』」

帶，就如李日章先生說：「如此的一個『誠』，作為一種工夫，到底空泛了一點。因為它僅標明了一個目標（即真實無妄），卻沒有指示我們到達這個目標的途徑。就這點而言，『誠』與其說是一種工夫，倒不如說是指一種『境界』，還來得恰當一點。」㉑也就是說誠作為工夫而言著實單薄了一點，雖然誠合內外之道，不過就是因為橫跨本體與工夫，造成它比較模稜兩可的情況，沒有像「敬」字那麼具體而確切。何況程頤對「敬」字的解釋一向比較深入而細緻，工夫修為也大多落在上面，例如他對門弟子的開導就多半以「敬」字為主㉒，以為入門的要道，所以一般人對程頤言「敬」的印象就比較深刻，只是教法並不能完全等同於一個學者的學術風格，二者應有區別。

其二應是朱子與後代學者的影響。大體上我們都認為朱子是程頤學說的繼承者。南宋以後，朱子學說大張旗幟，在學術界擁有很高的地位，影響所及，我們不免由朱子的角度來理解程頤，無形中把程頤朱子化了，所以應該撇開朱子的影響，重新審視程頤之學。因為在朱子看來，他最推崇的就是程頤主「敬」的工夫，他

㉑ 李日章：《程顥・程頤》，頁 125－126。

㉒ 程子接引後學大都提示「敬」字作為工夫入手，因為程頤認為「敬」這事「最是簡，最是易，又省工夫」（《遺書》，卷 15，頁 149），例如：

⑴先生（尹焞）曰：「初見伊川時，教某看敬字，某請益。伊川曰：『主一則是敬』當時雖領此語，然不若近時看得更親切。」寬問：「如何是主一，願先生善喻。」先生曰：「敬有甚形影？只收斂身心便是主一。且如人到神祠中致敬時，其心收斂，更著不得毫髮事，非主一而何？」又曰：「昔有趙承議從伊川學，其人性不甚利，伊川亦令看敬字。趙請益，伊川整衣冠；齊容貌而已。趙舉示先生，先生於趙言下有箇省覺處。」（《程氏外書》，卷 12，頁 433）

程頤以「敬」字教尹焞及趙承議。不過承議仍覺不足，再次請益，程頤於是整衣冠、齊容貌以示之而已。這表示「敬」字重在收斂身心，不使外馳，是強調日常的修為。

⑵「主於內則外不入，敬便心虛故也。必有事焉，不忘，不要施之重，便不好。敬其心，乃至不接視聽，此學者之事也。始學，豈可不自此去？」（《遺書》，卷 15，頁 154）

→程頤強調初學者應由「敬」入門。

⑶彥明（尹焞）嘗言：先生教人，只是專令用「敬以直內」，若用此理，則百事不敢輕為，不敢妄作，不愧屋漏矣。習之既久，自然有所得也。（《程氏外書》，卷 12，頁 444）

說：「程先生所以有功於後學者，最是『敬』之一字有力。」㉓以及「程子只教人持敬」。㉔朱子把程氏之學歸功於「敬」之一字，與他個人的學術偏好有關，因為朱子非常欣賞「敬」的工夫，他說：「『敬』字工夫，乃聖門第一義，徹頭徹尾，不可頃刻間斷。」又說：「『敬』之一字，真聖門之綱領，存養之要法。一主乎此，更無內外精粗之間。」甚至「因歎『敬』字工夫之妙，聖學之所以成始成終者，皆由此。」㉕而且認為只要主敬，則程頤的話猶顯多餘：「敬之一字，學者若能實用其力，則雖程子兩言之訓，猶為賸語。」㉖但即使如此，並不能把朱子的認定與程頤本人的學術選擇及修為境界混同，否則程頤復起，必有言也。此外，清代黃宗羲也這樣認定，他說：「涵養須用敬，進學在致知，此伊川正鵠也。考亭守而勿失，其議論雖多，要不出此三言。」㉗在黃宗羲看來，朱子無疑是程頤之學的繼承者，所以總結這些大學者的評論都相當具有份量，久而久之，程、朱就幾乎成了同路人了。

最後是程頤本人的性格。二程子的性情差異一直以來就為人所津津樂道。大體上，大程子圓融無跡，「質性高明」，小程子尊嚴師道，「從踐履入」，「其功在

㉓ 〔宋〕黎靖德編：《朱子語類》（臺北：文津出版社，1986 年 12 月），卷 12，頁 210。關於朱子對「敬」的論述可參考陳榮捷：《朱熹》（臺北：東大圖書公司，1990 年 2 月），頁 96。

㉔ 《朱子語類》，卷 12，頁 208。朱子在《語類》中相當推崇程頤的主敬說，他說：

(1)《大學》則又有所謂格物、致知、正心、誠意。至程先生又專一發明一箇「敬」字。（頁 207）

(2)自秦漢以來，諸儒皆不識這「敬」字，直至程子方說得親切，學者知所用力。（頁 207）

(3)「敬」字，前輩都輕說過了，唯程子看得重。人只是要求放心。（頁 209）

(4)人之為學，千頭萬緒，豈可無本領！此程先生所以有「持敬」之語。（頁 209）

(5)伊川只說箇「敬」字，教人只就這「敬」字上捱去，庶幾執捉得定，有箇下手處。（頁 209）

(6)大凡學者須先理會「敬」字，敬是立腳去處。程子謂：「涵養須用敬，進學則在致知。」此語最妙。（頁 215）

㉕ 見《朱子語類》，卷 12，頁 207－210。

㉖ 《宋元學案》（臺北：華世出版，1987 年 9 月），〈晦翁學案上〉，頁 1545。

㉗ 《宋元學案》，〈晦翁學案上〉，頁 1554。

於密察邊耳」㉘，所以一個童貫際的人在涵養工夫上強調敬是符合邏輯的。再者，敬與誠之間的落差在於道德修為本來就是一條無止盡的路，單純落在那一邊都有缺憾，所以《宋史》在評論程頤與朱子之學時是頗有見地的，它說朱子「居敬」，而程子「本於誠」：

> 頤於書無所不訂，其學本於誠。㉙

> （朱子）為學，大抵窮理以致其知，反躬以踐其實，而以居敬為主。㉚

因此更明確地說，由程頤到朱子的轉變軌跡，應是由「誠敬」更落實到「居敬」的過程，即朱子將「敬」的涵養更加擴充，而體系更加完整。最後我們可以說《年譜》所記載的：「先生在經筵，每當進講，必宿齋豫戒，潛思存誠，冀以感動上意。」（頁 341）這應該是程頤言動事為最真實的寫照。

結　論

孫振青先生說：「新儒家都重視誠，明道、伊川更是以誠為治學之中心。他們的依據是《論語》、《中庸》與《大學》。誠的意義是無妄，為學必須由誠開始。沒有誠，則無論是修身或是做事，都不會成功。」㉛所以程頤的修養論是以誠敬為中心，雖然在應接門人僩以主敬、持敬為要，然其自身之學應本於至誠，因此論及程頤的工夫論時，應該「誠敬」並提，這會比「主敬」來得精確，而得其神髓。

㉘ 《宋元學案》，〈伊川學案〉，頁 106。

㉙ 〔元〕脫脫等撰：《宋史》（臺北：臺灣中華書局，1981 年《四部備要》本），卷 427。

㉚ 《宋史》，卷 429，同上。

㉛ 孫振青：《宋明道學》，頁 237－238。

經 學 研 究 論 叢
第 十 四 輯　頁241～260
臺灣學生書局 2006 年 12 月

陳大齊在臺灣

陳逢源*

一、前　言

臺灣光復以來思想啟蒙的學者，多少有些共同的背景，就是在大陸奠基，而在臺灣深植開展，雖然在不同的時期，但在學術與文化教育工作上，卻有一脈相承的線索。陳大齊先生，字百年，浙江省海鹽縣人，曾任北京大學哲學系系主任、文學院院長、教務長、代理校長，也是政治大學在臺復校的首任校長，在學術方面，從早先的心理學與理則學，其後轉為名理之學，最後歸本於儒學研究，包括了西方的心理學、理則學、印度因明學、以及中國孔子、孟子、荀子的儒家思想研究，從不同文化的最基礎處著眼，而歸結於名理內涵的辨析，範圍既廣，辨析又密，這種從大處著眼，而分析細微的學術面向，可以說是兼容古今，學貫中西，在廣度與深度皆可概見一代儒者的風範，也是臺灣當代儒學發展一個重要的關鍵，只是相較於方東美、唐君毅、牟宗三等新儒家一系的儒者，明顯缺乏後世學者的表彰，聲名未顯❶，

---

* 陳逢源，政治大學中國文學系副教授。

❶ 檢尋臺灣學界有關陳大齊先生學術的研究論文，僅有曾春海：〈述評陳大齊對義利之辨的研究〉（《哲學與文化》28 卷 11 期）、沈清松：〈由名學走向儒學之路——陳大齊對臺灣儒學的貢獻〉（《漢學研究》16 卷 2 期）、潘秀玲：〈陳大齊先生對孔子學說的研究成果〉（《孔孟月刊》27 卷 2 期）、周群振：〈孟子本義之疏釋及疑難試解：陳大齊先生「孟子待解錄」讀後抒見〉(一)－(五)（《鵝湖》11 卷 7 期－12 卷 4 期）、陳瑞龍：〈介紹陳大齊先生著「平凡的道德觀」〉（《國教天地》4 期）、王曉波：〈陳大齊著「平凡的道德觀」〉（《國立臺灣大學哲學論評》2 期）等篇，數量既不多，檢討也不夠全面，所以沈清松先生

對於全面了解臺灣儒學發展的情況，不免有其缺憾，所以為求補苴罅漏，筆者撰有〈辨析異解，形構體系——陳大齊先生研治論語的方法與成就〉一文❷，介紹陳大齊先生治《論語》的成就，既深感陳大齊先生學養之豐富，並希望能了解臺灣當代儒學多元發展的情形，是以特別以「陳大齊在臺灣」為題，檢視其學思歷程，以表彰其奉獻教育，深植臺灣儒學的貢獻，尤其筆者目前執教於政治大學，經常出入政治大學文學院——百年樓，在教室之中，在迴廊之間，瞻仰前賢，自然更是深感意義。

二、學思歷程

陳大齊先生，清光緒十三年（1887）生，六歲入私塾啟蒙，十四歲進江南製造附設廣方言館就讀，學習英文。十七歲東渡日本，先入東京補習學校，學習日文，補習數理，後又考入日本仙臺第二高等學校，學習德文、法律、經濟等學科，既兼擅不同語言，又具備傳統與現代不同學科的養成過程，成學背景堅實豐富。

宣統元年（1909）陳大齊先生高等學校畢業，順利進入東京帝國大學文科哲學門，時二十三歲，以心理學為主科，理則學、社會學為輔科，據陳大齊先生〈八十二歲自述〉所言，選擇心理學，是因為「心理學已漸漸擺脫哲學的羈絆而步入了科學的範圍」❸，可以了解在陳大齊先生雖然是專研於人文學科，但卻有一種追求科學，強調客觀理則的內在思惟，這也是一生學術的基調所在。

民國元年夏，畢業返國，出任浙江高等學校校長。第二年又任北京法政專門學校預科教授，講授心理學與理則學，隔年夏轉任北京大學，講授哲學概論、心理學

撰文表彰陳大齊先生，便曾感嘆「陳大齊同為一代儒宗，卻未見受到同樣的重視，對於一位勤學有成的大儒而言，其實是有些不公平的」，頁 2。對於這位臺灣儒學深有貢獻的學者，確實缺少應有的研究，所以政治大學於民國九十年五月舉辦第四屆「中國近代文化問題學術研討會」，特別針對陳大齊先生學術為研討主題，就是希望能稍補其缺憾，也希望對於臺灣儒學多元的發展，有更寬闊的視野。

❷ 收入《中國近代文化的解構與重建——陳百年》（國立政治大學文學院主辦「第四屆中國近代文化問題學術研討會」，2001 年 5 月 5 日），頁 67－92。

❸ 陳大齊撰：〈八十二歲自述〉，《陳百年先生文集》（臺北：臺灣商務印書館，1987 年 5 月），第 1 輯，頁 462。

與理則學，其後又授論理學、認識論、陳述心理學等，方向上既以心理學為主，但兼及哲學，學術路徑已有不同的轉變，陳大齊先生交代其中緣由，云：

> 回國後最初擔任的功課，亦以心理學為主。其後研習的興趣逐漸轉移到理則學，終且放棄了心理學，不復擔任普通心理學的功課。其所以放棄心理學，有主觀與客觀兩方面的原因。在主觀方面，我的生理學知識太差，在心理研究上增加了許多困難。在客觀方面，任教的學校當時還沒有心理實驗的設備，無從作實驗的研究。理則學教人如何培養正確的思考與如何躲避錯誤的推測，教人腳踏實地以從事學問，故有學問的學問之稱。我既有志於學問，自當對於此學多多留意，遂引起了研究的興趣。興趣轉移以後，在授課方面亦以講授理則學為主，其兼授認識論與陳述心理學，亦因此二科與理則學有著密切的關係而為研究理則學的人所當注意。❹

「有志於學問」正可以說明陳大齊先生的志業所在，而從心理學轉向理則學，既是主客觀條件欠缺使然，同時也可以說是陳大齊先生著意於「學問的學問」，秉持追根究柢的為學精神必然產生的結果，自此學術方向更加清楚明朗。

民國十年赴德國柏林大學，研究西洋哲學，體會更深。翌年返國任北京大學哲學系主任，民國十六年轉任教務長，十七年冬任考試院首任祕書長，參與籌備工作。之後並曾擔任北大學院院長、代理北京大學校長等職務。民國二十年再任考試院舊職，隔年出任考試考選委員會副委員長，二十三年升任考選委員會委員長，其間在中央訓練團及中央政治學校公務員訓練部都是講授理則學，旨在訓練全國公務人員的思考與判斷能力，對於民國肇建之初的教育以及文官體制的建立，貢獻良多。

公餘之暇，陳大齊先生潛心研究，從西洋理則學又跨入印度因明學，開啟了另一階段的學術歷程，陳大齊先生認為西方邏輯、印度因明、中國名學，雖是不同文化的學問，但同屬於理則學開啟的根源，既然已經了解西方理則學，遂想進一步了

---

❹ 〈八十二歲自述〉，頁 462。

解東方的理則學，原本以為印度因明較具體系，所以先從因明入手，選擇唐玄奘弟子窺基所撰之《因明入正理論疏》（世稱《大疏》）為底本，以西方形式理則學加以整理，撰成《因明大疏蠡測》，只是其中艱澀難讀，超乎預料，前後竟費時八九年的時間，陳大齊先生追憶其中情形，云：

> 所以研習因明，唯有依賴《大疏》。但《大疏》亦甚難讀，文體既有異尋常，一名又用作多義，相關的義理，不說在一起，前後的闡述，時或有失照應。因為難讀，所以屢讀屢輟，幾於中途放棄。幸而研習的志趣，迄未稍衰，必欲讀通而後已。乃再三自加鼓勵，參考他疏的殘簡及《大疏》的註記，並輔以邏輯的學理，始漸現曙光。遂把自以為讀通而可認為心得的，逐條紀錄下來，輯成《因明大疏蠡測》。❺

「必欲讀通而後已」，可以窺見陳大齊先生為學氣概。從民國十九、二十年開始研讀，到民國二十七年終於寫成《因明大疏蠡測》，以油印分送同好，三十四年始付鉛印。之後並據以完成《印度理則學》，將印度因明深奧艱澀的學問，變為簡明清楚，研習範圍從西方而漸至東方，此為陳大齊先生治學的第二階段。

民國三十七年考試院考選委員會改組為考選部，陳大齊先生請辭，改聘為總統府國策顧問。三十七年冬，大陸局勢惡化，舉家隨政府遷臺，任教於臺灣大學，講授理則學。此後，又負責政治大學在臺的復校工作，其間研究興趣逐漸轉向於中國名學，首先從諸子中的墨子、荀子入手，陳大齊先生說明其過程，云：

> 因明的研讀告一段落後，更欲一窺中國的名學，乃於公餘之暇，取先秦及漢代諸子加以研讀。……諸子中對於名學最有貢獻的，首推墨子與荀子。墨子有關名理的部分，因為我的文字學根柢太差，不能讀懂，雖嘗對於〈小取篇〉有所闡述，對於〈經〉上下及〈經說〉上下，未敢妄讚一辭。《荀子》較為易讀，嘗取其所說名理部分，按類排比，撰為「荀子名學發凡」一文，

❺ 〈八十二歲自述〉，頁463。

> 載入《臺灣大學文史哲學報》。名學與心理學有關，荀子說及心理的處所甚多，且甚具特色，遂引起了我研究的興趣，撰有「荀子的心理學」一文，載入《大陸雜誌》。荀子的天論與性惡論，亦頗饒特色，甚有探索的價值，遂展開為荀子思想的全面研究。❻

陳大齊先生自謙文字學根柢差，所以在荀子與墨子之間，研究集中於荀子，一方面荀子有許多的論證與心理學相通，可以有學理參證之效，另一方面荀子學說在先秦儒家中，居於承先啟後的地位，自然更具學術追源溯流的價值，於是陳大齊先生從西歐、印度的學術，最終回歸到傳統中國，開啟了治學的第三階段，先後撰有《孟子性善說與荀子性惡說的比較研究》、《荀子學說》，之後更上溯於孔子，開展出儒學思想的研究，則是一生治學的第四階段，有《孔子學說論集》、《孔子學說》、《與青年朋友們談孔子思想》、《論語臆解》等，陳大齊先生歸納一生的學術進程云：

> 我的研習可分為若干時期。以研究的對象為分期標準，可分四期：初為心理學與理則學時期，次為因明時期，再次為荀子時期，末為孔子時期。以研習的效用為分期標準，可分二期：初為稗販時期，後為加工時期。在前一時期內，有如零售的商店，只致力於介紹些國外現成的學說，至多亦不過略加品評而已。在後一時期，有如加工的工廠，取國內古代傳下來的寶貴資料，致力整理，比諸稗販，多費了一點心力，亦稍稍表現了自己的辛勞。❼

從早期心理學與理則學時期、因明學時期到最後的荀子、孔子時期，陳大齊先生的學術視野兼括中西，並且展現了博觀約取，追源溯流的學術進路，從辨析名理的角度，追究學術思想的根源，最終發覺孔子思想的博大精深，可以說在民初揚棄國故，全盤西化的迷思後，陳大齊先生在臺灣時期，所著力的是故有傳統文化的發

❻ 〈八十二歲自述〉，頁 463。
❼ 〈八十二歲自述〉，頁 465。

揚，不僅凸顯學術主體的所在，也重新定位傳統學術的價值，從科學到人文，從西方到東方，陳大齊先生戲稱是「稗販」與「加工」工作，既是指處理中西學術的不同方式，也是提醒學術研究必須要有文化主體性的認知。不過，如果沒有經過如此的追尋，不足以了解中國傳統文化真切的價值，也不足以了解陳大齊先生醇厚的學養與成就。再者，不同於宋元以下強調形上性理，從孟子上溯孔子的儒學路徑，陳大齊先生秉持辨析名理的興趣，建構從荀子而至孔子的儒學體系，強調檢證，不尚玄虛，充分表現明確可行的實踐原則，也迥異於宋儒以下的儒學研究面貌，雖然自謙學術未能「自製新品」，但辨析既深，涵養既廣，對於臺灣儒學的傳承貢獻多矣，一生以之的學術熱忱，更是令人景仰，相關著作可以參見劉德漢輯〈中華民國文史界學人著作目錄〉❽、以及後人結集的《陳百年先生文集》。❾

三、教育與文化工作

陳大齊先生除了對學術的關注外，一生主要的工作便是教育與文化事業，從民國十七年參與考試院的籌備，民國十八年擔任北大學院院長，翌年代理北京大學校長，不論是考選制度的擘畫，或是學校體制的建立，都是攸關國家的百年大計，陳大齊先生往往是臨危受命，功成身退，絲毫沒有戀棧之意。來臺之後，更是專力於教育與文化工作，民國四十三年秋，先擔任臺灣大學教授，之後政治大學在臺復校，卜地木柵指南山麓，又慨然承擔構畫之責，先恢復研究部，成立「公民教育研究所」、「行政研究所」、「國際關係研究所」、「新聞研究所」等四所，後又設大學部，雖然名為復校，但工作千頭萬緒，實際與草創無異，但陳大齊先生細加董理，規模漸成。依王世正撰之〈記陳大齊校長〉一文所載軼事，陳大齊先生治校秉持「有教無類」、「尊師重道」原則，對於學生施以愛心，對於教授，以禮相待，聘任教師，一定親自登門延聘，甚至自己門生弟子，亦復如此，校長座車，用來接送教師，所堅持的便是學校對於教師的禮敬與尊重，其謙謙守禮，正是儒者立身行

---

❽ 劉德漢輯：〈中華民國文史界學人著作目錄〉（陳大齊、張以仁、杜維運），《書目季刊》第7卷2期。

❾ 陳大齊遺著：《陳百年先生文集》（臺北：臺灣商務印書館，1987年5月）。

事的風範。曾經因為收到學生來信，文筆不通順，便召集教師研議相關辦法，規定中文系同學每週繳作文一篇，其他科系每兩週一篇，批改之後，重新謄寫，期末公開展覽，藉由相互觀摩，反覆練習，提昇寫作水準，對於提高學生文字能力，卓有成效，至今政治大學仍保有此一制度，作為全校大一新生文字訓練的成果展現，正可見其影響。[10]檢視《國立政治大學校史史料彙編》第二輯所收錄陳大齊先生的文稿，從復校的整體規畫，到對於年輕學子的殷殷期許，期待在修養方面有高尚品格，真實的學問，強健的體魄，可以概見其誠謹謙遜，溫厚期勉的長者形象，甚至在後來發表的校慶感言中，強調教育的成效，固然希望量多且質精，但若不能兼得，則不若質精而量不多，呼籲教育當局與社會輿論，應有宏大的眼光，不應只著重於量的擴張而犧牲品質，其中的堅持與遠見，時至今日，仍不得不佩服其識見與氣魄。[11]

陳大齊先生以其儒者的學養，奠定學校濃厚的人文學術氣氛，民國四十五年三月，陳大齊先生獲頒教育部學術獎，教育部長張其昀更題贈「經師人師」匾額，表彰陳大齊先生一生致力於教育的貢獻。民國四十八年七月以年事已高，堅辭校長職務，改任專任教授，講授孔孟哲學。翌年四月十日「中華民國孔孟學會」成立，陳大齊先生當選為首屆理事長，慨然承擔儒學文化薪傳與社會教育工作，包括定期發行《孔孟月刊》、《孔孟學報》等刊物，表彰孔孟思想，持續推動儒家學說義理的討論，對於發揚儒家思想貢獻卓著，之後屢次連任，直到民國六十年因年邁請辭，可以說從原本的教育工作，又投入文化薪傳工作，層面更廣，影響更遠，檢尋臺灣有關儒學的研究論文，多數發表其中，即可為證。雖然有人質疑「孔孟學會」以「道統」支持「政統」，立場過於保守[12]，但在政府遷臺之初，敵我意識強烈，存

[10] 王世正撰：〈記陳大齊校長〉，《學府紀聞——國立政治大學》（臺北：南京出版社，1981年），頁100－101。

[11] 國立政治大學校史編印委員會編：《國立政治大學校史史料彙編》（臺北：政治大學，1977年）第二輯，頁18－38。

[12] 黃俊傑：〈戰後臺灣文化中儒學的保守思想傾向〉，《臺灣意識與臺灣文化》（臺北：正中書局，2000年9月），頁224－254統計《孔孟月刊》從民國五十一年九月創刊後，至民國八十五年十二月35卷4期為止，近三千篇論文，分別門類，認為《孔孟月刊》宣揚儒家思想之餘，立場則顯得保守。

續繫於一線的情況下，似乎也是時勢所趨，可貴的是指引方向之餘，彰顯儒家傳統文化的普世價值，導引社會篤實奮發的文化特質，以文化建設作為社會發展的基礎，對於臺灣儒學的傳承與發展深有意義。以《孔孟月刊》的〈發刊辭〉所陳：

> 道德與科學，不但不相抵觸，而且是相輔相成的。必待道德進步，而後科學的成果始能盡數用於正途，以發揮其宏效，亦必待科學發展，而後道德始能有以矯正昔日的偏差，以益進於光明。⓭

強調道德實踐與科學發展的並進而行，孔子思想既是傳統德道觀念的根源，西方科學思想，代表現代化的進程，融通古今中西，體現人生美善價值，其實也正說明陳大齊先生一生學術追求之基調。

陳大齊先生一生從政府體制、學校單位，到文化機構，總是承擔開創擘畫的責任，既勇於任事，又謙和自處，對於臺灣教育與文化工作，更是半生心力所在，貢獻良多，以民國五十六年出版《與青年朋友們談孔子思想》小冊子，介紹孔子思想的價值以及弘揚的途徑，也就可以了解陳大齊先生關心之所在，並非學術之深究而已，而是有推展孔子思想，期以社會更臻淳厚的用意，所謂「己利利人，己達達人」，陳大齊先生的入世性格，對於教育與文化工作的投入，可為明證。民國五十七年出版《淺見集》，收錄有關孔子思想及《論語》、孟子思想及孟荀異同、告子思想、名理之學，以及教育、修養、文化等五十三篇論文，之後又有《淺見續集》的結集，作為陳大齊先生研習的記錄，至於《孟子的名理思想及其辯說實況》則是針對孟子思想研究的論著，《孟子待解錄》、《孔子言論貫通集》等，則是貫串閱讀的心得，可以發覺陳大齊先生以耆耄之齡，仍是著述不輟，依循名理的線索，從荀子而孔子、由孔子而孟子，最終完成了先秦孔、孟、荀儒家體系的了解，雖然謙言「未能深入」，但可以發覺其用心所在。民國五十年秋，接受香港大學名譽文學博士學位，民國五十七年接受嘉新文化基金會特殊貢獻獎，民國七十一年接受行政院文化獎，可謂實至名歸，也證明了陳大齊先生對於臺灣學術文化的卓越貢獻，翌

⓭ 未署名：〈孔孟月刊發刊辭〉，《孔孟月刊》1卷1期（1962年9月），頁1。

年元月八日凌晨，陳大齊先生因氣喘病發，病逝於臺北宏恩醫院，享年九十七，一生對於學術的執著，以及對於教育文化的用心，體現一代儒者風範，留予後人無限追思。

四、儒學的反省與建構

陳大齊先生對於臺灣教育與文化貢獻良多，如果就其學術而言，對於儒學的反省與建構，則是其晚年學力所在。依陳大齊先生歸納一生研習對象與效用，「稗販」是指西方心理學與理則學，以及印度因明學，而「加工」則是回歸傳統學術荀子與孔子思想的研究。依陳大齊先生一生行止，在臺灣時期的學術研究方向，大抵便是針對荀子、孔子，其實最後還包括孟子思想的儒學研究，這一段回歸於傳統文化根源討論的時期，雖然謙言為「加工」，未及「自製新品」，但檢討陳大齊先生對於儒學的研究，不僅是教育傳播而已，其以生命體證，發展名理辨析的線索，遠承乾嘉以來的治經方法，兼採西方理則學觀念，儒學內涵更為清晰明確，在觀念與方法上承前而創新，而強調實踐的主張，服膺以應世用的原則，更是具有復興儒學的意義。事實上，檢討當代臺灣儒學推展及文化薪傳工作，陳大齊先生確實是兼有主持與研究成果的學者。胡志奎《論語辨證》中〈孔子之「學」字思想探原〉一文後記即盛推陳大齊有「開闢一代學風」，為「當世楷模」。[14]沈清松教授〈由名學走向儒學之路——陳大齊對臺灣儒學的貢獻〉一文，更以「名學」與「儒學」的名目，說明陳大齊先生學術趨向的轉變，引介國外學者柯雄文（Antonio Cua）、安樂哲（Roger Ames）等人都曾深受影響，更以「論證性」、「分析性」、「嚴謹

[14] 胡志奎撰：《論語辨證》（臺北：聯經出版事業公司，1978 年 9 月），頁 170－171 頗受陳大齊影響，尤其深究文字，辨析名理更可窺見其脈絡，其中〈孔子之「學」字思想探原〉一文「後記」即盛譽陳大齊「大師早年治《荀子》一書，文理密察，眾端參觀；為海內外所推重。來臺後，轉治《論語》一書，闡述孔子學說，亦遠邁諸家之上；蓋大師精於邏輯名理之學故也。因此，獨能本客觀之態度，『無意、無必、無固、無我。』而直探孔子學說之真髓。所謂開闢一代學風，而為當世楷模，大師與有力焉。」略析研究特色之餘，也可據以概見其中相承線索。

性」來概括陳大齊對於儒學研究的成就⑮，說明陳大齊對於臺灣儒學的發展，確實有引領風氣的貢獻。茲就其成果，略述如下：

㈠對治經方法的反省

陳大齊先生治學既以理則學入手，其所強調便是辨名析理的客觀原則，擺脫宋、明理學強調窮究天理的方向，遠紹乾嘉「以經治經」的主張，儒家思想是以孔子為中心，而研究孔子學說，《論語》則是最為可靠的材料，為求提綱挈領，陳大齊先生於《孔子學說》中特別說明資料甄別的原則，云：

> 《論語》成書最早，故其可信性最高。本書旨在闡述孔子學說的本真，力避他人思想的混入，故以《論語》所載孔子言論為唯一研究資料，其他諸書所載，偶或取為參考而已。⑯

可以了解陳大齊先生是以研治《論語》作為探究孔子思想原貌的基石，再劃分主從關係，此一辨析過程已為當代學術定見，以往「儒學」這個寬泛的名詞，有了更明確的範圍。只是《論語》文字簡奧，許多章句其實並不容易了解其中真義，加上後代儒者各抒己見，不免產生仁智互見的情形，甚至有彼此歧出，見解截然相反之處，隻言片語，都有可能影響後人對於孔子學說內涵的掌握，以往清儒高倡「以經解經」，提供詮釋經義更為豐富的參考基礎，在文字訓詁、典制名物的解讀上，自然有其參證的效果，但如果是孔子賦予新義，揭示更為深刻內涵的思想，則似乎已非「以經解經」的詮釋方法所能勝任，所謂文同義異，正是歷來哲學發展習見的情形，也是後人理解前代典籍所應具有的基本認知，既然必須推究「孔子」學說的原貌，自然有賴於更明確有效的詮釋方式，陳大齊先生針對其中方法也提出原則性的檢討，強調必須「以《論語》解《論語》」，也就是有所解釋必與《論語》他處所說符順而不相牴觸，取捨前人詮釋，辨析異解時，也是必須以此為準的，務求《論

⑮ 詳見沈清松：〈由名學走向儒學之路——陳大齊對臺灣儒學的貢獻〉，《漢學研究》16 卷 2 期（1998 年 12 月），頁 2－3。

⑯ 陳大齊：《孔子學說》（臺北：正中書局，1997 年 10 月），第 1 章，「序論」，頁 10。

語》通篇文義符合一致，內涵融通一貫⓱，從「以經解經」到「以《論語》解《論語》」，從「經學」立場的解讀進入「孔子學說」內涵的發掘表彰，其中推論闡釋的範圍更加明確清楚，相較於前人的詮釋，陳大齊先生掌握開啟之鑰，成果自然更勝於以往，陳大齊並且進一步匯整前人詮釋原則，配合個人研讀經驗，提出十一條研讀方法，為求明晰，列舉如下：

1.力避斷章取義
2.同名務作同解
3.不忽視虛字的作用
4.作必不得已的補充
5.少作不合文例的解釋
6.少作事實判斷看待
7.不作不當的推測
8.疏通似是而非的矛盾
9.以言論間的符順助證
10.可疑章句不求強解
11.會通以求完整義理⓲

與清人發展的訓詁原則相較，可以概見其中相似之處⓳，雖然強調的是論據方式的討論，然而由訓詁而通義理，可以發覺陳大齊先生延續並發展清儒考據學的線索，

⓱ 《孔子學說》，頁 26。

⓲ 《孔子學說》，頁 26－58。

⓳ 清儒治經，漸成體系，甚至清初毛奇齡就開宗明義，說明治經必須信守詮釋矩度，強調考究經義時，每立一義，必通貫全經，每究一經，必薈萃群經，期以成就完整龐大的「經學」體系，云：一、勿杜撰。二、勿武斷。三、勿誤作解說。四、勿誤章句。五、勿誤說人倫序。六、勿因經誤以誤經。七、勿自誤誤經。八、勿因人之誤以誤經。九、勿改經以誤經。十、勿誣經。十一、勿借經。十二、勿自造經。十三、勿以誤解經之故，而復回護以害經。十四、勿依違附經。十五、勿自執一理以繩經。十六、勿說一經礙一經。見〔清〕毛奇齡撰，〔清〕李塨等編：《毛西河先生全集》（嘉慶元年刊本），卷首，〈經例〉，頁 6－9。其中強調經的完整性，以及個人研經必須信守的原則，與陳大齊嚴守治經推論範圍，可以概見其中相似之處。

方法的釐清，有助於內涵的建構，嚴守詮釋原則，確實有助於分判《論語》自古以來諸多模糊歧出的章句內涵，畢竟在前人紛雜的經注成果中，缺乏檢驗標準，易生游移之失。陳大齊先生明晰的方法意識，成為辨析孔子思想的利器，民國五十七年完成《論語臆解》，辨析《論語》中一百零五條有疑義之處，〈序〉文中即明白指出詮釋判別主要著力於「同名務作同解」、「少作不合文例的解釋」、「以言論間的符順助證」、「會通以求完整義理」[20]，剔除歧出疑義，孔子思想真實內涵才能清楚呈現。甚至九十幾歲高齡完成《論語選粹今譯》，雖說是語譯之作，但選錄分析之餘，文後往往標示參閱內容，甚至每列一義，必備舉參證經文，作為相互印證的基礎，雖有違譯語簡潔原則，但更可明白「會通以求完整義理」的主張，確實是陳大齊先生研治儒學一貫的方式。[21]不僅契合孔子「吾道一以貫之」的主張，而且每立一解，不僅有分別前賢見解高下的廣度[22]，更有會通《論語》全書，務求義理

---

[20] 詳見陳大齊：〈論語臆解序〉，《論語臆解》（臺北：臺灣商務印書館，1968 年 3 月），頁 2。

[21] 陳大齊：《論語選粹今譯》（臺北：臺灣商務印書館，1981 年 5 月）選錄《論語》256 則，雖說是語譯，但更著意於剖析孔學義理內涵。書前「寫作經過」，即指出「某一事理，孔子有多次論及，參說其一端，不盡其全局，則於譯文後列舉其他章名，俾便互相參證，以獲致全盤的理解而不流於偏失」（頁 13）。例如「君子不重則不威」（〈學而篇〉）一章，言君子之行，則舉出參閱「子絕四……毋固……」（〈子罕篇〉）、「非敢為佞也，疾固也」（〈憲問篇〉）。論忠信，則列舉參閱「君子之於天下也，無適也，無莫也，義之與比」（〈里仁篇〉）、「好信不好學，其蔽也賊」（〈陽貨篇〉）、「言必信……硜硜然小人哉，抑亦可以為次矣」（〈子路篇〉）、「君子貞而不諒」（〈衛靈公篇〉），補充重義及輕視徒信。談「無友不如己者」，則參閱「子貢問友」（〈顏淵篇〉）、「益者三友」（〈季氏篇〉）及次章「樂多賢友，益矣」。至於「過則勿憚改」，則列舉參閱「已矣乎！吾未見能見其過而內自訟者也」（〈公冶長篇〉）、「有顏回者好學，不遷怒，不貳過」（〈雍也篇〉）、「丘也幸，苟有過，人必知之」（〈述而篇〉）、〈憲問篇〉蘧伯玉使者答語「夫子欲寡其過而未能也」及孔子的讚美、「過而不改，是謂過矣」（〈衛靈公篇〉），詳見頁 5。其中有參證、有補充，陳大齊每列一義，必備舉參閱經文，雖然稍顯繁複，但也可據以了解陳大齊「會通」以彰顯義理之處。

[22] 《陳百年先生文集》（臺北：臺灣商務印書館，1990 年 12 月），第 2 輯，〈論語輯釋〉係摘錄《皇清經解》中有關《論語》之句讀、校勘、訓詁、文法、考證等文字，並兼及宋儒與時人著述，引用鈔錄共計三十六種，乃是裔衍琯從遺稿整理出的手稿，可以了解陳大齊治學之深，用功之勤。

暢達的深度，同樣的方法，也施用於《孟子》、《荀子》的研究，深入而淺出，開啟臺灣儒學研究的新方向，使儒學思想更具辨證內涵，置諸歷來紛雜歧出的經解詮釋中，極具意義。

㈡對孔子思想的釐清與建構

陳大齊先生藉由方法的釐清，不僅用於辨析歧義，也用於建構以孔子為中心的儒學思想體系。陳大齊先生認為學說必然是兼攝諸多概念，所以從《論語》中歸納出的核心概念，也就代表孔子思想的中樞。陳大齊先生並且進一步提出其中如果存在最根本、最具主導性、最重要，以及涵攝最大等四個面相，足以統括整個學說的內涵，便是思想的「中心概念」㉓，而不同以往學者專注於孔子仁說的模糊詮釋，陳大齊先生匯整《論語》一書內容，認為其中「道」、「德」、「仁」、「義」、「禮」五個主要觀點可以說是孔子最重視的概念：道是應由的途徑、德是應備性能、仁是愛、義是宜、禮是履，所指內涵既不相同，孔子也常分別使用，作為期勉個人精進的目標。但細加推究，其中卻頗有不甚一致的情形，就「道」而言，原本就是習用的形上概念名詞，既指客觀上可以依循的路徑，又是價值上必須追求的目標與方向，例如子曰：「朝聞道，夕死可矣。」（〈里仁篇〉）強調的是朝聞可以夕死的存在意義，可見所重視的是價值上所應追求的原則，只是強調作用，並未指涉實際的內容，不免猶有未慊，所以陳大齊先生指出所謂之「道」或可補充為修養為君子之道，而仁道之名正可簡單明確的標示其內容。㉔相同的原則，陳大齊先生歸納《論語》所用「德」字，大抵區分為性能、恩惠兩種不同意義。德是有待養成，自然是指道德上有價值而應予培養之性能，只是其義既著重於應得或應備方面，內容部分的指涉則不夠明確。陳大齊認為既然道的內容是仁，所以德的內容也是仁，才能相互符應，稱之仁德最能符合孔子所教誨的概念內涵。㉕因此「仁」可謂是中心概念中最為核心的思想，也可據以推定，只是《論語》提及「仁」時卻時見衝突矛盾，顏淵問「仁」，子曰：「克己復禮為仁。一日克己復禮，天下歸仁

㉓ 《孔子學說》，頁 93。

㉔ 《孔子學說》，頁 108－109。

㉕ 《孔子學說》，頁 113。

焉。」（〈顏淵篇〉）期勉用心即可為仁，可是另一方面，孔子卻又不輕易以「仁」許人，於是「仁」存在一種既是人人可成，又難究其境的內涵，概念的衝突，不免有詮釋上的困難，陳大齊先生歸納其中，認為「孔子所說的仁，自其核心意義言之，即是愛，自其構成分子言之，則為眾德的集合體」㉖，在不同屬性，有不同的訴求標準，自然必須分別而觀。詮釋誠為簡潔明晰，也使歷來有關「仁」的考論有更清楚的判準。相較於此，有關「義」與「禮」方面，陳大齊似乎更著力於道德層面上的作用情形，認為其中具有三種特殊面相：一為指導作用、二為節制作用、三為貫串作用㉗，三者相互關聯，既是能節制諸德之行，又串貫各種行誼，尤其具有指導君子行止的作用，子曰：「君子義以為質，禮以行之，孫以出之，信以成之。君子哉！」（〈衛靈公篇〉）另一方面，孔子舉出為仁之目云：「非禮勿視，非禮勿聽，非禮勿言，非禮勿動。」（〈顏淵篇〉）即可說明禮義實具成德樞紐的關鍵地位，陳大齊針對其中緣由，詳加分析：

> 諸德本身、原亦各有其價值，但其價值是不穩定的，稍一不慎，便會喪失。任何一德，必須服從義的指導，接受義的節制，為義所貫串，而後始能長保其價值，不致轉成惡德。㉘

為救正前人過於強調「仁」為根源的問題，陳大齊先生認為仁必須進一步落實在行止之間，自然必須從規範方面著手，因為諸德本身既是特質的展現，唯有節制，才能長保美言美行，不致淪為惡德，義為如此，禮亦何嘗不是，所以在整體架構上，陳大齊先生有意強調「義」、「禮」之用，作為君子賡續修為必須念茲在茲的要求，也說明仁心之餘，必須落實舉止行誼的省察與鑑戒，才能確保善心善行的結果，在兼具動機與行為的要求下，孔子思想的周全妥善也就更為清楚明晰。㉙而且

㉖ 《孔子學說》，頁 124。

㉗ 《孔子學說》，頁 125 及 144。

㉘ 《孔子學說》，頁 135。

㉙ 沈清松：〈由名學走向儒學之路——陳大齊對臺灣儒學的貢獻〉，頁 6 引陳大齊〈孔子學說自序〉，指出陳大齊主張「仁義合一主義」，強調道德的生活面與實錢面，於此可具見其方向。

為免後人各執一端，陳大齊先生分別闡釋之餘，特別說明其中其實是相互關聯，「道」、「德」既然必須是以「仁」來補充其內涵，以「禮」、「義」來節制指導其行誼，所以孔子所真正稱許的是五個中心概念的整體，而非僅止一端，陳大齊詳述其內容云：

> 孔子所懸以為目標而勉人努力實踐的、只是一件事。這一件事、是道德仁義禮結合起來所構成的，不單是道，不單是德，不單是仁，不單是義，亦不單是禮。這一件事、自其構成情形言之，可稱之為以義為質以禮為文的仁道或仁德，但孔子未嘗給這件事情一個特別名稱。孔子有時從這件事的應由的一點來看，稱之為道，有時從其應備的一點來看，稱之為德，有時從其內容來看，稱之為仁，有時從其有諸內的質來看，稱之為義，有時從其形諸外的文來看，稱之為禮。故雖單說一個道字，不僅是應由的意思，實已兼攝其內容與文質，單說一個仁字，不僅是愛的意思，實已兼攝應由應備有質有文諸義。但孔子有時用這些名稱，又只各用其本義，言道、只謂其應由，不兼他義，言仁、只言其愛，不涉及宜否。道德仁義禮五名，雖有不同的用法，但孔子所認為完美的德行而加以稱道的、只是那五者合構而成的總體，不是五者中任何一件單獨的事情。[30]

於是孔子原本渾淪籠統的訴求，經由陳大齊先生的條分縷析，由內而外，由分而合，不僅體系完整，提供宏大坦然的人生道路，也指引後人可以分判檢驗並且可以具體依循的修養方向，不求於玄虛，不訴諸高調，務求明晰清楚，周全完整，從辨名析理進一步建構完整的哲學體系，發展更具現代意義的詮釋方向，沈清松指出陳大齊先生研究孔子思想是其道德哲學或倫理思想得以進一步發展的契機，由此可以得見。[31]

---

[30] 《孔子學說》，頁153。

[31] 沈清松：〈由名學走向儒學之路——陳大齊對臺灣儒學的貢獻〉，頁16。

㈢對儒家實踐精神的發揚

其實陳大齊先生對於儒學思想的反思，不僅止於學理的建構而已，推究其立說根源，強調在日常生活之間體會，其實是著意於道德實踐原則，如果考其一生行事，純乎儒者風範，更可說是以身體證，落實儒家實踐精神的最好例證。事實上，檢討陳大齊先生重塑孔子思想價值的過程，建構儒家思想的中心內涵，雖說務求詮釋材料信實可靠，立說明晰周全，但其中仍有陳大齊先生個人著意彰顯之處，以及對於孔子思想更為後涉的基礎認知，不同於時儒推諸形上的路徑，陳大齊先生特意強調其中道德實踐層面，以及可以思辨討論的內容，所以屢屢提及孔子是「實踐的道德家」，以實踐道德哲學作為理解孔子思想的主要關鍵，以追求更為完全的人格來形塑孔子的形象，至於教育、政治思想，則是據此衍生發展的訴求，云：

> 孔子所注重講說的、用現代通行的學問名稱來說，可概稱為實踐的道德哲學。孔子誠然亦是教育哲學家，又是政治哲學家，但其教育哲學與政治哲學、莫不以道德哲學為基本。其道德哲學的思想、應用於教育，形成其教育哲學，應用於政治，形成其政治哲學。道德哲學是根本，教育哲學與政治哲學是此根本所發生出來的枝葉。故孔子所講的學問、詳言之，則為道德哲學兼教育哲學與政治哲學，簡言之，則道德哲學一名已足為其代表。[32]

以往或視孔子為教育家，或是具有博施濟眾理想的政治家，但只有對於君子行止的堅持以及道德體證的強調，時時長善除惡，才足以完全概括孔子展現的精神內涵[33]，甚至每至剖析疑義，必求諸與孔子思想態度相符，方稱妥切，此一檢覈辨析方式，其實是來自個人體證的結果，自然又較剖析文義更進一層[34]，陳大齊先生並且在歸

---

[32] 《孔子學說》，頁 59。

[33] 《孔子學說》「本論」從「主要德目」以下分別為「理想人格」、「教育」、「政治」三章，頁 247－327。主從之間，其用意正符合「道德哲學是根本，教育哲學與政治哲學是此根本所發生出來的枝葉」的觀點。

[34] 例如《論語》言「學」之例頗多，就狹義而言，或者指為讀書，「行有餘力，則以學文」（〈學而篇〉），「小子何莫學夫《詩》」（〈陽貨篇〉），說明對於學業的追求。但陳大齊認為孔子學說屬於道德哲學，終極目標在衡定言行的價值，以長善去惡，所以孔子言論之

納孔子基本主張之餘，針對孔子言論為何必須反複推求提出說明，云：

> 孔子是一位實踐哲學家，不是一位理論哲學家，又是一位教育家，以誘導人們長善去惡為職志。所以孔子立說、注重於某一事之應當行與某一事之不可以行，以期人們滋長某一善、革除某一惡。因此之故，孔子所作言論、往往只就某一事表示意見，不與同綱中的他目合併闡發。又因各人的長處與短處不同，隨應施教，往往只說及某一事的某一面或若干方面，以助長其所長、救治其所短，不作周到的說明、以示該一事的全貌。所以在孔子言論中、具有高度概括性的、不甚多見，至其基本主張、則更未明說。但孔子實有其基本主張、為其一切主張所從出，我們若是用由博求約的方法、綜合孔子的全部言論以求，未嘗不可求得。仁義合一、可說是孔子最基本的主張。分就仁與義而論，在仁的一方面所提倡的、以起衰為主，在義的一方面所提倡的、以不為已甚為主。試再著眼於效用方面，則中庸又可說是其基本主張。㉟

既然孔子是因材施教，因事而發，自然不能只執一端，以偏概全，所以不妨綜合全盤言論，由博求約，釐清孔子思想中更基本的精髓。而不同以往專注於孔子論仁的觀點，陳大齊認為孔子重仁，也重義，仁必合義，義必合仁，唯有仁義合一，仁義並重，在不稍偏倚，兩相結合的情況下，才足以呈顯孔子思想的全貌。此一觀點，在前文論及中心概念的歸納匯整時，已可見其跡象，陳大齊先生稱之「仁義合一主義」。㊱所以對於仁的詮釋，陳大齊先生也從實踐的意義上加以思考，在理想道德

「學」自不能以為讀書而讀書加以完全概括，「君子食無求飽，居無求安，敏於事而慎於言，就有道而正焉，可謂好學也已。」（〈學而篇〉）所謂學，乃是在於講求品德修養之事，因此唯有推究讀書最終目的也是在於長善去惡，才能切合孔子思想真義。參見《孔子學說》，頁 64－67。類似檢證補充的方式，屢見於陳大齊論著中，陳大齊以釐清概念推究孔子思想，又以孔子思想來檢覈概念是否周全，初淺而論，或許有循環論證之虞，但由匯整通貫而至體現全體，則不妨視為陳大齊對孔子思想的一種創造性詮釋方式。

㉟ 《孔子學說》，頁 79。

㊱ 《孔子學說》，頁 79。另外，「本論」第 3 章「中心概念的合一」，頁 165－172 也有更詳細的推斷。

與實際情況的差異下，孔子救治的方向不是歸罪於良心的放失，也不是推諸人性的不善，而是指出其中衰落情形，以喚起振衰起敝的努力，例如子曰：「人之過也，各於其黨。觀過，斯知仁矣。」（〈里仁篇〉）即是以認識錯誤作為遷善的根本，陳大齊稱之「起衰主義」㊲，否則實在無法了解過失與仁心有何關聯。事實上，以子曰：「過而不改，是謂過矣。」（〈衛靈公篇〉）的說明，可以了解孔子並不是高懸理想責人無過，而是強調「勿憚改」、「不貳過」，孔子不責人做不到之事，強調立身行事，求諸人情之常，只要適可而止，不必過甚，才能確保其初仁心的結果，對於此一傾向，陳大齊先生稱為「不為已甚主義」。㊳這種避免過猶不及的主張，對於追求善的謹慎態度，正是中庸精神的具體展現，陳大齊先生並且進一步加以綜整說明：

> 孔子是很注意效果的，其主張起衰、無非欲振起道德意識與道德行為以收社會安定與進步的善果，其主張不為已甚、無非怕已甚的行為發生不良的影響以妨礙善果。中庸是收穫善果最有效的途徑，所以孔子讚美為「其至矣乎」。至於所緣以致言行於中庸的、又不外仁與義的合一。所以孔子的基本主張、從實質方面看，可稱為仁義合一主義，從效用方面看，可稱為中庸主義。㊴

所以不論是「起衰主義」、「不為已甚主義」，其實即是強調「中庸」之道，務求為善去惡之餘，對於獲致善果要有更為矜慎的態度，也就是在踐履的層面上，時時提醒可以依循的方向，孔子思想的周到全面、適切中肯，可以據此了解。沈清松教授指出陳大齊先生儒學的研究有三個主要特色：一、強調儒家道德哲學的實踐面。二、以安為終極理想，仁義則為達致安寧的手段。三、主張「仁義合一主義」。㊵

㊲ 《孔子學說》，頁 82。
㊳ 《孔子學說》，頁 85。
㊴ 《孔子學說》，頁 89。
㊵ 沈清松：〈由名學走向儒學之路——陳大齊對臺灣儒學的貢獻〉，頁 16－17。

但三者其實是相互關聯，彼此配合，仁心之行，必須以義加以規範，強調追求道德實踐的成果，才是其中最為核心的訴求。主要因為陳大齊先生認為孔子是入世主義者，所懷抱的終極理想是創造塵世中的樂土，不寄望來世，不求於玄虛，在努力實踐中就可以具體落實，得到內心最坦然自適的成果，但不僅於此，必須更進一步從內而外，成就君子的終極關懷，陳大齊先生認為追求「安」最足以切中孔子的主張，《論語》諸多章句皆可為證：

> 子路曰：「願聞子之志。」子曰：「老者安之，朋友信之，少者懷之。」（〈公冶長篇〉）

> 子路問君子，子曰：「脩己以敬。」曰：「如斯而已乎？」曰：「脩己以安人。」曰：「如斯而已乎？」曰：「脩己以安百姓。脩己以安百姓，堯舜其猶病諸！」（〈憲問篇〉）

顯示「安百姓」是君子必須全力以赴的究竟目標，既求一己之安，又謀求全體百姓的安適，於是人生於世的目標也就清楚明白，而在個人與群體之間，勵行仁義，則是實現此一理想最可靠有效的方式[41]，此一詮釋，不僅是前人所未及，對於群己關係，君子立身原則，也有較為清晰的指引，儒學實踐精神也有具體落實的方向，從仁義以求其安，提供目的性的架構，使孔子終極目標廓然成形，而孔子思想的全貌也可具體得見，陳大齊先生以個人生命加以體證，其用力之深，層面之廣，提供豐富的詮釋內容，雖自謙研習是屬於「加工」，實則饒富新意，對於展現儒學更為坦然可行的方向，貢獻良多。

五、結　論

臺灣從傳統走入現代，既承民國以來大陸學術風尚，又有兩岸對抗的形勢，無可諱言，對於當代學者而言，本就有不同以往的挑戰與困境，陳大齊先生以其豐富

---

[41] 《陳百年先生文集》，第1輯，〈孔子〉一文中「基本思想」一節的闡釋，頁9－11。

的學養，從傳統注疏跨入近代詮解範疇，展現不同以往的研究方法與成果，其綿密的詮釋系統，以及周全明晰的推證過程，可謂兼及傳統與現代，不同於以往各執一端的觀點，也迥異於當代新儒家對於先驗道德的興趣以及形上追求的偏好，立論從經典原文考究著手，辨析歷來異解之餘，斟酌字句，進而匯整概念，形塑體系，以追求孔子思想真義為終極目的，提出個人篤實思辨，細密推衍的經解內容，沈清松教授推崇為「儒學研究的概念化與論證化之先驅」㊷，頗能指出其學術定位所在。尤其在概念釐清方面，參酌眾解時，更時見對應現代的創造性詮釋，例如「唯女子與小人為難養也」（〈陽貨篇〉），以理則學概念加以分判，化解孔子輕視女性的批評。㊸「民可使由之，不可使知之」（〈泰伯篇〉），強調「知」專指深遠之知，非一般百姓所能理解，消除後人對於孔子愚民思想的質疑。㊹甚至對於義的表彰，提供仁義相輔而成的為德進程，不排拒功利的思想，落實儒家經世訴求，種種建構的內涵，皆可概見陳大齊先生對於顯揚孔子思想「體常盡變」的詮釋努力。㊺陳大齊先生一生奉獻於教育與文化事業，所關注的學術博觀而約取，從辨析名理的角度，回歸於思想的根源，提供文化根基的釐清，以及強調人心持修精進的訴求，對於儒學現代化的發展，注入新的詮釋義涵，提供一條可以持續發展的方向，對於臺灣文化薪傳深有意義，本文藉由陳大齊先生一生行誼的介紹，以及儒學研究成果的說明，一方面呈現臺灣光復以後，在現代化的過程中，學者在學術研究傳承文化的努力，也用以表彰陳大齊先生對於儒學發展的貢獻。

㊷ 詳見沈清松：〈由名學走向儒學之路——陳大齊對臺灣儒學的貢獻〉，頁 24。

㊸ 陳大齊認為「唯女子與小人為難養也」一句，以往的誤解是疏忽句首「唯」字的詮釋，句中有唯字的，理則學上稱之為抵拒判斷，所以就本句而言，唯字的作用是在於只許女子與小人屬於難養者的範圍之內，並非全盤否定女性。見陳大齊撰《論語臆解》頁 273。以「唯」作為非全稱判斷語句，實為陳大齊特殊見解，許世瑛：《論語二十篇句法研究》（臺北：臺灣開明書店，1973 年 4 月），頁 325 認為「唯」是「修飾全句的限制詞」。而非以發語詞看待，明顯可見其影響。

㊹ 陳大齊：《論語臆解》，頁 150－155。

㊺ 陳大齊：《陳百年先生文集》第 1 輯〈孔子仁義思想的體常而盡變〉及〈孔子與功利〉二文之闡釋，頁 127－150。

經　學　研　究　論　叢
第 十 四 輯　頁261～282
臺灣學生書局　2006 年 12 月

學人專訪——胡楚生教授的學思歷程

楊　菁* 採訪、整理

時間：2006 年 4 月 15 日

地點：臺中市

胡楚生，民國二十五年生，貴州省黎平縣人。東吳大學文學學士、臺灣師範大學文學碩士、南洋大學文學博士。曾擔任南洋大學中文系講師、助理教授、英制講師，中興大學教授，中興大學中文系主任，中興大學文學院院長，東吳大學中文系客座教授；現任明道管理學院中文系講座教授。著作有：《釋名考》、《訓詁學大綱》、《中國目錄學研究》、《潛夫論集釋》、《儒行研究》、《清代學術史研究》、《韓柳文新探》、《老莊研究》、《經學研究論集》等。本文為胡教授學思歷程的專訪文稿，刊出前，曾由胡教授親自潤飾，並補充若干資料。

一、在國內受教育的經過

我的祖籍是貴州黎平，民國二十五年生於湖北武昌（今武漢市），三十七年到臺灣，住在高雄縣鳳山鎮，從小學四年級開始讀起，並完成初中、高中，四十六年考進東吳大學中國文學系。那時東吳中文系才是第二屆，校區還是在市內，第二年才搬到外雙溪校園。當時印象最深的就是校園雖小，學生人數也不多，我們那一班，人數特少，只有二十五人。雖是如此，但是大家精神都很抖擻，也學習得很起勁。早期東吳大學中文系有一個傳統，就是文字學的課都放在大一，那時是由林尹老師教我們讀文字學，讀段玉裁的《說文解字注》；二年級以後，申丙老師教我們

---

*　楊菁，彰化師範大學國文學系助理教授。

詩選，張立齋老師教我們《老子》，徐子明老師教我們《左傳》，閔孝吉老師教我們韓愈文，曹昇老師教我們《周易》，張敬老師教我們詞選及曲選。其中，令人印象深刻的是，徐子明老師要我們背《春秋》五大戰役；閔孝吉老師講授韓愈的古文，不但分析詳細，而且，興致到時，他還用那富於感情的腔調、緩急自如的節奏，加以吟誦，使得我們羨慕不已。個人對於韓愈古文的喜愛，也是由於那時受到閔老師的啟發；曹昇老師教我們《周易》，用他的《周易新解》作為教材，分析每卦的意義，以及易卦的變化法則；張清徽老師教我們詞曲，張老師是北大畢業的高材生，風度優雅，國語標準，對於詞曲的造詣，極為深厚，對我們的教導，也多方鼓勵，作業批改，尤為細心。因此，在東吳大學中文系不但留下很多深刻的回憶，也奠立了後來繼續深入學問研究的基礎。

民國五十年我於東吳大學畢業，考進臺灣省立師範大學國文研究所。那時國內的中國文學研究所只有臺大和師大，臺大有時不招滿五名，師大國文研究所則每年招五名研究生，為了要投考師大或臺大，我們考慮了良久，因為當時兩校考期衝突一天，最後還是決定報考師大。那一年東吳有四個人報名師大國文研究所，除了第一名是師大畢業的王熙元以外，其它四名都是東吳的學生，林至信、周虎林、丁介民、和我，這是東吳的學生第一次去考師大國研所，又全都考上，所以聽說校長石超庸博士到教育部時，教育部次長鄧傳楷還特別向他道賀。從那次以後，東吳幾乎每年都有考取師大國研所的，也算是開了一個風氣。後來陸續都有考取師大研究所的，據我所知就有黃永武、林炯陽、朱玄、劉兆祐、王仁祿等人。

在師大國文研究所，熊公哲老師教我們群經大義，程發軔老師教我們沿革地理，宗孝忱老師教我們古文，魯實先老師教我們甲骨文，李漁叔老師教我們詩學，蔣復璁老師教我們版本學，巴壺天老師教我們佛學，還有林尹老師教我們古韻研究，師大的課業繁重，老師們的要求也嚴，而圈點書籍也極費工夫，所幸我在大學打下的基礎，對於學習新課程或撰寫論文，都還不算太吃力。後來我在楊家駱老師的指導下，寫成碩士論文《釋名考》。以上是我在國內受教育，從小學到碩士班的過程。

二、在南洋大學教書及讀書的經過

我在師大國研所畢業後就去服兵役，那時候師大的同班同學有四個人在步兵學校同一連受分科教育，畢業分發時，我抽到小金門，周虎林抽到馬祖，張建葆抽到澎湖，王熙元抽到桃園，四個人都分開在不同的地方。在小金門服役時，擔任裝甲騎兵連的副排長，那時，前線的氣氛仍然十分緊張，單日對岸有炮擊，雙日才停火，在小金門的那段日子，一方面要做好帶兵的基本工作，白天出操演練，晚上巡邏查哨，另方面，還曾被師部抽調，去擔任巡迴小金門各地營區的政治教官，講授一些歷史和政治的課程。

服役一年退伍，當時東吳大學中文系系主任洪陸東老師鼓勵我們回東吳任教，所以我們都回去擔任兼任講師，那時已經是民國五十三年了。民國五十五年，新加坡南洋大學在徵聘老師，那時新加坡和大陸沒有往來，南洋大學的老師多數聘自香港和臺灣，所以我也想去應徵看看，他們是由校長和董事親自到臺灣來面試，結果我被錄用了。當年一起到南洋大學的，還有臺灣大學的楊承祖教授和政治大學的皮述民教授。那時南洋大學的中文系系主任李孝定教授，是研究古文字學的。我在那邊教的課程，除了訓詁學、修辭學、經學史，還有目錄學，此外也教華文選，即相當於臺灣大學裏的歷代文選，課中規定須有習作，所以那時改作文改得很辛苦，但對每個學生差不多也都可以認識了。

民國六十八年時，原來在馬來亞大學化學系的黃麗松教授，應聘到南洋大學當校長，黃教授學問很好，有人說他有四個博士學位，在南洋大學三年後，他又被聘到香港大學當校長，也是香港大學有史以來的第一個華人校長。黃麗松校長是個相當了不起的校長，他到南洋大學後，就設立了研究院，並且把馬來亞大學的王叔岷教授一起請到南洋大學來。設立研究院後，他也鼓勵尚未擁有高級學位的同仁繼續進修，所以研究院第二屆時，我也報名了。那時候一方面要教書，一方面要趕自己的論文，再加上第一個孩子剛出生，雖然公私都忙，但在三年內就寫出了博士論文，論文的題目是《潛夫論校釋》，原本請王叔岷老師指導，因為王叔岷老師已經指導兩位研究生，學校規定他不能再指導第三個，所以便商請王忠林老師指導，但是王叔岷老師還是給了我很多的幫助。我的論文寫作方式也和當年王叔岷老師寫《莊子校釋》的方式完全一樣，題目也是他認定的，於民國六十五年通過博士學位。

三、南洋大學的學制和臺灣的不同

新加坡的中學採取四二制，四年初中，兩年高中，稱為初級學院；臺灣則是三三制，初中高中各三年。他們當年沒有像我們一樣的大學聯考，而是採取高中會考，以會考成績來申請大學，大學畢業申請榮譽班，榮譽班畢業申請碩士班，都是以成績申請。因為必須以成績申請學校，所以他們的競爭非常大，對課程的學習也很認真，有好的成績才能申請學校，甚至將來畢業後要到政府機關工作，或到中學任教，都要看大學成績。我記得當年南洋大學文、理、商三個學院，在文學院中的申請中，中文系往往都是第一志願，因為那裏的華裔、華僑，都覺得讀傳統的書，學習傳統文化是很好的，所以中文系也都可以收到程度很好的學生。

新加坡有個國立大學，由馬來拉大學改為新加坡大學，是以英語作為教學媒介語。南洋大學是一個私立的由民間出資興辦的大學，當年有許多華僑既不能到大陸去，而當時最高的華文教育僅止於華僑中學，所以為了興辦一所以中文作為教學媒介語的大學，就開始進行募捐。當時的募捐也很感人，有銀行的出資，有民眾的捐款，甚至連三輪車夫、計程車司機、小販等各階層，且包括馬來亞的十三州，通通都有出錢。這個大學主要的創辦人有兩個，一是當年創辦廈門大學的陳嘉庚的女婿，曾擔任新加坡大學校長的李光前；另一個是陳嘉庚企業界的一個部下陳六使，也是當時重要的企業家，這兩個人是推動南洋大學創立重要人物，他們呼籲出來的口號是，民間募到多少資金，他們就相對出多少資金，所以完全是民間的力量把這個學校辦成的。

當年的南洋大學採用的是英國制，三年大學部，第四年稱為榮譽班。榮譽班是選大學畢業班中約百分之二十的學生，因此榮譽學位是介於大學和碩士之間的學位。我們在博士班就讀時，也是採用英國制，一般沒有限定要修多少課，或修多少學分。英國式是導師制，優點是給予學生相當大的自由，學生自己可以有很多的構思及發揮。比較之下，美制的規定，限定一定要修多少課，老師也盯得很緊，因此學生的基礎打得較穩，兩種制度各有優點。當時個人雖然沒有被限定要修什麼課程，但是剛好南洋大學有很多老師，先後也有客座老師來任教，我也因此去聽了不少課，如李孝定老師的古文字學，王叔岷老師的《莊子》；屈萬里老師當年也在那裏客座，我聽了他的目錄學；高明老師也是客座老師，教儒家思想，我從這四位老師那裏得到相當多的益處。

四、在南洋大學時，印象較深的幾件事

當年我在那裏教書，之後又讀書，所以對學校的制度印象較深，這部分也是和臺灣比較不同的。

首先，是他們的研討制度（Tutoral）。這種制度是從英國傳過來的，規定每個老師所教的每一門課，除了每週上課兩小時外，還須分組另加一個小時來進行研討。假如一個班上有五十多個學生，至少就得分成三個小組，所以等於兩個小時的授課外，還要再另加三小時的分組討論。分組討論是由老師擬定題目，每個小組的同學輪流撰寫論文，在研討會時先作口頭報告，報告完後，再由其它同學發言討論，最後由老師作結論。一開始時，這裏的學生也和臺灣的學生一樣，不太喜歡發言，但是因為要記成績，他們又很重視成績，所以後來大家也都能踴躍發言。這種研討制度可以訓練學生發言，或撰寫簡單論文的能力，對老師來說雖然是個壓力，但對學生其實是很好的訓練，同時也增加了師生間的互動。相較於臺灣，因為每一班的學生多，老師教的課也多，所以這種發言訓練的機會也就少了，如果臺灣也有研討的制度，學生的受益可能會更多一點。

第二，我覺得他們校外考試委員的制度也很好。南洋大學每一系都有校外考試委員，由各學系推薦，再由學校直接聘任。校外考試委員是三年一任，責任是充分了解整個學系的發展，並且對整個系的發展提出建議書；另外，他們也要為畢業班的考試命題，有時會就老師原有的命題自己再抽換一些題目，以表示希望對畢業班學生的程度作了解。此外，校外考試委員在任期的三年內一定要親自到學校作一次公開演講，並實地了解整個系的教學、研究等情況，再提出建議書。我在南洋大學十三年的時間中，曾經擔任過中文系校外考試委員的有臺灣大學的屈萬里教授、政治大學的高明教授，威斯康辛大學的周策縱教授、澳洲國立大學的柳存仁教授，香港中文大學的周法高教授，他們也都曾經到南洋大學發表過專題演講。另外，當時物理系的校外考委楊振寧，歷史系的校外考委有芝加哥大學的何炳棣教授，地理系的校外考委有多倫多大學的洪瀫教授，這些學者本身都很忙碌，卻又願意到南洋大學來，除了學校的禮聘外，應該還有心理上的因素。四十年前，東西方仍在冷戰之中，以楊振寧為例，他的家人都在大陸，而他當時並不能回大陸，類似這種情況，

所以許多學者往往願意到新加坡，因為都是屬於華人的社會，在心理上會有一種抒解鄉愁的作用。楊振寧到南洋大學時，完全用國語演講，甚至於參觀許多擁有先進科技的工業區，對於專門術語也完全不用英語講解，所以當時報紙的報導對他的這種行為也非常讚賞。又如傅聰也曾到南洋大學演奏，也是以中文來解釋蕭邦的樂曲，這對他們來說，都有抒解鄉愁的作用吧！總之，我覺得校外考試委員的制度是很好的，因為旁觀者清，往往對於系的發展可以提出許多好的建議。

第三個印象是，在四十年前，東西方兩個陣營還是冷戰的時候，那時的法國、歐洲、美洲、亞洲等地區稱為自由陣營；蘇俄、大陸、東歐等地區，稱為鐵幕，自由陣營和鐵幕除了官方外，幾乎沒有來往。而當年新加坡總理李光耀先生就表示，新加坡是一個很小的國家，在國際上要交最多的朋友，樹最少的敵人，也因此新加坡和東西兩邊陣營的許多國家都有邦交，比如在新加坡的使館區就有南韓、北韓，南越、北越，東德、西德的大使館。因為以交更多的朋友為生存之道，在這種情形之下，南洋大學在當地也就扮演了一個很重要的角色，即東西文化交流的角色。在南洋大學的校園裏，有不少來自於美國和蘇俄的學生，那時蘇俄和大陸已經斷絕往來，所以他們不能去大陸，也不能去香港，為了交流，蘇俄的學生就到南洋大學來，像中文系的課程就常有蘇俄的學生來聽課。蘇俄和美國的學者也到南洋大學，我還記得當時有兩位蘇俄的學者，一位中文名字叫郭俊儒，是莫斯科國際關係研究所的教授，一口的標準國語講得非常流利，他演講時，板書的漢字也寫得非常工整，學問也很好，我記得屈萬里教授也在場聽講，對他也表示相當地讚美。另外還有一位經常來訪問的教授叫華克生，他的研究重點是清代的李漁。我在上歷代文選課時，就有蘇俄的學生跑來聽課，他不但聽得懂，也覺得很有興趣。所以那時的南洋大學就變成東西文化交流的地方，美國、蘇俄和其它國家的學生都在一起上課，下課之後也在運動場上一起運動，運動會時美、蘇學生一起也代表學校，在那個冷戰的時代，這種情況是比較少見的，也是非常特別的。到了一九八〇年，南洋大學被併到新加坡大學，南洋大學校園裏的中文系也因此停頓了很多年，假如當年南洋大學一直延續下來，以當時像李孝定、屈萬里、王叔岷、高明、錢歌川等中文系的師資來說，都足以擔負起中西文化交流的責任。至少在大陸開放及蘇聯改制以前，東西陣營冷戰期間，新加坡或者南洋大學中文系的角色可能會更重要，可惜在一九八〇年後就沒有再繼續了。

五、當年在南洋大學中文系任教的老師及聯絡狀況

當年南洋大學中文系的老師，有李孝定、王叔岷老師，都是當年的講座教授；屈萬里、高明老師，是一年期的客座教授，還有教翻譯課程的錢歌川等，都是較年長一輩的。中年輩的有楊承祖、皮述民、賴炎元、王忠林、謝雲飛、應裕康、周天健，以及我個人。除了上述臺灣去的教授外，還有星、馬的公民，如龔道運、翁世華、蔡秀珍、蘇新鋈、楊松年、王潤華、陳海蘭、李宏賁、盧紹權等人。翁世華、楊松年、蘇新鋈、王潤華等人後來併到新加坡大學，王潤華現在還在元智大學。其他系的老師，如歷史系的吳相湘、陳水逢、高亞偉、陳驥，地理系的林紹豪、陳國彥、姜道章，社會系的宋明順等，也都是從臺灣應聘前往的。這些朋友，有些到現在都還有往來，畢竟當年有緣在海外相遇，也是不容易的。

我自民國五十五年到南洋大學，六十八年回來，一共在那待了十三年的時間，回來後就到中興大學中文系任教。

六、過往的研究重點

我過往的研究，大概有五個重點，一是訓詁學、目錄學、校勘學方面，是偏重研究學問的基礎工具學。我寫的《訓詁學大綱》，是因為在南洋大學時，我教了幾年的訓詁學，發現選擇合適的教本並不容易，胡樸安的《中國訓詁學史》內容講得比較少；齊佩瑢的《訓詁學概論》有些講得比較深，訓詁學上較重要的如通假字又沒有介紹到，我就想編一本較容易引導學生入門的教本。當年臺灣和大陸都看不到彼此的資料，新加坡則因為地利之便，兩岸的資料都看得到，所以我就用了兩岸的資料，編了《訓詁學大綱》。目錄學文章的撰寫也是因為當年個人有機會在榮譽班擔任目錄學的課程，也因此寫了一些目錄學的論文，後來又寫了三篇，內容是探討古代重要目錄學家的見解，如劉向、劉歆父子，班固、鄭樵、章學誠，一直到胡玉縉、余嘉錫這些人的觀點。另外，因為我的博士論文寫的是《潛夫論校釋》，後來請楊家駱老師過目，他說這種「校釋」的方式不方便讀者閱讀，建議改為「集釋」，和王叔岷老師重新寫《莊子校詮》的方式一樣，將《潛夫論校釋》改為《潛夫論集釋》，由楊家駱老師推薦到鼎文書局，於一九七九年出版，那時我已經回到臺灣，後來香港的朋友買了一本西北師大彭鐸教授校正的《潛夫論箋》給我，《潛

夫論箋》是清朝汪繼培的著作，彭鐸予以校正，並加了許多自己的看法，兩書便在同年出版。之後我收到美國兩位學者來信索取我的《潛夫論集釋》，其中一位小姐說他曾經到西北師大跟彭鐸教授作了兩年的研究，提到我的研究和彭鐸教授有重疊的地方，當然我們是各自完成的著作。一九九〇年，在北京召開古籍整理會議，我提了一篇關於《潛夫論》校釋和集釋的論文，除了介紹我的書，其中也花了不少篇幅把我的著作和彭鐸教授的著作作一比較，其中，我們有相同的意見，也有不同的意見。很湊巧地有一位胡大浚教授來和我見面，他是蘭州西北師大古籍所的教授，也是彭鐸教授的學生，彼此談起來也很高興。這是海峽兩岸彼此在互不相謀的情況下產生的相近的學術成果，可以說是很特別的例子。

我的第二個研究重點是韓柳文，因為在東吳大學曾修閔孝吉老師的韓愈文，感到很有興趣，閔老師在韓文上的造詣很深，和閔老師學韓文後，自己也寫一些關於韓文的文章，也因為韓文而擴大到柳文，所以一直非常感謝閔孝吉老師對我的教導。後來自己也教韓柳文，就寫了《韓柳文新探》、《古文正聲》，還編了《韓文選析》和《柳文選析》作為教本。在《韓柳文新探》裏有二十二篇論文，除了從文章賞析的角度外，還有思想的探討，例如有一篇〈韓愈〈原人〉與張載〈西銘〉〉，是探討韓愈的思想對宋明理學的影響。我們都知道韓愈是理學的先驅，除了〈原道〉、道統這些觀念外，其它思想方面也有和理學相關聯的，這一篇文章就是從這個角度入手。另外，還有一篇〈柳宗元〈論語辨〉疏義〉，是探討柳宗元如何藉著《論語》的討論，把自己的身影投射在孔子身上。因為孔子是道不行，乘桴浮於海的人物，而柳宗元也曾經具有理想抱負，且參與了永貞政治改革，但最後都和孔子一樣沒有成功，且被貶謫到永州和柳州。所以他表面上是描寫孔子的新形象，但是和我們傳統上了解的孔子並不一樣，其實孔子這個形象實有他自己身影的投射，我覺得這篇文章從這個角度去作探討，也有點新的見解。

第三是清代學術史，在《清代學術史研究》和《清代學術史研究續編》中，收錄了三十二篇論文，裏面有幾個重點，例如晚明清初的「經世思想」、呂晚邨強調的「夷夏之辨」、章學誠的「六經皆史」、方東樹的「漢宋之爭」、陳蘭甫的「調和漢宋」，一直到晚清的「變法圖強」等。

第四是老莊思想，早期我在東吳曾聽過張立齋老師的《老子》，也在師大旁聽過張起鈞先生的《老子》課，後來也聽了王叔岷老師的《莊子》，後來自己也教過老莊的課，再加上個人的興趣，所以寫了《老莊研究》，書中收有二十八篇小文章，前半以《老子》為主，後半以《莊子》為主，裏面探討的包括老子的「道論」、莊子的「齊物觀」、「胡蝶夢」、「濠梁之辯」、「壺子四示」等，以及王船山對《老子》的批評，嚴復評點《老子》、《莊子》的意見等。

第五是經學研究，這方面已出版的《經學研究論集》，發表了二十二篇論文。以前我也教過經學史的課程，對於經學雖然愛好，但不太敢碰，後來慢慢嘗試作了一點經學研究，近幾年來也就寫了一些經學方面的文章。這二十二篇論文的前幾篇是個別地討論一些經學上的問題，其中一篇〈五經要義約論〉，是對五經作一綜合性的探索，基本上是立足於《史記》司馬遷的記事觀點，採取比較接近今文經學的立場，探索五經之間相互的關聯性。同時也把孔子和六經的關係作一釐定、闡發。換句話說，五經如果要有系統性，要有價值觀，它的系統和價值都和孔子有關，所以這篇文章也可以加一個副標為：「孔子與六經的關係」。這篇文章可說是較全面且系統性地對於經學的闡釋。

七、研究領域廣泛，包括訓詁學、目錄學、韓柳文、老莊思想、清代學術研究等皆有著作

這個問題可從兩個方面來說，一方面，像訓詁學、目錄學、校勘學，這幾個方面的研究，是屬於治學的基礎工具之學，這些領域在理論上還是可以作專門探討的。其它如韓柳文、清代學術史、老莊思想、經學研究，這些在傳統學術的分類上，即為經、史、子、集四部，嚴格說，這四部是屬於不同類別的學術研究，各有不同的內涵，關聯性並不強。既然沒有很大的關聯性，個人為什麼要在這四方面作探討呢？或許是個人的興趣，由於早年喜歡看書，在東吳讀書時，東吳最早的校區在漢口街，校區雖然很吵雜，可是有個好處，出學校不遠就是重慶南路，商務印書館、中華書局、世界書局等各種書店林立，出版各種好書，我常在課餘之暇，佇足其中，瀏覽書籍。後來我也住在泉州街，晚上轉個彎就到南海路中央圖書館，那時候中央圖書館的特藏室是開架式的，《萬有文庫》、《四部備要》、四部叢刊、叢書集成，都是現成可讀的，那時我讀書的欲望很強，也就養成了泛覽博觀的習慣，這個習慣養成之後，興趣就比較廣，再加上後來因為教學的關係，不得不去準備一

些科目，也自然發現一些問題，並且作一些探討。所以我的研究領域有些是因為興趣，有些是因為教學的關係。對於這四個方面的研究，若以今日以專業取向來論，可以說是沒有關聯性的，所以我也常常告訴青年學生，要先把專業作好，不要一下子把研究的方向開展得太廣，否則作出的研究也許就不夠深度。個人在探索、研究角度方面較廣博，或許不足以作為效法的對象，但就另一方面來說，胡適之先生曾說，為學當如金字塔，要能博大要能高。自己雖然在不自覺當中，對於傳統的學問養成泛觀博覽的習慣，但反過來想想，也許把學術的基礎放大一點，學術的視野能夠堆砌到的頂點也許就比較高，也許，這樣也可能會有意想不到的效果，這一點也可以說是自己所希望的。

八、研究清代學術的原因

在大學一年級時，我們就先學文字學，老師叫我們圈點段玉裁《說文解字注》的部首；到研究所之後，又圈點《說文解字》的注，當時坊間當代的書籍並不多，中華書局剛好把梁任公的《飲冰室合集》重新再版，而且可以分冊出售，因為買不起全套，所以就挑自己喜歡的書分冊買；另外商務印書館也印了一些錢賓四先生的書，所以也買了《國學概論》、《國史大綱》、《中國近三百年學術史》，再加上林尹老師也是走傳統乾嘉的路數，因此我們很自然地對清代學術下的功夫較多，興趣也自然就多一點，所以後來對清代學術的研究，基本上是由梁任公和錢賓四的著作引發出來的興趣。梁先生的《國學入門書三種》，使我了解國學的源流；錢賓四先生的《學籥》，使我了解到讀書方法，這兩本書對我進入學術研究之門，極有幫助。又梁先生的《清代學術概論》、《中國近三百年學術史》、《中國歷史研究法》、《先秦政治思想史》，錢先生的《國史大綱》、《中國近三百年學術史》，對我進入清代學術的研究，有很大的指引作用。我也試著多去了解一些西方史學的理論，但是我所用的研究方法，還是跟隨梁任公和錢賓四比較傳統的方法，因為個人對西方學術的理解比較欠缺，對西方的史學理論或思想史理論接觸得仍然很少，所以走的還是傳統的道路。但梁先生、錢先生二人的著作較多的是屬於面的部分，個人則在他們兩人《中國近三百年學術史》的基礎上，作了一些重點問題的探討和補充。

九、清代學術未來值得研究的領域

我在這裏提出四項重點：

第一是漢學家的漢學研究。以徐世昌主纂的《清儒學案》來說，列入正案的學者有一百七十九位，列入附案的有九百二十二人，列入諸儒學案的學者有六十八人，至今尚未被研究過的仍有很多，所以還有許多學者的思想、學術特色及在學術史上的地位可以研究。

第二是清代宋學的研究。一般我們在思想史上講宋明理學，往往到劉宗周就結束了，但是清代仍然有理學家，如徐世昌主編的《清儒學案》，其中就有很多是理學家；又江藩除了著有《漢學師承記》，另有《宋學淵源記》一書，足見在清代學術史中，宋明理學雖然不是主流，但仍是一條不可忽略的伏流，如清初的孫奇逢、李二曲、陸稼書、陸世儀、李光地、熊賜履、張伯行，這些都是很重要的理學家，再之後的唐鑑、方東樹，甚至於後來集大成的曾國藩，關於他們的理學思想和傳統宋明理學的傳承、發展，以及有無推陳出新的意見等，都是值得探究的。

第三，西學傳入與傳統學術發展的關係。明清之際，許多西方傳教士東來，他們所帶來的學術觀點、學術方法，對於清代學術，是否產生新的啟發，值得再作探究。

第四，宏觀地探討各種問題。清代學術的發展不僅限於考據學，包括理學、史學、常州今文經學等，都可以再作全盤式地理解。民國以來的學術研究，包括人文學的研究，都已經和國際的人文學研究接軌，有人認為這些都是承自清儒的乾嘉考據學。所以對於清代學術的發展或是乾嘉考據學，無論是正面或負面的評價，都可以再作全面性的考察和檢討。例如，徐復觀先生的〈清代漢學衡論〉，提出了對乾嘉學術的批評觀點；而余英時先生的〈清代學術思想史的一個新解釋〉，從內在理路的發展，去解釋清代考據學產生的原因，則是持較正面肯定的看法。而我們還可以在徐復觀、余英時二位先生的基礎上繼續探索，甚至對他們的觀點作出檢討，對於清代學術作全面地反省，並給予公平的評價。

十、近幾年的研究方向

個人自十多年前，研究的重點轉到經學方面，以前曾經上過熊公哲老師的群經大義，也學過《左傳》、《周易》、《尚書》、《詩經》，後來也慢慢朝向這方面研究，最早寫的一篇關於經學的文章是〈儒行考證〉，是考證《禮記•儒行篇》的寫作年代，這篇文章登在《書目季刊》紀念屈萬里先生的論文集上。對經學的研究，一方面是個人興趣的延伸，後來還有一個重要的外緣誘因，就是林慶彰老師和蔣秋華老師領導的中央研究院中國文哲研究所經學研究中心，他們以團隊的努力，已經有許多豐碩的研究成果，經他們的邀約，個人也參與了他們的工作團隊，參與了許多經學研究的會議，在這種良性的壓力下，九十一年個人已出版了《經學研究論集》，九十一年之後，又陸續發表了近十篇經學論文，目前也還有一些想到的問題，希望繼續寫出來，也希望個人在未來的經學研究領域裏能探討得更深入一點。

十一、對目前臺灣學術環境的觀感與建議

我個人對臺灣目前的學術環境確實有一點感想，因為整個國家的發展重科技而輕人文；重經濟發展，而忽略人文關懷與社會風氣的關注。但是科技雖然重要，對於人文也需要有適當的關懷；經濟發展固然是國家的命脈，但是倫理道德、社會秩序、社會風氣，也是不可忽視的。此外，我個人對於臺灣的文史哲研究，有以下幾點建議：

第一，應集體研究，組成研究團隊。中央研究院的文哲所雖然已經朝著集體研究的方向努力，但相較於大陸，還是不足的。大陸的文史哲研究雖然在文革十年，或文革後的幾年間，有很大的斷層，可是他們自從起步研究之後，這些年來不斷地以集體研究的方式整理各種文獻，如全宋詩、全宋文，還有大部頭的《四庫全書》的後續研究工作，都作得比我們好。又如大陸的中國社會科學院的經學研究，在姜廣輝先生的領導下，目前已經出版《中國經學思想史》一二兩卷，且還在陸續出版中，相形之下，我們這方面就較為遜色。記得楊家駱老師曾說過，抗戰時期，他和顧頡剛先生一起組團到四川的大足，發現大足石刻，一直到現在都受到大足人的重視，也開闢了另一個古代文化的重心，成為一旅遊的重點。楊家駱先生在四川也發現了張森楷《史記新校注》的五稿、六稿，也帶到臺灣來，並且利用這些資料，指導很多的研究生為《史記》作疏證。楊家駱先生還從四川帶出了張森楷的《二十四史校勘記》，可惜留在上海家裏沒有帶到臺灣來。後來大陸在顧頡剛先生的領導下，作了《二十四史》的校勘，且整理了新校注本，其中有用到張森楷的資料，他想應該是顧頡剛先生把張森楷的書拿去用了，當時顧頡剛先生也曾經寫信請楊家駱

先生回去主編《中華百科全書》，他當然沒有回去。這件事使我聯想到，我們國內有這麼多中文系、歷史系、哲學系的研究生，假如當初我們訂立一個完整的計畫，由教育當局推動，讓每一個研究生課外作一篇《二十四史》史傳的校注，那麼我們的《二十四史》新校注也許早就完成了。可是在臺灣作研究，大家多是單打獨鬥，沒有集體的統籌及團隊性的研究，且論文之間也有很多重疊的，以致於抵消了彼此的時間和精神，所以集體的研究，應該是我們以後要努力的方向。

第二，放大研究的視野，多了解其它地域的研究成果。以前臺灣和大陸不來往，現在大陸開放了，希望我們作任何研究，包括研究生，應儘量鼓勵他們了解大陸的研究成果。此外，也要多了解韓國、日本、新、馬、美國、歐洲等地的漢學研究成果，又如蘇聯的漢學研究，也有不錯的成果，像李福清教授等漢學家的著作都值得我們重視。因此，我們不但要參考其它地域的漢學研究成果，也要避免研究問題的重疊，以免時間、精神的浪費。

第三，培養翻譯人才，翻譯專業著作。目前大陸已經有海外漢學研究的叢書，他們以前也認為西方的漢學研究不如我們，但是現在已經發現西方的漢學研究也有優點，所以也作了很多的譯介。而在臺灣，雖然有翻譯研究所，如師大、輔仁等，但是他們的重點是培養口譯人才，在文史哲等人文學科，甚至科學研究，應該像日本一樣，多培養一點翻譯專才，多翻譯一些西方的漢學專著，來提升我們研究的視野及研究的層次。

第四，希望國科會和政府除了重視科技的發展外，也要重視人文學科的研究，給予經費人力等適當的資助。據我所了解，國科會每年對於人文學科通過的比例並不高，其實人文學科研究所需的經費，比起科技方面來說，是比較少的，所以希望國科會可以擴大人文學科經費的編制，對於研究人文學科的人，尤其是年輕的朋友，多方給予鼓勵，這樣傳承學術的接班人才能更多一點，否則我們的研究成果將永遠比不上別人。

第五，希望政府以專款購買學術專著，寄贈大陸重點大學，以促進學術交流。我看到一些大陸的論文，對臺灣的著作參考並不多，其實在文史哲方面的研究，臺灣由於起步較早，也有一些優質的作品，比如王叔岷先生的《莊子》研究，嚴靈峰先生的《老子》研究、馬王堆帛書研究，黃彰健先生對戊戌政變史的研究，以及中研院許多學者對考古的研究、近代史研究等，這些研究成果絕不在大陸學者之下。大陸的文史哲研究起步得較晚，雖然也有好的作品，但是多以量取勝，他們既不了解我們的研究狀況，在量方面往往淹沒了我們質的方面的研究成果，使國際漢學界看不到我們的研究成果，這是很可惜的。所以建議應該由政府補助經費，收購一些國內較優秀的專業研究著作，分送給大陸的重點大學，讓大陸年輕的學者可以參考、引用。將來在世界漢學上，也許因為大陸的著作量多，因此也可以給予我們一些轉手的宣傳，使臺灣的學者得到應有的重視。

第六，厚植國力，重視國家總體力量的表現。一個國家的力量是總體的表現，軍事、政治、經濟固然需要強盛，但是文化素養、社會秩序、人倫道德，乃至人文學科的研究、文史哲學的研究，也都是國家力量的表現。臺灣的傳統學術研究，在國際漢學界是具有競爭力的，並且佔有不少優勢，我們要好好把握這種優勢，爭取傳統文化在國際間的代表性與發言權，否則就會被大陸、日本、歐美等地所取代。如果我們在這方面有第一流的人才，可以作出很好的成果，在國際會議中的發言有份量，自然會受到別人的尊重，國家在這方面也就累積了聲譽，表現了力量。

附錄：胡楚生教授論著要目

（依時間先後為序）

甲、專著

1. 釋名考，臺灣省立師範大學《國文研究所集刊》第八號，1964 年。
2. 訓詁學大綱，蘭臺書局，1972 年。
3. 潛夫論集釋，鼎文書局，1979 年。
4. 中國目錄學研究，華正書局，1980 年。
5. 古籍探義，華正書局，1981 年。
6. 韓文選析，華正書局，1983 年。
7. 柳文選析，華正書局，1983 年。
8. 儒行研究，華正書局，1986 年。
9. 清代學術史研究，學生書局，1988 年。
10. 古文正聲——韓柳文論，黎明文化事業公司，1991 年。

11. 韓柳文新探，學生書局，1991 年。
12. 老莊研究，學生書局，1992 年。
13. 清代學術史研究續編，學生書局，1994 年。
14. 中國目錄學，文史哲出版社，1996 年。
15. 圖書文獻學論集，學生書局，2002 年。
16. 經學研究論集，學生書局，2002 年。
17. 中華民族抗日戰爭史略，大社會文化出版社，2005 年。

乙、論文

1. 文選別賦李注補正，《南洋大學學報》第一期，1967 年 8 月。
2. 釋老子「天地聖人不仁」義，《高仲華教授六秩誕辰論文集》，1968 年。
3. 〈甘誓〉中之「戮」與「孥戮」，《南洋大學學報》第二期，1968 年 8 月。
4. 俞氏〈老子平議〉訂，新加坡《新社學報》第二期，1968 年。
5. 關於「豆」字之若干問題，《林景伊教授六秩誕辰論文集》，1969 年。
6. 《隋書・經籍志》述例，《南洋大學學報》第四期，1970 年 8 月。
7. 目錄家「互著說」平議，《南洋大學學報》第五期，1971 年 8 月。
8. 目錄家「別裁說」平議，《書目季刊》六卷三四期合刊，1972 年。
9. 《隋書・經籍志》總序箋證，《南洋大學學報》第六期，1972 年 8 月。
10. 張氏〈漢書藝文志釋例〉糾繆，新加坡《新社學報》第五期，1973 年。
11. 《校讎通義》「道器說」述評，《南洋大學學報》第七期，1973 年。
12. 《四庫提要補正》與《四庫提要辨證》，《南洋大學學報》第八九期合刊，1974 年。
13. 王符思想中一基本觀念「人道曰為」之解析，《幼獅月刊》四七卷六期，1978 年。
14. 朱子對於古籍訓釋的見解，《大陸雜誌》五五卷二期，1978 年。
15. 論章實齋「互著」「別裁」的來源，《中國學術年刊》第二期，1978 年。
16. 當代大儒馬湛翁，《孔孟月刊》一八卷四期，1979 年。
17. 杜詩「義鶻行」淺析，《幼獅月刊》四九卷三期，1979 年。
18. 鄭樵論《七略》、《漢志》語平議，《中國學術年刊》第三期，1980 年。

19. 專科目錄之利用與編纂，《書評書目》第九十四期，1981年2月。
20. 余氏《中國史學論文引得》平議，國立中興大學《文史學報》第十一期，1981年6月。
21. 古漢語中單音詞與複音詞之關係，中央研究院《第一屆國際漢學會議論文集》，1981年10月。
22. 略論《三國演義》與裴松之《三國志注》之關係，《古典文學》第三期，1981年12月。
23. 《全國博碩士論文分類目錄》中有關「中國文史哲學論文」之分析，《書目季刊》十五卷四期，1982年3月。
24. 經生與烈士——試論陳蘭甫與朱鼎甫之為學路向，《書目季刊》十六卷一期，1982年6月。
25. 《呂留良四書講義》與《駁呂留良四書講義》，國立中興大學《文史學報》第十三期，1983年6月。
26. 王筠《文字蒙求》簡析，《第五屆中韓學者會議論文集》，1983年8月。
27. 呂晚邨《四書講義》闡微，《孔孟學報》第四十六期，1983年9月。
28. 韓愈〈原人〉與張載〈西銘〉，《書目季刊》十八卷一期，1984年6月。
29. 黃梨洲與呂晚邨——比論黃呂二人之政治思想，國立中興大學《文史學報》第十四期，1984年6月。
30. 章實齋「六經皆史說」闡義，《中國學術年刊》第六期，1984年6月。
31. 章學誠與邵晉涵之交誼及論學，國立中興大學《文史學報》第十五期，1985年3月。
32. 〈儒行〉考證，《書目季刊》十八卷四期，1985年4月。
33. 高郵王氏父子校釋古籍之方法與成就，國立中興大學《文史學報》第十六期，1986年3月。
34. 曾國藩〈聖哲畫像記〉析論，《書目季刊》十九卷四期，1986年5月。
35. 陳蘭甫《漢儒通義》述評，《國立中央圖書館館刊》新十九卷一期，1986年6月。
36. 清初諸儒論「管仲不死子糾」申義，《孔孟學報》第五十二期，1986年9

月。

37. 章太炎〈釋戴篇〉申論，《幼獅學誌》十九卷二期，1986 年 10 月。
38. 陳澧治經方向與顧亭林之關係——兼論顧氏「經學即理學」之意義，《書目季刊》二十卷三期，1986 年 12 月。
39. 《漢書・藝文志》與《隋書・經籍志》比勘舉例，《中央圖書館館刊》新廿卷二期，1987 年。
40. 王船山〈老莊申韓論〉發微，國立中興大學《文史學報》第十七期，1987 年 3 月。
41. 船山史論中之民族思想，《孔孟學報》第五十三期，1987 年 4 月。
42. 朱一新論顏學之基本缺失，《中國學術年刊》第九期，1987 年 6 月。
43. 唐甄《潛書》中之政理，《幼獅學誌》十卷四期，1987 年 12 月。
44. 柳宗元的「民本」思想，《孔孟月刊》二十六卷四期，1987 年 12 月。
45. 康有為《長興學記》與葉德輝《長興學記駁義》，國立中興大學《文史學報》第十九期，1988 年 3 月。
46. 嚴幾道「老子評點」論析，國立高雄師範學院《高仲華先生八秩榮慶論文集》，1988 年 4 月。
47. 韓愈〈柳州羅池廟碑〉析論，《興大中文學報》第一期，1988 年 5 月。
48. 韓愈〈祭田橫墓文〉與王安石〈讀孟嘗君傳〉，國語日報「書和人」第五九五期，1988 年 5 月。
49. 韓愈〈新修滕王閣記〉賞析，《興大中文學報》第二期，1989 年 1 月。
50. 王真《道德經論兵要義述》析評，《中國學術年刊》第十期，1989 年 2 月。
51. 跋陳蘭甫《東塾雜俎》，國立中興大學《文史學報》第十九期，1989 年 3 月。
52. 柳宗元〈論語辨〉疏義——柳宗元心目中孔子之新形象，《孔孟學報》第五十七期，1989 年 3 月。
53. 《莊子・應帝王》中「壺子四示」的象徵意義，《中華文化復興月刊》二十二卷十二期，1989 年 10 月。
54. 試論《老子》首章的句讀問題，《林景伊教授八十冥誕紀念論文集》，1989

年 12 月。

55. 柳宗元對於師道的看法，《孔孟月刊》二十八卷四期，1989 年 12 月。
56. 韓愈、柳宗元的愛民仁政，國語日報「書和人」第六二〇期，1989 年 12 月。
57. 清人所著讀書札記中的學術資源及其整理，《國立中央圖書館館刊》新二十二卷二期，1989 年 12 月。
58. 柳宗元〈天對〉與王廷相〈答天問〉之比較，《興大中文學報》第三期，1990 年 1 月。
59. 老子的理想政治，《中國文化月刊》第一二四期，1990 年 2 月。
60. 韓愈〈送楊少尹序〉的寫作技巧，國語日期「書和人」第六四〇期。1990 年 2 月。
61. 康有為「論語注」中之進化思想，國立中興大學《文史學報》第二十期，1990 年 3 月。
62. 老子以水喻道的方式與義蘊，《中國學術年刊》第十一期，1990 年 3 月。
63. 老子「張弓」解，《中國文化月刊》第一三〇期，1990 年 8 月。
64. 老子釋疑二題，《中華文化復興月刊》二十三卷八期，1990 年 9 月。
65. 韓愈「孔墨相用說」釋疑，《孔孟學報》第六十期，1990 年 9 月。
66. 劉師培《攘書》評析，國立中山大學《第一屆清代學術研討會論文集》，1990 年 11 月。
67. 嚴幾道對於莊子思想的批評，《書目季刊》二十四卷三期，1990 年 12 月。
68. 試論韓愈〈答李翊書〉中「氣」與「養氣」的意義，《孔孟月刊》二十九卷四期，1990 年 12 月。
69. 韓愈〈答劉秀才論史書〉的寫作背景，《興大中文學報》第四期，1991 年 1 月。
70. 讀柳宗元〈詠三良〉詩，《中國文化月刊》第一三六期，1991 年 2 月。
71. 嚴幾道「莊子評點」要義闡釋，國立中興大學《文史學報》第二十一期，1991 年 3 月。
72. 從形上到形下——老子「道論」發微，《中國學術年刊》第十二期，1991 年 3 月。

73. 老子對於戰爭的看法，《中華文化復興月刊》二四卷四期，1991 年 4 月。
74. 老子「三寶」釋義——兼論馬一浮對老子思想的批評，《中國文化月刊》第一三九期，1991 年 5 月。
75. 試析王船山所論老子思想的基本瑕疵，《書目季刊》二十五卷三期，1991 年 12 月。
76. 劉逢祿《論語述何》評析，國立中山大學《第二屆清代學術研討會論文集》，1991 年 11 月。
77. 試釋《莊子・應帝王篇》「未始出吾宗」之意義，《逢甲中文學報》第一期，1991 年 11 月。
78. 試析荀子對於老莊思想的批評，《興大中文學報》第五期，1992 年 2 月。
79. 莊子論悟道的境界與體道的工夫，《東海大學中文學報》第一期，1992 年 7 月。
80. 論韓愈與王仲舒的交誼及其影響，國立中興大學《文史學報》第二十二期，1992 年 7 月。
81. 俞樾《羣經平議》中之解經方法，國立中興大學《文史學報》第二十三期，1993 年 3 月。
82. 林景伊先生對於清代學術思想之闡釋與評論，《林尹教授逝世十周年學術論文集》，1993 年 6 月。
83. 韓柳賦之比較，《興大中文學報》第六期，1993 年 10 月。
84. 皮錫瑞《南學會講義》探析，《興大中文學報》第七期，1994 年 1 月。
85. 道教方術與老莊思想之關係，國立高雄師範大學「第二屆先秦學術研討會」，1994 年 3 月。
86. 段玉裁與王念孫之交誼及論學，《書目季刊》二十七卷四期，1994 年 3 月。
87. 方東樹〈辨道論〉探析，國立中興大學《文史學報》第二十四期，1994 年 7 月。
88. 《莊子・逍遙遊篇》「往見四子」釋義——兼論〈逍遙遊〉中的一處錯簡，《王靜芝教授八秩壽誕論文集》，1995 年 10 月。
89. 比較韓愈與柳宗元兩篇有關南霽雲的碑傳文章，《興大中文學報》第九期，

1996 年 1 月。

90. 柳宗元〈游黃溪記〉研析，《廉永英教授榮退紀念論文集》，1996 年 8 月。
91. 老子思想對於現代社會的啟示，《第一屆傳統文化與現代社會學術研討會論文集》，1996 年 9 月。
92. 四十年來台灣地區子部古籍校釋整理之成就及其檢討，《書目季刊》三十卷二期，1997 年 8 月。
93. 陶淵明「詠史詩」三首探微，《興大中文學報》第十期，1997 年 8 月。
94. 三十年來台灣學術界對於版本目錄學之研究概況，《書目季刊》三十卷四期，1997 年 10 月。
95. 釋《淮南子》「道」的意義與「道」的效用，國立中興大學《文史學報》第二十七期，1997 年 10 月。
96. 楊家駱教授對於「四庫學」的貢獻，淡江大學《兩岸四庫學學術研討會論文集》，1998 年 9 月。
97. 從目錄學進入中華學術殿堂，《國文天地》十四卷五期，1998 年 10 月。
98. 《潛夫論》之「校釋」與「集釋」，北京「第二屆海峽兩岸古籍整理學術研討會」，1998 年 10 月。
99. 晚清知識份子變法圖強之改革規畫——以孫詒讓《周禮政要》為例，國立中興大學《文史學報》第二十九期，1999 年 6 月。
100. 儒家「忠恕之道」對於現代社會之啟示，《徐文珊教授百歲冥誕紀念論文集》，1999 年 10 月。
101. 弘揚儒家倫理思想的精蘊——邁向二十一世紀的道德觀念，《中國文化研究》第二十五期，1999 年 10 月。
102. 儒學思想中的剛健之德與新世紀的人格特質，《國際儒學聯合會紀念孔子二五五〇年誕辰學術研討會論文集》，1999 年 10 月。
103. 皮錫瑞《春秋通論》析評，國立中山大學《第二屆國際清代學術研討會論文集》，1999 年 11 月。
104. 韓愈對儒學發展之貢獻，東吳大學《唐代文化學術研討會論文集》，2000 年 4 月。

105. 試論《春秋公羊傳》中「借事明義」之思維模式與表現方法，國立中興大學《文史學報》第三十期，2000 年 6 月。
106. 清代學術史之研究與省思，北京大學百年校慶《漢學研究國際會議論文集》，2000 年 8 月。
107. 韓愈「贈序文」的寫作技巧，國立中正大學《第五屆唐代文化學術研討會論文集》，2000 年 11 月。
108. 《春秋公羊傳》中顯現之人道精神與價值取向，《興大中文學報》第十三期，2000 年 12 月。
109. 楊樹達《春秋大義述》析評，《經學研究論叢》第九輯，2000 年 12 月。
110. 錢賓四先生《中國近三百年學術史》讀後，國立臺灣大學《紀念錢穆先生逝世十週年國際學術研討會論文集》，2001 年 1 月。
111. 呂大圭論《春秋》要旨，《中國文化月刊》二五三期，2001 年 4 月。
112. 楊家駱教授對目錄學之貢獻，《楊家駱教授九十冥誕紀念論文集》，2001 年 5 月。
113. 「春秋三傳束高閣，獨抱遺經究終始」？——盧仝《春秋摘微》析評，國立中興大學《文史學報》第三十一期，2001 年 6 月。
114. 楊家駱教授整理古籍之成果——以編刊「中國學術名著」為例，《書目季刊》二十五卷二期，2001 年 9 月。
115. 《尚書》中最早之政治原理——以〈堯典〉、〈皋陶謨〉為闡釋依據，《中國文化月刊》第二六〇期，2001 年 1 月。
116. 「經學即心學」——試析王陽明與馬一浮對《六經》之觀點，《中國文化月刊》第二六五期，2002 年 4 月。
117. 引史證經，義取鑑戒——楊萬里《誠齋易傳》試探，《興大人文學報》第三十二期，2002 年 6 月。
118. 全球化下道家思想應有的發展與貢獻，香港中文大學「全球化下中華文化的發展研討會」，2002 年 6 月。
119. 清代考據學興起原因的再檢討，國立中山大學《清代學術研究通訊》第六期，2002 年 7 月。

120. 《儀禮・覲禮》探究，新加坡儒學會《儒學研究》第二期，2002 年 8 月。
121. 詩序與詩教——從詩序內容看《詩經》的教化理想，《龍宇純教授七秩晉五華誕論文集》，2002 年 11 月。
122. 柳宗元「贈序文」探究，《興大人文學報》第三十三期，2003 年 6 月。
123. 錢賓四先生對「清儒學業」之新構想，東吳大學《錢穆思想學術研討會論文集》，2004 年 11 月。
124. 章學誠《校讎通義》與鄭樵《校讎略》之關係，淡江大學《章學誠學術研討會論文集》，2005 年 2 月。
125. 馬一浮論《春秋》要旨，淡江大學《昌彼得教授八秩晉五壽慶論文集》，2005 年 2 月。
126. 試論《春秋》「獲麟」之文化史義涵——以俞樾之說為探索中心，國立中山大學《第三屆國際暨第八屆清代學術研討會論文集》，2005 年 6 月。
127. 伊川《易傳》中政治思想之解析，《興大人文學報》第三十五期，2005 年 6 月。
128. 邵懿辰〈論禮運首段有錯簡〉說駁議，《興大人文學報》第三十六期，2006 年 3 月。

經　學　研　究　論　叢
第　十　四　輯　　頁283～298
臺灣學生書局　2006 年 12 月

經學博碩士論文目錄
（民國 92、93、94 年）

劉康威*

一、本〈目錄〉收錄民國 92－94 年間，臺灣地區博、碩士研究生完成之「經學類」論文條目。

二、本〈目錄〉所收論文，資料內容若涉及兩類者，則予以「互見」，以方便讀者檢索。

三、論文條目之目錄項，依作者、書名、出版者、出版年月、指導教授等順序排列。

經學史研究

胡伯欣　帝辛行狀考述　彰化師範大學國文學研究所碩士論文　92 年　黃競新指導

白夙平　孟子的人品美思想研究　東海大學哲學研究所碩士論文　92 年　謝仲明指導

葉冰心　孟子人性論研究　南華大學哲學研究所碩士論文　92 年　陳德和指導

陳政揚　孟子與莊子「內聖外王」研究　東海大學哲學研究所碩士論文　92 年　陳榮波指導

*　劉康威，東吳大學中國文學研究所碩士。

吳智雄 西漢前期經學思想研究 中正大學中國文學研究所博士論文 92 年 莊雅州指導

許修嘉 陳亮與呂祖謙學術思想異同——思想合流契機 逢甲大學中國文學研究所碩士論文 92 年 1 月 戴瑞坤指導

朱盈靜 葉適的哲學思想暨其對理學與經學的批判 東吳大學哲學研究所碩士論文 92 年 張永儁指導

張念誠 楊簡心學、經學的義理考察 中央大學中國文學研究所博士論文 92 年 6 月 王邦雄指導

徐偉俊 試論黃震躬行之學的形成 逢甲大學中國文學研究所碩士論文 92 年 6 月 戴瑞坤指導

馬行誼 許衡的倫理道德價值體系 中正大學中國文學研究所博士論文 92 年 劉文起指導

許績鑫 明代科舉探微——以同安許鍾斗為例 銘傳大學應用語文中國文學研究所碩士論文 92 年 陳德昭、紀俊臣指導

鄭淑娟 李卓吾儒學思想之研究 逢甲大學中國文學研究所碩士論文 92 年 6 月 戴瑞坤指導

于明華 清代耶穌會士索隱釋經之型態與意義 暨南國際大學中國語文學研究所碩士論文 92 年 黃俊傑、林啟屏指導

孫守真 顧炎武經世思想研究 中國文化大學中國文學研究所碩士論文 92 年 應裕康指導

蔡恆海 陳確思想研究 彰化師範大學國文學研究所碩士論文 92 年 張麗珠指導

簡慧貞 戴東原的〈性論〉思想之研究 輔仁大學哲學研究所碩士論文 92 年 陳福濱指導

賴溫如 晚清新舊學派思想之論爭——以《翼教叢編》為中心的討論 臺灣師範大學國文學研究所博士論文 92 年 李威熊指導

楊瑞員 孔子的教育哲學研究 南華大學哲學研究所碩士論文 93 年 顏永春指導

胡倩茹　孔孟荀之養生論及比較　中正大學中國文學研究所博士論文　93 年　劉文起指導

沈錦發　孟子民本思想之研究　南華大學哲學研究所碩士論文　93 年　陳德和指導

張簡茂宏　樂經相關議題研究　高雄師範大學國文學研究所碩士論文　93 年　黃忠天指導

謝素菁　郭店儒簡之內聖外王思想　臺灣師範大學國文學研究所碩士論文　93 年　陳麗桂指導

江素卿　西漢經學災異思想研究　中山大學中國文學研究所博士論文　93 年 6 月　周虎林指導

周德良　《白虎通》研究——《白虎通》暨《漢禮》考　中央大學中國文學研究所博士論文　93 年 6 月　王邦雄指導

施惠淇　班固學術及其與漢代學風的交涉　臺灣大學中國文學研究所碩士論文　93 年　張蓓蓓指導

王靜怡　何晏及其學術研究　嘉義大學中國文學研究所碩士論文　93 年　蔡忠道指導

戴鳳如　王通經世思想之研究　中央大學中國文學研究所碩士論文　93 年 5 月　曾昭旭、楊祖漢指導

張伯宇　湛甘泉心學思想研究　淡江大學中國文學研究所碩士論文　93 年　周志文、殷善培指導

林文心　潘平格《求仁錄輯要》研究　臺北市立師範學院應用語言文學研究所碩士論文　93 年　林慶彰指導

簡合慶　王夫之思想之研究　中國文化大學哲學研究所碩士論文　93 年　周林靜指導

呂金龍　顏習齋之學術思想及其《四存編》研究　華梵大學東方人文思想研究所碩士論文　93 年　何廣棪指導

劉佳雯　焦循之「權」論研究　彰化師範大學國文學研究所碩士論文　93 年　張麗珠指導

王　樾　晚清佛學與近代政治思潮——以《大同書》、《仁學》、《齊物論釋》為核心之析論　淡江大學中國文學研究所博士論文　93年　吳哲夫、袁保新指導

曹美秀　論朱一新與晚清學術　臺灣大學中國文學研究所博士論文　93年　夏長樸指導

洪鎰昌　康有為《孔子改制考》研究　高雄師範大學國文學研究所博士論文　93年　周虎林指導

蕭友泰　熊十力對中國文化的詮釋與重建　淡江大學中國文學研究所碩士論文　93年　王樾指導

何培齊　內藤虎次郎的史學研究　中國文化大學史學研究所博士論文　93年　馬先醒、李朝津指導

王祥安　孔子內聖外王研究　華梵大學東方人文思想研究所碩士論文　94年　何廣棪指導

林惟仁　求道者——以孔子弟子為研究的起點　政治大學中國文學研究所碩士論文　94年　林啟屏指導

鍾隆琛　論孔子何以讚賞顏回——以幾個儒家評顏理論為線索　輔仁大學哲學研究所博士論文　94年　黎建球指導

謝崑恭　先秦知識分子的歷史述論——以《詩經》、《尚書》、《左傳》、《國語》為中心　臺灣大學歷史學研究所博士論文　94年　葉達雄指導

鄭雯馨　王莽的經學與政治　臺灣大學中國文學研究所碩士論文　94年　葉國良指導

戴榮冠　南朝儒經義疏之時代特色　成功大學中國文學研究所碩士論文　94年6月　宋鼎宗指導

蔡淑閔　陽明學派游學活動研究　政治大學中國文學研究所博士論文　94年6月　董金裕指導

王俊傑　王心齋思想析論　中興大學中國文學研究所碩士論文　94年　劉錦賢指導

張藝曦　王學、家族與地方社會——以吉水、安福兩縣為例　臺灣大學歷史學研究

所博士論文　94 年　王汎森指導

黃鈴雅　西學輸入對明末清初中國天旋說爭論的影響　清華大學歷史研究所碩士論文　94 年　黃敏枝指導

黃譔禧　王啟元《清署經談》在晚明思想史上的意義　清華大學歷史研究所碩士論文　94 年　陳　華、王汎森指導

張政偉　清代漢宋學與今文經學的發展新論　東華大學中國語文學研究所博士論文　94 年　黃忠慎、車行健指導

陳惠美　清代輯佚學　中國文化大學中國文學研究所博士論文　94 年　劉兆祐指導

阮華風　明末清初學術的轉折——以顏元思想為例　中興大學歷史學研究所碩士論文　94 年　林正珍指導

尤隨終　臺灣儒學：從明朝鄭成功至日本殖民時期研究　華梵大學東方人文思想研究所碩士論文　94 年　何廣棪、周春塘指導

林文華　戴震經學之研究　政治大學中國文學研究所博士論文　94 年 5 月　蔡崇名指導

徐心儀　論戴東原「以理殺人」說與社會批判　中國文化大學哲學研究所碩士論文　94 年　周林靜指導

傅莉雯　朱一新經世思想研究　臺灣大學中國文學研究所碩士論文　94 年　鄭吉雄指導

李啟禎　譚嗣同思想研究一以〈仁學〉「衝決網羅」為核心之分析　淡江大學中國文學研究所碩士論文　94 年　王　樾、高柏園指導

田信蓉　劉師培義理學研究　中山大學中國文學研究所碩士論文　94 年 5 月　鮑國順指導

王信凱　柳詒徵研究——一個學術文化史個案分析　佛光人文社會學院歷史研究所碩士論文　邵東方指導

易

李鴻儒 《周易》爻變思想研究 東吳大學中國文學研究所碩士論文 92 年 5 月 孫劍秋指導

楊淑瓊 虞翻《易》學研究——以卦變和旁通為中心的展開 中興大學中國文學研究所碩士論文 92年6月 林安梧指導

楊雅妃 朱熹醫、易會通研究 高雄師範大學國文學研究所博士論文 92 年 江聰平指導

涂世元 元代《易》學的時位觀 政治大學中國文學研究所碩士論文 92 年 7 月 董金裕指導

黃馨儀 釋智旭援佛解《易》思想研究 中興大學中國文學研究所碩士論文 92 年6月 林文彬指導

康全誠 清代《易》學八家研究 中國文化大學中國文學研究所博士論文 92年6月 黃沛榮指導

李梅鳳 李光地《周易折中》案語研究 彰化師範大學國文學研究所碩士論文 92 年 游志誠指導

李雅清 焦循《易》學之數理思維 政治大學中國文學研究所碩士論文 92 年 6 月 董金裕指導

張青松 杭辛齋《易》學研究 臺灣大學中國文學研究所碩士論文 92 年 何澤恆指導

沈心慧 胡樸安生平及其《易》學、小學研究 東吳大學中國文學研究所博士論文 92年 許錟輝指導

楊蕙旖 論《周易・繫辭傳》的道論及其認識途徑 臺灣大學哲學研究所碩士論文 93年 陳鼓應指導

廖婉利 虞翻《易》學思想研究 高雄師範大學國文學研究所碩士論文 93 年 林文欽指導

戴琡蓉 胡瑗《周易口義》名體達用研究 輔仁大學中國文學研究所碩士論文 93年 趙中偉指導

彭涵梅　邵雍元會運世說的時間通　臺灣大學哲學研究所碩士論文　93 年　關永中、高懷民指導

陳淑娟　論《程氏易傳》對《十翼》天人思想的繼承與發展　臺灣大學哲學研究所碩士論文　93 年　傅佩榮指導

陳進益　蕅益智旭《易》佛會通之研究　東吳大學中國文學研究所博士論文　93 年　龔鵬程指導

蔡龍九　高攀龍《易經》思想研究　政治大學哲學研究所碩士論文　93 年 7 月　曾春海指導

劉謹銘　方孔炤《周易時論合編》之研究　中國文化大學哲學研究所博士論文　93 年　高懷民指導

何淑蘋　屈大均《翁山易外》研究　東吳大學中國文學研究所碩士論文　93 年 7 月　孫劍秋指導

張敏容　毛奇齡《易》學研究　臺北市立師範學院應用語言文學研究所碩士論文　93 年　林慶彰指導

張耀龍　杭辛齋《易》學研究　政治大學中國文學研究所碩士論文　93 年 7 月　呂凱指導

鄭雅竹　李光地《易》學研究　高雄師範大學經學研究所碩士論文　93 年　黃忠天指導

吳雅清　《易》元、亨、利、貞四德之研究　中國文化大學中國文學研究所博士論文　94 年　曾昭旭指導

曾宣靜　《周易》經傳方位觀念研究　臺灣大學中國文學研究所碩士論文　94 年　鄭吉雄指導

林妙璘　《周易》的教育思想　東海大學哲學研究所碩士論文　94 年　陳榮波指導

朴榮雨　《易經》中理想人格之研究　臺灣大學哲學研究所碩士論文　94 年　傅佩榮指導

劉冠良　《周易・繫辭》之「聖人觀」　臺灣大學哲學研究所碩士論文　94 年　陳鼓應指導

劉健海 帛書《易經》異文研究 臺灣師範大學國文學研究所碩士論文 94 年 邱德修指導

蔡明宏 《京房易傳》之象數《易》研究 華梵大學東方人文思想研究所碩士論文 94 年 杜保瑞指導

吳茂松 胡瑗《易》學哲學研究 佛光人文社會學院哲學研究所碩士論文 94 年 金春峰、戚國雄指導

簡世和 《誠齋易傳》研究 中興大學中國文學研究所碩士論文 94 年 劉錦賢指導

楊奕成 程廷祚之《易》學及其思想 淡江大學中國文學研究所碩士論文 94 年 殷善培、蔣秋華指導

吳淑慧 清儒翁方綱及其《易》學研究 臺灣師範大學國文學研究所碩士論文 94 年 賴貴三指導

許力仁 李道平《周易集解纂疏》研究 臺灣師範大學國文學研究所碩士論文 94 年 賴貴三指導

林琬茹 端木國瑚《周易指》詮例發微 臺灣師範大學國文學研究所碩士論文 94 年 賴貴三指導

李皇穎 尚秉和《周易注釋》案語分析 彰化師範大學國文學研究所碩士論文 94 年 游志誠指導

呂文智 唐宗海《醫易通說》思想研究 東吳大學中國文學研究所碩士論文 94 年 孫劍秋指導

書

夏　鄉 皮錫瑞《尚書》學述 臺灣師範大學國文學研究所碩士論文 92 年 許錟輝指導

陳韋在 焦循《尚書》學研究 臺灣師範大學國文學研究所碩士論文 93 年 賴貴三指導

詩

陳慈敏　《詩經》「水」意象之相關研究　逢甲大學中國文學研究所碩士論文　92 年 5 月　李時銘指導

李欣玲　從《詩經》探析周代農業社會　中正大學中國文學研究所碩士論文　92 年　莊雅州指導

鄭岳和　《詩經・周南》的生命哲學——對人的肯定與祝福　東海大學哲學研究所碩士論文　92 年　譚家哲指導

王怡惠　顧炎武《詩經》學述評　彰化師範大學國文學研究所碩士論文　92 年　黃忠慎指導

邱惠芬　胡承珙馬瑞辰陳奐三家《詩經》學研究　臺灣師範大學國文學研究所博士論文　92 年　林慶彰指導

陳文采　清末民初詩經學史論　東吳大學中國文學研究所博士論文　92 年　林慶彰指導

蔡敏琳　高亨《詩經今注》研究　彰化師範大學國文學研究所碩士論文　92 年　黃忠慎、彭維杰指導

劉益州　《詩經》中「山」意象表現與運用　東華大學中國語文學研究所碩士論文　93 年 6 月　許又方指導

蘇秀娟　《詩經》時代聲母現象與上古漢藏語關係　彰化師範大學國文學研究所碩士論文　93 年　羅肇錦指導

鄭靖暄　先秦稱《詩》及其《詩經》詮釋之研究　臺灣大學中國文學研究所碩士論文　93 年　張寶三指導

黃文琪　《詩經》自然意象之美學觀　臺灣師範大學國文學研究所碩士論文　93 年　莊耀郎指導

許美珠　借鏡《詩經》——探究古今環境倫理思想　雲林科技大學文化資產維護研究所碩士論文　93 年　林葉連指導

鄭玉姍　《上博（一）孔子詩論》研究　臺灣師範大學國文學研究所碩士論文　93 年　季旭昇指導

陳明義 朱熹《詩經》學與《詩經》漢學傳統異同之研究 東吳大學中國文學研究所博士論文 93年 林慶彰指導

侯美珍 晚明《詩經》評點之學研究 政治大學中國文學研究所博士論文 93年1月 林慶彰指導

孟麗娟 姚際恒《詩經》辨偽及其治經方法 逢甲大學中國文學研究所碩士論文 93年6月 李威熊指導

嚴立仁 錢坫《詩音表》研究 成功大學中國文學研究所碩士論文 93年6月 李添富指導

蘇芳蓁 《詩經》之女性研究 中國文化大學中國文學研究所碩士論文 94年 李德超指導

趙苑夙 上博楚簡〈孔子詩論〉文字研究 中興大學中國文學研究所碩士論文 94年 林清源指導

張淑惠 《詩經》動植物意象的隱喻認知詮釋 東海大學中國文學研究所碩士論文 94年 呂珍玉指導

蔡雅芬 《詩經》鳥獸蟲魚意象研究 靜宜大學中國文學研究所碩士論文 94年 魯瑞菁指導

王淑麗 《詩經》中倫理關係與詩教研究 臺灣師範大學國文學研究所碩士論文 94年 余培林指導

三禮

張明娜 歷代顧命禮之研究 臺灣大學中國文學研究所碩士論文 92年 葉國良指導

李文獻 臺灣閩客傳統婚禮之研究 中國文化大學中國文學研究所博士論文 92年 徐福全指導

潘澤黃 中國古代生命禮儀中婚禮之文化意義研究——以《儀禮・士昏禮》為探討中心 92年 南華大學生死學研究所碩士論文 耿志堅指導

康金村 鄭玄《儀禮注》凡言例句之研究 玄奘人文社會學院中國語文研究所碩士

論文　92 年　柯金虎指導

孔炳奭　《禮記》與《墨子》喪葬思想比較研究　臺灣師範大學國文學研究所博士論文　92 年　王關仕指導

林慧貞　《禮記》教育思想研究　中央大學中國文學研究所碩士論文　92 年 5 月　章景明指導

邱琇瓊　〈樂記〉中的樂教理論研究　中國文化大學哲學研究所碩士論文　92 年　孫長祥指導

商　琹　一代禮宗——淩廷堪之禮學研究　彰化師範大學國文學研究所碩士論文　92 年　張麗珠指導

林士鈞　《儀禮》酒儀探賾　中興大學中國文學研究所碩士論文　93 年　韓碧琴指導

陳淑敏　〈樂紀〉音樂美學思想之研究　銘傳大學應用中國文學研究所碩士論文　93 年　江惜美、紀俊臣指導

鄒濬智　《上海博物館藏戰國楚竹書（一）緇衣》研究　臺灣師範大學國文學研究所碩士論文　93 年　季旭昇指導

謝佳惠　郭店儒簡四篇的政教觀及其與《禮記》的關係研究　臺灣師範大學國文學研究所碩士論文　93 年　陳麗桂指導

黎明昌　刑不上大夫攷　中國文化大學史學研究所碩士論文　93 年　羅獨修指導

黃郁仁　賈誼禮治思想研究　中正大學中國文學研究所碩士論文　93 年　劉文起指導

張書豪　漢武郊祀思想溯源　東吳大學中國文學研究所碩士論文　93 年 6 月　劉文起指導

孫致文　朱熹《儀禮經傳通解》研究　中央大學中國文學研究所博士論文　93 年 6 月　岑溢成指導

邱靜綺　明堂制度研究　中央大學中國文學研究所碩士論文　94 年 5 月　章景明指導

羅健蔚　鄭玄《三禮注》說《詩》與引《詩》之研究　臺灣大學中國文學研究所碩士論文　94 年　葉國良指導

陳燕梅 魏晉時期喪服禮議考 暨南國際大學中國語文學研究所碩士論文 94 年 朱曉海指導

李永興 儒家「禮」、法家「法」與唐律之關係研究 臺北市立師範學院應用語言文學研究所碩士論文 94 年 劉兆祐指導

廖育菁 王安石《周官新義》研究 彰化師範大學國文學研究所碩士論文 94 年 陳金木指導

張秀玲 程瑤田《儀禮喪服文足徵記》研究 臺灣大學中國文學研究所碩士論文 94 年 葉國良指導

春秋・三傳

魏怡昱 王闓運《春秋》學思想研究 中國文化大學史學研究所碩士論文 92 年 李朝津指導

金允子 《左傳》與春秋青銅器上所見方國名比較研究 輔仁大學中國文學研究所博士論文 92 年 許錟輝指導

吳淑美 《左傳》及其教學之研究 高雄師範大學國文學研究所碩士論文 92 年 蔡崇名指導

蔡翔任 張純甫「是左」、「非墨」思想研究——以古史辨運動為背景 中正大學中國文學研究所碩士論文 92 年 謝大寧指導

黃啟書 春秋公羊災異學說流變研究——以何休《春秋公羊解詁》為中心之考察 臺灣大學中國文學研究所博士論文 92 年 葉國良、夏長樸指導

楊雅婷 春秋公羊家之革命改制思想 東吳大學哲學研究所碩士論文 92 年 張永儁指導

黃世豪 陳立《公羊義疏》研究 中國文化大學中國文學研究所碩士論文 92 年 應裕康指導

簡逸光 《穀梁傳》解經方法研究 中國文化大學中國文學研究所碩士論文 92 年 林慶彰指導

朱生亦 何休與三闕之研究 中正大學歷史學研究所碩士論文 93 年 李紀祥、

雷家驥指導

劉德明 孫覺《春秋經解》解經方法探究 中央大學中國文學研究所博士論文 93 年 6 月 岑溢成指導

吳宗孟 《左傳》王者形象研究 中國文化大學中國文學研究所碩士論文 93 年 應裕康指導

寺島勇雄 先秦儒家引述《左傳》思想考論 臺灣大學中國文學研究所碩士論文 93 年 何澤恆指導

吳怡欣 《春秋事語》研究 臺北市立師範學院應用語言文學研究所碩士論文 94 年 孫劍秋指導

胡豔惠 《史記》之「春秋書法」研究 成功大學中國文學研究所碩士論文 94 年 7 月 張高評指導

曾志偉 《春秋公羊傳》三科九旨發微 東華大學中國語文學研究所碩士論文 94 年 林慶彰、車行健指導

姜義泰 葉夢得《春秋傳》研究 中興大學中國文學研究所碩士論文 94 年 江乾益指導

黃翠芬 章太炎《春秋左傳》學研究 東海大學中國文學研究所博士論文 94 年 莊雅州指導

曾聖益 儀徵劉氏《春秋左傳學》研究 臺灣大學中國文學研究所博士論文 94 年 葉國良指導

四書

張曉生 郝敬及其《四書》學研究 東吳大學中國文學研究所博士論文 92 年 劉兆祐指導

王琇瑜 陳乾初處世思想探析——以素位，葬論思想為中心的討論 臺灣師範大學國文學研究所碩士論文 92 年 王冬珍指導

李智平 顏元李塨《論語》解經思想研究 東海大學中國文學研究所碩士論文 92 年 魏元珪指導

陳昇輝　晚明《論語》學之儒佛會通思想研究　淡江大學中國文學研究所碩士論文　92 年　高柏園、連清吉指導

王家泠　皇侃《論語義疏》與邢昺《論語正義》解經思想比較研究　臺灣大學中國文學研究所碩士論文　93 年　何澤恆指導

陳春福　戴震《孟子字義疏證》「氣化流行」思想研究　中國文化大學中國文學研究所碩士論文　93 年　王俊彥指導

李銀淑　《中庸》實踐哲學研究　輔仁大學哲學研究所碩士論文　93 年　李振英指導

陳維浩　《論語》中的情感語詞研究　臺灣大學哲學研究所碩士論文　94 年　傅佩榮指導

李輔人　《大學》道德教育思想之研究——以格物致知為中心　南華大學哲學研究所碩士論文　94 年　陳德和指導

陳俊良　朱熹《論語集注》的思想史分析　中國文化大學史學研究所博士論文 94 年　蔣義斌指導

吳傑夫　偽《孟子外書》問題重探　臺灣大學中國文學研究所碩士論文　94 年　何澤恆指導

張雅評　王陽明「格物致知」繼承古本《大學》之詮釋與發微　東華大學中國語文學研究所碩士論文　94 年 1 月　林安梧指導

賴芳暉　毛奇齡《四書改錯》研究　中央大學中國文學研究所碩士論文　94 年 7 月　岑溢成指導

孝經

楊智任　黃道周《孝經集傳》研究　高雄師範大學國文學研究所碩士論文　94 年　鄭卜五指導

爾雅・小學

周敏華　趙宧光《六書長箋》研究　銘傳大學應用中國文學研究所碩士論文　92

年　蔡信發指導

林義益　郝疏《爾雅》〈釋詁〉、〈釋言〉、〈釋訓〉假音、假借字檢證　中央大學中國文學研究所碩士論文　92年1月　蔡信發指導

謝淑華　孫詒讓《契文舉例》研究　東海大學中國文學研究所碩士論文　93年　朱岐祥指導

呂兆歡　毛奇齡韻學研究　輔仁大學中國文學研究所碩士論文　94年　李添富指導

張意霞　王念孫《廣雅疏證》訓詁術語研究　臺灣師範大學國文學研究所博士論文　94年　陳新雄指導

讖緯

吳士煇　讖緯與兩漢政治、經學相關之研究　逢甲大學中國文學研究所碩士論文　94年6月　李時銘指導

陳明恩　東漢讖緯學研究　臺灣師範大學國文學研究所博士論文　94年　陳麗桂指導

經　學　研　究　論　叢
第 十 四 輯　頁299～299
臺灣學生書局　2006 年 12 月

首屆中國經學學術研討會

編輯部

由北京清華大學人文學院歷史系與新加坡大學聯合舉辦的「首屆中國經學學術研討會」，於二〇〇五年十一月五日、六日北京清華大學舉行。

該會議是百年以來，大陸地區首次以儒家經典研究為主題主辦的國際學術研討會，受到海內外學術界的高度關注。來自海峽兩岸、港澳地區，以及新加坡、馬來西亞、日本、韓國與美國的學者大約百餘人出席，清華大學副校長謝維和教授致歡迎詞，美國哈佛燕京學社社長杜維明教授、臺灣中央研究院中國文哲研究所林慶彰研究員、北京大學湯一介教授、清華大學歷史系劉桂生教授、北京師範大學史學所劉家和教授等學者在開幕式致詞。

在兩天的會議中，學者們就《詩經》、《尚書》、《儀禮》、《周易》、《左傳》等儒家經典的文本研究以及研究方法、研究趨勢等問題，進行討論。為促進海峽兩岸青年學者的交流，並設立青年論壇，由二十餘名碩士、博士研究生發表論文。代表們高度評價本次大會所取得的成果，並決定以此為起點，今後輪流在大陸、臺灣、香港和新加坡等地召開。

會議議程如下：

■94 年 11 月 5 日（星期六）上午

開幕式

◎主持人：北京清華大學歷史系常務副主任張國剛

　致　詞：杜維明（哈佛燕京學社社長）

林慶彰（臺灣中央研究院中國文哲研究所研究員）

湯一介（北京大學哲學系教授）

劉家和（北京師範大學教授）

劉桂生（北京清華大學歷史系教授）

劉家洲（中國人民大學國學院副院長）

◎大會學術報告

李學勤：尚書金縢與楚簡禱祠

鄭良樹：「孔子作《春秋》」說的形成

張光裕：讀鄭珍《儀禮私箋》「士昏禮」卷劄迻

詩書、四書、孝經組

■94 年 11 月 5 日（星期六）下午

◎第一場會議（林慶彰主持）

夏長樸：論中庸興起與宋代儒學發展的關係（鄧國光評論）

勞悅強：攻乎異端——《論語正義》對朱熹的愛恨情結（周啟榮評論）

錢宗武、劉緒義：《梅氏書評》與茶山丁若鏞的尚書學（陳鴻森評論）

嚴壽澂：「思主容」、「渙其群」與「序異端」

——清人經解中寬容平恕思想舉例（黃卓越評論）

鄧立光：從《孝經》說中國傳統文化的精神（梁秉賦評論）

◎第二場會議（夏長樸主持）

林素英：論二《南》詩的禮教思想（錢宗武評論）

秦　暉：「楊近墨遠」與「為父絕君」：

古儒的國－家觀及其演變（梁　濤評論）

林慶彰：日本江戶時代古學派的經書古義研究（劉曉峰評論）

陳　致：古金文學與詩經文本研究（彭裕商評論）

李雄溪：《小雅・小明》「畏此罪罟」解（夏長樸評論）

車行健：論《毛詩箋》溢出經文之外的箋注及其經學思想（俞志慧評論）

◎綜合討論

春秋經傳組

■94 年 11 月 5 日（星期六）下午

◎第一場會議（鄭卜五主持）

蔡根祥：《左傳》杜《解》訓詁辨議（浦衛忠評論）

趙生群：《左傳》疑義新證（襄公篇）（鄭良樹評論）

吳仰湘：皮錫瑞對《春秋公羊傳注疏》的批評

——《師伏堂經說・公羊傳》例說（張　勇評論）

李紀祥：柯之盟與曹沫（劉　寧評論）

李興寧：《左傳》中的紀事本末體（方朝暉評論）

◎第二場會議（程　鋼主持）

趙伯雄：《春秋》記事書時考（李紀祥評論）

浦衛忠：《公羊傳》小考（蔡根祥評論）

鄭卜五：劉逢祿《左氏春秋考證》其「論證」之見解研究（蔡長林評論）

周　洪：《左傳》中的軍禮（李興寧評論）

方朝暉：從《春秋》義法到《左傳》義法（吳仰湘評論）

劉　寧：啖、趙《春秋》學與「三教」說（趙生群評論）

◎綜合討論

三禮組

■94 年 11 月 5 日（星期六）下午

◎第一場會議（龔道運主持）

汪少華：古車輿「輢」「較」考（張光裕評論）

杜明德：荀子的禮分思想與禮的階級化（孫叡徹評論）

王　鍔：戴聖生平和《禮記》的編選（楊濟襄評論）

楊天宇：鄭玄注三禮之「讀為」、「讀曰」例考辨（方向東評論）

楊　華：從楚簡諸「司」看《周禮》的成書問題（丁原植評論）

◎第二場會議（虞萬里主持）

許子濱：《春秋》、《左傳》禘祭考辨（楊天宇評論）

虞萬里：三禮鄭注「字之誤」類徵（李學勤評論）
彭　林：論楊大堉補《儀禮正義》（楊　華評論）
賈海生：祝嘏、銘文與頌歌——以文辭飾禮的綜合考察（許子濱評論）
呂友仁：《十三經注疏・禮記注疏》整理本平議（王　鍔評論）
方向東：《大戴禮記解詁》商兌（汪少華評論）
◎綜合討論

五經總論一組
■94 年 11 月 6 日（星期日）上午
◎第一場會議（趙伯雄主持）
鄧國光：孔穎達《五經正義》的體用詮義（李紀祥評論）
喬秀岩：版本的缺環或歷史概念的形成（龔鵬程評論）
丁原植：孔子與經學創始的哲學性解釋（龔道運評論）
孫叡徹：說「聖」（勞悅強評論）
龔鵬程：唐朝中葉的文人說經（張國剛評論）
◎第二場會議（龔鵬程主持）
張國剛：從經學到理學——漢魏至唐宋間倫理觀念的變遷（賴貴三評論）
梁　濤：子思《緇衣》、《表記》、《坊記》思想試探（林素英評論）
龔道運：理雅各英譯《大學》析論（李雄溪評論）
楊濟襄：何休《公羊解詁》「三世異詞」條例研究（趙伯雄評論）

五經總論二組（含易學）
■94 年 11 月 6 日（星期日）上午
◎第一場會議（彭　林主持）
陳鴻森：漢五經博士設立年代辨（虞萬里評論）
魯瑞菁：《離騷》稱經與漢代章句學（車行健評論）
黃人二：再讀《容成氏》並論其史觀為兩漢古文家經說之一源（陳　致評論）
朱杰人：經學與中國的學術思維方式（嚴壽澂評論）

俞志慧：《國語・晉語四》「貞屯悔豫皆八」為宜變之爻與不變之爻皆半說（鄭吉雄評論）

◎第二場會議（陳鴻森主持）

彭裕商：古文字資料與經籍古注（黃人二評論）

鄭吉雄：從《易》占試論儒道思想的起源（鄭卜五評論）

史應勇：鄭康成如何平衡群經異說（杜明德評論）

吳儀鳳：唐賦與經學的關係初探（魯瑞菁評論）

五經總論三組

■94 年 11 月 6 日（星期日）上午

◎第一場會議（勞悅強主持）

周啟榮：從明末清初的名物訓詁學、文獻考證學與經學論清代考證學與經學的關係（林慶彰評論）

賴貴三：明清時期臺灣經學歷史發展的考察與分析（喬秀岩評論）

程　鋼：辭與象：章學誠易學的內在結構（鄧立光評論）

梁秉賦：清末民初學人的讖緯觀（劉國忠評論）

盧鳴東：以禮治國：朝鮮建國儒臣對中國古禮推行所起的作用（劉緒義評論）

◎第二場會議（周啟榮主持）

張　勇：孔廣森與公羊家法（梁秉賦評論）

蔡長林：宋翔鳳與考據學（程　鋼評論）

姚曼波：兩千年春秋學之迷誤（方朝暉評論）

吳國武：北京大學與近代經學的轉型（王憲明評論）

■94 年 11 月 6 日（星期日）下午

◎大會綜合討論

主持人：張　勇、勞悅強

◎閉幕式

致　辭：新加坡國立大學中文系梁秉賦先生

致　辭：北京清華大學歷史系張國剛先生致辭

與會代表自由發言

■94 年 11 月 6 日（星期日）下午

青年論壇

◎第一場會議（張煥君主持）

吳伯曜：陽明學說對晚明四書學的影響

林泳呈：從采詩制度看《史記》「古者詩三千餘篇」之說

曹建敦：《儀禮》喪葬制度的初步研究

陳宗良：荀子《樂論》思想探析

楊棣娟：《朱子語類》中有關《左傳》之評價

李若暉：《月令》詞語考釋二則

黃至妙：漢初經學與荊楚文化

邢學敏：先鄭經學述論

劉　巍：康有為、章太炎與晚清經今古文之爭

陳韋銓：試論東漢經學博士與今文學

陳群分：鄭汝諧《論語意原》試探

◎第二場會議（吳伯曜主持）

梁　勇：從朱熹張栻墓祭之爭管窺宋儒的治禮路向

陳奕蒼：聲無哀樂論的樂教思想

張煥君：情、禮之間

——從魏晉時期「三年之喪」的實行情況看經典與社會的互動

劉　明：《漢志・六藝略》「左氏春秋」疏證

林穎政：試論《穀梁傳》對齊國的貶抑

董家興：王安石《三聖人》析論

刁小龍：《儀禮》鄭注「序」說

胡婉君：司馬光《疑孟》探析

張　濤：青銅器「侯」制紋飾與禮書記載對比研究

簡敏琪：試論北朝經學盛于南朝

許嘉哲：《大學》治國平天下義理疏探

◎青年論壇綜合討論

經　學　研　究　論　叢
第 十 四 輯　 頁307～310
臺灣學生書局　2006 年 12 月

隋唐五代經學國際研討會

編輯部

中央研究院中國文哲研究所經學文獻組從民國八十一年起，舉辦「清代經學國際研討會」、八十四年舉辦「明代經學國際研討會」、八十七年舉辦「元代經學國際研討會」，九十一年舉辦「宋代經學國際研討會」。歷次研討會均邀請國內外專家學者發表十餘至二十餘篇論文，參與會議的學者與研究生，也達到一、二百人，四次經學國際研討會的召開，不僅讓與會學者專家對宋、元、明、清四代經學發展有著更具系統的而多層面的探討，對於有意投入中國傳統經典學術研究的年輕研究生，也深具鼓舞的作用。會中所宣讀發表的論文，經過縝密謹慎的審查程序之後，均彙整編纂成論文集。因此舉辦以各朝代經學為研究範疇的會議，成為中國文哲研究所經學文獻組的重要工作之一。

為延續發揚召開各代經學會議的傳統，經學文獻組於民國九十四年十一月二十一至二十三日，假中央研究院學術活動中心第一會議室，舉辦「隋唐五代經學國際學術研討會」。本次研討會擬就「隋唐諸經義疏與南北朝義疏的關係」、「唐代後期經學與宋代新經學的關係」、「唐代諸經義疏的詮釋方法」、「諸經義疏在唐代經學史上的地位」、「唐代後期新經學產生的的背景因素」、「啖助學派解釋春秋的新方法」、「五代十國經學研究概說」等議題作更深入的討論。會議的議程如下：

■94 年 11 月 21 日（星期一）

開幕式

◎中國文哲研究所代所長王瑷玲

◎第一場會議（楊晉龍主持）

王基倫：六經之道與初盛唐古文創作流程的思考（王小盾評論）

龔鵬程：唐代中葉的文人經說（姜廣輝評論）

◎第二場會議（葉國良主持）

丘山新：「如是我聞」——經典為什麼是絕對的？（楊儒賓評論）

陳恆嵩：唐人疑經改經述論（鄭吉雄評論）

◎第三場會議（劉人鵬主持）

葛志毅：《經典釋文・序錄》札記

——從禮學角度考察孔子至隋唐時期的經學理念之變化（周鳳五評論）

黃坤堯：陸德明的經學思想（陳金木評論）

◎第四場會議（黃忠天主持）

蔡根祥：《尚書正義》對《史記》《尚書》說評議之研究（詹海雲評論）

楊晉龍：論王通及其《詩經》學觀的傳播（莊雅州評論）

■94年11月22日（星期二）

◎第五場會議（夏長樸主持）

田漢雲：顏師古《漢學注》之《詩經》學初探（洪國樑評論）

蔣秋華：韓愈〈詩之序議〉考（趙飛鵬評論）

◎第六場會議（李威熊主持）

孫學雷：敦煌吐魯番經學研究與影響（丁亞傑評論）

張寶三：倫敦所藏斯二七二九號敦煌《毛詩音》殘卷論考（蔣秋華評論）

◎第七場會議（王開府主持）

史嘉柏（David Schaberg）：唐經學家對〈鄉飲酒禮〉之詮釋（林素英評論）

金培懿：解經・身分・主體性——《論語筆解》於晚唐學術思想史上之深層意義（王明蓀評論）

◎第八場會議（陳麗桂主持）

陳廖安：《大衍曆》春秋日食合朔考（賴明德評論）

黃復山：唐《開元占經》的讖緯文獻價值考論（呂　凱評論）

■94 年 11 月 23 日（星期三）

◎第九場會議（鍾彩鈞主持）

單周堯：《高本漢左傳注釋》孔《疏》杜《注》異義考辨（林慶彰評論）

戴偉華：唐代《春秋左傳》學別論（鄭卜五評論）

◎第十場會議（張壽安主持）

野間文史：日本足利學校遺蹟圖書館藏《附釋音春秋左傳注疏》考（劉文強評論）

齋木哲郎：呂溫と《春秋》學——唐代新《春秋》學の行方（林義正評論）

◎第十一場會議（陳鴻森主持）

張高評：劉知幾之《左傳》學（李紀祥評論）

馮曉庭：陳岳《春秋折衷論》初探（張素卿評論）

◎第十二場會議（林慶彰主持）

橋本秀美：經疏與律疏（林啟屏評論）

蔡長林：《唐律疏議》的經學觀（陳逢源評論）

閉幕式

◎中國文哲研究所研究員林慶彰

經　學　研　究　論　叢
第 十 四 輯　頁311～314
臺灣學生書局 2006 年 12 月

第六屆通俗文學與雅正文學
——文學與經學全國學術研討會

編輯部

中興大學中國文學系於民國 95 年 3 月 10 日（星期五）、3 月 11 日（星期六），假該校綜合教學大樓十三樓國際會議廳舉行「第六屆通俗文學與雅正文學——文學與經學全國學術研討會」，大會揭櫫會議宗旨為：

㈠源流論述——孔門四科，文學為子游、子夏。游、夏二人後世視之為經學者，尤其子夏傳經，為兩漢經學的始祖，當時稱為文學，其具體內容卻是經學。由此，文學與經學可以有「源流論述」。

㈡發展論述——梁劉彥和宗經的主張，固然具有卓識；而其言論大抵偏就文體形式說，相對於文學與經學的思想層面，則略不備具，必待後朝載道文學思想興起，兩者才締建緊密的結構。對此可作為文學與經學思想的「發展論述」。

㈢關係論述——載道文學思想抬頭，與作品躋登主流地位，其實用取向對於藝術美學則造成壓縮的效應，雙方抑揚的結果，對於小說、戲劇新體文學，近、現代文學作品的產生，彼此有互為涵攝的「關係論述」。

會議議程如下：

■95 年 3 月 10 日（星期五）

◎報　到

中興大學中國文學系主任陳器文主持

◎開幕式

中興大學校長蕭介夫致詞

◎主題演講（中興大學文學院院長余文堂主持）

林慶彰（經學對中國文學的影響）

◎第一場研討會（莊雅州主持）

謝海平：論唐代經學家的文學創作（莊雅州特約討論）

陳章錫：王船山經學詮釋中的文學批評（林文彬特約討論）

江乾益：詩經六義與文學（林慶彰特約討論）

◎第二場研討會（謝海平主持）

林素英：鄭風溱洧的禮與俗（季旭昇特約討論）

王慶光：荀子引詩述評（李哲賢特約討論）

丁亞傑：美刺與正變——詩經比興的應用（林耀潾特約討論）

◎第三場研討會（楊祖漢主持）

陳逢源：《左傳》敘事結構的思維——以鄭莊克段于鄢為例（張寶三特約討論）

陳德和：情理之際的對揚與融鑄——以論語篇章的詮釋為例（楊祖漢特約討論）

黃瑩暖：中庸的天人關係（劉錦賢特約討論）

彭家正：經學的文學詮釋——許瑤光〈再讀《詩經》四十二首〉研究

■95年3月11日（星期六）

◎第四場研討會（蔡方定主持）

劉錦賢：周易之時宜觀（莊耀郎特約討論）

王財貴：現代經學復興的契機（顏國明特約討論）

劉德明：四庫全書總目提要的「根柢」觀探究

——以「經學」為主視野下的「文學」觀（蔡方定特約討論）

◎第五場研討會（莊耀郎主持）

張高評：宋代禽言詩與以俗為雅（謝海平特約討論）

李時銘：正樂與詩樂的雅俗（林素英特約討論）

韓碧琴：抄本客家吉禮書儀研究（汪中文特約討論）

◎第六場研討會（張高評主持）

林耀潾：《上博簡・孔子詩論》的倫理接受與情感接受（江乾益特約討論）

蔡根祥：范寧評「公羊辯而裁，其失也俗」新解（李新霖特約討論）

劉惠萍：從文學話語到教化經典——以《尚書・堯典》「禪讓」說的傳承與闡釋為例（張端穗特約討論）

◎第七場研討會（魯瑞菁主持）

林文彬：文學家的經學觀（李時銘特約討論）

卓國浚：〈宗經〉、〈辨騷〉：正與變的對話（尤雅姿特約討論）

廖育菁：文學與經學交涉之源流論——試以《史記・儒林傳》、《漢書・儒林傳》、《後漢書・儒林列傳》為觀察（顏天祐特約討論）

閉幕式

◎中興大學中國文學系主任陳器文

經　學　研　究　論　叢
第　十　四　輯　頁315～318
臺灣學生書局　2006 年 12 月

第四屆中國經學國際學術研討會

編輯部

由輔仁大學中國文學系、中國經學研究會、孔孟學會主辦，先秦兩漢學術研究室承辦的「第四屆中國經學國際學術研討會」，於民國 95 年 3 月 18 日（星期六）、3 月 19 日（星期日），假輔仁大學野聲樓谷欣廳舉行，該研討會獲得教育部國際文教處、行政院國家科學委員會、輔仁大學研究發展處、輔仁大學文學院贊助，兩天會議合計發表二十餘篇論文，議程如下：

■95 年 3 月 18 日（星期六）

◎報　到

輔仁大學中國文學系主任李添富主持

◎開幕式貴賓致詞

輔仁大學校長黎建球

中國經學研究會理事長蔡宗陽

輔仁大學中國文學系主任李添富

◎專題演講（臺灣師範大學教授蔡宗陽主持）

劉正浩（屬辭比事與《春秋》始隱考）

◎第一場研討會（賴明德主持）

吳智雄：論《春秋》三傳對魯公元年即位記載的解釋觀念（王初慶特約討論）

蔡妙真：屬辭比事——《左傳》編年體與蒙太奇（王金凌特約討論）

陳致宏：論《左傳》敘事結構（黃湘陽特約討論）

◎午餐時間

中國經學研究學會會員大會

◎第二場研討會（王初慶主持）

蔡宗陽：論「鄭伯克段於鄢」的《春秋》經文及歷史故事（黃沛榮特約討論）

孫欽善：春秋三傳中有關孔子史料的文獻價值（賴明德特約討論）

張麗娟：宋代刊刻春秋三傳之研究（蔣秋華特約討論）

◎第三場研討會（黃湘陽主持）

劉文強：再論晉獻公（莊雅州特約討論）

朴泰德：兵法角度看晉楚城濮之戰（柯淑齡特約討論）

曾聖益：清儒論《左傳》禮例（陳逢源特約討論）

朱瑞平：孫詒讓《春秋》經傳研究述評（趙中偉特約討論）

■95年3月19日（星期日）

◎第四場研討會（蔣秋華主持）

童慶炳：《左傳》敘事藝術三題（葉政欣特約討論）

鄭卜五：「禮」亡然後《春秋》作（許錟輝特約討論）

諸葛俊元：《公羊》學中「質」、「文」觀念研究（李新霖特約討論）

陽平南：明代《左傳》學兵家類著述初探（劉瑞箏特約討論）

◎第五場研討會（許錟輝主持）

何廣棪：讀陳振孫《直齋書錄解題・春秋類》札記（蔣秋華特約討論）

楊濟襄：《春秋》書法的常與變——論董仲舒、何休二種解經途徑所代表的學術史意義（陳麗桂特約討論）

簡逸光：《春秋》曆日與《穀梁傳》傳例（陳廖安特約討論）

◎第六場研討會（簡宗梧主持）

劉宗迪：《左傳》與故事：論《左傳》的口頭傳統淵源（張高評特約討論）

梁　濤：論二十世紀以來《左傳》《國語》成書、作者及性質的討論（楊晉龍特約討論）

盧鳴東：論劉文淇《疏證》中的尊王思想（葉國良特約討論）

◎第七場研討會「綜合座談、總結報告」（蔡信發主持）

逢甲大學中國文學系特聘教授簡宗梧

輔仁大學中國文學系教授王初慶

成功大學中國文學系特聘教授張高評

閉幕式

輔仁大學文學院院長王金凌

輔仁大學中國文學系主任李添富

經　學　研　究　論　叢
第 十 四 輯　頁319～326
臺灣學生書局 2006 年 12 月

「首屆中國經學學術研討會」會議綜述

曹建敦、張　濤*

一、會議介紹

為紀念清華國學研究院成立八十週年與新加坡國立大學建校一百週年，由清華大學人文學院歷史系經學研究中心和新加坡大學中文系聯合舉辦的「首屆中國經學學術研討會」，於 2005 年 11 月 5 日至 6 日在清華大學隆重召開。來自中國大陸、港澳臺地區，以及新加坡、馬來西亞、日本、韓國和美國的學者一百餘人恭與盛會。

經學，是中國傳統學術的淵藪。然而自上世紀始，經學卻被認為與落後、封建密切相連，經學研究日見式微。近年以來，這種局面有所改觀，經學對中國傳統學術研究的重要意義、經學蘊涵的人文情懷逐漸為人所認知，經學研究論著日漸增多，專門的經學研究機構、團體相繼成立，恰呈方興未艾之勢。本次大會旨在繼承中華文化傳統，深入理解中國學術思想，推進經學研究，是中國大陸首次以「中國經學」為主題舉辦的學術研討會，因而受到海內外學術界的高度關注。

在 11 月 5 日上午的開幕式上，清華大學副校長謝維和致歡迎辭，美國哈佛燕

* 曹建敦，北京清華大學歷史系博士生。
張　濤，北京清華大學歷史系碩士生。

京學社社長杜維明、臺灣中央研究院中國文哲研究所林慶彰、北京大學湯一介、清華大學歷史系劉桂生、北京師範大學史學所劉家和、中國人民大學國學院副院長孫家洲等著名學者蒞會發言。他們從學術角度闡明經學研究的重要性，高度讚揚清華大學在這一領域曾經取得的成就，並對清華歷史系未來的學術路向提出了新的期望與祝願。隨後，清華大學歷史系李學勤、馬來西亞南方學院華人族群與文化研究所鄭良樹、香港中文大學中文系張光裕面向全體代表作了《尚書》、《春秋》、《儀禮》學方面的主題報告，三位先生報告的題目分別是：〈《尚書・金縢》與楚簡禱祠〉、〈「孔子作《春秋》說的形成」〉、〈《讀鄭珍〈儀禮私箋〉「士昏禮」卷劄迻》。

二、會議綜述與分析

在兩天的會議中，代表們就《詩》、《書》、《禮》、《易》、《春秋》等儒家經典的文本研究以及研究方法、研究趨勢等問題，進行了廣泛而細緻的交流。根據代表提交論文的情況，大會依照研究方向將八十餘篇論文分為「春秋經傳」組、「三禮」組、「詩書、四書、孝經」組與「五經總論（含易學）」組四組六個場次進行小組討論。其中「五經總論」組收到論文將近三十篇，為數最多。而提交《易》學、《詩》學、《書》學方面文章的代表人數有限，故與他組聯合討論。各討論組均有高水準的論文發表。

㈠從研究方向看

春秋經傳問題幾千年來爭論不休，是經學研究者注目的焦點。該組專家學者紛紛提出己見，展開了熱烈的討論。「春秋經傳」組共收到 14 篇論文，一半涉及《左傳》，其次為《公羊傳》。趙生群的〈《左傳》疑義新證（昭公篇）〉是作者新注《左氏春秋》的一部分，趙氏對魯昭公三十二年間傳文記載中的四十餘組難解語匯作出詳釋，其中如「若適淫虐」、「用成周之寶圭於河」、「壹行不若王昏不若」諸條對前人注解均有所匡正。蔡根祥〈《左傳》杜《解》訓詁辨議〉亦致力於名物訓解，疏通注疏，對理解杜預《集解》頗有幫助。趙伯雄〈《春秋》記事書時考〉、李紀祥〈柯之盟與營沫〉與方朝揮〈從《春秋》義法到《左傳》義法〉、李興寧〈《左傳》中的紀事本末體〉從不同角度探討了春秋書法，而浦衛忠〈《春秋公羊經傳解詁》小考〉、劉寧〈談趙《春秋》學與「三教」說〉則對春秋學史的問題作了梳理。劉文在梳理初唐政教思想的演變基礎上，分析了談趙學說與玄宗朝思想風習之間的關係，以探討二人思想上的新變之跡，辨析二人與韓愈復興儒學之思想追求的聯繫。在綜合討論期間，由於對《春秋經》性質的認定不同，部分代表之間產生了激烈的爭論。

三禮是對《周禮》、《儀禮》、《禮記》（以及《大戴禮記》）的總稱，自東漢鄭玄遍注群經、互釋三禮後，這些不同性質的禮書逐漸被認為是一個整體，代表了先秦兩漢以來的禮文化，而康成遂為禮學大宗，學術史上有「禮是鄭學」之說。本組論文中，楊天宇、虞萬里的文章〈鄭玄注三禮之「讀為」、「讀曰」例考辨〉、〈三禮鄭注「字之誤」類徵〉都是對相關問題的實證性研究。楊文逐一分析百餘處「讀為、讀曰」，認為大多為鄭注用來說明通假。虞文搜集三禮鄭注「字之誤」59 例，以經義和出土簡帛字形印證，修正了段玉裁劃定的「字之誤」僅是「形近而訛」的觀點。三禮名物繁難、訓詁不易，這方面的論文有汪少華〈古車輿「騎」「較」考〉、方向東〈《大戴禮記解諸》商兌〉。彭林〈論楊大堉《儀禮正義》〉呂友仁〈《十三經注疏·禮記注疏》整理本平儀〉則是對禮書注解、整理的研究，前者細緻地考察了《儀禮》的權威注本《儀禮正義》中楊民所補的部分，就其優缺點提出了更為全面的看法。梁濤《子思〈緇衣〉〈表記〉〈坊記〉思想試探》、杜明德〈荀子的禮分思想與禮的階級化〉與王鍔〈戴聖生平和《禮記》的編選〉就先秦兩漢禮學議題做了很好的探討。禮書之外的文獻涉及禮學者亦不勝枚舉，許子濱〈《春秋》《左傳》禘祭考辨〉與周洪〈《左傳》中的軍禮〉兩文研究了《春秋》經傳記載中的禮，賈海生《祝嘏、銘文與頌歌——以文辭飾禮的綜合考察》結合金文等材料對典禮儀式以文辭飾禮的方法進行考察。

其他討論組同樣有優秀的論文發表。林素英的〈論二〈南〉詩的禮教思想〉亦涉及禮學。該文結合《孔子詩論》等簡帛文獻對〈周南〉、〈召南〉25 篇詩歌所蘊含的禮教思想做了闡發，認為其中所蘊含的夫婦、父子、君臣之三親人倫思想奠定了古儒所謂正始之道與王化之基。車行健〈論《毛詩箋》「溢出經文之外的箋注」及其經學思想〉一文注意到漢人經解中所含藏的義理思想，很是可貴。鄧立光〈從《孝經》說中國傳統文化的精神〉細緻分疏《孝經》義理，對內中蘊含的由己身外擴至民族道德的孝道作了精彩闡發，並對孝道在維繫民族生存發展中的作用給出了恰當評價。勞悅強〈攻乎異端——《論語正義》對朱熹的愛恨情結〉論述了朱子對劉寶楠《論語》新疏的潛在影響，深化了對漢宋學術關係的認知。

《易》學組中，鄭吉雄〈從《易》佔筮論儒道思想的起源〉一文從《易經》字義、乾坤二卦內容的關係以及佔筮陰陽老少轉變的原理等三個方面，推論儒家思想和道家思想的主要觀念均受《易》卦爻辭陰陽剛柔的道理啟發而產生出兩種截然相反的思想方法。俞志慧〈《國語．晉語四》「貞屯悔豫皆八」為宜變之爻與不變之爻皆半說〉針對《國語》中關涉易理的這一文句提出了新解。

錢宗武、劉緒義二位的〈《梅氏書評》與茶山下若鏞的《尚書》學〉評價了朝鮮學者丁茶山對偽古文《尚書》的研究。本次會議的一大亮點是許多學者對經學跨文化傳播問題的關注，此文便是其一。

㈡從研究時段看

「五經總論」為本次大會收到文章最多的類別，論文內容涵蓋範圍極廣，精義紛呈。與會學者多數致力於中國經學史的研究，提交的文章幾乎囊括了經學發展的各個歷史階段。丁原植〈孔子與經學創始的哲學性解釋〉和黃人二〈再讀《容成氏》並論其史觀為兩漢古文家經說之一源〉分別從哲學、古文字學出發，探討了經學在先秦時期的發展，後者還論及漢代今古文問題。陳鴻森《漢五經博士設立年代辨》一文對經學史上關鍵問題——漢武帝立五經博士一事之虛實及其設置年代、事情原委提出了合乎情理的解說，論證其發生時間為元朔五年（B.C.124），並兼釋《史記》闕載的緣由。其他論述漢代經學的還有魯瑞菁〈《離騷》稱經與漢代章句學〉、史應勇〈鄭康成如何平衡群經異說〉、楊濟襄〈何休公羊解詁「三世異詞」條例研究〉，魯文以漢代章句學的興起為背景，檢討王逸稱《離騷經》的問題，史文著力地分析鄭玄平衡群經異說的學術理路，楊文則是對專人專書的深入分析。

近年來，對於中古經學的研究有升溫的趨勢，改變了以往學界僅僅重在研究魏晉玄學、隋唐佛學等問題的單一面貌。張國剛〈從經學到理學——漢魏至唐宋間倫理觀念的變遷〉對漢魏至唐宋間作為經典的「家法」向士族的倫理規範和禮儀行為的「家法」的轉變，儒家倫理從國家意識形態逐漸成為個人倫理規範的歷程，以及佛教在其中所起的作用，進行了論述。龔鵬程〈唐朝中葉的文人說經〉一文博引唐人別集，勾勒出中庸科考和太學教學影響形成的「文儒」解經風尚，展現了為常人所忽視之一面。鄧國光〈孔穎達《五經正義》的體用詮釋〉深研《五經》孔疏文本，揭示唐代經學的義理思想與經世精神，亦發人所未發。夏長樸〈論《中庸》興起與宋代儒學發展的關係〉深入考察宋儒對《中庸》的討論與爭辯，描述了其與道學興起之間的複雜關係，使人們對宋代慶曆至慶元時期儒學的發展與轉變形成比較清晰的了解。

清代經學問題的探討向來是學術史研究的大宗。清人嶄新的研究方法與廣闊的學術視野造就了豐碩的學術成果，為後來研究者提供了繼續發展的平臺，清代經學研究本身也成為學人研習的對象。本次大會在「五經總論」組特設清代經學分會場。周啟榮〈從明末清初的訓詁學、文獻考證學與經學論清代考證學與經學的關係〉考察楊慎、焦竑、姚際恆等經生，對明清之際的經學發展的轉向作了重新檢討。鄭卜五〈劉逢祿《左氏春秋考證》其論證之見解研究〉、張勇〈孔廣森與公羊家法〉、程鋼〈辭與象：章學誠易學的內在結構〉、蔡長林〈宋翔鳳與考據學〉、吳仰湘〈皮錫瑞對《春秋公羊傳注疏》的批評——《師伏堂經說公羊傳》例說〉等文具體研究經師個案，各有創獲。嚴壽澂〈「恩主客」、「渙其祥」與「序異端」——清人經解中寬容平恕思想舉例〉一文對清代注疏包蘊的精神世界有所闡釋，以為其寬容平恕的思想性格頗供玩味。賴貴三發表〈明清時期臺灣經學歷史的考察與分析〉，對明清二百餘年間臺灣經學發展的趨勢脈絡作了整理爬疏。梁秉賦〈清末民初學人的讖緯觀〉則描繪解說了從康有為到周予同的讖緯研究，同樣將研究視野拓展至近代的還有吳國武〈北京大學近代經學的轉型〉。朱傑人的〈經學與中國的學術思維方式〉在宏觀的層面考察了中國經學的特色，該文發表於《文匯報》，產生了較大的社會影響。

㈢經學研究新趨向

當今的經學研究已經不在局限於本土，經學的跨文化傳播也被納入學術視域。本次大會有多篇文章涉足了這個領域。除前舉錢文外，尚有龔道運的〈理雅各英譯《大學》析論〉、林慶彰的〈日本江戶時代古學派的經書古義研究〉以及盧鳴東的〈以禮治國：韓國建國儒臣對中國古禮推行所起的作用〉。林文以太宰春台為例，確認了日本古學派對經書古義的研究在時間上早於乾嘉諸儒，並對其研究成果作出了恰如其分的評價。龔文與發表在《中國經學》第一輯的〈中國經典詮釋的空間——理雅各英譯《論語》批評孔子析論〉均是作者整體研究計劃的一部分，其將傳教士的譯解引人經書詮釋研究，極堪注意。

整體來看，與會論文在研究方法、研究材料等方面，呈現出多元化面貌。推動經學研究逐漸走向深入。研究方法上，學者一方面上承乾嘉漢學傳統，以文字、音韻、訓詁為本，摒棄虛浮學風，如春秋組〈《春秋》記事書時考〉一文便顯示了作者在傳統經學研究方法上的深厚功力，孫叡徹〈說「聖」〉體現了外國學者中不多見的文字學修養，喬秀岩〈版本的缺環或歷史概念的形成〉涉及版本學，而三禮組的許多文章頗見禮學研究者的小學功夫。另一方面當今經學研究也綜合了歷史學、考古學、哲學、文學、文獻學等多種學科，體現了對傳統經學研究範式的突破。彭裕商〈古文字資料與經籍古注〉體現了對古文字資料的注重，陳致〈古金文學與《詩經》文本研究〉一文則是對金文學史、《詩經》學史與小學的綜合考察，秦暉〈「楊近墨遠」與「為父絕君」：古儒的國——家觀及其演變〉從政治學與社會學角度切入，丁原植〈孔子與經學創始的哲學性解釋〉立足哲學領域，都具有跨學科的特色，令人耳目一新。

尤其值得一提的是，雖然多數論文仍以經書文本為主要研究對象，但並未局限於此，本次會議凡是研究領域涉及先秦時期的文章，都對新出土的簡帛材料有所引用與討論，即為明證。幾十年來簡帛研究的蓬勃發展，不但拓寬了經學研究的視野，更使原來爭論不休的問題得以深入展開。如楊華〈從楚簡諸「司」看《周禮》的成書問題〉一文對楚簡中的諸「司」神靈作了考察，就有助於說明《周禮》成書年代以及爭論不已的「六宗」問題。當然，對新材料的注重並非暗示傳統文獻沒有繼續深挖的價值，〈論楊大請補《儀禮正義》〉一文便有助於破除學界對《儀禮正義》的簡單推崇。

三、總結與展望

首屆中國經學學術研討會雖然落下帷幕，但隨之引發的諸多議題則仍待來哲探討。無庸諱言，由於歷史斷層，現有研究不可避免地重在檢討前人方法、成果，以便能將經學研究推向更高水平。如何審視兩千年的經學研究史，如何看待傳統學術遺產，是每個經學研究者必須解答的問題。尤其是我們處在清代三百年樸學高峰之後，極需著力於承繼清人學術成果而不為其所囿，以求在一個堅實的基礎上對經學思想做出我們這個時代的闡發。另一方面，長期以來經書成為供哲學、文學、史學、文獻學諸多學科使用的材料，這些學科中的研究方法與思維模式都會投射到經學研究上來，既使現在的經學研究具有了難得的多元化色彩，也促使研究者深思，究竟何種方法才真正適用於經學？二十一世紀的經學研究該朝著一個什麼樣的路向發展？會議期間，許多代表對此進行了熱烈的討論，這樣的討論必然會隨著時間的推移而持續升溫。

經　學　研　究　論　叢
第 十 四 輯　頁327～330
臺灣學生書局　2006 年 12 月

展示清初易學的歷史畫卷
——讀汪學群新著《清初易學》

張文修*

《周易》凝聚了中國古代先民理解世界的智慧，它奠定了中華文明的根基，所以古人稱讚它是大道之源，群經之首，極天地之淵蘊，盡人事之始終。歷代賢哲非常重視對《周易》的詮釋，解易之作汗牛充棟，可以說易學詮釋史與中國古代文明史的發展相伴隨，由此可見對易學史的研究在中國史研究中的重要地位。汪學群研究員的大作《清初易學》為易學史研究園地增加了一朵新葩。

《清初易學》一書由商務印書館於二〇〇四年十一月出版，洋洋四十七萬字，闡述了順治康熙兩朝間的易學狀況。展卷給人的強烈印象是，恢宏、凝重的歷史氣息撲面而來，作者以史詩般的筆法，將清初十餘位易學家和著名的易著娓娓道來，可以稱得上是博大敘事的佳作。順康兩朝，相對於數千年的易學史來說，不過是短短的一瞬，但本書卻使人猶如置身於歷史的長河之中。該書之所以能做到這一點，是由於堅持了兩個結合：其一是社會史與學術史的結合，作者把清初易學置於明清之際社會變遷的大背景中加以考察，闡明了清初易學與明清之際社會的互動關係。其二是文獻與思想史的結合，雖然該書是作為易學思想史方面的專著，但非常重視文獻，以可信的原始資料作為分析的基礎。在徵引材料上，作者力圖完整地把所研究的物件再現出來，盡可能整段引用，避免斷章取義，因而文獻資料在該書中所占

*　張文修，中國社會科學院歷史研究所副研究員。

的比例較大，從而使全書的風貌顯得異常厚重。總之，堅持揭蔽、展現歷史的真實面貌是該書最為鮮明的特點。

該書的另一特點是開拓創新精神。誠如該書的〈前言〉所言：「目前國內易學界對清初易學研究的狀況是，僅限於對個別易學家的探討，而沒有把它當成一個整體來對待，或者說討論的範圍僅限於幾個重要的易學家，而沒有對其進行比較全面系統的研究。」該書不僅填補了這項學術研究的空白，而且對整個學術研究發展都具有啟示作用。因為研究某一歷史時期社會狀況、時代精神、學術風貌的互動狀態，是一項綜合性的系統工程，遠比單純個案研究複雜得多。該書的開拓性精神還體現在很多方面，例如對於張烈和陳夢雷的易學，學術界極少有人關注，而該書對這兩人的論述極為詳盡翔實。

該書還有一個很大的特點，那就是精義入微。例如，以梁啟超、胡適為代表的學者認為清初學術是對理學的全面反動，而以馮友蘭、錢穆為代表的觀點則認為清初學術仍屬於宋明理學範圍。本書作者的觀點與後者相同，然而卻是從對清初易學狀況的具體研究中得出這一結論，作者指出從清初易學的宗旨及主流來看，清初易學是直接承繼宋明易學而來的，由於陸王沒有系統地解《易》之作，所以在清初易學中占主導地位的是程朱易學，尤其是程頤的《伊川易傳》和朱熹的《周易本義》，對清初易學發揮了重要影響。因而作者認為清初易學不是漢易的先導，清初易學不存在樸學易的復興，不存在一個從宋易向漢易轉變的過程。清初易學家對宋易的批評和考辨，主要集中在圖書先天太極說部分，而對程朱易學的義理是崇信肯定的，因而這種批評考辨與後來漢學興起沒有內在的必然聯繫，也就是說從這種批評與考辨本身不能得出轉向漢學復興的結論。至於乾嘉漢學家把這種考辨當成漢學復興，只不過是他們的主觀逆推，為其復興漢學張本。

更能體現該書精義入微的特色的是，作者對書中涉及的每一位易學家或易著，都總結概括出了很多命題，在此試舉一些該書目錄中的標題，如「上天之載無聲無臭」、「跡之學與心之學」、「倚數窮理」、「天地者，《易》之法象也」、「斯人道即天道」、「德崇而業廣」、「因象設事」、「就事明理」、「天地者未畫之易，易者已畫之天地」、「假象而明人事」等等，這些標題極為準確地概括出易學家或易著的思想主旨，並且起到了畫龍點睛的作用。清初易學的文獻資料份量極大，《四庫全書》、《四庫全書存目叢書》、《續修四庫全書》、《四庫禁毀書叢刊》等所收清初易學著作不下百種，作者從中精選了十幾位易學家或易著，再從中爬梳、概括出各種命題，其閱讀、思考的勞動量之大可想而知。

作者從宏觀角度對清初易學思想的把握也十分精當。例如，作者指出清初易學家大都堅持卜筮、象數與理的統一，以象數、卜筮為手段，以明理為目的。在《周易》與天道的關係上，清初易學繼承了《繫辭上傳》中「易與天地準」的思想，主張《周易》依天地而作，易道即天道。在天人關係上，他們既堅持天道的普遍必然性，又肯定人類「財（裁）成」、「輔相」的主動性。在人性和修養論上，他們繼承了《繫辭上傳》「繼之者善也，成之者性也」的觀點，堅持性善論，堅持人應通過後天的修養使自我生命得到提升。在實踐學說上，清初易學都堅持通經致用，以易學齊家、治國、平天下。作者還特別指出，清初易學家的這些思想在當今社會仍然具有一定的價值。

作者是學哲學出身，發揮思想原是其所長，然而作者有意避免使用陳舊的學院派哲學的辭彙和條條框框，再加上該書是以人物和著作為線索而不是以問題的提出做為敘述方式，影響了作者思想的發揮。「獨上高樓，望盡天涯路」，我們期望作者能夠從精義入微走向《繫辭下傳》所言的「精義入神」的境界，取得更高的學術成就！

經 學 研 究 論 叢
第 十 四 輯　頁331～402
臺灣學生書局　2006 年 12 月

出版資訊

一、本專欄收 2004 年 6 月－2005 年 12 月國內外最新出版，有關經學和經學人物之相關專著。惟舊籍重印或再版書，則不予收入。

二、各提要略依經學總論、周易、尚書、詩經、三禮、三傳、四書、孝經、爾雅、讖緯、經學人物等順序排列。

三、提要前之目錄項，分別依書名、作譯者、出版地、出版者、頁數（冊數）、出版年月等項排列。

四、各提要以簡介各書之內容為主，如有所評論，僅代表作者之意見。

五、歡迎各界人士提供與本專欄性質相符之著作，以便推介，來書請寄臺北市和平東路一段 198 號臺灣學生書局經學研究論叢編輯部收。

《儒學與儒教》

《儒學與儒教》　李申著　成都　四川大學出版社　579 頁　2005 年 8 月

本書分為探索篇、論述篇、論爭篇、反思篇四大部分，匯集了作者多年的研究成果。內容涵蓋儒學及儒教的研究，以及對學術界部分問題的爭論，並對儒教進行反思。篇目分述如下：

「探索篇」：〈儒學、儒教與自然科學〉、〈遼代宗教〉、〈玉皇大天帝與儒教和道教的融合〉、〈中國古代宗教的思維方式〉、〈「儒教室」與儒教〉、〈中國上帝的起源〉、〈氣質之性源於道教說〉、〈共同的信仰，不同的主張——孔、老之異同〉。

「論述篇」：〈關於儒教的幾個問題〉、〈中國古代有一個儒教〉、〈儒教是宗教〉、〈三教關係論綱〉、〈儒教、儒學和儒者〉、〈朱熹的儒教新綱領〉、〈世界觀・儒教觀點〉、〈《論語》與孔子〉、〈走出經學模式〉、〈教化之教就是宗教之教〉、〈《河圖》、《洛書》的神學性質〉、〈儒教研究史料補〉、〈《河圖》考〉、〈二十年來的儒教研究〉、〈《中國儒教史》自序〉、〈儒家孝道明真〉、〈中國古代的神〉、〈中國古代的人神〉、〈西方東漸和儒耶之爭〉、〈《中國儒教史》後記〉、〈儒教大同說及其影響〉、〈坑儒說與皇帝名號〉、〈獨尊儒術前後〉、〈王安石之敗〉、〈任繼愈和傳統文化研究〉。

「反思篇」：〈《20 世紀中國學術大典・宗教學》有關儒教詞條〉、〈中國哲學的氣論和儒教〉、〈對《儒學宗教論若干問題論據的質疑》一文的回答〉、〈儒教的正祀和淫祀〉、〈話說年號〉、〈紀傳體與《史記》〉、〈儒教的仁愛在當代〉、〈遠人不服，修文德以來之〉、〈《中國儒教論》前言〉、〈中國儒教論・導論：什麼是宗教以及與儒教有關的爭論〉、〈《中國儒教論》後語〉、〈《四庫全書》儒藏說〉、〈回湯恩加先生信（附：湯恩加先生原信〉、〈誰打倒了孔家店〉。

李申，1946 年 4 月生於河南省孟津縣。1969 年畢業於哈爾濱軍事工程學院原子物理系。1986 年畢業於中國社會科學院研究生院世界宗教研究系，獲哲學博士學位。現任中國社會科學院世界宗教研究所研究員，儒教研究室主任，中國社會科學院研究生院博士生導師，中國社會科學院哲學片學術委員。著有《中國儒教史》、《中國哲學發展史》（七卷本）、《中國古代哲學與自然科學》、《儒教通論》、《氣範疇通論》、《道教本論》、《周易之河說解》、《易圖考》、《高科技與宗教》等，發表論文百餘篇，公開出版文字逾千萬。（張穩蘋）

《聖境——儒學與中國文化》

《聖境——儒學與中國文化》　張立文主編　北京　人民出版社　415 頁　2005 年 10 月

主編張立文教授，一九三五年生，浙江溫州人。現任中國人民大學哲學院教授、博士生導師、中國人民大學孔子研究院院長。著述等身，所著有《周易思想研究》、《朱熹思想研究》、《宋明理學研究》、《中國哲學範疇發展史（天道篇）》、《宋明理學邏輯結構的演化》、《新人學導論——中國傳統人的省察》、《傳統學引論——中國傳統文化的多維反思》、《戴震》、《周易與儒道墨》、

《中國哲學邏輯結構論——中國文化哲學發微》、《中國近代新學的展開》、《走向心學之之路——陸象山思想的足跡》、《白話帛書周易》、《中國哲學範疇發展史（人道篇）》、《中國和合文化導論》……等書。

本書是以集體編撰的方式結集而成，全書分為十二章：

第一章「緒論」，張立文撰，論「儒學義蘊的詮釋」、「價值理想的追求」、「儒學的人文精神」；

第二章「儒學與哲學」，宋志明撰，論「中國哲學的根基」、「經學與哲學」、「理學與哲學」、「實學與哲學」；

第三章「儒學與倫理道德」，彭永捷撰，論「儒家倫理」、「儒家道德」、「倫理教育與道德修養」；

第四章「儒學與法學」，劉寶村撰，論「儒法的歷史淵源」、「先秦時期儒法的爭鳴」、「秦漢後的儒法合流及其影響」、「近代化過程中的儒學與法學」；

第五章「儒學與宗教」，孟曉路撰，論「何謂宗教」、「儒學與宗教」、「儒學與生死」、「儒學與佛學」；

第六章「儒學與社會學」，陳勁松撰，論「儒學精神的社會學解析」、「儒學社會與精神的合理性成長、「儒學社會的倫理控制」；

第七章「儒學與科學技術」，張雲飛撰，論「經世致用的科技精神」、「正名解蔽的科學方法」、「謹其時禁的大生態觀」；

第八章「儒學與文學藝術」，張法撰，論儒學與建築、書法、繪畫、文學的關係；

第九章「儒學與經濟」，鄯愛紅撰，論「儒家經濟思想」、「儒家經濟思想的倫理特色」；

第十章「儒學與管理」，向世陵撰，論「何謂管理」、「人性與激勵」、「組織與分工」、「目標與決策」、「權變與動力」、「領導與人治」；

第十一章「儒學與東亞」，羅本綺、方國根撰，論「儒學在東亞的傳播和影響」、「中、朝（韓）、日儒學比較研究及其理論特色」、「儒學與東亞現代化」；

第十二章「儒學與西方」，宋文敬撰，論「儒學在西方的傳播」、「西方人對儒學認識的變化」、「儒學在西方思想中的地位」。

除此十二章外，書首附有〈前言〉一篇。

全書以儒學與中國文化為關照之核心，開展儒學與哲學、倫理道德、法學、宗教、社會學、科學技術、文學藝術、經濟、管理之間關係的論述，並分析儒學與東亞、與西方文化之間交互影響的情況。 （李瑩娟）

《經學側論》

《經學側論》 葉國良著 新竹 國立清華大學出版社 278頁 2005年11月

葉國良教授之治學，原從經學入手。多年來雖亦旁涉金石之學，猶垂意於此，故於經學之關注，未曾稍減。本書即其部分治經成果之結集出版，收入經學研究相關論文十篇。其篇目如下：

⑴《易林》作者作時問題重探，

⑵《詩經》的貴族性，

⑶上博楚竹書《孔子詩論》問題五則，

⑷《詩》三家說之輯佚與鑑別，

⑸二戴《禮記》與《儀禮》的關係，

⑹介紹宋儒林之奇的〈大學〉改本，

⑺先秦古禮書研究之反思——以晁說之〈中庸傳〉之寫作動機與影響為例，

⑻郭店儒家著作的學術譜系問題，

⑼師法家法與守學改學——漢代經學史的一個側面考察

⑽宋代經學的特殊性及其成因之探究

所收入之十文，均曾發表，故於各篇篇末詳載其原發表處。收入此書時，或略有修訂，故較之原文又更見精審。除上列十文外，本書書首有楊儒賓教授〈序〉與作者〈自序〉，書末附書名索引與人名索引。

葉國良教授，一九四九年生，臺灣桃園人。臺灣大學中國文學博士，現任臺灣大學文學院院長。著有《宋人疑經改經考》、《宋代金石學研究》、《石學蠡探》、《石學續探》、《古代禮制與風俗》、《千家詩譯注》、《經學通論》（合著）、《漢族成年禮及其相關問題研究》（合著）、《出土文獻研究方法論文集

（初集）》（合著）與本書等。　（黃智信）

《經學管窺》

《經學管窺》　黃開國著　西安　陝西人民出版社　343 頁　2005 年 10 月

本書主要分兩部分，第一至六章為上篇「經學專題」，第七至十四章為下篇「經學人物與典籍」，可說是作者研討經學近二十年的一個成果。上篇第一章：針對學術界提出的獨尊儒術發生在漢成帝時的「新說」，依據充分的史料，從西漢學術大勢、宗教體制變化等方面進行商榷，證明經學建立在漢武帝時，對於認識經學的確立與西漢學術的發展趨勢有較大的價值。第二章：皮錫瑞在《經學歷史》中提出言西漢重師法，東漢重家法，並對其頗有疑義。書中結合兩漢經學的發展，對此作出合理的解答，並說明了這是由兩漢經學不同發展的不同狀況所決定的。第三章：博士與經學博士常常被混為一談，長期無人指出二者之異，本書予以分析其不同，辨析其不同的歷史意義；並對漢代經學博士建置與漢代社會政治的密切聯繫首次作出詳細的論述。第四章：今文經學與讖緯神學的聯繫，是漢代經學研究的重要課題，本書說明今文經學對讖緯學形成的影響，以及讖緯神學在漢代發展的概略。第五章：《公羊》學是近年來經學研究的一個重點，但是，對其理論作出合理的歸納還不多，本書將《公羊》學的基本理論歸納為哲學的孔子改制說，政治學的大一統，歷史學的三統說、三世說的三大內容，分別從哲學、政治學、歷史學予以說明。第六章：對漢代經學之爭作出整體性的論說，認為西漢主要是今文經學的兩部之爭，東漢則是今古文經學之爭，大的爭論有三次，發生在漢武帝、漢宣帝與漢光武帝時，這三次大的爭論是漢代經學發展的三個里程碑。

下篇第七章：說明《尚書大傳》可以代表伏勝的思想，伏勝是漢代《尚書》今文經學的創始者。第八章：對董仲舒的《公羊》學方法論進行分析，提出董仲舒的經學方法論由道分常變、辭分常變、《春秋》無通辭、借經以言己說等四個方面組成。第九章：揚雄的《太玄》號稱難讀，尤其是《太玄》81 首與《周易》64 卦的編排異同，特別難明，本書運用數學的知識，分析說明二者有異有同，說明了 64 卦是二進制，81 首是三進制，並對《太玄》與《周易》經傳的異同進行了全面的論述。第十章：《大學章句》是朱熹經學思想的主要著作，本書認為其書在訓詁學上有宋學的亂改經文之弊，也有勝於漢唐注疏之處，而在義理上則是格物窮理的禮學思想。第十一章：葉適的經學在宋代獨樹一幟，他不同於以往的經學，又異於程朱的經學，具有重實、重事、重功利等特點；他在對歷代經學進行批判的基礎上，建立起了不同於程朱四書學為代表的新經學，具有向六經回復意義的獨特經學體系；其《春秋》學，既重史，反對孟子、《公羊》、《穀梁》，但又異於《左傳》。第十三章：廖平是經學的終結人物，一生學經六變，其經學融合古今中西的近代特點，已經不是傳統的經學，具有從反面表現經學終結的歷史意義。第十四章：吳虞對傳統經學的批判，是經學近代遭到歷史否定的表現。

黃開國，1952 年生，四川大英人。1976 年畢業於四川大學哲學系，1980 年因成績優異破格錄取為助理研究員，1997 年在四川省由中級職稱直接晉升為研究員。現在杭州師範學院經學研究所從事中國哲學文化研究工作，出版有《廖平評傳》等十餘部著作。　（廖秋滿）

《梅堂述儒》

《梅堂述儒》　李耀仙著　成都　四川大學出版社　516 頁　2005 年 11 月

本書收集作者近二十年論述儒學的治學成果二十五篇。全書篇章大抵可分為三組，第一組論述古代儒學，第二組論述宋明理學及近代廖平經學，第三組概述現代新儒學。另有一篇簡論儒釋道三家啟發式教學，詳細篇目及內容分述如下：

第一組，論述古代儒學。分別是：〈「六經」與孔子〉、〈孔子天命論思想之我見〉、〈孔子論禮的思想〉、〈孔子論仁的思想〉、〈子思、孟子五行說考辨〉、〈《大學》、《中庸》同源異流說〉、〈辟韓非「儒分為八」說〉、〈從經學角度考察孟、荀思想的不同取向〉、〈《周易》及其儒家化的過程〉、〈卦爻與卦爻辭制作編纂的重新釋義〉、〈《易》的形成及其發展過程〉。

第二組，共有五篇，概述宋明理學及對近代廖平經學與學術思想研究。包括〈周敦頤《太極圖說》思想探索〉、〈《偽古文尚書》與宋明理學〉、〈廖季平的《古學考》和康有為的《新學僞經考》〉、〈《廖平選集》（上冊）內容評介〉、〈《廖平選集》（下冊）內容評介〉。

第三組概述現代新儒學，篇目有〈儒學與現代化的衝突與協調〉、〈現代新儒學所面臨的新形勢和新問題〉、〈梁漱溟是中國現代新儒學的首倡者〉、〈新理學在哲學史上的地位〉、〈略論新理學哲學體系的方法論問題〉、〈一位困學而知的思想家〉、〈悼念牟宗三先生〉、〈緬懷當今新儒家二代大師唐君毅先生〉等八篇。另有一篇簡論儒釋道三家的啟發式教學。

李耀仙（1920－2005），四川合江人。1938 年進入昆明西南聯合大學，前後受業於歷史系及哲學系。1942 年起在各級各類學校從事教育工作達六十餘年。1953 年起，任教於四川師範學院政治歷史系，從此定居南充，經歷南充師範學院、西華師範大學等階段，歷任副教授、教授。

李耀仙師承錢穆、馮友蘭、熊十力等先生，與哲學名家牟宗三、張岱年為友。治學嚴謹、文史哲兼通，曾擔任國際中國哲學會西南區顧問。代表論著有《三國志新衡》、《二郎神考》、《先秦儒學新論》、《廖平與近代經學》、《偽古文尚書與宋明理學》、《周敦頤〈太極圖說〉思想新探》、《儒學與現代化的衝突與協調》、《老學淺議》、《墨學五議》、《佛教教義與環境哲學》等。五次獲得四川省人民政府哲學社會科學優秀成果獎。（張穩蘋）

《中國經學》第一輯

《中國經學》第一輯　彭林主編　桂林　廣西師範大學出版社　313 頁　2005 年 11 月

《中國經學》是中國大陸地區第一本專門刊登經學研究成果的學術輯刊，由清華大學經學研究中心主辦、廣西師範大學出版社資助出版，每年一輯，每輯約三十萬字，欄目之設，約略如下：1.經學論文：刊載經學總論、專經研究、經學史研究、經學思想研究、考據學研究、小學與經學、經籍版本研究、名物研究、出土簡帛與經學研究等研究方向之論文。2.學術資訊：海內外經學研究機構之介紹，經學研究機構之介紹，經學研究項目之介紹，經學會議之介紹。3.經學人物志：重點介紹近現代經學大師，內容包括其學承、生平、學術旨趣與研究成果等。4.書評：論評當今學者之最新研究，展開不同學術觀點、研究方法之爭鳴，增進學者間之資訊流通。5.青年論壇：經學之未來在於青年，為獎掖後進，推學術傳承，但凡言之有據、持之有故之文，均在採擇之列。

《中國經學》第一輯中收錄了：⑴杜維明〈經學的時代意義〉、⑵徐復〈重印《清經解．清經解續編》序〉、⑶陳鴻森〈皮錫瑞《經學歷史》周注補正〉、⑷戶川芳郎〈人偶——偶談之餘終篇〉、⑸林慶彰〈顧頡剛的經學觀〉、⑹李學勤〈《尚書．金滕》與楚簡禱詞〉、⑺朱繼海〈士禮冠義小記〉、⑻呂友仁〈《十三經注疏．禮記注疏》整理本平議〉、⑼虞萬里〈《緇衣》簡本與傳本章次文字錯簡異同考徵〉、⑽方向東〈《大戴禮記》歷代校釋辨誤〉、⑾黃人二〈上博藏簡《周易》為西漢古文經本子源流考〉、⑿鄭良樹〈「孔子作《春秋》」說的形成〉、⒀趙伯雄〈《春秋》學中的「日月時例」〉、⒁黃彰健〈論《春秋》學的時代使命——並簡介我對春秋經傳禘祫問題的研究〉、⒂趙生群〈《左傳》疑義新證（昭公篇）〉、⒃鄧國光〈蘇輿《春秋繁露義證》初探〉、⒄龔道運〈中國經典詮釋的空間——理雅各英譯《論語》批評孔子析論〉。（廖秋滿）

《四書五經鑑賞辭典》

《四書五經鑑賞辭典》 施忠連主編 上海 上海辭書出版社 694 頁 2005 年 12 月

《四書》、《五經》是中國古代最為重要、影響最為深遠的典籍，本書以集體編纂的方式，以具思想性、經典性、代表性與知名度為收錄標準，從中精選出一百五十二篇著名之篇章，各篇除列其原文，復一一為之注釋、賞析，以便讀者從中汲取經驗與智慧。

除這些篇章之原文、注釋、鑑賞等正文外，書首有〈出版說明〉、〈凡例〉、〈篇目表〉，書末有附錄三種（〈四書五經分類名言〉、〈四書五經基本概念簡介〉、〈四書五經重要注本簡介〉）與篇目筆畫索引。

惟本書從寬認定《五經》的範圍，除《易》、《書》、《詩》外，於《禮》，則《周禮》、《儀禮》、《禮記》三禮兼收；於《春秋》，則《左傳》、《公羊》、《穀梁》三傳備采。連同《四書》中之《論》、《孟》，十三經實已收入除《孝經》、《爾雅》外之十一經。既如此，也可考慮將《孝經》、《爾雅》一併收入，編為《十三經鑑賞辭典》；抑或編者以為《孝經》、《爾雅》難以據既定選錄標準擇取名篇入列？

主編施忠連教授，一九四一年生，江蘇邗江人。曾任復旦大學哲學系教授，現已退休。著有《文化的生物：人》、《靈犀與覺悟：心性的智慧》、《傳統中國商人的精神弘揚》等，譯有《意識形態》、《歷史的反思》、《漢哲學思維的文化探源》等，主編有《傳統文化新讀本》與本書等。（黃智信）

《詮釋與建構——陳淳與朱子學》

《詮釋與建構——陳淳與朱子學》　張加才著　北京　人民出版社　364 頁　2004 年 8 月

本書探討朱子門人陳淳的理學思想以及其與朱子學的關係，由陳淳從朱子門人到朱子傳人，由早年的心路歷程到師從朱子的歷程，銘記師訓與下學功夫，嚴陵講學與護衛師門，傳承朱子之學。接著從本體論、心性論、知行論、道德論、鬼神論等各方面探討陳淳的理學思想及其對朱子學的闡發，並分析陳淳《北溪字義》的「字義」分析與思辨精神，論述追尋義理的「字義」分析；「字義」關係與理學範疇體系；問學致知的思辨精神。陳淳與傳承朱子之學的另一門人黃幹思想的比較，陳淳思想的歷史影響。本書通過對陳淳的理學思想與其對「字義」理學範疇的義理分析與詮釋，瞭解陳淳傳承與闡發朱子之學與陳淳思想的影響。附錄一，〈《北溪字義》版本源流蠡測〉，介紹由南宋至近年來《北溪字義》的各種版本與其源流和發展。附錄二，〈《北溪字義》集校〉，集合《北溪字義》的各種版本，進行校勘，校記用附注形式。後附《嚴陵講義》、《宋史・陳淳傳》、《北溪字義》各種版本的〈序〉、〈跋〉，與《四庫全書總目》，《北溪字義》的〈提要〉。本書對陳淳思想與堪稱哲學詞典的《北溪字義》，有詳盡的分析。附錄一、二更可為《北溪字義》的版本與校勘，提供新材料。

張加才，現任北方工業大學人文社會科學學院副教授，另發表學術論文二十餘篇。主要研究方向為中國哲學、宋明哲學、專業文獻翻譯（德語）。（劉康威）

《朱子全書與朱子學——2003年國際學術討論會論文集》

《朱子全書與朱子學——2003年國際學術討論會論文集》 朱杰人、嚴文儒主編
上海 華東師範大學出版社 328頁 2005年3月

本書為紀念世界朱氏聯合會十周年，與《朱子全書》出版一周年，由華東師範大學朱熹研究中心、華東師範大學古籍研究所、安徽省古籍整理辦公室、武夷山朱熹研究中心與世界朱氏聯合會於 2003 年 11 月在武夷山舉行「朱子全書與朱子學——2003 年國際學術討論會」。本書即為此討論會的論文集。本書收錄蔡方鹿〈朱熹經學對中國傳統文化的影響〉、何俊〈朱熹早期知識文本建設與儒學建構〉、郭齊〈朱熹的中庸境界〉、劉永翔〈朱子詩文略論〉、嚴佐之〈乾淳間朱呂往復信劄的文學解讀和歷史解讀〉、戴揚本〈朱熹議禪三題〉、潘立勇〈朱熹的山水美學思想〉、曾抗美〈朱熹與博物學〉、馬鏞〈朱熹「變化氣質」論及其素質教育內涵〉、黃珅〈戴朱異同論〉、王國良〈孔孟・朱熹・戴震——中國生存論哲學傳統的建構〉、李先耕〈戴震、朱熹對孟子性善論的疏證〉；呂友仁、顧飛〈論朱子《論語集注》與陸德明《經典釋文》的關係〉、徐儀明〈論程朱心理思想與《內經》之關係〉；閔正國、金紹菊〈淺論朱陸白鹿洞之會〉、田浩（Hoyt Tillman）〈余英時：《朱熹的歷史世界——宋代士大夫政治文化的研究》〉、朱杰人〈《朱子全書外編》前言〉、王貽梁〈宋嘉定本《儀禮經傳通解》刻工名錄——兼呼籲重視刻工的系統紀錄與深入研究〉、嚴文儒〈《資治通鑑綱目》明代刻本考詳〉、顧宏義〈朱熹《五朝名臣言行錄》未注出處之引書試析〉、朱傑人〈《韋齋集》點校說明〉、徐德明〈朱熹刻書考略〉、楊國榮〈中國哲學中的名言問題〉、方笑一〈北宋「新學」名義考論〉、朱幼文〈耶穌會士與宋明理學〉；麥群忠、杜朝由〈王陽明在廣西〉等文章。

朱杰人，1945 年生，教授。曾任上海師範大學古籍所助理研究員，華東師範大學古籍研究所文學研究室主任、所長助理、所長，現任華東師範大學出版社社長，兼任世界朱氏聯合會秘書長，中國歷史文獻研究會副會長，上海出版工作者協會副主席。主要著作及論文有：《朱子全書》（主編）、《歷代詩經研究要籍解題》、《邁向 21 世紀的朱子學》（主編）、《論八卷本〈詩集傳〉非朱子原帙兼論〈詩集傳〉之版本》、《朱子〈詩傳綱領〉研究》、《〈詩集傳〉引文考》等。

嚴文儒，現任，華東師範大學古籍研究所教授及總支書記，著有《新譯東京夢華錄》、《古本官場記》等。（劉康威）

《朱子大傳》

《朱子大傳》　束景南著　北京　商務印書館　上、下冊　1148頁　2003年4月

本書因篇幅龐大，分上、下二冊，共分二十四部分（章），將朱熹的生平與思想，作全面的論述。此二十四部分如下：敗落家世的浮沉、師事武夷三先生、出入佛老的心路歷程、儒家心態的迷失與復歸、從學延平：從主悟到主靜、在隆興北伐與和議的旋流中、從李侗到程頤、寒泉著述：砥礪理學之劍、鼎足分合：朱呂陸三會、丁酉年：生平學問的第一次總結、儒宗在匡廬、浙東提舉——道學人格的風采、跧伏武夷山中、全方位的文化論戰、戊申延和奏事風波、從傳統反思到現實批判、己酉年：生平學問的第二次總結、南下臨漳、卜居考亭、二入湖湘、入侍經筵四十六日、慶元黨禁：在文化專制的煉獄中、守吾太玄：生平學問的第三次總結、莫向人前浪分雪，世間真偽有誰知。本書作者運用關於朱熹的大量歷史資料與新材料，對朱熹生平若干謬誤作考辨，考證詳實，也提出新說法，對朱熹的生平與思想作清理。作者也運用文化還原、心態研究、多維文化等研究方法，將朱熹放在大文化背景中，對朱熹的思想作了新的評述。本書為受到高度評價的朱熹傳記書籍。

束景南，1945 年生，現任浙江大學人文學院古籍研究所教授、中華炎黃文化研究會理事、浙江大學宋學研究中心副主任，著有《朱熹佚文輯考》、《中華太極圖與太極文化》、《朱熹年譜長編》（上、下卷）、《朱熹佚文全輯》、《揚雄研究》等，另發表學術論文六十餘篇，主要研究方向為中國文化史。（劉康威）

《朱熹經學與中國經學》

《朱熹經學與中國經學》　蔡方鹿著　北京　人民出版社　656 頁　2004 年 4 月

本書將朱熹置於中國經學的發展背景，以瞭解朱熹經學與中國經學的關係，依次探討經與經學，論述關於經、關於經學、六經與孔子等；儒家經典論要，論述儒家經典的流傳演變與經書考釋等；經學歷史與經學派別，論述經學的璽生與奠基、漢學及其演變、宋學及其流派、清代新漢學等；朱熹經學產生的時代背景、《尚書》學、《禮》學、《春秋》學、《孝經》學。本書提出朱熹經學的特徵，論述經傳相分，直求經文之本義，以《四書》學為基礎，以義理解經；重訓詁辨偽等，以及朱熹的經典詮釋學，與朱熹經學在中國經學史，中國經學發展，中國文化史上的地位與影響。附錄為〈朱熹經學研究的回顧與展望〉，回顧朱熹經學研究的概況與朱熹經學研究的展望。

蔡方鹿，1951 年生，四川眉山人。現任四川師範大學政教學院教授、中國哲學史學會理事、四川省中國哲學史研究會會長、中華孔子學會學術委員會委員、四川省社會科學院哲學文化研究所研究員、江西上饒師範學院朱子學研究所教授等等，著有《中國道統思想發展史》、《朱熹與中國文化》、《宋明理學心性論》、《儒學與中國文化》等二十餘部書，另發表學術論文一百八十餘篇。 （劉康威）

《清代學術辭典》

《清代學術辭典》 趙永紀主編 北京 學苑出版社 1272 頁 2004 年 10 月

本書收錄清代學術相關之名詞術語、人物、學派、著作等四千六百餘條詞目，依漢語拼音為序排列。全書以一六四四年至一九一一年為主要收錄原則，明清之際與清末民初的人物，擇要介紹；非作於清代之書，不列專條；成於民國以後之續書或相關著述，僅於詞條末略加說明。

除正文外，書首有錢仲聯教授〈序〉、〈凡例〉、〈詞目表〉，書末有〈清朝帝系表〉、〈清代年號、干支、公元對照表〉、〈清代大事年表〉與趙永紀教授〈跋〉。

本書為第一部清代學術辭典，書中之條目多經仔細挑選與編寫，故所錄甚精，所撰甚詳。不論是學術名詞與術語的分析、人物性格與經歷的描繪，或是學派形成與發展的敘述、論著內容與版本的說明……等，對於從事相關領域研究的學者都將有所幫助。

惟為求簡省，有些學者只能於其著作中略做介紹，如錢泰吉於所撰《甘泉鄉人稿》中介紹、朱士端於所撰《宜祿堂收藏金石記》中介紹；有些著作，則於學者的介紹中提及，如「郭嵩燾」條中，列其著作有《使西紀程》、《禮記質疑》、《周易釋例》、《訂正家禮》、《毛詩約義》、《綏邊徵實》。如不知這些論著與作者的關係，即無法查得這些學者或這些著作的資料。同時，亦不免有值得收入而未收的條目。此乃全書篇幅所限，不得不然。可藉由其它工具書加以補足，如清代人物部分，北京中華書局出版之《中國文學家大辭典》中，由錢仲聯教授主編之清代卷，收錄順治元年（1644）至道光十九年（1839）鴉片戰爭以前的文學家三千一百二十四位；又梁淑安教授主編之近代卷，也收錄不少道光二十年以後之晚清學者的條目，均可作為輔助查考之資。

書中對於清代重要之論著，除說明其內容外，並列出各書重要的版本，尤其提示了許多整理點校的成果，對於讀者的幫助極大。不過，猶有許多點校本，諸如雪克先生之《大戴禮記斠補》、王文錦先生之《抱經堂文集》，以及吳樹平、李解民先生之《春秋大事表》……等，這些或可考慮補入。

主編趙永紀教授，一九五一年生，安徽宿縣人。蘇州大學中國文學博士，現任南開大學古籍與文化研究所教授。著有《古代詩話精要》、《清初詩歌》、《詩論：審美感悟與理性把握的融合》等，主編有《十三經格言警語白話解》與本書等。

（黃智信）

《清代揚州學術》

《清代揚州學術》　楊晉龍主編　臺北　中央研究院中國文哲研究所　上、下冊 900頁　2005年4月

本書收錄發表於民國九十年五月中央研究院中國文哲研究所「揚州學派學術研討會」海峽兩岸學者的論文二十篇與附載之文三篇。論文內容，以探討清代揚州學派共同的學術特色及朱澤澐、錢大昕、汪中、王念孫、王引之、焦循、阮元、汪喜孫、劉文淇、劉寶楠等的學術表現為宗旨。茲迻錄本書所收篇目如後：

楊　菁　朱澤澐的朱子學

陳文和　揚州學者與錢大昕

田漢雲　論汪中的經學思想

陸寶千　汪中的學術地位

鄭吉雄　高郵王氏父子對《周易》的詮釋

錢宗武　王氏父子《尚書》研究的語音學方法

張高評　焦循《春秋左傳補疏》芻議

劉玉國　焦循《毛詩補疏》及其訓詁方法綜述

劉建臻　舊題「焦循遺稿」《古銅鏡錄》考辨

賴貴三　焦循手批《柳宗元文》彙評

祁龍威　讀《揅經室集》札記

章權才　阮元與清代經學

楊晉龍　攷證與經世——汪喜孫研究初探

林慶彰　劉文淇《左傳舊疏考正》研究

班吉慶　廣徵《說文》探賾索隱——劉寶楠《論語正義》訓詁個點研究之一

附載三篇，為中央研究院歷史語言研究所陳鴻森教授的〈阮元揅經室遺文輯存〉、中央研究院近代史研究所張壽安教授的〈明清禮學轉型與清代禮學之特色〉、上海社會科學院歷史研究所研究員湯志鈞教授的〈章劉交誼及其他〉。

本書主編中央研究院中國文哲研究所副研究員兼副所長楊晉龍教授在書前〈導言〉針對清代揚州學術內涵及本次會議各篇論文所提出的新見解後，認為本書的編輯宗旨是在引發討論而非問題與答案的確定，相信經過此次研討會後，可以提供給相關學者一個比較具體的研究方向與研究範圍的建議。

主編楊晉龍教授，臺南縣人，一九五一年生。臺灣大學中文研究所博士，現為中央研究院中國文哲研究所副研究員兼副所長。研究以宋代至清代詩學史及四庫學相關問題為主，在經學史、四庫學、研究方法、錢謙益研究等領域，有獨到的見解及貢獻。近年則注意探討宗教典籍及思想在《詩經》詮釋中的作用、《詩經》文本傳播擴散的狀況與影響。著有《明代詩經學研究》，點校有《汪喜孫著作集》，主編有《元代經學國際研討論文集》等，另有單篇論文數十篇。　（黃智明）

《通志堂經解研究論集》

《通志堂經解研究論集》　林慶彰、蔣秋華主編，黃智明編輯　臺北　中央研究院中國文哲研究所　上、下冊　814頁　2005年8月

納蘭成德、徐乾學刻《通志堂經解》，采輯宋、元、明以來儒者說經之書百四十種，一千七百餘卷，高宗諭旨稱其「薈萃諸家，典贍賅博，實足以表彰六經」。此書之刊行，對保存經學文獻及開導清代續編經解叢書風氣，均有莫大啟示與影響。如乾隆時纂修《四庫全書薈要》，經部收書一百五十二種，其中據《通志堂經解》本謄錄者即有九十九種。嘉慶間張金吾輯《詒經堂續經解》，道光、咸豐間錢儀吉編《經苑》，廣摭宋、元兩代說經之遺編墜簡，裒集成帙，而推原其輯刻本意，莫不蹤繼《通志堂經解》而來。唯此書卷帙繁多，學者苦於循覽難遍。乾隆時翁方綱嘗依《經解》別撰《目錄》，記其板本頗詳；民國初年關文瑛撰《通志堂經解提要》，綜論《經解》各書之源流概要、撰述大旨，辯證極為詳確。

近日以來，學者於《通志堂經解》之輯刻始末、所收經解之學術價值以及納蘭成德思想學說之軌跡，研究寖深，洵為有助立志研讀《通志堂經解》，初窺門徑之資糧。中央研究院中國文哲研究所在林慶彰先生、蔣秋華先生的主持之下，編輯此部《通志堂經解研究論集》，以近日學者研究篇目立於首，次之以成德所撰經解諸篇序文、翁方綱《通志堂經解目錄》、關文瑛《通志堂經解提要》，後以《通志堂經解》相關資料彙編附於末，冀能便利讀者提綱挈領，漸次尋挹《通志堂經解》全書之旨趣。

林慶彰，臺灣臺南人，一九四八年生，國家文學博士。曾任國文天地雜誌社社長，現任中央研究院中國文哲研究所研究員。專研經學、日本漢學、圖書文獻學。著有《明代考據學研究》、《清初的群經辨偽學》、《清代經學研究論集》，主編有《經學研究論著目錄》、《日本研究經學論著目錄》、《日據時期臺灣儒學參考文獻》，譯有《論語思想史》、《近代日本漢學家》等數種。另有學術論文二百餘篇。

蔣秋華，四川遂寧人，一九五六年生，臺灣大學中國文學博士。現任中央研究院中國文哲研究所副研究員。專研經學。著有《宋人洪範學》、《二程詩書義理求》、《沈括——中國科學史上的座標》，主編有《明代經學國際研討會論文集》（合編）、《乾嘉學者的治經方法》、《啖助新春秋學派研究論集》（合編），另有學術論文數十篇。（黃智明）

《翼教叢編》

《翼教叢編》 蘇輿撰，楊菁點校，蔣秋華、蔡長林校訂 臺北 中央研究院中國文哲研究所 434頁 2005年9月

《翼教叢編》六卷，清蘇輿編。甲午戰爭以後，維新改革聲浪四起，其中湖南一省，在巡撫陳寶箴的帶領下，延聘梁啟超主講時務學堂。梁以其師康有為《孔子改制考》、《新學偽經考》為理論依據，提倡民主民權、君主立憲、設置議院等思想，引發湖南士紳的恐慌及不滿。新、舊學術的衝突，越演越烈。《翼教叢編》即收錄清末學者如朱一新、洪良品、張之洞、葉德輝、王先謙等人批駁康梁維新思想的相關書信、論著，及許應騤、文悌、余聯沅、孫家鼐、孫協揆等彈劾請禁新學之奏摺，由此書收錄之資料，可以看出在近代知識份子在面臨國家存亡與西學壓境的重大轉變時期中，各自所採取的保衛中國文化命脈，傳承中華學術道統的方法所在。

本書向有光緒二十四年初刻本、上海點石齋石印局刊本、武昌重刻本及光緒二十五年上海書局《增廣翼教叢編》本，各本收錄資料差異頗多。中央研究院中國文哲研究所執行晚清經學研究計畫，邀請彰化師範大學國文系楊菁教授重新整理標校，採輯各本之長，糾正各本之誤，並經蔣秋華、蔡長林兩位教授校訂，此書可謂《翼教叢編》最精且善之定本。

楊菁，臺灣臺中縣人，一九六九年生。東吳大學中國文學研究所博士班畢業，現任彰化師範大學國文系助理教授。著有《劉寶楠論語正義研究》、《李光地與清初理學》及〈劉寶楠《論語正義》的注疏方法及其特色〉、〈論《朱子全書》與《性理精義》之編纂特色〉、〈張伯行對程朱學的傳佈及其影響〉、〈朱澤澐的朱子學〉、〈乾嘉學者治《論語》之成果〉，並譯有《論語思想史》（合譯）等專書及論文十餘篇。（黃智明）

《乾嘉學派研究》

《乾嘉學派研究》 陳祖武、朱彤窗著 石家莊 河北人民出版社 722頁 2005年10月

「清代乾隆、嘉慶兩朝，迄於道光中葉的百餘年間，經史考證，樸學大興，在學術史上因之而有乾嘉學派之謂」（陳祖武〈乾嘉學派研究前言〉），以乾隆至道光中葉為限斷，以經史考證為特徵，是本書作者陳祖武先生對清乾嘉學派發生時期及學術特徵所作的定義。陳先生在〈前言〉中，引用 1992 年所撰〈乾嘉學派吳皖分野說商榷〉一文的觀點，以為乾嘉學派「有其個性鮮明的形成、發展和衰微的歷史過程，這個過程錯綜複雜，跌宕起伏，顯然不是用吳皖分野的簡單歸納所能反映」。是以今觀《乾嘉學派研究》一書，自第一章「乾嘉時期清廷的文化政策」，至第六章「乾嘉遺風與歷史反思」，絕無以吳派、皖派、揚州學派為章節之標題，顯見作者有意跳脫出以往相關著作的思維框架。

乾嘉學派學者學術研究層面廣泛，焦循《雕菰集》卷八〈辨學〉謂當時著書之派有五：一曰通核，二曰據守，三曰校讎，四曰摭拾，五曰叢綴。皮錫瑞《經學歷史》也說：「國朝經師有功於後學者有三事：一曰輯佚書，一曰精校勘，一曰通小學。」根據以上所談論的範疇，支偉成將清代樸學大師，依其學術專長，畫分為小學、考史、地理、金石、校勘目錄、諸子、治事、曆算、博物等二十五個門類。林慶彰先生主編的《乾嘉學術研究論著目錄（1900－1993）》，即收錄臺灣、大陸、日本、歐美地區研究乾嘉學術之篇章 3480 條，其中列名乾嘉學者多達七十四人。

如此廣泛的學術範疇，如此眾多的專家學者，絕非單獨一本專書所能談盡。《乾嘉學派研究》一書，集合汪學群、林存陽諸君之力，進行深入的專題研究，然後結集成編。其中對於惠棟、盧見曾、全祖望、杭世駿、揚州二馬、戴震、畢沅、錢大昕、汪中、高郵二王、阮元、方苞、吳敬梓、王昶、汪輝祖、趙翼、崔述、章學誠等學者著墨較深；末章「乾嘉遺風與歷史反思」，則列舉錢賓四、侯外廬對乾嘉學術的總結及近代乾嘉學術文獻整理成果。對於今後學者研究乾嘉學術，應有一定的啟發作用。

陳祖武，中國社會科學院歷史研究所所長，清代學術史專家。 （黃智明）

《胡培翬集》

《胡培翬集》　黃智明點校，蔣秋華校訂　臺北　中央研究院中國文哲研究所　423頁　2005年11月

胡培翬為清嘉道年間著名的禮學名家，字載屏，一字竹邨，安徽績溪人。其祖匡衷、從父秉虔、族姪肇昕，一門四世，皆治《儀禮》有聲，論者譽為皖學之中堅，樸學之後勁。

培翬治學，長於就經文傳注，鉤稽融會，務求合於經旨，而不務標新領異。所著《儀禮正義》，博採眾家，覃精研思，立「補注」、「申注」、「附注」、「訂注」四例，用補鄭《注》所未備，鄭《注》之是非得失，一以經為斷，不拘「疏不破注」之例。論者嘆為二千年絕學，得此復彰。

培翬著作，除《儀禮正義》外，尚有《研六室文鈔》十卷《補遺》一卷、《燕寢考》、《禘祫答問》、《胡少師年譜》不分卷等，均傳於世。另有《儀禮賈疏訂疑》、《儀禮宮室提綱》、《儀禮釋文校補》，或未刊行，或草創未就。之後聞培翬族弟培系有《補儀禮正義》十二卷、定海黃以周有《儀禮正義》校本之作，今其書未能得見。《燕寢考》、《禘祫答問》，取漢唐宋以來儒者經傳注疏說燕寢、禘祫制度，於經有據者，彙為一編；《研六室文鈔》經培翬手自刪定，擇取其中有關經義者八十餘篇，甄審編次，甚為嚴謹。三者發明經義，可與《儀禮正義》相輔而行。中央研究院中國文哲研究所執行晚清經學研究計畫，邀請東吳大學中國文學系博士班黃智明先生重新整理胡氏的著作，除《儀禮正義》已有點校本、《胡少師年譜》與經學研究無關，不予取錄外，皆據各書所有流傳眾本，加以編排標校，希望對研究清代學術及胡氏禮學學者有所助益。

黃智明，臺灣臺南市人，一九七一年生。現為長庚技術學院通識教育中心兼任講師。專研經學、文字音韻學、圖書文獻學。著有《夏燮述均研究》，點校《段玉裁集》，編輯有《清代揚州學術研究》、《通志堂經解研究論集》，另有文字聲韻、經學、文獻學等研究論文十數篇。　（黃智明）

《清代經學與文化》

《清代經學與文化》 彭林編 北京 北京大學出版社 438頁 2005年11月

本書為 2003 年北京清華大學思想文化研究所與臺灣中央研究院中國文哲研究所、佛光大學歷史研究所聯合主辦的「清代經學與文化國際學術討論會」的相關論文集。經學發展至清代，在研究上又達至一新的高峰，乾嘉學派於考據訓詁等方面取得了後人幾乎無法企及的成就。經學在當時的地位若何？其在清一代文化中的地位若何？當代人所注意到的於清代文化有重要影響的經學研究成果若何？這些都在本文集中有所體現。

文集中分類，《易》類有：鄧立光〈通《經》致用——以王夫之的易學為例〉、鍾彩鈞〈李光地易學方法論略〉；《詩》類有：單周堯〈從楚簡《詩論》之「文王維谷」反思阮元之「進退維谷」說〉；《禮》類有：李學勤〈讀孫詒讓《周禮正義・天官》筆記〉、彭林〈清人學術視野中的敖繼公與鄭玄〉、張煥君〈論清人對《儀禮》喪禮所見首飾考辨〉、刁小龍〈論清代學者關於《儀禮》篇末記問題研究〉、王鍔〈清代《禮記・王制》研究及其成篇年代考〉；《春秋》類有：趙生群〈皮錫瑞的治學立場與《春秋》學研究〉；其他類別有：鄧國光〈康熙與乾隆的「皇極」漢、宋義的抉擇及其實踐〉、夏長樸〈乾隆皇帝與漢宋之學〉、勞悅強〈劉寶楠《論語正義》中所見的宋學〉、龔鵬程〈乾隆年間的文人經說〉、鄭吉雄〈從乾嘉學者經典詮釋論清代儒學的屬性〉、李紀祥〈《清史・儒林傳》纂修之學術史反思——由《國朝漢學師承記》到《清代學術概論》〉、程鋼〈阮元《性命古訓》威儀說的初步研究〉、劉巍〈從援今文義說古文經到鑄古文經學為史學——對章太炎早期（截止於《訄書》重訂本）經學思想發展軌跡的探討〉、梁秉賦〈清代經學的讖緯觀〉、韓綺〈清代歷算與經學關係簡論〉、張杰〈清代科舉家族與經學發展述論——以硃卷履歷為中心〉。

彭林，1949 年生，江蘇無錫市人。1989 年畢業於北京師範大學歷史系，獲歷史學博士學位。現任清華大學歷史系教授，博士生導師，清華大學經學研究中心主任。主要從事中國古代學術思想史、歷史文獻學研究，尤其是儒家經典《周禮》、《儀禮》、《禮記》和禮樂文化的研究。近年以「郭店楚簡與戰國時代的禮學」和

「清人的禮學研究」為重心，展開成體系的研究。著有《周禮主體思想與成書年代研究》、《文物精品與文化中國》、《中國古代禮儀文明》、《古代朝鮮禮學叢稿》等。點校的文獻有《觀堂集林》、《禮經釋例》、《儀禮注疏》等，已在海內外學術刊物發表論文百餘篇。

（廖秋滿）

《四庫全書總目編纂考》

《四庫全書總目編纂考》　司馬朝軍　武昌　武漢大學出版社　773 頁　2005 年 11 月

《四庫全書》的編纂，是中國文化史上的一件大事。《四庫全書》編纂的緣由，起於安徽學政朱筠建議抄撮《永樂大典》中所存佚籍散篇，其後漸漸擴及罕見而有俾聖教的諸多典籍。在甄選應抄、應刊、應刪的過程中，高宗命各纂修官隨書附上提要，說明書中要旨。撰寫完畢，呈交總纂官、甚至高宗親自潤飾，於是在此重重刪汰的過程中，纂修官原始提要稿，與文淵、文津等閣本，《摛藻堂四庫薈要》、《武英殿聚珍版叢書》及最後編定的《四庫全書總目》，各篇提要文字，均不免有所出入。

過去限於文獻資料的不足，除文淵閣本《四庫全書》、《摛藻堂四庫薈要》、《武英殿聚珍版叢書》、《四庫全書總目》外，其餘閣本提要，皆未能廣為人所見，學者更難以就所有提要，較其異同。司馬朝軍先生，先前撰有《四庫全書總目研究》一書，就四庫全書提要編寫過程，詳細論述纂修官余集、姚鼐、翁方綱、邵晉涵，總纂官紀昀等學者之學術背景及其對於四庫提要之貢獻，並且依所見閣本提要，與浙本、武英殿本《總目》之異同，逐項臚列討論，有助於後學者對四庫提要的重新認識。

《四庫全書總目編纂考》為司馬朝軍繼《四庫全書總目研究》之後的又一鉅作，全書分上、下兩編：上編首章詳考戴震、余集、周永年、劉權之、鄧炳泰、任大椿、張羲年、程晉芳等分纂官與《四庫全書總目》之關係，次章論紀昀、陸錫熊兩位總纂官與《四庫全書總目》之關係；第三、四兩章，則論總裁官與清高宗對《四庫全書總目》之貢獻。下編分論，第五章論翁方綱與《四庫全書總目》，六章論邵晉涵與《四庫全書總目》，七章論姚鼐與《四庫全書總目》，八章論沈叔埏與

《四庫全書總目》。餘論一篇，論四庫館與乾嘉考據學。附錄一則，為四庫館臣別集目錄。內容翔實，考證精當，預料對日後四庫學的研究，將產生深遠的作用及影響。

司馬朝軍，祖籍湖北公安，生於湖南南縣。一九八六年考入武漢大學中文系，二〇〇一年獲管理學博士學位。現為武漢大學四庫學研究所副所長。著有《四庫全書總目研究》，與王文暉合編《黃侃年譜》，另有《四庫學論稿》、《辨偽學論稿》等出版計畫，及單篇論文數篇。（黃智明）

《「性與天道」——戴東原哲學研究》

《「性與天道」——戴東原哲學研究》 陳徽著 北京 中國文史出版社 219頁 2005年12月

本書探討戴震（字東原）的義理思想，包括戴震的生平與學行、義理思想之淵源、主要義理著述時間考及其思想演化。氣化論，介紹了氣（春秋時期）、精氣說（戰國時期）、元氣論（漢唐時期），提示了戴震義理思想之邏輯起點的氣化論的根源。「性與天道」的命題，論述「道」之釋義及其演化（兼論「德」）；「人道本于性，而性原于天道」，論述天道、性、人道；性與才，論述性善與才美、聖由積學；性與理，「性之為理」與「理之為性」、遵義行權等方面探討戴震的義理思想，主要通過「性與天道」探討戴震的義理思想，與宋儒程朱義理思想的異同，與戴震義理思想的影響與意義。戴震為清代漢學大家，深於名物訓詁以探求義理。歷來多以為清代漢學只注意名物訓詁，忽略義理。本書則深入探討戴震的義理思想，以發掘戴震義理思想的價值。

陳徽（1973－），現為同濟大學文法學院講師、哲學與社會學系中國思想研究所副所長，主要從事中國哲學史、中西哲學比較與管理哲學研究。（劉康威）

《周易全解（修訂本）》

《周易全解（修訂本）》 金景芳、呂紹綱著 呂紹綱修訂 上海 上海古籍出版社 627頁 2005年1月

本書由金景芳、呂紹綱師生二人共同合撰，於一九八九年完成出版。包括對

《易經》和《易大傳》的全部解釋。此書與前人研究《周易》的見解頗不相同，歸納言之，有十：

1.不否認《周易》為卜筮之書，但研究重點著眼在其內部所蘊藏的思想。

2.糾正前人對〈繫辭傳〉的錯誤理解。

3.傳本〈繫辭傳〉在講筮法部分有錯簡和脫字的問題，其中針對「脫字」，歷來學者皆未論及，因此對「大衍之數五十」作了非常錯誤的解釋，實則「大衍之數五十」應作「大衍之數五十有五」，脫「有五」二字。

4.《周易》一書的精華所在在於思想，而思想主要寓於六十四卦的結構之中，且形成一個完整的系統，孔子作〈繫辭傳〉時曾反覆說明，但前人皆不能通其意。

5.對王弼《周易略例》〈明象篇〉的主張，在歷來學者間毀譽參半，作者以為王弼批判易象數派之「定馬於乾，案文責卦」誠為的當，但以為應用「得意忘象，得象忘言」的辦法就能解決這個問題，作者以為不然。

6.〈繫辭傳．下〉有「古者包犧氏之王天下也……蓋取諸夬」等一段文字，作者以為是後世好事者所竄入，非〈繫辭傳〉原文。

7.〈繫辭傳．上〉有「天垂象，見吉凶」二語，亦非〈繫辭傳〉原文，是後人竄入。

8.歷來學者對〈說卦傳〉「幽贊於神明而生蓍，參天兩地而倚數」不得其解，作者以為這兩句話都是說蓍，上句說蓍的產生，下句說蓍的應用。

9.〈繫辭傳．上〉「是以明於天之道而察於民之故，是興神物，以前民用」一段話對於了解《周易》一書十分重要，不可等閒視之。

10.《歸藏》首坤次乾，《周易》首乾次坤，反映殷、周二代，表現在政治思想上重大的差別。《周易》首乾次坤，是周人君尊臣卑、父尊子卑、夫尊妻卑思想的集中反映。

此書問世以來，十五年間《易》學研究因新成果迭出，作者以為應予以修訂，重新面世。二〇〇一年五月，金景芳先生辭世，臨終前曾囑呂紹剛先生修訂此書，呂先生歷兩年功夫完成，其中的變動，有：

1.訂本仍以金先生原書為主幹，但換掉〈繫辭傳〉、〈說卦傳〉說解舊文，以金先生新作《周易繫辭傳新編詳解》逕直加入《周易全解》中。

2.接受廖名春《周易經傳與易學史新論》近百分之九十的成果。

3.採用讀者意見。

4.參考清人胡煦《周易函書》、今人程石泉《易學三書》之研究成果。

（葉純芳）

《易經易解》

《易經易解》　曹增儒著　上海　復旦大學出版社　176頁　2005年7月

本書作者將《易經》一書的內容，依六十四卦的次序排列，分為上經、下經兩部分。每一卦除卦名外，還置有卦辭、爻辭、彖傳及象傳，並加以解釋文詞、疏通文句，有助於說明卦辭與卦義。在乾卦、坤卦的部分另附有文言，對讀者來說，可提供參閱之便。除卦名、卦辭與卦義的闡釋外，在正文的部分另有繫辭上、繫辭下、說卦、序卦、雜卦等內容，對於參閱其書的讀者而言，甚為便給。

除了《易經》一書的內容外，另外還附有天地大衍圖、乾坤策數計算圖、周易序卦連結圖、孔子雜卦連結圖、八卦適斷事物圖、分宮八卦五行圖及易卦簡便筮法等七個附錄，可與正文內容相互對應。若視易經為占筮之書者，亦可在其中得曉筮法及卜筮需知，頗為便利。（鄭誼慧）

《周易眞原——中國最古老的天學科學體系》

《周易真原——中國最古老的天學科學體系》　田合祿、田峰著　太原　山西科學技術出版社　872頁　2006年1月修訂再版

本書作者以為《周易》是一部中國遠古時代以天文曆法為結構的著作。爻與卦原來起源於《山海經》所記載的日出日落的「山頭曆」。而作者所謂的「曆法」，並不是一般的日曆，而是古代帝王統治的工具，是王權的象徵，上通天道，下貫人事，是研究天人合一的紐帶。基於此種論點，作者以為《周易》一書主要包括三個方面的內容：其一，是表達天道內容的卦爻，易圖系統；其二，是易數曆法系統；其三，是以陳述社會人事為主的繫辭系統。天道為本，人事為用，而曆法是通天人之樞紐，曆法是天人合一的關鍵。《周易》是一部以天體運動為模型建構起來的科學的曆學書。

原書分為上、中、下三編，在修訂版中，中編除「臨」、「革」、「鼎」三卦外，基本保持原貌，而上下兩編則作了大幅度的修訂，並將上、中、下三編改為上下兩編。其章節內容如下：上編：《周易》是一部曆學書。第一章，《周易大傳》闡微；第二章，《周易》是什麼性質的書；第三章，天人合一論——中華文化的主幹；第四章，八卦圖——遠古中國的曆法；第五章，《緯書》探秘；第六章，漢代卦曆，第七章，自然災害預測。下編：周易真原。解析《周易》六十四卦。附篇有三：一，《易經》是中華文明的源頭；二，風水秘義；三，試譯千古河圖、洛書與八卦之關係。

作者田合祿，一九四二年生，河南滑縣人。中國安陽周易學院教授。著有《中醫外感三部六經說》、《八卦與河圖洛書破譯》、《生命與八卦——醫易啟悟》、《中醫運氣學解秘——醫易寶典》等書，發表論文近二十餘篇。田峰，一九七三年生，河南滑縣人。一九九五年畢業於華東師範大學中文系，現為太原市城市職業技術工程學院講師，著有《中國古代曆法解謎——周易真原》一書，發表論文多篇。

（葉純芳）

《易傳通論》

《易傳通論》 王博著 臺北 大展出版社 248頁 2004年11月

此書為《易學智慧叢書》第十二種。本《叢書》的主旨，任繼愈先生言，借用王充《論衡》的話，為「疾虛妄」，期待迷霧被消除，中國精神文化重見光明。

《叢書》中的撰者多數為近二十年來的中青年易學專家，他們有系統的現代科學訓練的基礎，又有較深厚的傳統文化素養、嚴肅認真的學風，對易學造詣各有專攻，為初學者提供入門之津梁，為高深造詣者提供參考之資。

本書共分七章，前有引言「經典及其解釋」一文。七章分別為：第一章，《易傳》的形成與編纂；第二章，《彖傳》；第三章，《象傳》；第四章，《繫辭傳》；第五章，《文言傳》；第六章，《說卦傳》；第七章，《序掛傳》和《雜卦傳》。針對《易傳》各篇的作者、撰作時代與內容、義理、解經之體例等方面做了深入淺出的說明，釐清讀者對於《易傳》的錯誤觀念，對初學者而言，確實如任先生所言，「提供入門之津梁」。

（葉純芳）

《周易的哲學精神——呂紹綱易學文選》

《周易的哲學精神——呂紹綱易學文選》 呂紹綱著 上海 上海古籍出版社 453頁 2005年1月

呂紹綱，生於一九三三年，祖籍安徽旌德，生於遼寧蓋縣。吉林大學先秦史教授，與金景芳先生合著有《周易全解》、《孔子新傳》、《尚書·虞夏書新解》等；專著有《周易闡微》、《庚辰存稿》等書。另撰有〈論中庸〉、〈關於孔子及其思想的評價問題〉、〈甲子鈎沉〉、〈釋「克己復禮為仁」〉等論文。

本書收錄呂紹綱先生二十三篇有關《易》學的文章，分別為第一編「我與《周易》」，分為「我與《周易》研究」與「我的《易》學觀」二篇；第二編為「《周易》之義理」，又分為「《周易》的哲學精神」、「《周易》的人生論」、「《周易》乾坤二卦淺說」、「《周易》——辯證法的源頭」、「《周易》辯證法的突出特點及其對中國傳統的影響」、「《周易》熱與傳統思想文化」、「儒學及《易經》研究之今後發展」七篇；第三編為「歷代易學研究」，分為「孔子的易學及其流傳」、「《老子》思想與《周易》古經」、「《易傳》與《老子》是兩個根本不同的思想體系——兼與陳鼓應先生商榷」、「論《繫辭傳》屬儒不屬道」、「論《易傳》對《樂記》的影響」、「孟子與《易》」、「程、朱解《易》比較」、「胡煦《易》學平議」、「略說卦變」等九篇；第四編為「韓國二李《易》學研究」，分為「退溪《易》學初論」、「再論退溪《易》學」、「栗谷《易》學思想淺論」三篇；第五編為「《周易》與史學」，分為「《易》學與史學」、「論胡樸安的《周易古史觀》」二篇。基本概括了呂先生易學研究的各個方面，濃縮其易學研究的精華。書後「附錄」有五篇為《易》學著作所撰作的序言：「《周易辭典》前言」、「《周易·繫辭傳》新編詳解序」、「《周易》經傳與《易》學史新論序」、「《易辭新詮》序」、「《易學新探》序」。

本書據廖名春先生所言，共有五個特點，其一，是堅持義理治《易》的正道。其二是認為辯證法的源頭在《周易》。其三是對《易傳》道家說的批評。其四，是對程朱《易》學的評價。其五，是對卦變說的否定。 （葉純芳）

《和境——易學與中國文化》

《和境——易學與中國文化》 張立文主編 北京 人民出版社 329頁 2005年3月

《周易》為中國傳統典籍六經之首，對中國兩千多年來的學術思想和傳統文化都產生了廣泛而深遠的影響。本書以《易經》為論述基礎，探討易經與現今各個學術領域的關係，如哲學、經學、社會學、倫理學、法學、管理學、美學、宗教、中醫等。創造傳統典籍新生命，凸顯《周易》在中國傳統學術思想和生活方式中的人文意蘊與價值。

本書各章內容如下：第一章，緒論；第二章，易學與哲學；第三章，易學與思維；第四章，易學與經學；第五章，易學與倫理學；第六章，易學與社會學；第七章，易學與法學；第八章，易學與管理學；第九章，易學與美學；第十章，易學與宗教；第十一章，易學與科學技術；第十二章，易學與中醫；第十三章，易學與養生；第十四章，易學與卜筮；第十五章，易學在海外。各章作者如下：第一章：張立文；第二、七、八、九章，耿亮之；第三章，向世陵；第四章，王心竹；第五章，劉寶村；第六、十三章，羅安憲；第十、十四、十五章，加潤國；第十一章，張雲飛；第十二章，徐儀明。 （葉純芳）

《易學考論》

《易學考論》 梁韋弦著 哈爾濱 黑龍江人民出版社 348頁 2005年5月

梁韋弦，一九五三年生，吉林東豐縣人。於吉林大學獲史學博士學位，師從金景芳先生。著有《孟子研究》、《儒家倫理學說研究》、《程氏易傳導讀》等書，撰有〈孟子五倫說考議〉、〈與郭店簡唐虞之道學派歸屬相關的幾個問題〉等論文六十餘篇。

本書為「金景芳師傳學者文庫」第二輯第一種。此《文庫》所收錄的都是金門弟子各自的代表性著作，李學勤先生以為，可以看出金門弟子如何在繼承師學的同時，做出自己創造性的發展。

作者以自一九九二年以來發表的三十餘篇有關易學的論文為基礎，寫成此書。

其中內容大體考證與論述各佔一半，故名之為《易學考論》。

上編「易學考」的內容，主要針對《易》學思想史一些是非問題的考辨以及對馬王堆帛書《易傳》和王家臺秦簡《易占》的部分，探討其研究的方法，內容分別是：第一章，王家臺秦墓竹簡易占考；第二、三章，馬王堆帛書易傳考釋（上）、（下）；第四章，曆法與易學考；第五章，漢易卦氣考。下編「易學論」的內容，作者關注在《易》學思想史上具有重要認識價值的問題，更甚於對易學易理的闡釋。包括：第六章，論《易傳》的思想；第七章，論《周易》的象數與義理；第八章，漢易象數學論；第九章，宋明易學論；第十章，孔子、王弼、程頤在易學史上的貢獻。書末並附有作者對其師《易》學的闡述——〈業師金景芳的易學〉一文。

（葉純芳）

《易學今昔》

《易學今昔》　余敦康著　桂林　廣西師範大學出版社　273 頁　2005 年 6 月

余敦康，一九三〇年生，中國社會科學院世界宗教研究所研究員，長期從事中國哲學史研究，著有：《內聖外王的貫通》、《中國哲學史論集》、《魏晉玄學史》、《宗教·哲學·倫理》等書。本書為「余敦康易學三書」中第一種，其餘二部分別為《周易哲學思想史》、《周易決策學解讀》。

作者以為，有鑒於目前的《易》學研究所面臨的困境，那些由歷史所造成而又各有其合理核心的門戶之見不能再重複，有必要對它們抱一種超越的態度，從廣義的文化的角度對這個問題進行新的探索。所謂的「廣義的文化」，這個概念可以通過其外延與內涵之間的邏輯關係來掌握，如果其外延無所不包，廣泛涉及各個文化領域，那麼其內涵則必然縮小為某種本質的核心層次。就《周易》所容納的內容而言，廣泛涉及到卜筮、哲學、科學、史學以及其他的許多文化領域，但是所有這些都只是文化分之而不是廣義的文化。從邏輯上來看，文化分支的屬性與廣義文化的屬性，二者不能等同，只有從所有這些文化分支中找到一種可以稱之為易道的東西，才能真正看出《周易》在外延上的擴展以及在內涵上的滲透。因此，對《周易》的性質問題的研究即可擺脫以往的門戶之見，而轉化為一種廣義的文化史的研究。基於此種想法，本書共分為十三個子題：

一、《周易》與中國傳統文化的關係；二、先秦文化的發展與《周易》的形成；三、《周易》的思想精髓與價值理想——一個儒道互補的新型的世界觀；四、《周易》在中國文化中的特殊功能——一個立足於和協的操作系統；五、《周易》與中國政治文化；六、《周易》與中國倫理思想；七、漫談《周易》的智慧；八、《周易》的太和思想；九、易學中的管理思想；十、漢代易學；十一、魏晉易學；十二、宋代伊川易學的形成及發展；十三、回到軸心時期——金岳霖、馮友蘭、熊十力三先生關於易道的探索。（葉純芳）

《易學三種——過半刃言・觿義・衍變通論》

《易學三種——過半刃言・觿義・衍變通論》 潘雨廷遺著 上海 上海古籍出版社 282頁 2005年11月

本書共收錄《過半刃言》、《觿義》、《衍變通論》等三篇遺著，皆是潘雨廷先生對易學的研究論述，是潘先生於一九六六年至六七年於文化大革命期間陸續完成的，後經張文江整理後出版。另外選錄〈易學的時空結構〉、〈論《周易》大衍筮法與正則六維空間的一一對應關係〉、〈易學象數與現代數學〉等三篇後期論文為其附錄。

《過半刃言》為闡釋卦辭所作，但只選擇六十四卦，及其卦象卦辭，並無爻辭；十翼的部分亦只有選錄《彖》上、《彖》下及《文言》乾卦二節，坤卦一節，餘皆未錄。《觿義》則以爻辭為主，以用九用六及三百八十四爻之爻辭為主要內容，另外在十翼的部分只選錄未部分而非全部，《繫辭》上、《繫辭》下及《文言》中釋爻義三十九節，餘皆未錄。二書之闡釋卦、爻辭，皆以明理為主。《衍變通論》則闡大衍數之變，其書自序云：「是書者，明筮占之精義，先迷後得主，以復易道之元」故可知此書是詳述筮法之變化，闡明對筮占之精義。三書所重各有不同，但卻能互相配合，對易學的發展亦有重大之貢獻。

潘雨廷，1925年生，卒於1991年，上海市人。生平研究以道教與《周易》最有心得，亦是當代著名的易學學者。曾著有《道教史發微》、《周易表解》、《易與老莊》、《道藏書目提要》等書，參與《道教手冊》的編纂，並發表學術論文多篇，著述豐富，為兩岸知名的學者。（鄭誼慧）

《周易經傳研究》

《周易經傳研究》 楊慶中著 北京 商務印書館 321頁 2005年11月

《周易》原本為周代的占筮之書，由卦爻象與卦爻辭組成，組織結構皆極為簡要。而《易傳》則為解釋闡繹《周易》的重要著作，不但解釋其筮法，亦論述探討事物的本原要義，擴大了《周易》所指涉的內容。不但是一本卜筮之書，亦是一本探討事物原理的哲學典籍。早在先秦時，孔子及諸子便常引用《周易》的內容為其思想論述的根據，可見得《周易》在當時影響的廣泛。而自漢代將《周易》尊奉為五經之一後，《周易》的重要性大為提昇，遂成為中國古代最重要的思想典籍，備受歷朝知識分子所重視。而其間所出現的各種學派，如象數、義理等學派，其研究成果也豐富了易學的內涵。故《周易》不但是中國最重要的經書之一，亦可說是中國思想的代表。

本書共分上、下二編，共十五章。上編七章主在討論《周易》古經，包括《易經》中的卦爻象、《易經》中的卦爻辭、《易經》中的象辭關係、《易經》中的卦名與卦序、《易經》的成書年代、《易經》的性質與《易經》的人道教訓等。下編八章主在論述《易傳》，主要討論了孔子與《易傳》、《易傳》成書的時代、《易傳》成書的思想文化資源、《易傳》解經的合理性、《易傳》中的天人問題、《易傳》中的「道」及《易傳》與中國哲學等內容。關於《易經》與《易傳》的關係，作者對於了前人的論述與今人的研究，做了綜合的探討，而對於《易經》與《易傳》的各個主題，作者亦有深入的探討，對於前人的研究與說法皆有所反省與整理，並對於未來的研究開展，提出了看法與想像。

楊慶中，1964 年生於河北。中國人民大學哲學系博士。專研易學與中國哲學史，著有《二十世紀中國易學史》、《周易與處世之道》等書，並編有《國際易學研究》，及發表學術論文多篇。 （鄭誼慧）

《易學邏輯研究》

《易學邏輯研究》 吳克峰著 北京 人民出版社 429頁 2005年12月

吳克峰，1964 年生，天津人。南開大學哲學系博士，專研中國古代邏輯及中國古代易學等，並發表學術論文多篇。

作者自研究生開始，便對易學是否有邏輯存在等問題進行相關研究，其碩士論文即為《中華易學邏輯之形式系統研究》。入博士班後仍持續不輟，本書即為作者的博士論文，經修改刪訂而成。全書共分三篇八章，上篇是邏輯史的回眸與易學邏輯，內容包括了近現代邏輯史的回顧及中國邏輯與易學邏輯；中篇易學邏輯推理研究，包含了易學邏輯的主導推理類型－主要「推類」研究與易學邏輯的推理系統研究；下篇是易學邏輯在傳統文化中的作用，主要內容有易學與名辨學、易學推類與古代倫理、政治思想、易學推類與傳統醫學及易學推類對中國天文學的思想的影響。

作者將中國邏輯史的研究置入中國傳統文化背景之中，以顯示出中國邏輯的特殊性，並對易學邏輯做了較為全面的整理與研究。作者認為易學邏輯自成體系，在《周易》之中有其分類與原則，如八卦與六十四卦系統；而且提出的時間也極早，甚至影響到先秦時期名家辨家的邏輯思想發展，故易學邏輯是中國邏輯的開端，有重要的代表地位。除此之外，作者認為「推類」這個推理模式不只是《易經》的主要思維方式，亦是易學邏輯的主導推理類型。對於「推類」有極為深入詳盡的分析與探討論述。並以此為基礎，進一步探討了易學推類與中國文化的關係，包括了倫理思想與政治思想、醫學觀念、天文曆法等各部分。在各學科之中，皆有易學推類的基本思維模式表現，並影響了各學科的發展，對中國文化組成有很重要的影響。藉此對於中國易學邏輯的發展脈絡，有較為系統且全面的描述。

（鄭誼慧）

《周易鄭氏學闡微》

《周易鄭氏學闡微》　林忠軍著　上海　上海古籍出版社　461頁　2005年8月

本書共分上、下二篇，上篇為周易鄭氏學闡微，共有九章，內容包括東漢末年的時代背景、個人經歷、鄭玄的易學淵源與著述、鄭玄的易學人道觀、明天道的象數思想、效法天道的人道思想、易學史觀及重象數義理兼顧訓詁的易學詮釋方法及鄭玄的易學價值。下篇則是周易鄭氏注通釋。另有〈易贊〉、〈《周易鄭氏注》序跋選錄〉等為其附錄。

據本書作序者劉大鈞與呂紹綱所言，本書作者對於鄭玄的易學學術淵源及思想價值做了系統性的研究與評介，對於鄭氏的易學資料也做了全面性的整理與輯集，對於鄭玄的易學研究皆有極大的幫助。另外也指出本書在探討鄭玄的易學思想上有幾項貢獻，其一是消除了鄭玄治《易》只講象數不及義理的千古誤解，提出鄭玄治《易》既重參天象的象數，亦注重含人事的義理之證據；其二是鄭玄解《易》的方法是象數、義理、訓詁等多種方法綜合使用，此在易學史上是極為罕見的；其三是評論鄭玄易學之優缺點，論述明確，條理謹嚴。

林忠軍，1960 年生，山東萊陽人。山東大學哲學系畢業，1999 年升為教授，現為山東大學易學與古代哲學研究中心副主任。專研範圍為易學研究，精研象數，旁及周易經傳、易學史、易學哲學及易學文獻等。曾著有《象數易學發展史》、《易緯導讀》，主編過《周易研究》，並發表過學術論文數十篇。（鄭誼慧）

《宋代易學》

《宋代易學》　王鐵著　上海　上海古籍出版社　303 頁　2005 年 9 月

自唐代始，經學研究便出現了疑經的風氣，成為宋代經學風氣的伏流。而到了宋代，在學風崇尚獨創新奇的影響之下，易學的發展出現了極為繁盛的景況。北宋時義理派出現，學者藉由解《周易》得以充分闡述個人的政治、倫理觀點，成為當時易學發展的重要學派。而唐代佛學的盛行也影響到宋儒的危機意識，藉由《周易》與《易傳》中所涵蓋的各項自然人事的事物及概念，宋儒以此建立儒家的本體論，象數派因而興起。宋代易學的發展便由義理派與象數派二派間的發展與融合過程中逐步建構而成，不但使易學成為宋代學術的代表，亦在中國易學史上佔有重要地位。

本書共分五章，第一章論述唐代至宋初的易學，第二章探討宋代易學的疑經、改經之風，第三章析論北宋的象數學，第四章為北宋中後期的義理派易學，第五章為南宋的易學。另有前言，對於宋代易學的發展有極為清楚的勾勒描述。並附有王安石的佚文《易義》輯存。

王鐵，1948 年生，江蘇常熟人。華東師範大學古籍研究所文學碩士，專研古代學術史研究，易學則受教於潘雨廷先生。著有《漢代學術史》、《中國東南的宗

族與宗譜》，學術論文數篇。 （鄭誼慧）

《尚氏易學存稿校理》

《尚氏易學存稿校理》 尚秉和遺稿，張善文校理 北京 中國大百科全書出版社 四冊 2005年6月

本書係根據尚秉和先生遺稿校理而成，收錄尚氏畢生最具代表性的《易》學著述：《周易古筮考》十卷，《焦氏易詁》十一卷（附《易象補遺》一卷、《左傳國語易象釋》一卷），《焦氏易林注》十六卷，《周易尚氏學》二十卷，《易說評議》十二卷等五種，共約一百八十七萬字。書末附編兩種，一爲吳承仕先生《檢齋讀易提要》一卷，一爲黃壽祺先生《易學群書評議》七卷。吳承仕為尚氏任教北平中國大學時國文系主任，學術本源與尚氏相接近，而黃壽祺同受學於吳氏、尚氏，為二人入室高弟，所治《易》學尤承尚氏脈緒，因此並附《檢齋讀易提要》、《易學群書評議》於尚氏著作之後，以便讀者合而參覽。

整理者張善文先生，對此套叢書的校訂用力甚深。如《周易古筮考》最初有民國十五年刊本，訛誤頗多，黃壽祺批閱本略有校訂，本書除迻錄黃氏批校之外，更就相關文獻一一核對；即刻本目錄與正文標題措詞微異相應合者，或據正文校目錄，或以目錄校正文，迴環參訂，俾使前後相符，不致歧互。又如《焦氏易林注》，取尚氏撰寫時所據三種主校本（宋本、元本、汲古本），參照五種常用本（何本、學津本、翟本、局本、丁本），亦間涉其他所見本及有關文獻資料，逐條逐句逐字，為之釐校。經此整理，本叢書可說是尚氏《易》學著作最佳之定本。

原作者尚秉和（1870－1950），河北行唐人，字節之，自號滋溪老人、石煙道人。尚氏於學，無所不窺，精通方術、醫藥、繪畫，著述遍涉經、史、子、集，而於《易》研討最深。尚氏研《易》，特重卦象的整理歸納和推衍，並提出完整而詳細的卦象解說，自成一家之言，對後世《易》學的發展研究，有深遠的影響。

張善文，福建長樂人，1949 年 11 月生。現爲福建師範大學易學研究所所長、文學院教授、博士生導師。兼任國家《續修四庫全書》經部特約編委、中國周易學會副會長、東方國際易學研究院學術委員。主要著作有《周易譯注》、《周易辭典》、《周易入門》、《象數與義理》、《易經初階》、《周易與文學》、《歷代易家與易學要籍》、《周易學說》、《玄妙的天書》、《潔靜精微之玄思》、《周易研究論文集》等數種。另有〈周易卦爻辭的文學象徵意義〉、〈周易與文學的關係研究綜述〉、〈周易卦爻辭詩歌辨析〉、〈易傳的駢偶、排比、諧韻句式初探〉、〈試論周易對文心雕龍的影響〉等論文數十篇。（黃智明）

《詩經校注》

《詩經校注》 陳戍國撰 長沙 岳麓書社 453頁 2004年5月

《詩經》是我國最早的詩歌總集，從漢代開始儒家將其奉為經典，因此稱為《詩經》。《詩經》中的作者大部分已經無法考證，作品所涉及的地域，主要是黃河流域，西起山西和甘肅的一部分，北到河北省西南，東到山東，南到江漢流域。歷朝歷代對《詩經》的研究及相關的著作不勝枚舉。本書汲取前修時賢的研究成果，盡力探索具體作品的本義，強調作品與當時社會生活、作者情感的聯繫，內容以簡明扼要的方式呈現，可以配合閱讀同為陳戍國所作《詩經急議》（長沙：岳麓書社，1997 年。），則能事半功倍。本書所主張之立場及要點如下——㈠《詩經》篇名為後人所加，因而本書對篇名標題不加說明。㈡《詩序》有大小之稱，然在本書一律稱《詩序》。主張對《詩序》作具體分析，因《詩》三百篇大多無法考證，因而據詩本文作出判斷，《詩序》則視為一家之言，校注時先引《詩序》再據文獻或詩本文作斷語。㈢校注多本之於歷來《詩經》注疏流傳較多較廣、影響較大的《毛詩正義》及朱熹《詩集傳》。另外，因作者曾學《詩》於郭君重先生，因而本書對郭先生已經出版的詩學專著《詩經蠡測》及未出版的《詩經講義》均有引用發明，引用之處均能有所言明，除不掠人之美外，更有彰顯其師之美意。㈣校注力求標點與章節之劃分符合韻律的要求。

陳戍國，1946 年生於湖南省隆回縣柏水村，1964 年入湖南師範學院中文系，1968 年畢業，1979 年至 1982 年在西北師範學院中文系，跟隨郭君重教授攻讀碩士學位，1987 年至 1989 年在杭州大學古及研究所，跟隨沈鳳笙教授攻讀博士學位。1994 年任湖南師範大學古代文學專業教授，2000 年受聘於湖南大學，為該校岳麓書院文化研究所教授。（洪楷萱）

《金石簡帛詩經研究》

《金石簡帛詩經研究》 于茀著 北京 北京大學出版社 248頁 2004年10月

《金石簡帛詩經研究》一書為作者于茀的博士論文，是上海博物館藏楚簡《孔子詩論》及相關文獻公布後的一部學術著作。本書以辨析文字考鏡源流為旨，故以繁體字排印，以利行文。

全書分上、下篇，上篇為「金石簡帛與四家詩異文彙考」，本篇以出土銅器銘文、簡帛書、漢石經中的詩經文字與四家詩彙校，錄出土文獻與四家詩異者，考其原委，兼及鄭箋改字者，辨其是非。分篇目、異文、考釋排列。先列篇目及金簡帛詩經異文，隨出毛詩以對照，後加考釋。考釋部分旨在辨析異文性質，對實質性異文作出深入考證，文獻證據確鑿者，作出結論。所列毛詩為阮刻《十三經注疏》本。漢石經魯詩採自馬橫《漢石經集存》。阜陽漢簡詩經採自阜陽漢簡整理組《阜陽漢簡詩經》（《文物》，1984 年第 8 期），除個別文字重新隸定外，其餘文字皆依《阜陽漢簡詩經》的釋文。

下篇為「上海博物館藏戰國楚簡詩論考釋」，考釋所據竹簡圖片為上海古籍出版社 2001 年 11 月所刊布。本篇主要針對整理者未釋或誤釋之處、竹書刊布後諸家存有異議者，作出考釋。所據毛詩為阮刻《十三經注疏》本。所習見字沒有特殊含義一般不出注釋。凡上一簡已經作出考釋的字，沒有特殊含義，一般不重出注釋。

于茀，1964 年生，黑龍江肇東人，哈爾濱師範大學文學博士，哈爾濱師範大學人文學院中文系副教授，主要從事中國古代文學研究。 （廖秋滿）

《孔子詩論研究》

《孔子詩論研究》 陳桐生著 北京 中華書局 341 頁 2004 年 12 月

《孔子詩論研究》是一部全面探討《孔子詩論》內涵的著作，要準確的闡釋竹書的理論內涵，首要條件是正確的排列簡序及釋讀文字，但是因為竹簡的殘缺及排序的混亂，要做到這兩點，目前仍有很大的困難，簡序編號與順序排列方面，本書採取馬承源的說法但亦有修正之處，釋讀方面以上下融會貫通為原則，主要以馬承源《釋文考釋》為主，同時擇善採用他家說法。研究方法採王國維「二重證據法」，運用歷史與邏輯相一致的方法來探討竹書的理論跟貢獻，採取對疑古時代學者及走出疑古時代學者思想方法的折衷主張進行研究。書後附有三個附錄，附錄一《孔子詩論》簡注，給初學者一個簡明的竹書讀本；附錄二《孔子詩論》與先秦兩漢說《詩》文獻對照表，通過文獻材料讓讀者看出竹書說《詩》的源流；附錄三《孔子詩論》研究論著目錄索引，為竹簡研究者提供查檢相關文獻之便。

作者將戰國《詩》學，分為南北兩派，認為《孔子詩論》是南方《詩》學的代表作，《孔子詩論研究》並初步考訂其成書於子思之後孟子之前。作者在先秦兩漢《詩》教發展史的廣闊背景下，從說《詩》方法、詩的題旨、理論傾向等三個方面對《孔子詩論》進行深入研究，指出《孔子詩論》已經觸及中國詩論最核心的問題。全書縱論上下幾千年《孔子詩論》歷史，出入傳世文獻與考古文物之間，是一本視野開闊、材料翔實、立論謹慎具參考價值的案頭書。

陳桐生，1955 年生於安徽桐城，中國古代文學博士，湖北大學文學院教授，主要從事中國古代文學研究，講授「先秦兩漢文學」、「魏晉南北朝隋唐五代文學」等課程。 （洪楷萱）

《詩序新考》

《詩序新考》 程元敏著 臺北 五南圖書出版公司 246 頁 2005 年 1 月

本書立基於漢代今古文經魯齊韓毛四家詩，由各家之傳承考證之，其發明有三：⑴三家詩無詩序，獨毛詩有之。由各種的史志典籍與出土史料相互查考，定魯齊韓詩皆無詩序；⑵毛詩序雖為漢毛公著，但其行文體例、著作宗旨，皆承自孔子、子夏、孟子、荀子一路以降而來；⑶漢古文經學家衛宏治毛詩所撰之毛詩序，非今所傳與毛傳鄭箋本並刊之毛詩序，其獨為衛氏別自而作之文。通檢全書，除自序、總結論、附圖四幅外，共十二部分，分別為：

⑴《三家詩》有無《詩序》議題之發生。

⑵漢《魯、齊、韓詩》三家，為今文學；《毛詩》，為古文學證定。

⑶從《四家詩》學之承傳考《詩序》。

⑷較考史〈志、紀〉所著錄之《三家詩》與《毛詩》，灼知前者無《詩序》，而後者有之。

⑸《毛詩序》之衍成。

⑹《毛詩序》作者論要。

⑺確認《毛詩序》。

⑻《毛詩序》非東漢衛宏作。

⑼《魯詩》、《齊詩》殘文具無《詩序》。

⑽兩漢傳本《韓詩》殘文無《詩序》。

⑾《漢石經・魯詩》殘石字無《詩序》，其〈校記〉殘石字亦無《齊、韓詩序》。

⑿《國語》韋昭《解》引《毛詩傳》、《毛詩序》，未曾引《三家詩傳》及《三家詩序》甄正。

程元敏，1931 年 5 月生，安徽嘉山人。國家文學博士。臺灣大學中國文學系教授，現已退休。主要著作有《王柏之詩經學》、《王柏之生平與學術》、《三經新義輯考彙評》、《中國經學史講義（先秦至南北朝）》、《春秋左氏經傳集解序疏證》、《三國蜀經學》及《書序通考》等。（陳讚華）

《詩經學案與儒家倫理思想研究》

《詩經學案與儒家倫理思想研究》 周延良著 北京 學苑出版社 482頁 2005年2月

此書由歷史文獻中《詩經》研究的發展切入，歷史上研究《詩經》的不同著作，都有其各自的視角，所以作者由考慮《詩經》學史與中國文化間的關係出發，透過對《詩經》研究史中所形成的數個個案進行具體研究，在形成了「學案」式的體系架構後，對以下十個議題進行分析論述：

⑴「四始」之說的天人觀念與政治倫理考原，

⑵《詩經》「五際」之說考原，

⑶「六詩」、「六義」聲、義之辨，

⑷「六代樂舞」與「六詩」關係考，

⑸「六舞」與「六詩」關係考，

⑹「採詩」、「獻詩」之說與西周王權的宗教倫理，

⑺《詩經》「二南」詩義理、聲律的倫理之辨，

⑻《詩經・二南》詩與「房中樂」關係考，

⑼《詩經》媵婚詩與媵婚文化，

⑽《詩經》「六笙詩」遺說與西晉補亡「六笙詩」考。

周延良先生於此十章前寫有一緒論，文中論述書名何以為此，並對「學案」一詞進行五點分析，也點明此為作者對這本書議題的認識基礎與理論基礎，進而對於此十章作概略式的介紹，從第一章到最後一章，環環相扣，層層遞漸，清楚地說明本書之架構。

周延良，山東青島人。天津師範大學古典文獻研究所教授、所長，天津師範大學中國古典文獻學信息研究中心主任。主要著作有《文木山房詩說箋證》、《夏商周原始文化要論》等。 （陳讚華）

《詩經研究叢刊》第八輯

《詩經研究叢刊》 第八輯 中國詩經學會編 北京 學苑出版社 370頁 2005年1月

此書係中國詩經學會編輯之極具專門性的學術刊物，囊括中國、臺灣、日本、韓國等各地學者的研究，對於推動《詩經》研究風氣以及提高《詩經》研究水準，有一定的影響力。本書為叢刊第八輯，共收錄二十七篇文章，其中，除前八篇外，以下分別為「比興和文藝學研究」六篇、「語言研究」三篇、「三百篇研究」四篇、「現代詩經學人」二篇、「學術札記」四篇。詳目如下：⑴張強〈司馬遷與《詩經》〉；⑵劉冬穎〈上博竹書《孔子詩論》與《詩三百》的經典化源流〉；⑶李瑾華〈《周頌・清廟》主旨考論〉；⑷（日本）栗原圭介〈《詩經・商頌》那、長發之位望〉；⑸姚永輝〈論呂祖謙《呂氏家塾讀詩記》中的「詩史互釋」〉；⑹寧宇〈陳繼揆《讀風臆補》〉；⑺（香港）洪濤〈《詩經》中衣服的政治詮釋與創意英譯〉；⑻張祝平〈從《瞻卬》到《金瓶梅》——「女媧」論的演繹〉；⑼曹慶鴻〈比興寄託與清代詞學〉；⑽（韓國）安性栽〈《傳》、《箋》、《疏》之「比」發展史考〉；⑾袁長江〈比興研究回顧〉；⑿（臺灣）歐天發〈以「風賦」、「比興」、「雅頌」三綱目闡述《詩》六義之探究〉；⒀陳一平〈《詩經》

與中國詩歌的自覺〉；⑭葉志衡〈《詩經「女求士」詩的表現手法》〉；⑮華鋒〈《詩經》中對出近義單音詞的文化闡釋〉；⑯趙伯義〈《毛詩詁訓傳》解釋通假說〉；⑰趙愛武〈象聲詞的變異與發展——以《詩經》、《元曲》為例〉；⑱劉五一〈鄭衛婚戀詩和周代文化〉；⑲孟慶茹〈試論《詩經》中的隱逸詩〉；⒇李蹊〈從「行邁」的涵義看《黍離》的主題〉；(21)（臺灣）何昆益〈《大雅・生民》疑例析論〉；(22)牟玉亭〈毛澤東和《詩經》〉；(23)趙雨〈公木教授的詩經學研究〉；(24)田國福〈毛公後裔毛三庄考察〉；(25)王龍軒〈從《詩經》祭祀詩體會修身齊家之現實意義〉；(26)王許林〈《詩經》愛情觀的類型〉；(27)張劍〈關於《關雎》的「樂而不淫，哀而不傷」〉。書末附有三則學術動態之簡述與記要，分別為第六屆詩經國際學術研討會綜述、第六屆詩經國際學術研討會開幕詞，以及中國詩經學會第三屆會員代表大會會議紀要，提供參考。（陳讚華）

《詩經研究叢刊》第九輯

《詩經研究叢刊》 第九輯 中國詩經學會編 北京 學苑出版社 390頁 2005年7月

此書係中國詩經學會編輯之專門性學術刊物，囊括中國、臺灣、日本、韓國等各地學者之研究，對於推動《詩經》研究風氣以及提高《詩經》研究水準，頗具影響力。本書為叢刊第九輯，分為八個部分，分別是「百家論壇」九篇、「文藝學研究」四篇、「語言研究」三篇、「三百篇研究」二篇、「現代學人」三篇、「學術札記」三篇、「學術短波」兩種、「學會工作」一則。詳目如下：⑴韓高年〈周初藉田禮儀樂歌考〉；⑵黃維華〈商周土田制度與農耕管理模式——《詩經》與上古文化系列研究〉；⑶劉雨亭〈《詩經》中的建築研究〉；⑷李梅訓〈歐陽修《詩本義》名湮不彰的原因初探〉；⑸（臺灣）張靜環〈王充述《詩》之探討〉；⑹楊世明〈朱熹《詩集傳》於《詩序》有廢有從考說〉；⑺（臺灣）吳伯曜〈孔子「興觀群怨」的詩學觀與《詩經》意義的探索進路〉；⑻江立中〈再論《詩經》被尊為「經」的得與失〉；⑼黃松毅〈論《詩經》中孝的思想〉；⑽周曉琳〈魏晉詩人對《詩經》的接受〉；⑾白長虹〈《毛詩正義》的辨體觀〉；⑿李春雲、郭丹〈試論方玉潤《詩經原始》的詩學觀〉；⒀李世萍〈試論「風骨」與「風教」〉；⒁肖甫春〈「子所雅言」與平水韵——寫近體詩應用新韵〉；⒂王渭清〈《詩經》「送」字辨詁〉；⒃廖揚敏〈《詩經》和《楚辭》中重言的詞義演變淺談〉；⒄鄒然、鄒蓉〈「女子善懷；亦各有行」——從《詩經》看周代女性的自主意識〉；⒅（臺灣）藍麗春〈《齊風・猗嗟》「展我甥兮」釋義〉；⒆朱金發〈聞一多注釋《詩經》的方法〉；⒇林祥征〈《詩經》名物研究的新境界、活學問——讀揚之水《詩經名物新證》〉；㉑任剛〈讀陳桐生新作《〈孔子詩論〉研究》〉；㉒王許林〈《詩經》愛情詩的類型〉；㉓（美國）吳少達〈《詩經・邶風・擊鼓》新解〉；㉔田國福〈毛公後裔毛三庄考察〉。另有「新書要覽（20 種）」、「論文選粹（11 篇）」，以及「中國詩經學會會務要聞」一則。然王許林〈《詩經》愛情詩的類型〉與田國福〈毛公後裔毛三庄考察〉兩篇文章，已於《詩經研究叢刊》第八輯內刊載，於此處再次出現，還盼編校者能稍微留意；即便如此，仍不掩此書的學術參考價值。

（陳讚華）

《原來詩經可以這樣讀》

《原來詩經可以這樣讀》　唐文著　石家庄　河北教育出版社　239 頁　2005 年 8 月

《詩經》三百篇，都是從人的切身體會出發，言說凡人的所見所聞，所感所想，有天上鴻雁、有地下蜉蝣、有日升月落、有三五小星、有喜有憂、有樂有愁。《詩經》中許多美麗的心情，讀來能帶給人一種幸福感，也是其何以歷久不衰的原因。

作者唐文藉由《詩經》的語言，以有趣、饒富意味的書寫方式，或從中西文化比較入手，或與佳句對照激盪，或從圖片看起，再再重新賦予這些舊詩新的生命、新的感受、新的精神。以說故事般的口吻寫成，對於中國傳統經典的《詩經》重新解讀，從國風與小雅中挑出幾首詩，進行介紹。除此之外，作者對於十五國風中每一國的背景皆有說明，更為其他沒有選入書中的詩，做了簡單的描述。其中，「書寫」為此書最大的特色，除極富文藝創作之筆觸外，還補充了與所舉之詩相關的注解、譯文、圖片、佳句、故事等說明，讓讀者能在閱讀詩文外，藉由其輔助的資料，更加得以貼近《詩經》。此書解說淺白易懂，並與生活結合，是現代人了解

《詩經》不錯的入門書。 （陳讚華）

《詩經動物釋詁》

《詩經動物釋詁》 高明乾、佟玉華、劉坤著 北京 中華書局 340頁 2005年9月

研究《詩經》中的動植物，古有三國東吳陸璣《毛詩草木鳥獸蟲魚疏》、清徐鼎《毛詩名物圖書》，還有清代時日本學者岡元鳳的《毛詩品物圖考》等，但這些著作畢竟離我們年代久遠，歷史嬗變，滄海桑田，更有同名異物、同物異名等的問題，所以這本《詩經植物釋詁》的姐妹作，在前人著作的基礎上，參酌當代不同學科，進行文理滲透、學科交叉的研究，從生物學、中國古代文學、訓詁學、現代動物學等學科結合的方式進行，考證了《詩經》中的動物，並加上了拉丁學名，使中外學者都能由不同的路徑來認識中國古代文化的多元樣貌，也使中國古典文學能走向世界。

此書共有序言、凡例、目錄、正文、拉丁名索引和參考書目六部分，正文共計一百一十三條，除第一一三條的「龍、鳳凰、蜮」為傳說中的動物，當條之下只設有「詩摘」、「附錄」與「訓詁精要」三個類目，其它條項皆設有「詩摘」、「附錄」、「訓詁精要」、「分類地位」、「動物今釋」等五類。詳細介紹如下：(1)「詩摘」下摘錄出當條所釋動物名稱在《詩經》中的出處，並引出詩文，於詩文上以「・」為標識，表所釋動物，並且於所引詩文後附注音、注釋與簡析；(2)「附錄」包含兩者，一為逐條摘引出《詩經》其他篇章中含有與該條所釋動物同名同物的詩句，免去讀者翻檢之勞，一為對於《詩經》其他篇章中出現與該條所釋動物同名異物或字詞相同但不是動物名稱的情況，一一列出，併辨析說明之，省免產生歧異之可能；(3)「訓詁精要」根據多種學科對該條動物進行辨析說明，確定該動物的現代名稱；(4)「分類地位」根據現代動物分類學，列出該動物所屬的分類地位，並簡單說明該動物同科或同屬的動物之主要分布地區；(5)「動物今釋」承繼以上，描述該動物的生活習性、型態特徵、簡要用途與危害等相關訊息。除此之外，每條都附有該動物的插圖，對於專門研究《詩經》者固然是本工具書，然對於非專業的讀者，也是一本可供「多識鳥獸之名」的好書。 （陳讚華）

《君子儒與詩教——先秦儒家文學思想考論》

《君子儒與詩教——先秦儒家文學思想考論》　俞志慧著　北京　生活．讀書．新知三聯書店　306 頁　2005 年 3 月

本書係作者據博士論文《先秦儒家文學思想考論》改定，書中系統梳理了儒家的言語思想與詩教思想，以充分的材料證據和細密的文本分析，證明儒家文學思想，實為文學教育思想。換言之，詩歌之本體論、創作論，實為詩歌之文化學、教育學。這一範式之突破，意義極為重大，可以重新認識中國詩學的起源、重大傳統等一系列問題。

書中內容分三編，上編為「孔門言語科：君子的向度及相關命題的意義」，以孔門言語思想為視角，從培養君子儒的目標、具體要求以及孔門幾個有關言語的關鍵命題去探討孔門的言語觀，並經由對孔門言語思想的分析來重新認識先秦儒家文學的意義世界。中編為「春秋詩學：君子的用詩之學及若干經典命題釋證」，以《左傳》、《國語》全部賦詩、引詩材料為依據，以「歌詩必類」為切入點，以春秋用詩為視角，結合新公布的《郭店楚墓竹簡》和上海博物館藏《戰國楚竹書．孔子詩論》，重新審視一些聚訟千年的老問題，希望能恢復春秋用詩之學的本來面目，從而揭開春秋詩學若干經典命題的原典意義。下編為「竹書《孔子詩論》：君子儒的釋詩實踐及其詩學史意義」，這部分為作者對上海博物館藏《戰國楚竹書》的校箋，在馬承源等先生試讀成果的基礎上作進一步的研究。除文字隸定多與馬先生有出外，其中涉及《詩經》風、雅、頌三部分的排序、本組簡文與《詩大序》之關係、上與春秋詩學下與兩漢詩學的關係等處，也多有與馬先生不盡一致處。作者以為傳世文獻中基本事實總是可靠的，不至於經那麼多人整理的傳世文獻就是假的，個別抄手的抄錄才真實不虛；基於這樣一種觀念，筆者在行文中以傳世文獻中有關春秋《詩》學的材料作為參照，在釋讀的基礎上，將材料上掛下聯，發覺其詩學史、思想史、學術史意義。

俞志慧，1963 年生，浙江新昌人。西北師範大學文學博士，現任紹興文理學院中文系教授，主攻先秦兩漢文學和文獻。著有《楚辭直解》（合著，1997 年）、《韓非子直解》（2000 年）等。

（廖秋滿）

《讀《詩經》的方法學》

《讀《詩經》的方法學》 東方橋撰 臺北 玄同文化事業有限公司 803頁 2005年10月

本書作者以《詩經》為歌謠，帶領讀者欣賞體會《詩經》歌謠的內容。所列舉之詩，皆標明「賦」或「比」或「興」為詩人作詩之體裁，且參考江陰香《詩經譯注》為字詞稍做解釋。本書共分五卷，首卷為《詩經》概論：第一章談「思無邪的大概念」，第二章談「詩經的再傳世」，第三章談「詩經的歷史文化哲學」，第四章談「詩經是個什麼時代」，第五章談「戰爭的思無邪」；卷二至卷五則分別將風、小雅、大雅、頌內容歸納分析，每卷所包含的章數不等。卷二將十五國風的內容歸納分析，檜風、曹風併於一章討論，共十四章。每章皆有分節，按各節主題列舉《詩經》相關篇章為證，而非就《詩經》各篇單獨討論；卷三至五的第一章分別討論小雅、大雅、頌之意義，第二章以後形式同卷二，將各章分節討論，有助《詩經》入門者對《詩經》各篇之瞭解。

東方橋，本名唐華，1931 年生，日本東京大學哲學博士。著有《孔子哲學思想源流》、《易經變化原理》、「讀經典方法學系列」（《論語》、《易經》、《孟子》、《中庸》、《大學》、《孝經》、《楞伽經》、《法寶壇經》）、《論語現代讀》、《孝經現代讀》、《老子的生活智慧》、《莊子的生活智慧》、《釋迦牟尼之楞嚴經》、《釋迦牟尼之圓覺經》、《釋迦牟尼之金剛經》、《走訪一個理想的大世界》、《走進列子理想的大世界》、《實踐大同理想的大世界》、《宇宙大道》、《養生禪方法學》等數十種專著。 （倪瑋均）

《詩經「變風變雅」考論》

《詩經「變風變雅」考論》 劉冬穎著 北京 中國社會科學出版社 242頁 2005年10月

本書為作者師從東北師範大學詹子慶教授，於二〇〇三年撰寫完成博士論文之修訂出版。

作者將「以史證《詩》」與「引《詩》證史」，統稱為「以《詩》說史」。

「引《詩》證史」聯繫至「以《詩》說史」，自不成問題。作者或以為：歷來用以證《詩》的史料，也可經檢證後，取以作為「以《詩》說史」之資。藉由「以《詩》說史」的研究視角，考察「變風變雅」具體情況。全書各篇章及其大致內容如下：

一、引言「文學的《詩》與史學的《詩》」，論述《詩經》的史料價值、詩與史的關係、以《詩》說史的歷史。

二、第一章「『正變』說：毛《序》的釋《詩》方式」，評述「正變」說的提出、考察「變風變雅」詩篇斷代、評析「正變」說的價值並辨正其缺失。

三、第二章「從出土文獻看『正變』說的歷史淵源」，說明先秦的用《詩》風氣與孔子的解《詩》方式，及《孔子詩論》與《毛詩序》解詩。

四、第三章「『風雅正變』與禮樂文明」，闡釋「變風變雅」與「禮崩樂壞」、雅詩「正變」與天命觀念的嬗變、「風雅正變」與音樂觀念的變化、「風雅正變」的精神實質。

五、第四章「《風》詩『正變』的地域特徵」，分論「二南」與十三「國風」。

六、第五章「『變風變雅』與春秋時代的城邑文明」，論述城市的繁榮與《詩》的繁榮、「變風變雅」詩篇對春秋城市生活的還原。

此外，書首有詹子慶教授所寫〈序言〉，書末有〈參考書目〉與作者〈後記〉。

劉冬穎，一九七二年生，東北師範大學歷史學博士，現任黑龍江大學文學院副教授。著有《與聖人對話－孔孟精髓》與本書，譯有《放縱時刻》一書。

（黃智信）

《風騷比較新論》

《風騷比較新論》　李金坤　南昌　江西人民出版社　385 頁　2005 年 12 月

本書基於中原文化與南楚文化交融的背景上重新審視《詩經》與《楚辭》的關係。作者認為〈國風〉是《詩經》的精華所在，故以〈國風〉代稱《詩經》，簡稱《風》。意圖窺探從《風》到《騷》在思想意識、文化型態及其藝術手法等方面的演變發展軌跡，以事實證明文人作家向民間文學與傳統文化學習之重要性與必然性。且借鑑現有研究成果，對《風》、《騷》諸層面的承傳關係進行全面而系統的研究，進一步拓寬研究領域，加深對《風》、《騷》思想、文化與藝術的認識，提升《風》、《騷》的文學地位，增強審美價值，由此促進《風》、《騷》承傳關係整體比較研究此一方面研究領域之開展。全書共分為十二章，前四章通過對南北文化與文學之間的關係，建構《風》、《騷》承傳關係比較研究的基礎。其後八章則就《風》、《騷》中的憂患意識、山水美意識、自然生態意識、龍鳳文化考察、夢幻描寫之審美觀、棄婦情節探賾、體制異同、比興藝術演變等八個主要方面，進行全面、深層、綜合的比較研究，基本涵蓋了《風》、《騷》的思想意識、文化型態、比興藝術等方面的主要內容，是全書的核心部分。既有文化背景的依託，又有從文化背景到文學分論的過渡，更有文學本體的具體研究，由宏而微，縱橫交錯。另附錄論文八篇，就《風》、《騷》之間的問題進行考、論、評、賞，糾錯駁謬，與正文內容相輔相成。全書頗具學術價值，值得《風》、《騷》研究者參考之。

李金坤，江蘇省金壇市人，1953 年生。為北京大學高級訪問學者，江蘇大學人文學院副教授，蘇州大學文學院博士研究生。從事高等教育二十餘年，曾於國內外著名刊物發表論文百餘篇，獲得中國各級社科論文優秀成果獎二十餘項。

（倪瑋均）

《詩經文學闡釋史（先秦－隋唐）》

《詩經文學闡釋史（先秦－隋唐）》 汪祚民著 北京 人民出版社 391 頁 2005 年 3 月

本書為作者於其博士論文的基礎上修訂而成的，認為文學闡釋是《詩經》的本體性闡釋，為經學闡釋之基礎。文學闡釋一直存在於先秦至隋唐的經學、文學著作中，修正了以宋明為「從經學到文學」的主要時期之說。本書除〈緒論〉外共分五章，由文學的角度系統地探索《詩經》的文學闡釋發展史及其與經學闡釋之間的關係，作者認為《詩經》之文學闡釋自先秦便已開始，並非起源于宋明時期，其論證之材料為先秦至隋唐間的著作。第一章論「《詩經》作品的原生型態與文學特質」，探討《詩經》作品之來源、功能意義與文學特質；第二章論「先秦《詩經》

文學闡釋的尋繹」，討論周代對《詩經》的文學闡釋，至孔子、孟子、荀子對《詩經》闡釋的不同定位，最後則論宋玉對《詩經》作品的化用與闡釋；第三章論「漢代經學背景下的《詩經》文學闡釋」，分別討論〈詩大序〉、《毛傳》、《鄭箋》中的文學闡釋，《焦氏易林》與漢代文學創作對《詩經》之闡釋；第四章論「魏晉六朝《詩經》文學闡釋的空前活躍」，首先探討魏晉六朝思想學術與《詩經》的關係，並以魏晉風流與謝氏家族、劉勰、鍾嶸、蕭綱等人對《詩經》文學藝術的看法，以魏晉六朝的文學創作為證，說明《詩經》的經學性於此時期弱化，而文學闡釋則頗為活躍；第五章論「隋唐《詩經》經學與文學的融通」，從科舉制度、《毛詩正義》的文學闡釋、以及隋唐文學理論批評與李白、杜甫的創作中對《詩經》之接受與闡釋，論述此時期《詩經》經學與文學的融通，表現了「詩」與「儒」的統一。

汪祚民，安徽省太湖縣人，1964 年生。2004 年陝西師範大學博士班畢業，獲文學博士學位。現為安慶師範學院學報編輯部編審、副主任、副主編，安徽師範大學中國詩學研究中心兼職研究員。（倪瑋均）

《宋代《詩經》學研究》

《宋代《詩經》學研究》　譚德興撰　貴陽　貴州人民出版社　315頁　2005年5月

本書分析宋代《詩經》學形成發展的過程與基本特點，主要揭示了有別於漢唐《詩》學體系的嶄新內容。全書共分為十章，第一章「緒言」，討論宋代《詩》學和理學、文學與政治之間的關係；第二章「宋代學風與《詩》學發展」，討論北宋初期、慶曆、熙寧時期的《詩》學發展，以及時人對〈詩序〉的論述；第三章「宋代《詩》學範疇論」，討論本末、正變、六義、情性四點；第四到八章分別論及歐陽修、二程、王質、朱熹以及王柏的《詩》學思想；第九章「宋代《詩》學與宋代詞賦批評」，討論《詩》、賦、《楚辭》的藝術手法、以及在文體上的關係；第十章「宋代《詩》學與詩話」，討論宋代詩歌發生論與以詩看《詩》。本書從經學與文學關係的角度著眼，探討宋代《詩》學文學化與文學《詩》學化的問題，從宋代《詩經》學著述中發掘出大量文學思想以及文學批評的材料，豐富了宋代文學以及文學批評史的研究內容，使人們認識文學的發展對經典闡釋學的內在影響，以及經學在範疇、理論等方面如何在文學發展中轉換的問題。全書由宋代詩經學發展的兩條基本線索開展，一是宋代《詩》學理學化的問題，該書以歐陽修、二程等人為例，分析了宋代《詩》學家如何從《詩》中發掘出理學思想，作者通過分析研究宋代《詩》學中大量的女性心理以及宋代「淫詩」說的有關問題，揭示宋代《詩》學理學化的傾向；二是宋代文學《詩》學化的問題，透過對宋代《詩》學以詩看《詩》的分析，以及對文學文論《詩》學化的討論，展現出理學家對詩歌的文學本質仍有深刻思考，經學與文學間並無絕對的界線。本書提出宋代《詩》學理化的內容以及宋代文學《詩》學化的內涵，對重新認識與編寫中國文學或文論史具有重要意義，可供詩經學、文學史、文學理論、文學批評等方面研究者之參考。

譚德興，湖南麻陽人，1968 年生。2002 年復旦大學中文系博士研究生畢業，四川大學文學與新聞學院博士後，現為貴州大學中文系教授，碩士生導師。

（倪瑋均）

《田間詩學》

《田間詩學》　（清）錢澄之撰　朱一清點校　合肥　黃山書社　992 頁　2005 年 7 月

《田間詩學》，原十二卷，錢澄之撰，該書始撰於康熙乙卯（1675）年，完稿於康熙己巳（1689）年，歷經十餘年，易稿七次而成。本書說《詩》次序以〈小序〉為主，注疏則不專主一家，以「細繹經旨」、「循理據實」為參考標準，是以能發先儒之所未發，言先儒之所未言。其主要特色在於：一、徵引資料，辯正詩義；二、竭力釋補，增加新意；三、積極創新，提出己見。全書力求至是至當，以發前人所未發，《四庫全書總目》評為「持論精核」，實開清代樸學之先導。本書內容除按〈風〉、〈雅〉、〈頌〉的順序說《詩》之外，於此之前有「詩總論」、「二南論」、「十五國風論」、「二雅論」、「三頌論」及「古序考」，論列各家之說，並加以己見。本書採康熙二十八年錢氏斟雉堂刻本，以孫鳳城批點本為底本，以金蓉鏡批校本和文淵閣《四庫全書》刻本為校本，並兼採清阮元校刊《十三經注疏》本和文學古籍刊行社影印宋刊本《詩集傳》為校本。校記中收錄孫鳳城、金蓉鏡之批校。由於錢氏學識淵博，引書達數百種，於引用諸書時，往往有所增損，因此保留原貌，但對少數字義有誤之處，則於校記說明之。本書採毛《傳》、鄭《箋》、孔《疏》、《詩集傳》，並增補宋明治詩精當者二十家，是彙錄漢、唐、宋、元、明諸儒說《詩》的集大成之作，在詩學史上應有重要價值與影響，可備《詩經》研究者參考之用。 （倪瑋均）

《二十世紀《詩經》學》

《二十世紀《詩經》學》 夏傳才撰 北京 學苑出版社 399 頁 2005 年 7 月

本書是對二十世紀中國詩經學發展過程的描述。中國的現代詩經學是兩千年來傳統詩經學的延續、革新和發展，本書試圖對它的創造性進展和若干新的學術建構做出重點的總結。全書共分十章，第一章「緒論」談《詩經》的研究價值與基本問題；第二章「從傳統向現代的過渡」，指出清末民初詩經學的發展，章太炎、劉師培、梁啟超、廖平等人的《詩經》研究，王國維對詩經學的重要貢獻，以及分析學術轉型和傳統詩經學研究體系分解之因；第三章「現代詩經學的創始期」，以「五四」新文化運動視為分隔線，將二〇年代視為現代詩經學創始期，力求恢復《詩經》真相，反對〈詩序〉，以新方法研究《詩經》；第四章「戰火中的現代詩經學建設時期」，以三〇到四〇年代為主，以史學與史料學作為研究方法；第五章「新中國前十七年《詩經》研究的得失」，此段時期以五〇到六〇年代為主，認為此時期的研究由興旺到「文化大革命」的封凍，主要貢獻為繼承「五四」以來的研究方向、對《詩經》注譯與賞析的興盛、研究《詩經》藝術經驗、歷史學的研究四方面，並提出此時期的失誤是過份強調學術研究為政治服務；第六章「新時期的《三百篇》研究」，此時期為 1979 年之後的二十年，除了注譯的發展外，尚興起對《詩經》文學的鑑賞以及對三百篇的分類研究；第七章「詩經學全方位深化和拓展」，列舉對《詩經》各方面的研究者，說明二十世紀晚期對《詩經》諸多方面皆有研究；第八章「四大學案的新進展」，學者對孔子刪詩、〈毛詩序〉的問題、〈商頌〉的時代、〈國風〉作者與民歌問題皆有討論；第九章「出土文獻和古籍整理」，隨著出土文獻的不斷增加，學者將出土文獻的研究成果應用於史學和傳統文獻學與古典文學的研究，並有突出的成就；第十章「臺港的《詩經》研究」，討論臺港地區《詩經》研究者及其成果。最後指出《詩經》研究於九〇年代中期開始進入轉型期，以多元方式、多樣的研究方法與研究模式，全方位、多層面、多角度、多學科的拓展詩經學的研究範疇，中外學者需進行廣泛的學術交流，以期提升現代詩經學的研究。全書詳細陳述二十世紀不同時期詩經學發展的方向、角度與研究者的研究成果，有助於《詩經》研究者對近現代詩經學史之瞭解。（倪瑋均）

《《王制箋》校箋》

《《王制箋》校箋》 （清）皮錫瑞箋注 王錦民校箋 北京 華夏出版社 167頁 2005年1月

《王制箋》一書為皮錫瑞所作，成於光緒丁未夏月，後於光緒戊申時，由湖南思賢書局刊行。於《皮氏經學叢書》、《師伏堂叢書》及《皮氏九種》等叢書均有收載，版本相同。

自清中期始，經今文學漸又復興，除了宗主《公羊傳》之外，復宗〈王制〉。經學家廖平之說對晚清今文學影響甚巨，學者如康有為、皮錫瑞等，均承其風氣。皮錫瑞以為「以《周禮》與〈王制〉不兩立，歸獄歆、莽，用西漢法。」認為〈王制〉為孔子之遺書，七十子後學所記，故應屬今文經。

皮錫瑞《王制箋》一書之正文可分為三個部分，一為全錄〈王制〉經文及鄭玄《注》；二為節錄孔穎達《疏》；三為皮錫瑞參合眾家所作之箋釋。本書作者於校箋前言中即說明本書之箋釋體例，其所校箋者為皮錫瑞箋釋部分，於經文及《注》、《疏》僅為之校勘，不為之箋釋。皮錫瑞原書中有少量刊刻錯字和浸漬不清的字，但因版本唯此一種，難出他校，故於其不害文意者，則為之逕改。作者此種作法稍嫌不當，應當保留字跡漫滅不清者之處，不應當逕自改正。

作者於校箋前言中，除說明本書之箋釋體例外，另將皮錫瑞《王制箋》一書相關問題作一說明，以便讀者能對皮氏一書有初步認識。其中約略介紹皮氏生平、晚清今文經學興盛之背景、主張今文經學重要之學者、皮錫瑞之今文經學主張、〈王制〉篇的相關爭論等問題。

本書之體例雖如作者所言有所分別，但實則讀者往往易於混亂，且其校箋多補充皮錫瑞於箋釋中所提及之人名、原文出處等補充說明，並非皮氏箋釋的全部注解，況且其於校箋時並未注明所校箋的部分為皮氏原文何處，殊為可惜。如皮錫瑞於原文中引〈文王世子〉一篇，校箋時只言「〈文王世子〉即《禮記‧文王世子》。」對於皮氏原文內容並無其他箋釋之語。

王錦民，現任北京大學哲學系教授。（劉千惠）

《大戴禮記彙校集注》

《大戴禮記彙校集注》　黃懷信主撰　孔德立、周海生參撰　西安　三秦出版社　1414頁　2005年1月

作者以為《大戴禮記》與《小戴禮記》皆是戰國至秦漢時期的禮學文獻彙編，曾有「十四經」之稱。據史志所載，該書原有八十五篇，今傳本闕第一至第三十八、四十三至四十五、六十一、八十二至八十五，共四十六篇，故存三十九篇。

前人對於《大戴禮記》的研究，相形於《小戴禮記》是遜色不少，本書作者為使學者們能準確的使用《大戴禮記》的材料，因此撰成此新的校注本，以期能對《大戴禮記》的價值有更進一步的研究。在前言部分，作者為使讀者能對《大戴禮記》有所了解，因此先就其相關問題加以討論介紹，此共分為八點：一為《大戴禮記》的名目由來；二為與《小戴禮記》關係與異同；三為材料來源及各篇性質與時代；四為盧辯注本；五為隋、唐及兩宋傳本；六為元、明以下主要傳本；七為未代以來校注本；八為關於〈夏小正〉篇的傳治。在前言的相關討論中，可以知道撰者對於《大戴禮記》一書的考索與認知。如其以為《大戴禮記》材料來源，並非全是劉向《別錄》「古文《記》二百十四篇」，也非《漢書‧藝文志》「百三十一篇《記》」，而應為戴德自輯之書。

前言之後為凡例一節，說明撰作者校注本書的體例，如本書所據之《大戴禮記》經文及盧辯注皆以《四部叢刊》影印的明末袁氏嘉趣堂刊本為底本，彙校所及前人舊注本也皆羅列分明，易於學者利用。

本書彙校時，先彙集各舊本及各家校語於前，再列各家注釋之文於後。於彙校本書之前，先立題解一節，解釋各篇篇名，其體例仍是先列各家校語於前，再列集說於後，並添加撰者按語，表明自己的立場。作者於校注經文時，先列彙校於前，再列集注於後，並添加撰者按語，判斷各舊本、舊說間之正誤是非。如〈禮察〉篇

「凡人之知，能見已然，不能見將然。禮者禁將然之前」一段，於彙校中羅列戴震、孔廣森、王樹楠、孫詒讓之見，最後作者按語以為應從戴校本，「禁」字下有「於」字為是。

黃懷信，現任西北大學文博學院教授。主要研究方向為先秦兩漢歷史文獻、思想文獻及先秦史研究。主要論著有：〈《孔叢子》的時代與作者〉、〈紂兵未倒戈考辨〉、〈利簋銘文再認識〉、〈逸周書彙校集注〉、〈逸周書校補注譯〉、《尚書注訓》、《上海博物館藏戰國楚竹書詩論解義》等。（劉千惠）

《中國古車輿名物考辨》

《中國古車輿名物考辨》 汪少華著 北京 商務印書館 258頁 2005年9月

汪少華教授，一九六一年生，江西德興人。華東師範大學漢語言文字學博士，現任杭州師範學院語言研究所所長。

本書係汪教授於二〇〇四在許嘉璐教授指導之下所完成博士論文之修訂出版，收入由許教授主編之《孫詒讓研究叢書》中。

全書涵括四個部分：

一、「緒論」，分析前人時賢於古車輿研究的相關成果與缺失，並提出本書考辨所採取之視角與方法。

二、「考辨」，共分九節，分別為：「轉輗考」、「從秦始皇陵出土銅車看『綏』的部位與形制」、「論『脇驅』及其革帶的定名」、「『騎』與『介馬』考辨」、「『靽』『紛』考辨」、「『輢』『較』獻疑」、「『登軾而望之』的訓詁與考古考察」、「從『伏兔』看文獻記載與出土文物的關係」、「從出土車輿看『輔車相依』」，每節專論一個問題。

三、「附錄」，共分為以下三節：「『交綏』與『死綏』考辨」、「『紲』非弓韣」、「試論秦始皇陸銅車內銅方壺的定名」。

四、「參考文獻」。

除此四者外，書首有許嘉璐教授所撰《孫詒讓研究叢書》序文，書末有作者後記。

綜觀全書，除對迄今古車輿相關研究的材料與成果有詳盡的檢討與分析，同時，結合名物訓詁的文獻資料與考古學的研究成果，針對所擇取的十二個問題，加以深入的考訂與辨析，使過去許多難解之處，一一得以廓清。（李瑩娟）

《明堂制度研究》

《明堂制度研究》　張一兵著　北京　中華書局　517頁　2005年8月

於本書之首的引言中，作者先提出欲研究之問題及本書論述之結構，共分為禮制與宮室制度、宮室制度與明堂制度、明堂制度研究的意義等，本書將橫向探討明堂制度有關的基本理論問題，並以時間為線索，縱向探討明堂制度從萌芽狀態到形成、發展、繁榮、衰落、消亡之過程。

第一章「前人研究綜論及前人重要論著述評」，作者於本章中介紹了前人的重要論著，如王國維〈明堂廟寢通考〉、惠棟《明堂大道錄》、蔡邕〈明堂月令論〉、聶崇義《析城鄭氏家塾重校三禮宮室圖集注》等著作。

第二章「明堂名義考」，作者於此章中探討與明堂相關名目的各種名稱，並討論明堂禮制的前身與明堂禮制建築的前身，在本章中，共考訂了辟雍、合室、世室、大室、太室、太廟、清廟、陽館、衢室、重屋、總章、路寢、廣宗、玄堂、青陽、明廷、法宮、天府、靈府、五府等名義。

第三章「明堂功能考」，本章討論明堂的性質與功能，如祭祀、施政、頒朔等功能。作者以為祭祀功能和施政功能是明堂制度最主要的功能，至於居寢功能、頒朔功能，也是明堂制度實踐中常可見者，卻非最主要的功能，在更多情況下，是附屬於其他禮儀制度下的。

第四章「明堂起源考」，在本章中，作者探討了禮制的起源、禮制建築的起源、明堂禮的來源、明堂禮的前身等。

第五章「明堂形制考」，討論關於形制的來源、歷代明堂圖考、歷代明堂形式的演變史、形制與象徵意義等問題。

第六章「明堂禮儀程序考」，介紹歷代明堂祭祀儀式、明堂祭祀禮儀與郊祀禮儀之關係、明堂祭祀儀式中的職官、儀杖、法器、輿服。在國家後代禮儀中，最常與明堂禮儀相混者即為郊祀禮，故作者於本章中試圖釐清兩者間的關係，以為三代以後，明堂禮和郊祀禮才逐漸分開。（劉千惠）

《周代朝聘制度研究》

《周代朝聘制度研究》 李無未著 長春 吉林人民出版社 275頁 2005年4月

作者於二〇〇〇年在吉林大學古籍研究所呂紹剛教授指導之下完成博士論文，本書即其博士論文之修訂出版。

全書凡五章：首章「緒論」，分析了周代朝聘制度研究的意義、方法及材料，周代朝聘制度研究的歷史和現狀，以及朝聘的名稱、類別、性質等基本問題；次章「朝聘的產生與形成」，分別論述了堯舜禹與朝聘的產生、夏代的朝聘，以及商代的朝聘；第三章稽考「西周朝聘制度的」內容；第四章審察「春秋時期朝聘制度的衰變」情形；第五章檢視「戰國時期朝聘制度的破壞」狀況。書首有呂紹剛教授序文，書末附〈主要參考文獻〉、〈英文摘要〉與〈後記〉。

綜觀全書，除了對於朝聘制度研究的意義與方法，以及朝聘制度研究的材料與成果，有了詳盡的檢討與分析。同時，結合傳世史料與出土文獻的交互比對，對於朝聘制度之內涵與性質，以及朝聘制度之從產生、發展至衰變、破壞的歷程，也能有深入的考察與論述。

李無未教授，一九六〇年生，吉林敦化人。吉林大學歷史學博士，現任廈門大學中文系漢語言文字學專業教授、博士生導師。所著除本書外，另撰有《中國歷代賓禮》、《音韻文獻與音韻學史》、《漢語音韻學通論》等書。（黃智信）

《荀子禮學思想及其現代價值》

《荀子禮學思想及其現代價值》 高春花著 北京 人民出版社 258頁 2004年12月

本書作者於篇章之前先有導論一節，大致介紹本書的撰寫大綱，共分為本書的理論訴求和現實期待、研究方法、本書的主要內容等三大部分，在內容的介紹中，將書中各節重點摘出，分為荀子禮學思想的歷史文化背景、禮的產生、禮的價值、禮法關係、禮樂關係、禮的修養和教化、荀子禮學思想的歷史地位等七個部分，作為閱讀本書前的參考。

第一章「荀子禮學思想產生的前提」，分為政治制度前提、思想文化前提、時代課題要求等三個小節。

第二章「禮的產生」，此章探討荀子禮學思想中，禮所產生的原因，並將孟子與荀子人性論相比較，探討荀子性惡論的價值合理性。

第三章「禮的價值」，作者探討了禮的價值所在，只可分為社會理想價值、道德理想價值、社會政治價值、個體人生價值，並揭示了禮的價值之現代意義。

第四章「禮法關係」，此章討論荀子對於禮法關係的概念，其分為荀子關於法的概念及原則、禮本法末的價值觀念、禮法並用治國方略及禮法思想的現代價值各點。

第五章「禮樂關係」，此章討論荀子思想體系中，關於禮樂關係的概念，共分為荀子關於樂的起源和功能、美善相樂、美善相樂思想的現代價值三大部分。

第六章「禮的修養教化」，此章作者探討了的修養階段、禮的教化原則和方法、禮的修養教化思想之現代價值等問題。

第七章「荀子禮學思想的歷史地位」，作者討論了荀子禮學思想的政治貢獻及其榮辱興衰、荀子禮學思想的理論影響兩大課題。

高春花，現為河北大學馬列教研部教授，河北大學倫理學專業、馬克思主義理論與思想政治教育專業碩士生導師。主要從事倫理學、馬克思主義理論與思想政治教育的教學與研究工作。其於省級以上學術刊物發表論文三十餘篇，曾出版《道德問題研究》等六部著作。

（劉千惠）

《荀子禮學研究》

《荀子禮學研究》　陸建華著　合肥　安徽大學出版社　200頁　2004年12月

荀子對於中國思想有著重大的貢獻，其中禮學思想為其思想體系中重要之一環，本書即為系統的研究荀子禮學思想的專著。本書於引論中即點明討論的重點何在，其欲探討荀子對於禮的價值與意義、禮的發生與制作、禮的本質與歸屬、禮的認知與實踐，以及禮樂觀、禮法觀等問題。

第一章「荀子禮學產生的思想前提」，分為春秋時期禮學的誕生及戰國時期禮學的發展兩方面加以論述。

第二章「禮之價值論」，探討禮之政治價值、人生價值及形上價值等問題。

第三章「禮之發生論」，討論荀子禮學思想中，以為禮的存在根源為何。

第四章「禮之本質論」、第五章「禮為人之本質論」，此二章探討荀子所以為禮的本質及禮之於人的本質。

第六章「禮之認識論」，作者介紹荀子從認知層面試圖說明人有禮的根據，即通過論證人能夠並且應該認識禮而論證人可以獲得禮、擁有禮。

第七章「禮樂同構論」，討論荀子的禮樂觀。

第八章「隆禮重法論」，討論荀子思想中的禮法關係。

第九章「禮以解『弊』論」，此章探討荀子從禮學的立場，批判諸子學說之弊，指出諸子之弊在於違背禮樂。

在餘論中，作者探討了荀子禮學的定位問題，分為荀子禮學在荀子哲學中的地位及在先秦諸子禮學中的地位，以為荀子禮學為先秦諸子禮學中的集大成者。作者於附錄中又附上兩篇相關文章，一為〈荀子哲學結構論〉，另一為〈先秦儒家禮學的演變〉。殊為可惜者，作者於撰寫時少用臺灣相關研究資料，如陳飛龍先生的《荀子禮學之研究》和《孔孟荀禮學之研究》，此為美中不足。 （劉千惠）

《賈誼禮治思想研究》

《賈誼禮治思想研究》 唐雄山著 廣州 中山大學出版社 342頁 2005年9月

賈誼（西元前 200－前 168）是西漢著名的文學家與思想家。由於才能深受文帝的賞識，賈誼以為漢王朝建立已二十多年，天下安定，提出應該改正朔、易服色、定官名、興禮樂、更定法令等建議。他的主張雖最終未能在他得年僅三十三歲的短暫生命中完全得到落實，其禮學思想對於有漢一代的禮儀制度仍具有深遠的影響。

本書即是針對賈誼禮治思想展開論析之專著，係唐雄山先生在博士論文的基礎上修訂出版的，列為中山大學出版社《中國傳統治道叢書》中之一種。

全書各章安排如下：

引　言，

第一章「賈誼及其理想政治」，

第二章「賈誼論禮與道」，

第三章「禮與賈誼的民本論」，

第四章「禮與賈誼的君臣觀」，

第五章「禮與漢初者主要政治與社會問題的解決」，

第六章「賈誼論禮與法」，

第七章「實現禮治的根本保障：教育太子」，

餘　論

其中，引言與第一章可視為全書之緒論；第五、第七兩章，論述賈誼面對漢初現實問題所提出的解決之道；第一、二、三、四、六等五章，則分析賈誼禮治思想的內涵。除上述各章外，書首有黎紅雷教授〈中國傳統治道叢書總序〉，書末有〈參考文獻〉、附錄三種（〈重要文獻綜述〉、〈賈誼研究一百年〉、〈生活的兩個層面與先秦禮的演變〉）、〈結語〉與〈後記〉。

唐雄山先生，一九六四年生，湖南祁陽人。中山大學哲學博士，現任佛山科學技術學院副教授。所著除本書外，另著有《老莊人性思想的現代詮釋與重構》一書。

（黃智信）

《鄭玄以禮箋詩研究》

《鄭玄以禮箋詩研究》　梁錫鋒著　北京　學苑出版社　262 頁　2005 年 1 月

在本書一開始，作者即對「以禮箋《詩》」和「以《禮》箋《詩》」加以辨析，以為「以禮箋《詩》」乃是指鄭玄對《詩經》、《詩序》、《毛傳》中所涉及的禮儀加以箋釋和把禮義注入《詩》中；「以《禮》箋《詩》」則是指鄭玄用《三禮》中的相關內容，對《詩經》、《詩序》、《毛傳》進行解釋，本書即屬於前者，考察鄭玄以禮箋《箋》的學術淵源。

第一章、第二章為「鄭玄以禮箋《詩》的學術淵源」、「鄭玄以禮箋《詩》的思想基礎與學術基礎」。作者以為鄭玄學術淵源的遠源為孔子、孟子、荀子的相關《詩》學理論，近源則是《詩序》、《毛傳》、三家《詩》之以禮說《詩》。在思想基礎上，鄭玄主要是借此表達對社會的關注，欲以禮制重建社會秩序。於學術基礎方面，作者主要討論「禮是鄭學」之說和鄭玄禮學知識在以禮箋《詩》中的實際運用。

第三章「《詩》與禮的關係及鄭玄對《詩》與禮關係的認識」，作者於探討《詩》與禮的關係時，從《詩經》時代的禮制、《詩經》所反映的禮、《詩》禮樂三者的密切關係、外交賦《詩》等四方面加以考察。鄭玄對《詩》與禮關係的認識，主要體現在《詩譜》中，認為《詩》與禮乃是相輔相成的關係。

第四章「鄭玄以禮箋《詩》的體例」，共分為外在體式和內在體例。外在體式即鄭玄箋釋的對象，包括《詩經》、《詩序》、《毛傳》。內在體例即鄭玄箋釋的具體內容，包括改字、對禮儀的箋釋和以禮義注《詩》。

第五章「鄭玄對《詩》中禮儀的箋釋」及第六章「鄭玄以禮義注《詩》」為本書的重點部分。在這兩章中，探討了鄭玄對《詩經》、《詩序》、《毛傳》中的禮儀箋釋的角度與方法，鄭玄以哪些禮義注《詩》及方法。這裡所說的鄭玄以禮義注《詩》之「注」，並非注解、注釋之「注」，而是指鄭玄在注解《詩經》時注入禮義，其中共可分為政治方面的禮義、社會關係方面的禮義、個人修養方面的禮義。

第七章「鄭玄《詩箋》與其他著述的禮學矛盾以及由《詩箋》所引起的禮學爭論」，在此章中列舉了鄭玄《三禮注》與《詩箋》中若干禮學問題的矛盾，並探討造成矛盾之因。鄭玄注《三禮》時主用《齊詩》說，並非未見《毛詩》，而是當時未攜帶《毛詩》，故後來作《詩箋》時，自多用《毛詩》說，以致於《詩箋》與其他著述出現矛盾情況。在探討完矛盾之因後，作者又列舉鄭玄《詩箋》所引起的關於婚齡、婚期之爭論。

第八章「歷代對鄭玄以禮箋《詩》的批評和重新評價」，列述了歷代對鄭玄以禮箋《詩》之相關評議，並作出自己的評價。鄭玄以禮箋《詩》，歷代褒貶不一，但其學術影響力卻相當深遠，自六朝至清代諸多箋《詩》之作，多沿襲其傳統，作者以為其至今仍是我們解讀《詩經》時所必經之津梁。 （劉千惠）

《清代五服文獻概論》

《清代五服文獻概論》 鄧聲國著 北京 北京大學出版社 282頁 2005年2月

喪服研究為《儀禮》中相當重要的一環，皮錫瑞曾說「古禮最重喪服」。喪服制度體現了我國宗法倫理制度，對社會發揮了極深遠的影響，清代的禮學研究蓬勃發展，進入了禮學研究史上的另一高峰。關於「五服」制度的研究，也是禮學研究的一個重要組成部分，在清人關於禮學的討論中，自然有其重大成就。

本書作者的研究內容是探討清人文獻中關於「五服」的記載，其關注者乃是清人在研究〈喪服〉篇經文及其「五服」制度時的價值取向、詮釋觀、方法論、義例觀、整理視野以及研究成就等多方面的問題，以期反映清代「五服」制度研究的全貌。

本書於篇章之前先有「導論」一節，作者於此介紹本書的研究對象、研究內容、研究斷限、研究性質、研究價值、章節設置說明等，為閱讀時提供引導的方向。第一章為清前期的五服制度研究，主要討論汪琬、徐乾學、朱建子、孔繼汾等人對於五服制度的研究成果；第二章為清中期的五服制度研究，主要討論程瑤田、褚寅亮、崔述、凌曙等學者研究五服制度的成果；第三章為清後期的五服制度研究，主要討論吳嘉賓、夏燮、于鬯、張錫恭等人研究五服制度的成果。

第四章為「清儒『五服』制度制服原則及義例觀考論」，探討清儒五服制服原則考溯及五服義例觀之嬗變。在討論制服原則考溯時，主要以淩廷堪、夏炘、夏燮、鄭珍為例，揭示清儒對五服制度原則的重新詮釋。於討論五服義例觀之嬗變時，主要以盛世佐、江筠、章協夢、胡培翬、夏炘等學者為例，比較他們彼此關於五服義例研究的歸屬情況，並製成表格加以分析說明。

第五章為「清代『五服』研究的詮釋觀與詮釋方法」。在詮釋觀的討論中，分為清前期、清中期、清後期三個階段，介紹不同時期學者們詮釋觀的嬗變情形。在詮釋方法上，以為清儒所運用的方法共有：情義性詮禮法、經俗對比詮解法、《傳》、《記》申經法、語境推闡法、依《注》詮經法、因聲求義法等六種。

第六章「清儒〈喪服〉篇經傳整理概況」。在此章中，作者首先揭示清儒對於〈喪服〉篇作者、撰作年代及經、傳、記相混等相關問題的研究，再介紹清人對於〈喪服〉文獻校勘的成果。接著介紹〈喪服〉篇之輯佚匯纂及圍繞〈喪服〉篇經傳詮釋之歷代成果匯編，最後則主要討論馬國翰關於五服文獻輯佚的情況。

第七章「清儒〈喪服〉篇之文獻詮釋」，共分為凡例體、圖解體、箋疏體。在本書最後共有五小節附錄，分別為清人文集五服篇目索引、《讀禮通考》喪期、喪服目錄、《禮書綱目》喪服卷要目、《禮經本義》輯喪服條目、《儀禮經傳外編．喪服補》補輯喪服條目等五節。

鄧聲國，江西科技師範學院中國傳統文化研究所教授，主要從事古代漢語、古典文獻學以及傳統經學研究史的研究和教學工作。另出版《清代《儀禮》文獻研究》一書，並於學術期刊發表四十餘篇論文。（劉千惠）

《中國禮學在古代朝鮮的播遷》

《中國禮學在古代朝鮮的播遷》 彭林著 北京 北京大學出版社 350頁 2005年5月

本書作者有感於韓國受中國古禮浸潤之深，因此以「中國古禮在朝鮮半島的播遷和影響」為題，試圖描述從三國時代到朝鮮時代，中國禮學和禮制對朝鮮民族的影響。

第一章為「中國古禮在三國時代的初步傳播」，分作紀元前朝鮮半島的歷史文化、三國時代朝鮮半島的社會狀況、高句麗、百濟、新羅與中國的交往三節。

第二章「高麗時代的禮制」，共分為十二小節，討論高麗與中國的交往、成宗制禮、高麗禮制格局的形成、祭祀天神地祇、祭祖、喪服與國恤、文廟祭祀、軍禮、賓禮與冕服制度、嘉禮、佛教的興盛與禮制的衰落、高麗禮制檢討等議題。

第三章「論《朱子家禮》在朝鮮時代的播遷」，共分為六節，探討朱熹與《家禮》、《家禮》的東傳、《家禮》之研究、《家禮》的普及與推廣、《家禮》的朝鮮化、朝鮮儒林家庭禮儀的規範化等課題。

第五章「《經國大典》與朝鮮時代的職官禮」、第六章「《國朝五禮儀》與朝鮮禮儀制度的確立」主要討論朝鮮時代《經國大典》與《國朝五禮儀》這兩套國家典制規範。

第七章「乾嘉時期朝鮮學者的燕行」，主要介紹乾嘉時代，曾到中國訪問的朝鮮學者，如洪大容、樸齊家等，且這些學者又對朝鮮產生什麼影響。第八章「朝鮮時代的禮訟」，探討在朝鮮時代，於宗法制度下，因王位繼承的正統性、喪服等差、宗室勛戚的封號等禮儀問題所引起的爭訟。

第九章「寒風鄭逑《五先生禮說》初探」，介紹鄭逑其人與《五先生禮說》一書，表明其為宋儒禮學思想在朝鮮半島之傳播，及使中國古禮朝鮮化的關鍵。

第十章至十二章皆是探討朝鮮禮學集大成之學者丁鏞（茶山）。總計討論丁茶山禮學與清人禮學之比較、茶山禮學之特點、茶山之考據學等三大部分，經由作者的分析，從中可以得知茶山其學之廣博與無所不窺，且藉由討論茶山禮學與考據學，也可間接比較中韓兩國禮學、考據學之異。（劉千惠）

《敦煌寫卷春秋經傳集解校證》

《敦煌寫卷春秋經傳集解校證》　李索著　北京　中國社會科學出版社　414頁　2005年8月

自一九〇〇年敦煌文獻發現之日起，百年以來敦煌學成為最熱門的顯學，然而直至上世紀下半葉，英、法、俄、日等國陸續將所藏敦煌寫卷刊印公布以後，敦煌學才真正得以蓬勃發展。二十世紀上半葉，學者多致力於寫本殘卷的拼合、寫卷年代的考證及寫本俗字的辨識，這三項工作，為日後敦煌學研究，奠定了堅實的基礎。

比起敦煌俗文學或社會、經濟、文化等方面的研究，敦煌文獻中所保存的近千件、一百餘種中國傳統典籍，顯然沒能得到應有的重視，杜預《春秋經傳集解》殘卷便是當中最顯著的例子。本書作者在考察英、法、俄及北京圖書館所藏《春秋經傳集解》殘卷後，總計出尚存殘本三十七件，內容涵蓋桓、僖、文、宣、成、襄、昭、定、哀九公；更將出土殘本與阮刻《十三經注疏》本及《四部叢刊》所收宋巾箱本相比勘，校得異文 5800 條，對於恢復《左傳》及杜《注》原貌，補正段玉裁《春秋左氏古經》誤說，有莫大的價值。本書唯一的不足，是作者長期受簡化字的影響，因此全書之中，時常出現繁簡轉化不一致的問題。此外，對於寫本與阮刻本、《四部叢刊》本異文的考訂，校語過於繁瑣，往往前文經見之校語，後文一再重出，似可稍作剪裁。

李索，一九五四年生，河北辛集人，漢語言文字學專業博士、教授，碩士研究生導師。致力於上古漢語語義、語法、修辭的綜合探討和對敦煌寫本儒學文獻的校理研究，發表相關學術論文近五十篇，另有《古代漢語修辭學》等著作六種。

（黃智明）

《春秋左氏傳舊注疏證續》

《春秋左氏傳舊注疏證續》 吳靜安撰 長春 東北師範大學出版社 2004年2月 全4冊 2310頁

本書為清人劉文淇一門未完成的研究著作：《春秋左氏傳舊注疏證》的續著。其撰作緣起於〔清〕道光八年（西元 1828 年），劉文淇、劉寶楠、梅植之、包慎言、柳興恩、陳立等學者同赴南京應試，論及《十三經注疏》不能令人滿意之處，特別是對唐宋舊疏有頗多意見，遂商定各自另作新疏，其中《左傳》由劉文淇負責。劉文淇精研古籍，尤其致力於《左氏學》的研究，《春秋左氏傳舊注疏證》歷經劉文淇（1789－1856）、其子劉毓崧（1818－1867）乃至劉毓崧長子劉壽曾（1838－1882）繼承祖、父遺志，以述事為己任，撰述《春秋左氏傳舊注疏證》至襄公五年而卒。一門三世，歷經百年，僅存稿本，未有完書。稿本收藏於上海歷史文獻圖書館，並於 1959 年，由北京科學出版社重新整理出版。

劉文淇的《春秋左氏傳舊注疏證》先列《左傳》原文，將舊注（指賈逵、鄭玄、服虔等人所注）列於相關語句之下，然後加以疏證，若無舊注，方直接加以疏證。本書最大的成就是集《左傳》舊注之大成，在疏證時更廣徵博引，對於清代學者的研究成果皆盡力採錄。部分疑難問題，更直接向同時期的經學大家請益，書中對於典章制度、服飾器物、姓氏地理、古曆天算、日食晦朔、鳥獸蟲魚等，皆詳加訓釋，充分體現出清代考據學的成就，為後人研究《左傳》的重要參考書。

吳靜安，與劉文淇同為江蘇省儀徵縣人。1915 年生。其伯父吳遐白、父親吳粹一均從學於劉氏門下，劉文淇的曾孫劉師蒼（壽曾之子）和劉師培（貴曾之子），都是他們的老師，而吳靜安早年隨伯父吳遐白學習，承受儀徵劉氏的學風，幼年即攻讀《左傳》，飽讀經史。之後入浙江大學、中央研究院學習，自 1936 年以來，先後寫成《廣春秋世族譜》、《春秋地名今釋》、《三傳徵禮》、《春秋地名解詁補》、《世本集解》、《紀年集解》，為《春秋左氏傳舊注疏證續》的寫作做了充分的準備。下放農村勞動期間，日夜爬梳整理，從襄公六年起，到哀公二十七年止，凡一百年，計輯錄舊注五十餘家，疏證一百八十餘家，其個人心得亦附錄於後，匯輯成《春秋左氏傳舊注疏證續》，在整理出版的過程中，因吳靜安先生年事已高，且雙目失明，由吉林大學先秦史專家黃中業教授審校六次。劉文淇的《春秋左氏傳舊注疏證》，遂得以完整流傳。

本書沿襲劉文淇的原作體例，疏、注兼治，以漢注為宗，在疏證過程中，重點放在訓詁名物典章，在學術界形成舊注與杜注並列的局面，對《左傳》的研究有重大貢獻。

（張穩蘋）

《西漢公羊學研究》

《西漢公羊學研究》　張端穗著　臺北　文津出版社　362 頁　2005 年 3 月

《春秋公羊傳》是西漢中期最受帝國君臣看重的一部經典，它曾被譽為漢帝國的立國憲章。《春秋公羊傳》為何可以發揮這麼大的影響力呢？本書試圖從思想史研究的角度較深入客觀地回答此一問題。書中主文共收四篇論文。第一、二篇〈《春秋公羊傳》崇讓觀之內涵、緣起及意義〉、〈《春秋公羊傳》經權觀之內涵、緣起及意義〉，這兩篇分析《公羊傳》中之崇讓觀、經權觀之內涵，及其與西漢立國時之政治制度、社會結構、時事變化之間的關係；第三篇〈董仲舒《春秋繁露》中經權觀念之內涵及意義〉，分析公羊學大師董仲舒《春秋繁露》中經權觀之內涵及其歷史意義；第四篇〈西漢武帝時期經學首重《春秋經》之原由——從先秦漢初歷史意識發展之角度所做的考察〉，則是探索董仲舒對《春秋經》政治倫理所具備之歷史性之詮釋，及其歷史意義。透過這四篇之分析，當可對西漢中期公羊學流行之原因有一客觀之理解，對公羊學家的努力成果有一同情之諒解。本書並因限於書名所劃定之範圍，把作者另一篇《公羊傳》相關文章〈《春秋公羊傳》經權觀的歷代理解及其意義〉收入附錄。

張端穗，東海大學中文系，美國印第安那大學東亞系碩士。現任東海大學中文系副教授，教授中國思想史、先秦諸子課程。撰有《左傳思想探微》一書。

（廖秋滿）

《趙岐 朱熹《孟子》注釋傳意研究》

《趙岐 朱熹《孟子》注釋傳意研究》 杜敏著 北京 中國社會科學出版社 360頁 2004年12月

此書是作者在博士論文基礎上修訂而成的著作，論文分別對趙岐《孟子章句》與朱熹《孟子集注》的注釋文本所傳之意進行分類比較，分別指出趙岐注釋文本和朱熹注釋文本各自的特色，總結影響趙岐和朱熹注釋傳意的因素，對典籍注釋傳意研究的一些理論問題提出許多新的看法、新的觀點。

典籍注釋是傳承古代思想和文化的行為，也是重要的語言應用行為，現在已成為多個學科關注的對象。對典籍注釋的研究目前已在哲學、文學等多個領域展開，其中接受美學、哲學解釋學，近年來快速發展，其研究已顯示出了積極的促進作用。語言學領域對典籍注釋的研究如何才能取得更為深入而不斷的發展，這是一個很值得探討的重要問題。正是在這樣背景之下，作者嘗試從訓詁學與傳意語言學相交叉的角度，選取漢代趙岐《孟子章句》與宋代朱熹《孟子集注》進行比較研究，通過分析二者所傳之意的相同點與差異點，所傳之意的特點，尋找形成這種狀況的根本原因，進而探討典籍注釋文本各種信息的積淀與判定，典籍注釋的目標與評論等理論問題。

之所以從兩學科交叉的角度來分析典籍注釋的行為，其一，因為訓詁學與傳意語言學都以意義為對象，均研究意義的溝通問題，都以語言為工具，探討語言文字符號在意義溝通中的作用與功能，都十分關注傳意的結果。這些相通處，使得兩學科的交叉具有可能性。其二，交叉的視角對於兩學科的發展均會產生促進作用。不僅可以使語言傳意研究將眼光投向歷時性的傳意行為上來，豐富目前語言傳意研究的對象；而且可以深化典籍注釋的研究而去找尋典籍注釋行為構成的基本要素、影響注釋行為的諸多因素，進而探討典籍注釋傳意的基本規律，以及如何識別與利用歷代典籍注釋文本積澱的各種信息。

此書經由訓詁學與語言傳意學相交叉這樣的角度來研究典籍注釋行為，相當具有創造性，對於以往的典籍注釋研究來說，無論在視角與方法論上都是一種創新，當產生一定的作用，有益於學術的發展。

杜敏，1966 年生，陝西西安人。2001 年師從北京大學王寧教授學習，2004 年獲博士學位。現為《陝西師範大學學報》編輯部副編輯。曾在《北京師範大學學報》、《吉林大學社會科學學報》、《武漢大學學報》等刊物發表文章三十多篇。

（廖秋滿）

《讀論語的方法學》

《讀論語的方法學》 東方橋編著 臺北 玄同文化事業有限公司 538 頁 2004 年 7 月

本書主要敘述孔子一生的史蹟，他有弟子三千人，賢者七十二人。他帶領弟子周遊列國，宣揚他的哲學思想及政治理想等等，他是仰之彌高、鑽之彌堅、瞻之在前、忽焉在後的至聖先師，但他也是芸芸眾生中的其中之一，他的最終極理想是在暮春三月，春服既成，冠者五六人，童子六七人，浴乎沂，風舞雩，詠而歸。本書的編著目的，即是介紹孔子的理想，也希望讓這理想能實現，用於個人用於家庭，用於國家，用於全世界，用於全人類。本書內容分為三卷，卷一為概論，章節大綱第一章「孔子是誰」，第二章「孔子的理想政治哲學」，第三章「孔子的教育哲學」，第四章「孔子的經濟哲學」，第五章「孔子的人生哲學」；卷二為論語前十篇內容分析歸納；卷三為論語後十篇內容分析歸納。全書以淺顯易懂文句組合，將孔子的一生經歷、政治理想、學術思想、生命哲學、《論語》篇章作一全面完整介紹，是一本適合一般性閱讀，對孔子其人、其弟子及《論語》有所認識的書。

（洪楷萱）

《《論語》《孟子》辭典》

《《論語》《孟子》辭典》 王世舜、韓慕君、王文清編著 濟南 山東教育出版社 527 頁 2004 年 12 月

《《論語》《孟子》辭典》一書為《先秦要籍辭典》叢書之一，此叢書是將歷代中具有代表性的作品和文獻編寫成專書辭典，然後在專書辭典的基礎上編寫成不同時代的斷代辭典，希望以文獻語言學的角度提供更深入了解中國古代文化的基礎。先秦時代既是文獻語言學的早期階段，又是我國古代文化的源頭，從研究語源學的角度，尤其從研究我國古代文化根源的角度看，編纂《先秦要籍辭典》叢書的意義相當重大深遠。

《先秦要籍辭典》叢書先後出版《詩經辭典》、《老莊辭典》、《楚詞辭典》、《《論語》《孟子》辭典》、《列子辭典》、《商君書辭典》、《春秋公羊傳辭典》，以專書為單位，將專書中的全部詞語，按詞立目，根據當時的使用情況加以區分義項，按照本義（或較早的意義）、引申義、假借義、比喻義等次序加以排列，每一義項下以其在專書中出現的先後為序開列全部用例。從義項的排列中力求理清詞義的源流演變；從全部用例中力求反應出每個詞在專書中使用情況的全貌，並以此為據，力求準確地劃定每個詞所有義項的義界。

《《論語》《孟子》辭典》以《論語》、《孟子》二本專書為中心，以釋詞為主要任務，收錄《論語》、《孟子》中的全部單字、單音詞，兼收意義不可分割的複音詞和結構穩定、使用頻率較高的詞組。總計《論語》收到條目 2820 條，按音序排列字頭 1419 個，按筆畫排列字頭 1354 個；《孟子》收列條目 3919 條，按音序排列字頭 1997 個，按筆畫排列字頭 1887 個。此辭書對於探討《論語》、《孟子》二書中詞彙產生、詞義引伸和演變，以及古籍閱讀、注釋和整理皆提供相當參考價值。 （廖秋滿）

《四書解讀辭典》

《四書解讀辭典》 蔡希勤編著 北京 中華書局 586 頁 2005 年

《論語》、《大學》、《中庸》、《孟子》是我國中國傳統文化儒家學說的經典，雖篇幅短小，但內容宏富，言簡意賅，思想博大精深，記載了中國古代的典章文物、歷史資料等，論述了儒家的哲學觀點、政治思想、倫理觀念和教育原理，後來更成為學校的教科書和科舉取士的考試內容。然而時空的遞嬗，語言文字的不斷改變，對許多人而言，四書成為難懂的天書，誠如朱自清〈經典常談・序〉：「一般人往往望而生畏，結果是敬而遠之。」本辭典最主要的特點是完全可以使沒有任何古漢語基礎讀者借助這部工具書讀通四書，了解其中飽含古聖先賢的睿智思想，及富有啟發價值的佳句名篇。本書要點如下：

㈠共收錄《論語》、《大學》、《中庸》、《孟子》中詞語四千八百餘條，其中除直接錄自四書原句外，個別詞是由原話演化而成，如「子不語怪」。

㈡辭典正文按音序編排，同因字按筆畫多少排列，同筆畫按筆形「橫」、「豎」、「撇」、「點」、「折」，順序排列。

㈢為檢索方便，除列有音序檢字索引外，還編有筆畫檢字表、人名索引、箴言名句索引。

㈣對每個詞語：⑴先注明漢語拼音；⑵解釋詞義（對詞義的解釋限於四書的實用範圍）；⑶舉出該詞語在四書中的出處；⑷在原文後附現代譯文；⑸在該條最後簡單說明詞義在流行中發生的變化。

㈤字形採用現代規範字形，字旁保留古音古注。

㈥出自《論語》、《孟子》的保留該詞語見於中華書局所出楊伯峻《論語譯注》、《孟子譯注》所標章次。

㈦「箴言名句」前標以「*」，句下注明出處，作出今譯，但不予注釋。

（洪楷萱）

我讀《論語》

我讀《論語》　趙又春著　長沙　岳麓書社　439 頁　2005 年 10 月

本書的寫作緣起是作者讀李澤厚先生《論語今讀》之後而作，有三個特點：㈠篇章編排順序，不同於其他按原著篇章逐章注釋翻譯者，依照「內容分類」作編排處理，優點在於助於讀者了解《論語》全貌。另外，對尚未把《論語》讀熟的研究者有資料整理的作用。㈡對每一章，本書採取原文後面寫一小篇「隨筆」或「札記」，夾述夾議，把對原文文字、語法的詮釋，內容、義理的闡述及對別人理解的批評融為一體，因而雖未專作注釋，卻能以不同的方式幫助一般讀者掃除文字障礙，直接了解原文，加上不同理解的辨析，亦能啟發讀者，因而產生自己獨特的見解。㈢對歷來《論語》的著作，本書僅涉及康有為《論語注》、錢穆《論語新解》、楊伯峻《論語譯注》和李澤厚《論語今讀》四書，其中對楊伯峻和李澤厚的翻譯多所批評。

本書的主要目的在於對《論語》作出正確合理的解釋，換言之，即達到對孔子原意的準確把握，因而除了對文本的精確掌握外，也儘可能進行背景資料的認釋了解，並且掌握對原文字句漢語法說的過去、使全章意思具有邏輯性、不和《論語》其他章句說法牴觸三個條件，以求解釋上的「達詁」。 （洪楷萱）

《論語讀詮》

《論語讀詮》 丁紀著 成都 巴蜀書社 532頁 2005年11月

本書共二十篇、四百九十八章，篇目下標明該篇章數、字數。各章內容包括「經文」、「注解」、「臆講」三部分，經文採用朱子集注本原文，注解則宗主朱子，然又參酌諸家說法，其間多能有所變通之處，臆講雖出作者己意，但仍然以體乎文理要求為主，不標榜主觀，不務求新奇，其中指點前後互見，是取「一以貫之」之用心。注釋、臆講兩部分行文採用淺近文言表述。本書的背後預設，認為《論語》非識字書、掌故書、文學書，是一本道理書，因而讀《論語》的方法在「通」，必須一以貫之，不能有絲毫割裂；了解《論語》的道理，要旨在「透」，必須前後互見，進而能夠以古鑒今，將其中的道理隨時代的改變並內化成為現今適用之道，而本書即是引領讀者通透《論語》之作。

文前作者序文〈作為讀者和作為解釋者〉，是一篇富有參考價值的文章，全文共分作三部分，第一部分闡述閱讀經典時，如何作一個完美的讀者和詮釋者；第二部分從程頤、程顥語錄中歸納出讀《論語》的方法：㈠通讀、㈡誦讀、㈢默識玩味、㈣改易與涵養氣質、㈤見聖人先得我心、㈥知曉文義、㈦切己領會道理、㈧《論語》之外無理、無物；第三部分則是對本書作扼要說明。

丁紀（丁元軍），山東省人，生於遼寧旅順。1985 年前後開始詩歌寫作，1990 年開始哲學學習與研究。主要研究方向為儒家哲學、中國哲學史、倫理學，現任四川大學哲學系副教授。 （洪楷萱）

《元代論語學考述》

《元代論語學考述》 廖雲仙著 臺北 新文豐出版公司 618頁 2005年4月

元代經學一向不為經學史學家所重，相對於其他朝代，研究者較少，研究成果也較缺乏，本書作者將元代《論語》類著作，仔細研讀書中內容，掌握其間說解特色、明白著作的淵源與影響，並了解作者的生平與動向，然後評判其在經學史上的地位。

本書共分四部：緒論、上編總論、下編分論、結論。緒論敘述《論語》一書的流傳寫定狀況、元以前諸家注疏、各經學史的評價論斷，以及前賢的研究成果等，作一概略的觀察。上編總論凡二章，第一章〈朱子《四書集注》興盛於元代的原因〉，由朱子《集注》的嚴謹精粹、宋元諸儒一脈相傳的師承關係、元儒尊奉《四書》以為立身治學之基，和帝王的獎勵提倡等四個方向，申論《四書集注》之所以大興於元代的原因。第二章〈元代《論語》類著述考略〉，則據諸家志目所著錄者，將元代《論語》類著述分成六大類：㈠以朱詁朱之屬；㈡發明朱子《集注》義理之屬；㈢補充朱子《集注》訓詁考證之屬；㈣舉業之屬；㈤與朱子《集注》立異之屬；㈥附錄：不知宗派者。除了考證元代學者《論語》類著述及其存佚狀況、注明書籍所在叢書、文集外，且選錄分析序跋及相關評論，並附作者生平於後。藉以了解元代《論語》類著作的源委、特色，與夫學者的出處動向。下編分論凡八章，分別就陳天祥《論語辨疑》、金履祥《論語集註考證》、劉因《論語集義精要》、胡炳文《論語通》、許謙《讀論語叢說》、史伯璿《論語管窺》、倪士毅《論語輯釋》、王充耘《論語經疑貫通》，凡八家，依其年代先後，作較深入的探索。文中先敘述作者生平，其次對其書體例、著作特色、淵源影響等，均以實例徵明說解，每章之末並加結語以總結全章。末為結論，總述有元一代《論語》學的成果。由於元代諸儒以視朱注猶經的態度，尊獨朱子之書，於是《論語集注》得以彰明，元代朱子之學亦因之而確立。惟元儒不僅止於墨守朱學而已，也有發明深化、補其未備之功。而且，由諸儒對前人著作再作修正、訂補、刪撮、增損，不僅可見元儒讀古書，講實學的治學態度，也可以窺見元代《論語》學長河的廣度與深度，精緻與華美。

廖雲仙，東海大學中文研究所博士，現任國立勤益技術學院專任教授。著有《虞夏商書斠理》、《周書斠理》、《元代論語學研究》。 （廖秋滿）

《主思的理學：王夫之的四書學思想》

《主思的理學：王夫之的四書學思想》 季蒙著 廣州 廣東高等教育出版社 302頁 2005年12月

《主思的理學：王夫之的四書學思想》是一部不同於其他王夫之研究的書，同時也是一部獨特的理學研究專著。本書雖然是王夫之的四書學思想研究，但同時也是對理學問題進行考察，在研究方法上突破窠臼採用名學方法，避開現代中國思想學說借用西學研究國學、馬克思主義唯物、唯心論詮釋國學的兩種潮流，通過開發中國傳統學術方法本身的資源，來還治傳統中國學問。較為突出的特點有三點：㈠闢除種種玄學詩語及外附闡述模式，溯本還原，廓清迷障。㈡從先秦原儒教義至明清思想丕變，顯示過人的理論穿透力。㈢說儒及佛、說儒及道，論古及今，表現卓越的歷史洞察能力。

季蒙，1972 年生，祖籍徽州。浙江大學文學博士。在東景南教授指導下撰成本書。2000 年入蘇州大學人文學院，隨錢仲聯教授做博士後研究，撰《沈曾植詩案》。2002 年到復旦大學哲學系流動站，隨謝遐齡教授研究，撰《周易思想體例》。2004 年調入同濟大學哲學系任教，撰《先秦思想史稿》。歷來在刊物上發表論文數十篇。

（洪楷萱）

《緯史論微》

《緯史論微》 姜忠奎著，黃曙輝、印曉峰點校 上海 上海書店 475頁 2005年6月

姜忠奎，字叔明，號韡齋，山東榮成人。生於光緒二十二年（1896），卒於一九四五年，年五十。北平大學中文系畢業，歷任中州中學、山東大學及北平大學等校教職。著有《荀子性善證》、《六書述義》、《說文聲轉表》、《說文轉注攷》、《緯史論微》等書。

所著《緯史論微》十二卷，於一九三四年撰成，翌年石印行世。此書與清人蔣清翊《緯學源流興廢考》三卷，並列早期系統研究讖緯源流的兩部最為重要之專著。姜書正文以駢文行之，綜述讖緯之淵源與流變；正文之下，復博引群籍，自為疏證。論其精博，實有過於蔣書。惟全書只分卷第，既無篇目，亦未釐析章節，檢閱多有不便。北京圖書館出版社於一九九六年據一九三五年石印本《緯史論微》重印出版時，鍾肇鵬先生為之撰寫〈前言〉，為利於略見全書之梗概，曾將各卷內容簡要概括如下：

卷一、述讖緯的名義、起源及其評價，

卷二、述上古巫祝卜史之職，

卷三、述兩周及春秋時史卜巫醫及禨祥徵兆，

卷四、述戰國秦漢間之陰陽家與方士及秦皇漢武之迷信神仙，

卷五、述兩漢經學與緯學之關係及甘忠可、夏賀良等方士，

卷六、述王莽利用讖緯及東漢讖緯之興盛，

卷七、述漢末三國之讖緯學，

卷八、述三國兩晉之醫卜星相等方術，查禁讖緯及讖緯流入道教之概況，

卷九、述東晉南北朝之讖緯學及讖緯與佛道之關係，

卷十、述隋唐以來通讖緯者及查禁讖緯之概況，

卷十一、述讖緯為道教所吸取及其影響，明清以來讖緯的輯佚及研究緯學者，

卷十二、論述讖緯的價值。

黃曙輝、印曉峰兩先生取《緯史論微》石印本整理點校，並將會稽徐氏鑄學齋抄本《緯學源流興廢考》一併點校，附於姜書之後，且撰〈整理弁言〉列於全書之前，頗便於學者之觀覽。（黃智信）

《宋代古音學與吳棫詩補音研究》

《宋代古音學與吳棫詩補音研究》　張民權　北京　商務印書館　443頁　2005年5月

古音學研究，以清代為最盛，而不能不遠溯於宋儒。宋代古音學研究，奠基於吳棫。棫著《詩補音》，其書久佚，王質《詩總聞》、朱子《詩集傳》、楊簡《慈湖詩傳》頗採其說，成為研究吳棫古音學說最直接的根據。

張民權先生此書，分上、下兩編，上編「宋代古音學研究」，析分七章，首章論宋代古音學的建立與發展。第二章，詳論以鄭庠、項安世、程迥、趙共甫、馮椅

等以文獻考據為主的古音研究。第三章，詳論以朱熹、方崧卿、王應麟等以叶音注釋為本體的古音研究。第四章，論宋儒著述中有關古音問題的討論。第五章，論宋代古音學的歷史地位。第六章，論吳棫《詩補音》的著述與古今音系問題。第七章，為吳棫生平事跡之考證。下編「吳棫《詩補音》彙考校注」，以楊簡《慈湖詩傳》所引《詩補音》為基礎，以王質《詩總聞》、朱子《詩集傳》二書音釋為旁證，宋儒其他著述間有援引《詩補音》，可與楊書相印證者，亦置於彙考之下。又根據宋人記載，吳棫《詩補音》原書編寫方式應包括「叶韻」與「補音」兩部，「叶韻」主要是在韻句下標注韻例或協讀音，「補音」主要是從文獻上考證《詩經》古音，兩者相輔相成。然而原書既不可得見，故本書僅能照錄《詩經》原文，就「補音」部分加以考證，無法標注「叶韻」。書末附有參考文獻，自唐人陸德明《經典釋文》、顏師古《漢書注》、《匡謬正俗》、《急就章注》、李賢《後漢書注》，李善及五臣《文選注》、孔穎達《毛詩正義》及新出土的《詩經》、《楚辭》、《文選注》等相關音釋資料，以至於宋元明清學者所撰韻書、韻圖、文集、類書、筆記、方志、音學著述等資料，莫不包覽無遺，取為資糧。書前魯國堯先生序，稱此書自始至成，幾歷十載，然而「彙考校注」，可歷十年百年而長存，殆非虛美之詞。

張民權，一九五七年生，江西南昌人。自小在家務農，做過小學和中學教師。自一九九一年起，就讀於南昌大學和南京大學，分別獲得文學碩士和博士。一九九八年進入北京師範大學博士後流動站工作。現為北京廣播學院副教授，碩士生導師。主要從事漢語音韻學史的研究，發表相關論論二十餘篇，著有《清代前期古音學研究》。

（黃智明）

《黃侃小學述評》

《黃侃小學述評》 黃孝德 武昌 武漢大學出版社 175頁 2005年10月

黃侃（1886－1935）為清末民初著名的文字、音韻、訓詁學家，與其師章太炎，不僅是傳統語言文字之學的集大成者，也是西學東漸之後，新的漢語語言文字之學的開拓者。他們的治學方法和途徑，自成一體，被後人譽為「章黃學派」。

黃侃生平學說，大多以講稿方式呈現，雖非長篇巨制，但言簡意賅，博大精深，經後人整理而成者，有《黃侃國學文集》、《黃侃國學講義錄》、《黃侃日記》、《黃侃論學雜著》、《文字聲韻訓詁筆記》、《說文箋識四種》、《廣韻校錄》、《爾雅音訓》、《黃侃手批爾雅正名》、《黃侃手批廣韻》、《黃侃手批十三經白文》、《黃侃手批爾雅義疏》、《黃侃手批說文解字》、《黃侃音韻學未刊稿》、《說文平點》、《字正初編》等。後人研究，撰集為專書者，則有葉賢恩的《黃侃傳》，金泰成的《黃侃古音學之研究》，鄭遠漢主編的《黃侃學術研究》，中國海峽兩岸黃侃學術研討會籌備委員會編的《海峽兩岸黃侃學術研討會論文集》，司馬朝軍、王文暉合撰的《黃侃年譜》，黃季剛先生誕生一百週年和逝世五十週年紀念委員會編的《量守廬學記：黃侃的生平和學術》。

本書為二十世紀八十年代作者在武漢大學中文系對攻讀漢語史的研究生撰寫的講稿，內容包含兩個部分：一、介紹黃侃有關小學的論述，二、本書編者對黃氏論述的評論。全書共計四章：首章談黃侃對小學的一般理論，第二、三、四章，評述黃侃有關文字、音韻、訓詁的相關理論。文字深入淺出，頗便初學。書末附錄三篇：〈黃侃的字書見解和古漢語詳解辭書的編寫〉，探討黃侃有關字典編制方面的論述。〈絕學傳薪有後人——祭掃蘄春黃君墓紀實〉，表達對黃侃愛國精神及治學態度的景仰。〈黃侃生平和主要學術經歷〉，有助讀者了解黃侃治學經歷與生平事跡。

黃孝德，一九三四年生，湖南平江縣人。一九五六年考入武漢大學俄羅斯語言文學系，一九六二年畢業於武漢大學中國語言文學系。師從著名國師大學劉賾教授及黃焯教授。歷任武漢大學中文系助教、講師、副教授、教授。著有《訓詁學初稿》、《晚晴酬唱集》、《敝帚自珍集》等，另有學術論文、詩詞、游記、散文等文學作品一百多萬字。

（黃智明）

《經學研究論叢》撰稿格式

本《論叢》爲方便編輯作業，謹訂下列撰稿格式：

一、章節使用符號，依一、㈠、1.、⑴……等順序表示。

二、使用新式標點，以 Word 全形標點符號表爲主。如刪節號爲……，書名號爲《 》，篇名號爲〈 〉，書名和篇名連用時，以「・」斷開。如《詩經・小雅・鹿鳴》。

三、用語句所用括號，外括號用「 」表示，有內括號時，用『 』表示。

四、獨立引文，每行低三格。

五、論文之體例，請依下列格式：

㈠人名生卒年

吳澄（1249－1333）

㈡年代時間

1.正德戊寅十三年（1518）

2.西元 1999 年

3.民國八十九年十月十七日

㈢古籍卷數

《王陽明全集》第二十六卷

六、注釋之體例，請依下列格式：

㈠注釋號碼請用阿拉伯數字標示，如❶，❷，❸，……。

㈡以隨頁註方式，採用 Word「插入」工具中之註腳表示。

㈢引用古籍

1.古籍原刻本

〔明〕梅鷟：《尙書考異》（清嘉慶十九年刊《平津館叢書》本），卷 1，頁 4。

2.古籍影印本

〔明〕羅欽順：《整菴存稿》（臺北：臺灣商務印書館，1983 年影印清乾隆年間寫《文淵閣四庫全書》本，第1261冊），卷5，頁63。

㈣引用專書

王夢鷗：《禮記校證》（臺北：藝文印書館，1976年12月），頁102。

㈤引用論文

1.期刊論文

屈萬里：〈宋人疑經的風氣〉，《大陸雜誌》第29卷第3期（1964年8月），頁23－25。

2.論文集論文

侯外廬：〈吳澄的道統論與經學〉，林慶彰主編：《中國經學史論文選集》（臺北：文史哲出版社，1993年3月），下冊，頁293。

3.學位論文

張以仁：《國語研究》（臺北：臺灣大學中國文學研究所碩士論文，1958年），頁201。

4.報紙論文

丁邦新：〈國內漢學研究的方向和問題〉，《中央日報》，1988年4月2日。

㈥再次徵引

1.再次徵引時，可用簡單方式處理，如：

❶ 程元敏：〈書疑考〉，《書目季刊》第6卷3、4期合刊（1971年6月），頁93。

❷ 同前註。

❸ 同前註，頁98。

2.如果再次徵引的註，不接續，可用下列方式表示：

❹ 同註❶，頁96。

七、投稿方式

㈠逕交或寄送（以下二處擇一）

1.[106] 臺北市大安區和平東路一段198號

臺灣學生書局經學研究論叢編輯部

2.[115] 臺北市南港區研究院路二段 128 號

中央研究院中國文哲研究所清代經學研究室

3.來稿請以電腦中文打字，並附上磁片。

㈡或以電子郵件寄送至以下位址：

wenpinga@gate.sinica.edu.tw

請在「主旨」中註明「經學研究論叢投稿稿件」。

國家圖書館出版品預行編目資料

經學研究論叢．第十四輯

林慶彰主編.— 初版.—臺北市：臺灣學生，
2006[民 95]
面；公分

ISBN 978-957-15-1344-7 (平裝)

1. 經學 － 論文，講詞等

090.7　　96002446

經學研究論叢．第十四輯 (全一冊)

主編者：林慶彰
責任編輯：張穩蘋・黃智明
出版者：臺灣學生書局有限公司
發行人：盧保宏
發行所：臺灣學生書局有限公司
臺北市和平東路一段一九八號
郵政劃撥帳號00024668號
電話：(02)23634156
傳真：(02)23636334
E-mail：student.book@msa.hinet.net
http：//www.studentbooks.com.tw

本書局登記證字號：行政院新聞局局版北市業字第玖捌壹號

印刷所：宏輝彩色印刷公司
中和市永和路三六三巷四二號
電話：(02)22268853

定價：平裝新臺幣五〇〇元

西元二〇〇六年十二月初版

09014

ISBN 978-957-15-1344-7 (平裝)